Méditations quotidiennes pour adultes
N'OUBLIONS PAS
LE Passé
George R. Knight

IADPA

N'oublions pas le passé
Traduit de l'ouvrage en anglais :
Lest we Forget

IADPA

Inter-American Division Publishing Association®
Maison d'édition interaméricaine
2905 NW 87 Avenue, Doral, Floride, 33172 États-Unis d'Amérique
téléphone. 305 599 0037 – fax 305 592 8999
mail@iadpa.org – www.iadpa.org
Président : **Pablo Perla**
Vice-président éditorial : **Francesc X. Gelabert**
Vice-président de la production : **Daniel Medina**
Vice-présidente du service client : **Ana L. Rodríguez**
Vice-présidente des finances : **Elizabeth Christian**

Édition française
Sabine Honoré
Dina Ranivoarizaka

Traduction et révision
Suzanne Billiet-Babshaw
Francine Schweitzer
Pascale Monachini
Isabelle Monet
Nicole Toledo

Conception
Tina Ivany

Mise en page
Daniel Medina Goff

Couverture
Trent Truman

ISBN: 978-1-61161-178-6

Imprimé et relié par
Corporación en Servicios Integrales de Asesoría Profesional, S.A., de C.V.

Imprimé au Mexique
Printed in Mexico

Septembre 2013

Sauf indication contraire, les textes de la Bible sont tirés de la Bible dite à la Colombe, nouvelle version Segond révisée © 1978, Société biblique française. Sont aussi citées : la Bible Parole de Vie (**PDV**) © 2000, Société biblique française et la Bible Parole Vivante Nouveau Testament (**PVV**) © 2005, Éditeurs de la littérature biblique Braine l'Alleud Belgique.

UN MOT POUR MES COMPAGNONS DE ROUTE...

Bienvenue dans ce voyage de trois cent soixante-cinq jours qui nous conduira tout au long de l'histoire du développement de l'Église adventiste.

J'ai rédigé ce livre de méditations avec l'intime conviction :

- que Dieu a guidé l'Église adventiste du septième jour dans le passé et qu'il continue à le faire aujourd'hui,
- que l'adventisme est, plus que toute autre dénomination, un mouvement prophétique, et
- que le plus grand danger qu'il court au XXIe siècle est d'oublier son passé, et par conséquent de perdre de vue son objectif et sa raison d'être. D'où le titre : « N'OUBLIONS PAS LE PASSÉ »

À la différence des livres de méditations basés sur des passages bibliques édifiants et inspirants, N'OUBLIONS PAS LE PASSÉ est une approche historique qui cherche à la fois à renseigner le lecteur sur le développement de l'adventisme et à l'inspirer pour son édification personnelle. Cette association n'a pas toujours été facile à réaliser dans des méditations d'une page, mais je l'ai tentée, en dépit des difficultés, en partant du principe que la plupart des membres de l'Église adventiste connaissent peu l'histoire de l'adventisme. Je reconnais donc que cet ouvrage a délibérément un objectif à la fois instructif et édifiant. Tout au long de ses pages, ces deux domaines restent intimement liés : après tout, la véritable méditation doit s'enraciner dans des faits et non dans la fiction.

Je souhaite que les lectures de cette année puissent rapprocher chaque lecteur de l'Église et du Seigneur. Bien plus, je prie pour que la compréhension de la façon dont Dieu a conduit son peuple dans le passé nous donne clairvoyance et courage, alors que son retour approche.

La rédaction de ce livre aurait été impossible sans le soutien compétent de mon épouse et de mes éditeurs de la *Review and Herald Publishing Association*, Gerald Wheeler et Jeannette Johnson.

George R. Knight
Rogue River, Oregon

« Nous n’avons rien à craindre de l’avenir,
si ce n’est d’oublier la façon dont le Seigneur nous a conduits,
et ses enseignements du passé. »

— Ellen G. White

Les pierres du souvenir

Ces douze pierres qu'ils avaient prises du Jourdain, Josué les dressa à Guilgal. Il dit aux Israélites : Lorsque, demain, vos fils demanderont à leurs pères : Que sont ces pierres ? vous en instruirez vos fils et vous direz : Israël a traversé ce Jourdain à sec. Josué 4.20-22

Ce ne sont pas seulement de vieux cailloux ! Chaque pierre a une signification. Ce sont les pierres du souvenir, les pierres de l'histoire.

En eux-mêmes, ces rochers sont tout à fait ordinaires et semblables à des milliers d'autres pierres des collines de Palestine. Ils ont pourtant un sens, et ils représentent la façon dont Dieu a guidé Israël tout au long de son expérience.

La Bible est un livre historique qui débute avec la création et l'intrusion du péché, se poursuit avec l'alliance conclue avec Abraham, l'exode, la captivité et la restauration d'Israël, l'incarnation et la naissance virginale de Jésus, sa vie sans péché, sa mort sur la croix, sa résurrection et son retour. Elle constitue donc le livre du souvenir de l'action miraculeuse de Dieu pour son peuple.

Lorsque les Églises perdent le sens de ce souvenir, elles sont en danger, dérivent et s'égarent. Dans le domaine judéo-chrétien, la perte de sens résulte de l'oubli du passé, et plus spécifiquement de l'oubli de la façon dont Dieu a guidé son peuple dans le passé.

Quand cela se produit, le chrétien perd le sens de son identité et, sans identité, il perd également de vue son objectif et sa mission. En effet, si on ne sait pas se situer dans le plan de Dieu, qu'a-t-on à annoncer au monde ?

L'histoire chrétienne nous montre que de nombreuses entités religieuses ont oublié d'où elles viennent et, par conséquent, sont désorientées face au futur. Cet oubli constitue un grand danger pour l'adventisme.

Ce n'est pas un hasard si, prenant de l'âge, Ellen White mit en garde ses lecteurs : « En nous remémorant notre histoire, ayant parcouru toutes les étapes de notre progression vers notre état actuel, je puis dire : "Loué soit le Seigneur !" Lorsque je constate tout ce que le Seigneur a accompli, je suis remplie d'étonnement, et de confiance dans le Christ, notre chef. Nous n'avons rien à craindre de l'avenir, si ce n'est d'oublier la façon dont le Seigneur nous a conduits, et ses enseignements du passé. » — *Événements des derniers jours*, chap. 5, p. 59.

En cheminant à travers l'histoire de l'adventisme durant cette toute année, nous verrons que notre Église a aussi ses pierres du souvenir. Ne prenons pas le risque de les négliger !

LE TEMPS DE L'ENTHOUSIASME — 1RE PARTIE

Toi, Daniel, tiens secrètes ces paroles et scelle le livre jusqu'au temps de la fin. Beaucoup alors le liront et la connaissance augmentera. Daniel 12.4

« Au début du XIXe siècle, l'Amérique était obnubilée par le millénium », déclare l'historien Ernest Sandeen. Beaucoup de chrétiens étaient convaincus d'être aux portes du royaume de Dieu. Le tremblement de terre destructeur de Lisbonne de 1755 avait sensibilisé tous les esprits à la fin du monde, mais l'évènement le plus marquant reste la Révolution française de 1790. Les bouleversements sociaux, politiques et religieux rappellent la description biblique des évènements caractérisant la fin du monde. La violence et l'impact de la Révolution française poussent tous les biblistes à étudier les prophéties de Daniel et Apocalypse.

Beaucoup d'entre eux établissent en particulier un lien entre le temps de la prophétie et l'année 1798. En février de cette année-là, le général Berthier de l'armée de Napoléon marche sur Rome et détrône le pape Pie VI. L'année 1798 devient donc pour de nombreux biblistes le fondement du lien entre l'histoire du monde et la prophétie biblique. Utilisant le principe selon lequel un jour prophétique correspond à un an, ils assimilent l'arrestation du pape à la « blessure mortelle » d'Apocalypse 13.3 et à l'accomplissement de la prophétie des 1 260 ans/jours de Daniel 7.25 et Apocalypse 12.6, 14 et 13.5.

Selon Sandeen, les biblistes croient avoir « trouvé un point de repère dans la chronologie prophétique de Daniel et Apocalypse. Certains d'entre eux sont certains de pouvoir se situer dans le déroulement de la chronologie prophétique ».

Enfin, beaucoup suggèrent que la prophétie de Daniel 12.4 est en train de se réaliser. Six cents ans avant la naissance du Christ, le prophète écrit : « Toi, Daniel, tiens secrètes ces paroles et scelle le livre jusqu'au temps de la fin. Beaucoup alors le liront et la connaissance augmentera. » Ces évènements convainquent de nombreuses personnes que la fin du monde est arrivée. Plus que jamais auparavant, les biblistes étudient les prophéties de Daniel pour mieux comprendre les évènements de la fin des temps. Un nombre sans précédent de livres sur la prophétie biblique sont publiés à la fin du XVIIIe et au début du XIXe siècle.

La prophétie s'accomplit : Non seulement les gens étudient plus que jamais les écrits de Daniel, mais la connaissance augmente également. C'est le temps de l'enthousiasme prophétique.

LE TEMPS DE L'ENTHOUSIASME — 2E PARTIE

Cette bonne nouvelle du royaume sera prêchée dans le monde entier, pour servir de témoignage à toutes les nations. Alors viendra la fin.
Matthieu 24.14

L'étude de la prophétie biblique n'est pas la seule conséquence de la Révolution française. L'Amérique connaît également un grand réveil religieux. Entre les années 1790 et 1840, le second grand réveil transforme la jeune Amérique en une nation chrétienne.

Une vague de réforme personnelle et sociale accompagne ce renouveau religieux. Beaucoup croient que les avancées technologiques et politiques de la fin du XVIIIe et du début du XIXe siècle ont enclenché le processus de la création du paradis sur terre. Au début du XIXe siècle, des centaines de mouvements pour l'amélioration du bien-être de la société dans tous les domaines possibles voient le jour. Les campagnes pour l'abolition de l'esclavage, de la guerre et de la consommation d'alcool caractérisent la culture américaine. Des sociétés promouvant l'éducation publique, le traitement respectueux des sourds, des aveugles, des handicapés et des prisonniers, l'égalité des sexes et des races apparaissent également. Indépendamment du domaine social, des organisations visant au progrès moral et sanitairesont créées, comme la Société végétarienne américaine.

Religieux et séculiers unissent leurs énergies etleurs ressources pour perfectionner la société par une réforme. Les croyants vont même au-delà en instituant des sociétés bibliques et missionnaires, desécoles du dimanche et des associations défendant la sacralité du dimanche. Pour la première fois, les chrétiens protestants ressentent le besoin de prêcher l'Évangile au monde entier.

L'enthousiasme généré par les réformes et le progrès missionnaire suscite une attente fiévreuse du millénium, très marquée dans les années 1830. Charles Finney, le plus grand évangéliste de l'époque, écrit en 1835 que « si l'Église faisait son devoir de réforme, le millénium adviendrait dans les trois années à venir », et il en convainc les Églises.

L'idée est que la réforme et tous les aspects du réveil doivent préparer le monde au millénium d'Apocalypse 20, pendant lequel le monde progressera jusqu'à ce que le Christ revienne, au terme des mille ans.

C'est à un monde enthousiasmé par le millénium que William Miller annonce le message adventiste, et les Églises l'accueillent à bras ouverts.

Dieu avait préparé le chemin, comme il le fait encore aujourd'hui. Suivons-le !

UN CANDIDAT INATTENDU POUR LE MINISTÈRE

En vérité, en vérité je te le dis, si un homme ne naît de nouveau il ne peut voir le royaume de Dieu. Jean 3.3

C'est dans ce contexte d'attente et d'espérance exubérante qu'apparaît un candidat au ministère pour le moins improbable.

En effet, à un peu plus de vingt ans, William Miller (né en 1782) trouve plus divertissant de se moquer des prédicateurs que de les soutenir. C'est dans sa propre famille qu'il trouve des cibles de choix pour ses railleries. Ses victimes favorites sont son grand-père Phelps, pasteur baptiste, et son oncle Elihu Miller, de l'église baptiste de Low Hampton.

Les parodies de Miller, singeant la spiritualité de son oncle et de son grand-père, amusent beaucoup ses compagnons sceptiques. Il imite en effet avec une affectation exagérée leurs paroles, leur ton, leur ferveur, et même leur tristesse face à son incrédulité. Ces moqueries qui amusent ses amis témoignent aussi de la personnalité du jeune Miller. Comme beaucoup de jeunes, dans une époque de rapide transition culturelle, il traverse sa propre crise identitaire, et sa rébellion contre sa famille s'apparente à la lutte de tout adolescent qui s'affirme en s'opposant à ses parents.

Ce conflit est aussi douloureux pour les adultes, en particulier pour la mère de William, femme très pieuse, que les bouffonneries de son fils n'amusent pas du tout. Elle déclare que les agissements de son fils aîné sont « amers comme la mort ».

William ne s'est portant pas toujours rebellé contre la religion. Son enfance a été très pieuse, comme en témoigne cette phrase de la première page du journal qu'il tient au début de son adolescence : « On m'a enseigné très tôt à prier le Seigneur. » Voici ce qu'il dit pour se présenter, ce qui signifie que cela a une importance primordiale pour lui.

Mais ce n'est pas tout : Jeune adulte, Miller quitte le christianisme pour devenir un déiste agressif et sceptique, qui fait la satire non seulement de son grand-père mais du christianisme en général.

Grand-papa Phelps ne se laisse pourtant pas décourager et console la maman : « Ne t'inquiète pas trop pour William, il a sa part à accomplir dans l'œuvre de Dieu. »

C'est vrai, même si le temps que cette prophétie se réalise paraît malheureusement bien long à cette maman.

Phelps n'a jamais cessé de prier pour ses enfants et ses petits-enfants : c'est une leçon importante pour nous qui vivons au XXIe siècle.

DU DÉSESPOIR À L'ESPÉRANCE

Je me suis dit : je finirai comme le sot. Donc quel avantage à être plus sage que lui ? Cela ne sert à rien [...]. Le sage meurt comme le sot et les gens oublient autant le sage que le sot. [...] Les humains ne sont pas supérieurs aux animaux car [...] tous retournent à la terre. Ecclésiaste 2.15,16 ; 3.19,20, PDV

Miller est capitaine dans l'armée durant la seconde guerre contre la Grande Bretagne (1812-1814) ; c'est une étape charnière de sa vie. Déjà avant le conflit, il commence à avoir des doutes sur la pertinence de sa croyance déiste qui promet une vie après la mort. Miller croit au contraire qu'il n'y a rien après la mort.

La guerre l'amène à envisager sa propre mort. Le 28 octobre 1814, il évoque un compagnon décédé dans une lettre à son épouse : « Dans peu de temps, comme Spencer, je ne serai plus rien. C'est une pensée pleine de gravité. »

Les évènements tragiques de la vie ramènent Miller à la foi qu'il rejetait autrefois avec tant de vigueur. Il croit pourtant que s'il parvient à trouver un véritable patriotisme dans les rangs de l'armée, il pourra conclure que sa foi déiste n'est pas incohérente. « Cependant, écrit-il, deux ans de service militaire ont suffi à me convaincre que c'est une erreur. » La description biblique négative de la nature humaine correspond bien plus à la réalité que la conception déiste selon laquelle l'homme est naturellement bon et élevé. Miller le constate au quotidien : « Plus je lis, écrit-il, plus le caractère humain me semble terriblement corrompu. Je ne vois aucune période brillante dans l'histoire. Les conquérants du monde et les héros de l'histoire s'apparentent plutôt à des démons sous forme humaine. [...] Je commence à perdre toute confiance en l'homme. »

La crise finale de Miller face à la croyance déiste a lieu lors de ce qui semble être une action de Dieu dans l'histoire, pendant la bataille de Plattsburg, en septembre 1814. L'armée américaine remporte la victoire contre les forcesbritanniques qui ont récemment vaincu l'armée napoléonienne. Les Américains étaient pourtant certains d'être écrasés. « Une victoire aussi inattendue, conclut-il, me semble être l'action d'une puissance supérieure à la force humaine. »

Les évènements tragiques de la vie incitent William Miller, tout comme l'auteur de l'Ecclésiaste, à revoir sa position sur Dieu. La bonne nouvelle est qu'aujourd'hui encore, les difficultés de la vie ont le même effet.

Dieu agit de façon étrange

Ainsi la foi vient de ce qu'on entend et ce qu'on entend vient de la parole du Christ.
Romains 10.17

Miller se détourne des incohérences du déisme, mais cela ne signifie pas qu'il se réjouisse de redevenir chrétien. Il commence par fréquenter l'Église, du moins lorsqu'il en a envie.

La deuxième étape cruciale de la vie de Miller a lieu en 1816, lorsqu'il se rend compte qu'il prend le nom de Dieu en vain. Il acquiert la conviction que cette habitude prise dans l'armée est mauvaise. Cela peut sembler insignifiant à beaucoup, mais le sujet de la religion a tourmenté Miller pendant assez longtemps pour que cette prise de conscience déclenche une crise dans sa vie. « J'ai acquis cette conviction au mois de mai 1816, écrit-il. Quelle horreur a rempli mon être ! J'en ai oublié de manger. Le ciel m'apparaissait comme du cuivre et la terre comme du fer. C'est en octobre que Dieu m'a ouvert les yeux. »

Deux évènements se produisent en septembre et préparent Miller à sa crise d'octobre. Le premier est la célébration de la victoire de Plattsburg. Les vétérans écoutent un sermon la veille de la grande fête de célébration. Ils en reviennent profondément touchés. La prière et la louange remplacent l'esprit festif, alors qu'ils se souviennent des circonstances de la difficile bataille et de la victoire inattendue.

Le second a lieu le dimanche suivant. La mère de Miller s'est rendu compte que lorsque le pasteur est absent, son fils ne fréquente pas l'Église. Ces jours-là, un diacre fait une médiocre lecture d'un sermon.

William commet une erreur : Il accepte de venir à condition de faire lui-même la lecture d'un sermon. Ainsi, Miller le déiste reçoit régulièrement une invitation pour présenter un sermon sélectionné par les diacres. Le 15 septembre 1816, la lecture de la prédication le bouleverse au point qu'il est obligé de s'asseoir au milieu du message. Il est en pleine crise spirituelle.

Il déclare quelques semaines plus tard : « Dieu m'a ouvert les yeux et j'ai découvert le merveilleux Sauveur qu'est Jésus. » Cette découverte pousse le jeune converti à étudier régulièrement la Bible. Peu de temps après, il écrit : « La Bible est devenue mon plaisir et j'ai trouvé un ami en Jésus. »

Dieu est le Dieu du miracle. C'est un miracle qu'il ait touché un sceptique tel que Miller et l'ait amené à la conversion, par sa propre lecture publique d'un sermon. Nous servons un Dieu qui utilise une multiplicité de moyens pour accomplir sa volonté.

L'HOMME DE LA PAROLE

Ta parole est une lampe à mes pieds et une lumière sur mon sentier.
Psaume 119.105

En tant qu'intellectuel déiste, Miller est un grand lecteur. Après sa conversion, il devient essentiellement l'homme d'un seul livre : la Bible. Quelques années plus tard, il écrit à un jeune pasteur : « Tu dois prêcher la Bible, parler selon la Bible, prouver toute chose par la Bible, exhorter selon la Bible, prier selon la Bible, aimer la Bible et faire tout ton possible pour que les gens aiment aussi la Bible. »

À une autre occasion, il déclare que la Bible est « un trésor que le monde ne peut pas acheter ». Elle apporte la paix et « une ferme espérance pour l'avenir, mais elle est également un soutien et une arme contre l'infidélité. Bien plus, elle évoque les évènements du futur et indique de quelle façon il est nécessaire de se préparer pour les affronter ». Il exprime le désir que les jeunes pasteurs étudient assidûment la Bible plutôt que de se laisser endoctriner par des « tendances sectaires. [...] Il faut qu'ils étudient par eux-mêmes. [...] S'ils sont dépourvus d'intelligence, on peut écrire "bigot" sur leur front et les chasser comme des esclaves ».

Miller ne se contente pas de conduire les gens à la Bible, il met lui-même en pratique ce qu'il prêche. Son étude intensive de la Bible l'amène à des conclusions étonnantes. Son approche est consciencieuse et méthodique. Il explique qu'il a commencé à étudier la Bible à partir de la Genèse, en lisant chaque verset, « sans aller trop vite, de façon à comprendre le sens de chaque passage, ne laissant aucune zone obscure quant aux contradictions ou au mysticisme. Quand je rencontrais une difficulté, je comparais avec des textes parallèles et, avec l'aide de laconcordanceCruden, je cherchais et étudiais tous les textes de l'Écritures contenant les mots-clés du passage qui me semblait peu clair. Ainsi, en laissant chaque mot révéler son propre sens, ma vision s'harmonisait grâce à tous les textes parallèles et la difficulté disparaissait ».

Miller étudie la Bible de façon intensive mais aussi extensive. La première fois, il lui faut pratiquement deux ans d'étude à plein temps. À ce stade, il se déclare « pleinement satisfait, constatant que la Bible s'interprète elle-même, qu'elle est un système de vérités révélées si claires et si simples que celui qui la parcourt, même s'il est peu instruit, ne peut s'y perdre ».

Remercions le Seigneur qui nous guide aujourd'hui encore grâce à sa Parole.

Les étonnantes découvertes de Miller

Et il me dit : Jusqu'à 2 300 soirs et matins, puis le sanctuaire sera rétabli.
Daniel 8.14

Miller n'évite pas les passages de l'Écriture parfois considérés comme moins utiles, comme les chronologies. « J'étais totalement convaincu que toute Écriture inspirée est profitable, qu'elle n'existe pas par la volonté de l'homme mais a été rédigée par de saints hommes, poussés par le Saint-Esprit, pour notre instruction. En étant patients, encouragés par les Écritures, nous trouvons l'espérance. Les passages chronologiques devaient donc être considérés comme faisant partie intégrante de la Parole de Dieu, méritant autant d'attention que les autres textes bibliques.

J'ai alors pris conscience que, dans mon effort pour comprendre ce que, dans sa grâce, Dieu avait trouvé bon de révéler, je n'avais pas le droit de négliger les périodes prophétiques. Comme les évènements devant s'accomplir selon un calendrier de jours prophétiques s'étendaient sur de nombreuses années littérales, et comme Dieu, dans Nombres 14.34 et Ézéchiel 4.4-6, avait fixé un jour pour un an [...], je devais considérer qu'un jour représentait un an, en accord avec tous les commentaires protestants. Par conséquent, si l'on avait un repère pour le début de la période, j'en ai conclu que l'on pouvait arriver au temps probable de son accomplissement. Comme Dieu ne nous aurait pas donné une révélation inutile, j'ai estimé qu'elle devait nous conduire au moment où nous pouvions attendre avec confiance le retour du Christ. »

Se basant sur Daniel 8.14, Miller interprète la purification du sanctuaire comme la purification de la terre par le feu lors du retour du Christ. Les biblistes s'accordant pour faire débuter la période des 2300 soirs et matins en l'an 457 avant Jésus-Christ, il en déduit, comme un grand nombre de personnes étudiant les prophéties, que celle de Daniel devrait se réaliser vers 1843.

Les divergences d'opinion concernant Daniel 8.14 ne portent pas sur le temps, mais sur la nature de l'évènement. En 1818, Miller arrive à la bouleversante conclusion que « d'ici environ vingt-cinq ans [...], toutes les affaires de ce monde seront balayées. L'orgueil, le pouvoir, la vanité, la méchanceté et l'oppression disparaîtront et, à la place du royaume de ce monde, le royaume de paix attendu depuis si longtemps sera instauré par le Messie. »

Le retour de Jésus reste toujours notre ultime espérance, l'évènement qui nous procurera une joie parfaite.

La joie de la découverte

J'allai vers l'ange, en lui disant de me donner le petit livre. Et il me dit : Prends-le et avale-le [...], dans ta bouche il sera doux comme du miel.
Apocalypse 10.9

Le chapitre 10 de l'Apocalypse interrompt le texte des sept trompettes et se situe entre la sixième et la septième trompette. Il est clair que la septième trompette a un rapport avec le retour du Christ (Apocalypse 11.15).

Le point central du chapitre 10 est un « petit livre » (versets 2,8-10) qui sera ouvert (dans le contexte du chapitre) à la fin des temps (verset 2). Or, l'Ancien Testament évoque un seul livre qui doit être ouvert à la fin des temps : « Toi, Daniel, tiens secrètes ces paroles et scelle le livre jusqu'au temps de la fin. Beaucoup alors le liront et la connaissance (du livre de Daniel) augmentera. » Fait intéressant, il est dit que deux parties seulement du livre de Daniel doivent rester scellées jusqu'à la fin des temps. L'une concerne la prophétie des 1 260 ans du chapitre 12 (voir les versets 7-9). L'autre se trouve dans Daniel 8.26 : « La vision des soirs et matins dont il s'agit est véritable. Pour toi, tiens secrète cette vision car elle se rapporte à des temps éloignés. » À ce sujet, J. Baldwin note que « la raison pour laquelle Daniel doit tenir cette vision secrète est qu'elle n'est pas encore d'actualité (8.26 ; 12.9), tout au moins dans ses détails », et L. Wood souligne que « puisque la seule mention [au chapitre 8] d'un soir et d'un matin se trouve au verset 14, cela signifie que le verset 26 fait référence aux 2 300 soirs et matins ».

L'ange Gabriel dit explicitement à Daniel que cette vision de Daniel 8 concerne « le temps de la fin » (versets 17 et 19). Dans l'explication de l'ange, trois des quatre symboles de Daniel 8 se sont concrétisés au cours de l'histoire (versets 20-25), et seul celui des 2 300 jours doit s'accomplir à la fin des temps (verset 26).

Miller comprend cela. Il indique donc dans *Signs of the Times* de mai 1841 qu'Apocalypse 10 est accompli et que le petit livre a été ouvert. Effectivement, cette ouverture est douce : « Je ne peux exprimer la joie qui a rempli mon cœur à cette merveilleuse perspective » du proche retour du Christ.

Cependant, Miller, comme nombre d'entre nous, a privilégié ce qu'il pensait comprendre et a laissé le reste. Il a oublié qu'à la fin des temps, l'ouverture de la prophétie serait source d'amertume et de déception (Apocalypse 10.8-10).

Seigneur, enseigne-nous à lire en gardant les deux yeux ouverts !

La compréhension de la prophétie par Miller

Aucune prophétie de l'Écriture ne peut être l'objet d'une interprétation particulière, car ce n'est nullement par une volonté humaine qu'une prophétie a jamais été présentée, mais c'est poussés par le Saint-Esprit que des hommes ont parlé de la part de Dieu. 2 Pierre 1.20,21

Il existe trois écoles principales d'interprétation de la prophétie. Pour les prétéristes, l'accomplissement a lieu au moment où le livre prophétique est écrit. Ainsi, le livre de l'Apocalypse concernerait des évènements ayant eu lieu à la fin du Ier siècle de l'ère chrétienne.

Le futurisme, deuxième école d'interprétation, considère que la majeure partie de la prophétie se produira juste avant le retour du Christ.

La troisième école, l'historicisme, considère que la prophétie a commencé à se réaliserau temps du prophète, se poursuit durant l'histoire et trouve son accomplissement ultime au retour du Christ.

La compréhension historiciste de la prophétie s'illustre parfaitement dans Daniel 2, dont la réalisation commence à l'époque de Daniel et Neboukadnetsar, continue avec les royaumes qui dominent le monde méditerranéen et atteint son accomplissement à la fin des temps. Les visions de Daniel 7, 8 et 9 et 10 à 12 reprennent le modèle historiciste, comme Apocalypse 12 qui décrit le monde depuis l'enfance du Christ jusqu'à la fin des temps au verset 17, posant ainsi le décor des évènements de la fin des temps révélés aux chapitres 13 à 22.

Miller, comme presque tous les interprètes protestants du milieu du XIXe siècle, était historiciste. Le futurisme et le prétérismesont peu présents jusqu'à la Réforme de Martin Luther, quand certains défenseurs de l'Église dominante cherchent à échapper à l'interprétation historiciste problématique du grand dragon et de la prostituée de Babylone. La fin du XIXe et le XXe siècle ont vu ressurgir des prétéristes et des historicistes, en partie à cause de ce que l'on a appelé les erreurs de Miller.

Les erreurs de l'adventisme millérite n'ont pourtant pas remis en cause les perspectives historicistes évidentes de Daniel 2, ni même le principe jour/année, tellement présent dans Daniel 9 que certaines versions de la Bible traduisent directement au verset 24 « soixante-dix semaines d'années » alors que l'hébreu évoque seulement « soixante-dix semaines ». Ces éléments sont nécessaires pour donner son sens à la prophétie qui s'étend depuis la restauration de Jérusalem jusqu'au Messie.

Étudier la Bible ? Ce n'est pas un péché !

Fils d'homme, je t'établis comme sentinelle sur la maison d'Israël.
Tu écouteras la parole qui sort de ma bouche et tu les avertiras de ma part.
Quand je dirai au méchant : Oui, tu mourras ! si tu ne l'avertis pas
pour avertir le méchant de se détourner de sa mauvaise voie et pour lui sauver la vie,
ce méchant mourra dans son injustice, mais je te réclamerai son sang.
Ézéchiel 3.17,18

Quand William Miller découvre en 1818 que Jésus reviendra « dans environ vingt-cinq ans », il est rempli de joie.

Pourtant, il écrit : « J'ai acquis la ferme conviction qu'il est de mon devoir d'avertir le monde de l'évidence qui m'a convaincu. » Si la fin était proche, le monde devait le savoir. Il supposait que ses conclusions provoqueraient de l'opposition parmi les incroyants, mais était certain que les chrétiens les accueilleraient avec plaisir dès qu'ils les entendraient. Il craignait cependant de présenter ses découvertes, « au cas où il serait dans l'erreur et fourvoierait les gens ». Il passe donc cinq ans (1818-1823) supplémentaires à l'étude assidue de la Bible. Lorsqu'il élimine une objection à sa conviction, une autre surgit, telle que le verset : « Personne ne connaît le jour ni l'heure. » Pendant cette période de cinq ans, écrit Miller en 1845, « plus d'objectionsme vinrent à l'esprit que tout ce que mes détracteurs avaient avancé jusque là, et je les avais toutes envisagées ». Il parvient pourtant, en étudiant, à répondre à toutes ces objections par la Bible. Après sept ans d'études, Miller est pleinement convaincu que le Christ reviendra « autour de l'année 1843 ».

À ce stade, « le devoir d'annoncer l'imminence du retour du Christ, que j'avais tenté de fuir jusque là, s'imposa de nouveau fortement à moi ». Il commence par conséquent à exposer son point de vue dans des conversations privées, avec ses voisins et son pasteur, mais à son grand étonnement, « peu se montrent intéressés ».

Miller continue à étudier la Bible, mais plus il avance dans son étude, plus il est convaincu de devoir annoncer ce qu'il a découvert. Jour et nuit, il se sent poussé à « aller avertir le monde du danger ». C'est la dernière chose qu'il désire ! Comme beaucoup d'entre nous, Miller aime étudier la Bible mais manque d'ambition pour se mettre en action. C'est là que l'étude biblique devient un péché ! Nous sommes tous tentés d'en faire une fin en soi plutôt qu'une motivation à l'action.

ATTENTION À NOS PROMESSES !

Éli comprit que c'était l'Éternel qui appelait le garçon. Éli dit à Samuel : Va, couche-toi, et si l'on t'appelle, tu diras : Parle Éternel, car ton serviteur écoute.
1 Samuel 3.8,9

Parfois, nous n'aimons pas écouter. C'est le cas de Miller. Même si sa conscience le presse d'avertir le monde du danger qu'il court, il n'en a pas envie.

« Je fis tout ce que je pouvais pour ignorer la conviction que Dieu attendait quelque chose de moi. Je me persuadai que si j'en parlais librement, j'accomplirais mon devoir et que Dieu susciterait les personnes adaptées pour prendre la suite. Je priai pour que des pasteurs comprennent la vérité et se consacrent à sa proclamation. »

C'est une solution bien commode : se reposer sur les pasteurs pour qu'ils fassent notre travail ! Je crois que si l'Église attend que les pasteurs « terminent l'œuvre », cela risque de prendre du temps. Il y a une mauvaise nouvelle dans la bonne nouvelle : Dieu attend de chacun qu'il fasse sa part du travail.

C'est justement ce que le très humain William Miller ne veut pas. Espérant témoigner par procuration, il s'excuse comme Moïse : « Je dis au Seigneur que je n'avais pas l'habitude de parler en public et n'étais pas qualifié pour capter l'attention d'une assemblée », et ainsi de suite. Il ne se sent pas soulagé pour autant. Pendant neuf ans, Miller lutte contre la conviction qu'il a une tâche à accomplir pour le Seigneur. Un jour, il s'assied pour étudier un détail de l'enseignement biblique. Soudain, il se sent envahi par la certitude qu'il doit agir pour Dieu.

Tourmenté, il proteste qu'il en est incapable. « Pourquoi ? » s'entend-il répondre. Il réitère alors toutes ses excuses. Finalement, sadétresse est telle qu'il promet à Dieu d'accepter cette tâche s'il reçoit un appel pour parler en public sur le sujet du retour du Christ. Après avoir conclu ce marché, il se sent soulagé : Après tout, il a cinquante ans et personne ne lui a adressé une telle demande jusque-là. Il se sent libéré. Cependant, une demi-heure plus tard, il reçoit une invitation. Submergé de colère d'avoir fait cette promesse à Dieu, il se rue hors de chez lui sans répondre. Après avoir lutté contre Dieu et lui-même pendant près d'une heure, il finit par accepter de prêcher le lendemain. Ce sermon marque le début d'un des plus fructueux ministères du milieu du XIXe siècle.

Ainsi, faisons attention à ce que nous promettons à Dieu. Il peut avoir des plans qui dépassent de loin les nôtres.

UN MESSAGE PUISSANT

L'Éternel dit : Sors et tiens-toi sur la montagne devant l'Éternel !
Et voici que l'Éternel passa : un grand vent violent déchirait les montagnes et brisait les rochers devant l'Éternel ; l'Éternel n'était pas dans le vent.
Après ce vent, ce fut un tremblement de terre : l'Éternel n'était pas dans le tremblement de terre. Après le tremblement de terre, un feu ; l'Éternel n'était pas dans le feu.
Enfin, après le feu, un son doux et subtil. 1 Rois 19.11,12

Dieu se sert souvent des choses simples de la vie. Cela tombe bien, la plupart d'entre nous sommes ordinaires. William Miller l'était aussi.

Timothy Cole, pasteur dans le Massachusetts, a entendu parler du succès de Miller et l'invite dans son église pour tenir une série de conférences. Il va à la gare pour accueillir le grand évangéliste, s'attendant à voir apparaître un homme élégant, ayant une apparence conforme à sa prodigieuse réputation. Cole observe tous les passagers à la descente du train. Finalement, un vieil homme ordinaire apparaît. Consterné, Cole comprend qu'il s'agit de Miller. Il regrette immédiatement de l'avoir invité.

Très embarrassé, Cole le fait entrer par la porte arrière, lui indique l'estrade et prend place dans l'assemblée. Miller ne se sent pas très bien accueilli, mais commence à parler. Si Cole n'a pas été séduit par l'apparence de Miller, il est en revanche subjugué par sa prédication. Après l'avoir écouté pendant un quart d'heure, il quitte sa place et vient s'asseoir sur l'estrade derrière lui. Miller prêche tous les jours pendant une semaine et revient le mois suivant pour une seconde série de réunions. Cette campagne de réveil est un véritable succès et Cole est convaincu par les conclusions de Miller.

Dieu peut faire des choses extraordinaires avec des gens ordinaires. Le *Maine Wesleyan Journal* rapporte que Miller, « bien que simple fermier, est capable de captiver tout un auditoire pendant une heure et demie à deux heures ». Son message passionne ses auditeurs. La prédication de Miller est authentique, logique, biblique. Il possède également une pointe d'humour piquant. Un jour, alors qu'on le critique, il répond : « Certains disent que je déraisonne et que j'aipassé sept ans dans une maison de fous. S'ils disaient que j'ai passé cinquante-sept ans dans un monde de fous, je serais obligé de reconnaître que c'est vrai ! »

Une personne ordinaire, avec un message puissant. Dieu l'a utilisé, et il peut faire de même avec nous.

LE CRI DE MINUIT

Au milieu de la nuit, il y eut un cri : Voici l'époux, sortez à sa rencontre !
Matthieu 25.6

Il est tout naturel que Miller et ses disciples soient particulièrement sensibles au sermon de Jésus concernant son retour, que l'on trouve dans Matthieu 25 et 26. La parabole des dix vierges de Matthieu 25.1-13 attire spécialement leur attention. Ils reconnaissent leur propre mouvement et leur message dans ce récit, et ils commencent à historiciser les détails de la parabole. Ils comparent les dix vierges à l'humanité en général et à sa situation probatoire. Les dix vierges sages représentent les croyants, et les dix vierges folles les incroyants.

Les lampes sont la Parole de Dieu et l'huile symbolise la foi. Le mariage est le point central du récit et représente le moment du retour du Christ sur les nuées du ciel. Ce mariage est le grand évènement vers lequel converge toute l'histoire du monde. L'arrivée de l'époux est l'espérance qui les motive à tout sacrifier pour la prédication de leur message.

Pour les millérites, le sommeil des dix vierges représente la condition d'apathie dans laquelle se trouvent chrétiens et incroyants à l'approche du jourdu retour du Christ.

« Le cri de minuit, écrit Miller, est le ou les veilleurs qui découvrent dans la Parole de Dieu la révélation du temps qui passe et lancent immédiatement cet avertissement : "Voici l'époux, sortez à sa rencontre !" » En d'autres termes, il s'agit de l'appel au réveil pour préparer le peuple à l'arrivée de l'époux divin.

Tous ne répondent pourtant pas. Miller constate que la réaction à la proclamation du cri de minuit produit une division entre les vierges sages et les vierges folles, entre celles qui acceptent le message et se préparent à l'arrivée de l'époux et celles qui continuent à dormir.

Au retour de Jésus, les sages entreront avec lui dans le royaume, mais pour les autres, la porte sera fermée. Miller assimile la porte fermée à la fin du temps de grâce, d'où l'urgence de son message. Les gens doivent être avertis pour se préparer à l'évènement ultime de l'histoire.

Ce message reste d'actualité aujourd'hui. Miller s'est peut-être trompé sur le jour du retour du Christ, mais ce retour reste l'espérance universelle. Le peuple de Dieu doit encore aujourd'hui avertir lespécheurs endormis que notre monde arrive à sa fin.

LE NAPOLÉON DE LA PRESSE

Je vis un autre ange […].Il disait d'une voix forte : Craignez Dieu et donnez-lui gloire, car l'heure de son jugement est venue.
Apocalypse 14.6,7

Ce n'est pas Miller qui institue le millérisme, mais Joshua V. Himes, jeune membre du mouvement Christian Connexion qui a acquis des compétences de publicitaire grâce à William Lloyd Garrison, un fervent militant anti-esclavagiste.

Quand il rencontre Miller pour la première fois en 1839, Himes est convaincu par son message mais se demande pourquoi il est si peu diffusé.

— Croyez-vous réellement ce que vous prêchez ? demande Himes au vieux prédicateur.

— Bien sûr, répond Miller, sinon je n'en parlerais pas.

— Que faites-vous pour l'annoncer au monde entier ? poursuit Himes.

— Tout mon possible, réplique Miller.

Himes explique que le message est peu connu, malgré tous les efforts de Miller, et qu'il n'y a pas de temps à perdre pour avertir l'Église et le monde, si Jésus revient bientôt, comme il le croit. Il faut lancer un appel tonitruant !

Miller le sait, mais il n'est qu'un simple fermieret il a besoin d'aide. « À ce moment-là, se souvient Himes, j'ai sacrifiépour Dieu mon être, ma famille, ma société, ma réputation, afind'aider Miller jusqu'à la fin, au maximum de mes possibilités ».

L'arrivée de Himes donneau millérisme une impulsion nouvelle. Bombe d'énergie et d'ingéniosité, Himes fait démarrer le mouvement à grande vitesse et le millérisme est rapidement connu de tous.

Nathan Hitch, historien de la religion américaine, décrit les efforts de Himes comme « un blitz médiatique et une avalanche de communiqués sans précédent. » L'un des détracteurs de Himes le surnomme « le Napoléon de la presse ».

En un rien de temps, l'infatigable Himes publie *The Midnight Cry* [Le cri de minuit] et *The Signs of the Times* [Signes des temps], deux périodiques qui portent le message du retour de Jésus dans le monde entier et ouvrent la voie à toute une série de livres et de prospectus. En quelques années et grâce à une technologie assez rudimentaire, des millions de publications sont distribuées. Himes est un publicitaire, Miller un visionnaire, et il faut l'association des deux, ainsi que d'autres personnes anonymes, pour instituer un mouvement dynamique.

Voici une bonne nouvelle : Dieu a besoin de chacun de nous. Nous possédons tous un talent utile pour sa gloire. Aujourd'hui, Dieu nous appelle à lui reconsacrer notre vie et nos compétences, pour faire avancer son œuvre sur terre.

UN MESSAGE URGENT

Allez donc aux carrefours et invitez aux noces tous ceux que vous trouverez. Matthieu 22.9

Les croyants millérites sont convaincus de l'urgence d'inviter le monde à se préparer au retour du Christ. Pour ce faire, ils organisent notamment des camps-meetings, des rencontres religieuses que les méthodistes et d'autres églises organisent depuis environ 1800.

L'initiative du premier camp-meeting millérite est prise lors de la conférence générale de Boston en 1842, mais l'année 1843 est toute proche et le monde doit encore être averti.

L.C. Collins exprime la foi de tous lorsqu'il écrit : « Je crois fermement au retour du Christ pour 1843, j'ai cette foi. Je ne fais aucun calcul au-delà de cette date, si ce n'est la gloire. [...] Mais avec si peu de temps pour réveiller les vierges endormies et sauver les âmes, nous devons *travailler nuit et jour.* Dieu nous pousse à lancer rapidement la dernière invitation, nous devons travailler sans relâche pour les persuader d'entrer, afin que sa maison soit pleine. [...] Des hommes forts en Israël se joignent à nous pour nous aider. Le cri de minuit doit encore être lancé et résonner à travers toutes les vallées, les plaines et les collines. La crainte doit saisir tous les pécheurs en Sion. Une crise *doit survenir* avant que la porte soit définitivement fermée. Ils doivent comprendre que *c'est maintenant ou jamais.* »

Le sens de la responsabilité et de l'urgence pèse lourdement sur les millérites en ce milieu d'année 1842. Le lendemain du jour où Collins rédige sa lettre débute la mémorable conférence générale de Boston dirigée par Joseph Bates. On y vote d'organiser des camps-meetings et on nomme un comité pour les superviser. Le principal objectif des rencontres est de « réveiller les pécheurs et de purifier les chrétiens en lançant le cri de minuit ».

Certains millérites pensent que l'initiative des camps-meetings est un peu présomptueuse. C'est en effet une entreprise d'envergure. « Comment une poignée d'adventistes peuvent-ils organiser des camps-meetings alors qu'ils sont à peine capables d'organiser des rencontres de maison ? » Mais le mot clé reste ESSAYER en dépit des apparences.

Dieu récompense leur foi. Josiah Litch estime que cinq à six cents personnes se convertissent lors des deux premiers camps-meetings. Il y a là une leçon : Les bénédictions de Dieu comptent plus que les apparences. Dieu désire encore bénir ceux qui avancent par la foi et ESSAIENT.

CHARLES FITCH, UN HOMME ZÉLÉ

Le zèle de ta maison me dévore. Psaume 69.10

En 1838, un exemplaire des prédications de Miller tombe entre les mains de Charles Fitch, pasteur presbytérien et éminent abolitionniste.

« J'ai étudié vos écrits avec plus d'intérêt que tout autre ouvrage, en dehors de la Bible », écrit-il à Miller le 5 mars. « Je les ai confrontés à l'Écriture et à l'histoire, et je n'ai rien trouvé qui puisse me laisser le moindre doute sur la justesse de votre point de vue. »

Fitch, zélé et sincère, ne se contente pas d'une seule lecture. Il relit six fois le livre et remarque que le sujet l'impressionne profondément. Stimulé par le message de Miller, il écrit et prêche à la population de Boston sur sa foi nouvelle. Le 4 mars, il fait deux sermons sur le message de Miller et lui écrit le lendemain, enthousiaste, qu'il désire « être une sentinelle qui fait résonner la trompette ».

Fitch fait un pas de foi supplémentaire : Le 6 mars, il doit présenter une conférence sur la doctrine adventiste devant l'association pastorale de Boston.Mais parfois le zèle l'emporte sur la sagesse et la connaissance. C'est le cas pour Charles Fitch ce jour-là. L'ardent prédicateur a eu peu de temps pour étudier la doctrine par lui-même et il est intimidé et choqué par lesdifférentes réactions. Ses collègues pasteurs qualifient sa présentation de balivernes. « Beaucoup ont ri, se souvient-il, et je n'ai pas pu m'empêcher de me sentir considéré comme un simple d'esprit. » Il cesse alors de prêcher le retour imminent de Jésus. « La crainte des hommes m'a piégé », reconnaît-il plus tard.

En 1841, il se remet pourtant à étudier ce sujet dans la Bible et il devient alors l'un des plus éminents défenseurs du mouvement. Il est le seul dirigeant du mouvement millérite qui ne vivra pas la grande déception de 1844. Fin septembre, à Buffalo, dans l'État de New York, il baptise un groupe de croyants dans les eaux glaciales du lac Érié par un jour de grand vent. Alors qu'il rentre chez lui avec ses vêtements mouillés, il revient deux fois sur ses pas pour baptiser d'autres personnes. Suite à cette exposition excessive au froid, il tombe malade, mais même la mort qu'il sent proche n'affaiblit pas son zèle. Il sait qu'il va « se reposer avant de se réveiller bientôt, au jour de la résurrection ». Il meurt en octobre, à l'âge de trente-neuf ans.

LE MESSAGE DES ANGES

Un autre, un second ange suivit, disant : Elle est tombée, elle est tombée Babylone la grande, qui a fait boire à toutes les nations du vin de son inconduite.
Apocalypse 14.8

Les millérites croyaient prêcher le message du premier ange d'Apocalypse 14.6,7 : « Je vis un autre ange qui volait au milieu du ciel, il avait un Évangile éternel, pour l'annoncer aux habitants de la terre, à toute nation, tribu, langue et peuple. Il disait d'une voix forte : Craignez Dieu et donnez-lui gloire car l'heure de son jugement est venue, et prosternez-vous devant celui qui a fait le ciel, la terre, la mer et les sources d'eau ! » Pour eux, « l'heure de son jugement » correspond au retour de Jésus, à la purification du sanctuaire de Daniel 8 et à l'arrivée de l'époux de Matthieu 25. Ils pensent que les trois passages concernent du retour du Christ.

La prédication de ce message leur semble d'abord normale, mais plus la date approche, plus des frictions surgissent dans leurs églises entre ceux qui croient au retour de Jésus et les autres. Il faut savoir qu'avant 1843, les millérites n'ont pas d'assemblées séparées.Ils vivent leur culte avec les membres non-adventistes de leurs églises. Ils deviennent fiévreux alors que la date approche, le retour du Christ est leur espérance la plus chère et ils ne cessent d'en parler.

Ce n'est pas mal en soi, mais les autres membres d'église trouvent qu'ils en ont entendu assez sur le sujet et cela cause des conflits, alors que les Millérites entrent dans ce qu'ils croient être leur dernière année sur terre. Beaucoup d'assemblées enont assez des adventistes et ils rejettent à la fois les membres et les prédicateurs.

Les adventistes réagissent avec la prédication de Charles Fitch sur le message du deuxième ange : « Elle est tombée, Babylone » (Apocalypse 14.8) et « Sortez du milieu d'elle mon peuple » (Apocalypse 18.4). Pour Fitch et ses disciples, tout membre d'église qui n'attend pas le retour du Christ est dans l'erreur, c'est-à-dire dans Babylone.

Le message du deuxième ange justifie la séparation des adventistes d'avec leurs églises et la formation de leur propre Église. Ils trouvent également l'indépendance nécessaire pour continuer à étudier leur Bible et passer ainsi du message du deuxième ange à celui du troisième dans les mois qui suivent la grande déception d'octobre 1844. Le chemin progressif de la révélation n'est pas toujours aisé, mais Dieu nous guide, à travers le brouhaha et la confusion terrestres.

JOSEPH BATES DESCEND DANS LE SUD

Mon Dieu a envoyé son ange et a fermé la gueule des lions qui ne m'ont fait aucun mal. Daniel 6.23

Étant donné que la plupart de ses responsables sont abolitionnistes, le millérisme n'est pas le bienvenu dans le Sud. Pourtant, les prédicateurs y sont invités. Lors de la conférence générale millérite de 1843, il est toutefois voté de ne pas envoyer de prédicateurs dans les états esclavagistes, en raison du danger et de la difficulté.

Pourtant, au début de l'année 1844, Joseph Bates est convaincu que Dieu l'appelle à exercer son ministère en faveur des esclaves et de leurs propriétaires. Après avoir remporté un succès discret dans le Maryland, le courageux prédicateur rencontre l'opposition d'un laïc méthodiste qui « attaque violemment la doctrine ». Au milieu de ses accusations, l'homme menace de « les mettre dans le premier train pour quitter la ville ». « Nous sommes prêts, rétorque Bates, mieux vaut partir en train qu'à pied ! Ne croyez pas, ajoute-t-il, que nous soyons venus ici, dans le froid et la neige, à nos frais, pour vous annoncer le cri de minuit, sans en évaluer le coût. Maintenant, si le Seigneur n'a plus rien à nous faire faire, nous irons volontiers nous reposer sur Chesapeake Bay ou n'importe où ailleurs, jusqu'à son retour. Mais s'il veut encore nous confier du travail, vous ne pouvez rien contre nous. »

Le *Newark Daily Advertiser* commente l'incident : « Le monde pourrait s'écrouler, c'est bien peu de choses pour quelqu'un qui prend les choses avec autant de calme. »

À une autre occasion lors de ce voyage, un juge sudiste agresse Bates, l'accusant d'être abolitionniste et de vouloir prendre leurs esclaves. « Je suis abolitionniste, confirme Bates, et je suis venu pour avoir non seulement vos esclaves mais *vous aussi* ! »

Bates et ses collaborateurs sont particulièrement satisfaits de pouvoir transmettre leur message aux esclaves. Ils choisissent même parfois de déplacer leurs rendez-vous pour pouvoir s'adresser aux esclaves en l'absence des Blancs. « Les pauvres esclaves, racontent-ils, se réjouissent du message du retour de Jésus, surtout quand ils comprennent que le jubilé est imminent. Ils le reçoivent avec joie et je crois que la plupart d'entre eux seront prêts pour le retour de Jésus. »

Dieu n'a jamais dit que le chemin de la vie serait facile, mais il promet que si nous lui sommes fidèles, il nous bénira et nous accompagnera. Remercions le Seigneur pour ses bénédictions quotidiennes !

LES NOIRS-AMÉRICAINS FACE AU MILLÉRISME

L'Esprit du Seigneur est sur moi parce qu'il m'a oint pour annoncer la bonne nouvelle aux pauvres [...], pour proclamer aux captifs la délivrance [...], pour renvoyer libres les opprimés. Luc 4.18

Le millérisme est principalement un mouvement des Blancs du Nord, alors que la plupart des Noirs vivent dans le Sud. Nous savons pourtant sans aucun doute que des Noirs-américains fréquentaient les camps-meetings et les services adventistes. Au milieu de l'année 1843, les responsablesmilléritessentent qu'il est de leur responsabilité d'annoncer massivement le message à la population noire. Ainsi, Charles Fitch rencontre un grand succès en mai lors d'une importante rencontre, quand il propose « une collecte pour envoyer un ouvrier vers les frères de couleur ». Le lendemain, les personnes présentes organisent une collecte qui permet d'envoyer John W. Lewis, « prédicateur noir estimé, pour travailler à plein temps parmi la classe défavorisée à laquelle il est étroitement lié ».

En février 1844, Himes rapporte que la majorité de la population noire de Philadelphie a reçu le message. « L'un de leurs meilleurs pasteurs a pleinement embrassé la doctrine et se consacre totalement à sa prédication. »

William E. Foy est un autre prédicateur noirannonçant le message du retour du Christ. Dès le 18 janvier 1842, il a plusieurs visions qui l'amènent à croire au prochain retour de Jésus même si, comme il le dit, il était opposé à cette doctrine avant d'avoir ces visions. Au-delà du prochain retour de Jésus, Foy écrit : « Je ressentais profondément le devoir de transmettre ce qui m'avait été montré à mes semblables et de les avertir qu'il faut fuir la colère à venir. »

Foy résiste à cette conviction pendant quelque temps, en partie parce que « le message du retour du Christ est différent de ce que la population attend, et en partie à cause des préjugés des gens dus à sa couleur ». Troublé, il reçoit dans la prière la certitude que Dieu l'accompagnera s'il transmet le message. Il commence donc à prêcher sa nouvelle foi.

Le message de l'espérance adventiste a toujours été bien reçu parmi les opprimés du monde, de toute race ou culture. Ce sont ceux qui construisent leur propre royaume sur terre qui y résistent. Souvenons-nous que tous les habitants de la terre sont esclaves du péché et ont besoin d'être délivrés par celui qui libère les captifs. Le message du retour du Christ est le rêve de liberté éternelle pour tous.

Les femmes s'engagent

Myriam leur répondait : Chantez à l'Éternel car il a montré sa souveraineté. Il a jeté dans la mer le cheval et son cavalier. Exode 15.21

Les femmes ont toujours joué un rôle dans l'œuvre de Dieu et c'est le cas également dans le mouvement millérite.

Lucy Maria Hersey, par exemple, se convertit à l'âge de dix-huit ans et se sent appelée par Dieu à prêcher l'Évangile.

En 1842, elle accepte la doctrine de Miller. Peu de temps après, elle accompagne son père en voyage à Schenectady, dans l'État de New York, où un croyant demande à son père d'exposer à un groupe de non-adventistes les raisons de sa foi. L'auditoire est tellement opposé aux oratrices femmes que l'hôte préfère demander à son père de faire sa présentation, mais celui-ci se retrouve muet.

Après un long silence, l'hôte annonce que Lucy est capable de traiter ce sujet. Elle le fait avec tant d'éloquence, répondant à toutes les questions, qu'il est nécessaire de se déplacer dans un local plus grand pour accueillir tous les auditeurs. C'est le début d'un ministère fructueux qui a pour résultat la conversion de plusieurs hommes qui deviendront prédicateurs adventistes.

C'est aussi le cas d'Olive Maria Rice. Convertie au millérisme en 1842, elle est convaincue que « Dieu attend d'elle plus que d'assister simplement aux réunions de prière ». En mars 1843, Dieu bénit son ministère par ces centaines de conversions. Elle écrit à Himes qu'elle est constamment invitée dans quatre ou cinq endroits en même temps pour tenir des conférences.

Olive Rice est consciente que beaucoup s'opposent à elle parce qu'elle est une femme, mais elle déclare que « ce n'est pas une raison valable pour qu'elle s'arrête. Même si les hommes me censurent et me condamnent, je me sens justifiée devant Dieu et j'attends avec joie de rendre compte d'avoir averti mes semblables ».

Elvira Fasset doit surmonter l'opposition de son mari. On lui a enseigné que les femmes doivent se taire en public, mais encouragée par certaines personnes, elle finit par accepter et constate que le Seigneur bénit son œuvre. La conversion la plus importante est celle de son mari, témoin de l'impact de sa prédication. Il prend conscience de l'importance de la prophétie de Joël 2 selon laquelle dans les derniers jours, Dieu déversera son Esprit sur les jeunes femmes. Les époux Fasset prêchent ensuite en équipe.

Voici une bonne nouvelle : Dieu nous appelle tous à proclamer son message et il nous bénit si nous acceptons sa volonté.

L'ANNÉE DE LA FIN DU MONDE

Voici qu'il vient avec les nuées. Tout homme le verra. Apocalypse 1.7

« Cette année […] est la dernière année où Satan règnera sur notre terre. Jésus-Christ revient […]. Les royaumes du monde seront réduits à néant […]. Le cri de la victoire retentira dans les cieux […]. Le temps ne sera plus. » C'est ce que Miller écrit dans son message de Nouvel an adressé aux croyants adventistes, le 1er janvier 1843. L'année de la fin du monde est finalement arrivée.

Comme on peut l'imaginer, l'enthousiasme est à son comble, même s'ils ne savent pas à quelle période de l'année il faut s'attendre au retour de Jésus. Miller lui-même, sachant que le Christ a dit que « personne ne connaît le jour ni l'heure », se montre très prudent à ce sujet. Il dit simplement que cela se produira « autour de l'année 1843 ».

En décembre 1842, ses disciples le pressent pourtant d'être plus précis puisque l'année 1843 est sur le point de débuter. Miller est d'accord et, selon ses calculs concernant la fête juive de la Pâque, Jésus apparaîtra probablement entre mars 1843 et mars 1844. Ceux qui pensent avoir trouvé une formule pour désigner le jour exact fixent de nombreuses dates dans cet intervalle. Miller lui-même penche plutôt pour un accomplissement tardif dans l'année, car il pense que leur foi doit être éprouvée. Et elle l'est !

Le retour de Jésus n'a pas lieu le 21 mars 1844. Les optimistes déclarent qu'ils ont fait une erreur concernant la date de Pâque et optent pour la date du 21 avril, mais il ne se passe rien non plus. Le groupe millérite traverse un printemps de découragement.

Le groupe ne se dissout pas à ce moment parce qu'il n'a pas fixé de date officielle, mais le découragement est profond. Il continue à étudier la Bible pour se situer dans la chronologie prophétique. Au début de l'été, il découvre Habaquq 2.3 : « C'est une vision dont l'échéance est fixée, elle aspire à son terme, elle ne décevra pas. Si elle tarde, attends-la car elle s'accomplira certainement. » Le groupe en conclut qu'il vit la période où « elle tarde ». Après tout, Matthieu 25 avertit aussi que « l'époux tarde ».

Nous ne pouvons qu'admirer la résilience de la foi de ces croyants. Ils sont découragés, mais au lieu de renoncer, ils retournent à la Bible pour comprendre où ils en sont dans l'histoire prophétique. Ce n'est pas ce qu'ils souhaitaient, mais c'est la seule possibilité pour ceux d'entre nous qui continuent à demander : « Jusqu'à quand, Seigneur ? » (Apocalypse 6.10)

LE MOUVEMENT DU SEPTIÈME MOIS

Le 10 de ce septième mois sera le jour des expiations. Lévitique 23.27

L'espoir renaît dans les rangs quelque peu décimés des millérites adventistes en août 1844, quand un pasteur méthodiste nommé Samuel S. Snow démontre par la Bible qu'ils se sont trompés sur les dates de l'accomplissement de la prophétie des 2300 jours de Daniel 8.14.

Miller a lui-même soutenu la logique de cette nouvelle compréhension dans un article de *Signs of the Times* [Signes des temps] du 17 mai 1843. À ce moment-là, il explique que la première venue du Christ se calque sur les fêtes du printemps de l'année cérémonielle juive de Lévitique 23, mais que son retour doit être mis en lien avec les fêtes de l'automne ou du septième mois.

Cette logique est cohérente. L'offrande des prémices avec la mort du Christ comme Agneau pascal et l'effusion de la Pentecôte ont eu lieu, comme le montre le Nouveau Testament, mais aucune des fêtes d'automne liées à la moisson ne s'est accomplie pendant la période néo-testamentaire.

Ces éléments poussent Miller à suggérer qu'il faut attendre le septième mois de l'année religieuse juive pour l'accomplissement de la prophétie qu'ils ont identifiée avec le retour du Christ.

Même s'il avait développé cette théorie en 1843, Miller l'avait abandonnée pour revenir à la datation de Pâque. Snow amène cependant cette théorie à sa conclusion logique. Il attend le retour du Christ à la fin des 2300 jours et annonce qu'il aura lieu le 22 octobre 1844, jour des expiations selon le calendrier des fêtes juives.

Snow publie ses découvertes dans *The Midnight Cry* [Le cri de minuit] du 22 février 1844, mais personne n'en tient compte. En août pourtant, ils sont tout ouïe. Le mouvement du septième mois s'empare du millérisme comme un ouragan. Dans *The Midnight Cry* du 3 octobre, George Storrs écrit : « Alors que je prends la plume, je suis envahi de sentiments inconnus auparavant. *Je n'ai aucun doute* : le dixième jour du septième mois, notre Seigneur Jésus-Christ se révèlera sur les nuées du ciel. Nous sommes à quelques jours de cet évènement. [...]Jusqu'à maintenant, nous avons sonné l'alarme, mais aujourd'hui, le véritable cri de minuit résonne. Quelle heure solennelle ! »

Voilà le véritable enthousiasme ! Comment vivrions-nous si nous étions persuadés mathématiquement que le Christ revient dans moins de trois semaines ? C'est précisément comme cela que nous devons vivre.

DOUX À LA BOUCHE MAIS AMER À L'ESTOMAC

Je prends le petit livre de la main de l'ange et je le mange. Dans ma bouche il est doux comme du miel, mais quand je l'ai mangé, il devient amer pour mon ventre. Apocalypse 10.10, PDV

Comme il fut doux ! Le 6 octobre, jour où il accepte la date du 22 octobre, Miller écrit dans *The Midnight Cry* : « Je vois dans le septième mois une gloire jusqu'à maintenant inconnue. Même si le Seigneur m'a indiqué le septième mois il y a un an et demi (article de mai 1843), je n'avais pas compris la puissance de ces symboles. [...] Mon âme bénit l'Éternel ! Que les frères Snow, Storrs et les autres soient bénis pour avoir contribué à m'ouvrir les yeux. Je suis presque arrivé à la maison ! Gloire ! Gloire ! Gloire ! Je comprends que le temps est juste ! Mon âme déborde au point que je ne peux écrire ! Je vois que maintenant nous avons raison. La Parole de Dieu est vraie et mon cœur est rempli de joie et de gratitude envers lui. J'ai envie de crier, mais je le ferai quand le Roi des rois apparaîtra. Vous me prendrez pour un fanatique ? Cela m'est complètement égal ! Le Christ reviendra au septième mois et nous bénira tous. Quelle glorieuse espérance ! Nous le verrons, nous serons semblables à lui, et il nous prendra avec lui pour toujours, oui, pour toujours ! »

Rien n'est plus doux que l'espérance du retour du Christ. Pourtant, il ne revient pas et la déception est amère.

Le 24 octobre, le leader millérite Joshua Litch écrit de Philadelphie à Miller et Himes : « Aujourd'hui est une bien sombre journée, les brebis sont dispersées, et le Seigneur n'est pas encore revenu. »

Hiram Edson ajoute : « Notre plus chère espérance était anéantie et un sentiment d'infinie tristesse tel que je n'avais jamais connu nous envahit. Il nous semblait que la perte de tous nos amis terrestres n'aurait pas été plus grave. Nous avons pleuré, pleuré jusqu'à l'aube. »

James White, jeune prédicateur millérite écrit : « Alors que le temps passait, la déception était amère. Les véritables croyants avaient tout abandonné pour le Christ et témoigné de son retour. [...] Tous étaient imprégnés de l'amour de Jésus. [...] Tous priaient ardemment : Viens, Seigneur Jésus, viens vite ! Et il n'est pas revenu. Ensuite, le retour aux activités et préoccupations de la vie, sous les moqueries et les insultes des incroyants, fut une véritable épreuve pour notre foi et notre patience. »

L'ouverture du petit livre de Daniel a été douce à la bouche, mais bien amère au ventre.

DIEU GUIDE SON PEUPLE

Nous espérions que ce serait lui qui délivrerait Israël. Luc 24.21

William Miller et ses compagnons se sont trompés sur certains aspects de leur interprétation et de leur compréhension de la Bible. Jésus n'est effectivement pas revenu sur terre en 1844.

Une question se pose alors : Dieu a-t-il vraiment guidé un tel mouvement ?

La meilleure réponse se trouve dans le Nouveau Testament : Les disciples se méprennent continuellement sur les avertissements de Jésus concernant sa crucifixion et la nature de son royaume. Ce n'est qu'après la résurrection de Jésus que ses disciples commencent à comprendre ce qu'il a essayé de leur enseigner. Avant ils n'entendaient pas, et ils connaissent donc une telle déception que les fondements mêmes de leur confiance en Dieu ont été ébranlés. Il leur faudra du temps et de la réflexion pour analyser ce qui s'est passé.

Dieu choisit d'œuvrer pour le plan du salut par l'intermédiaire d'agents humains. Ainsi, même les situations terrestres guidées par Dieu sont faites d'éléments divins et humains, et chaque touche d'humanité est empreinte de faillibilité. Mais dans sa patience infinie, Dieucherche à travailler à travers les hommes et en eux, tout au long de l'histoire.

On peut s'étonner que Miller n'ait pas lu la fin du chapitre, puisqu'il pensait que les prophéties du petit livre de Daniel et d'Apocalypse 10 s'accompliraient à son époque. En effet, s'il croyait que le petit livre avait été ouvert et que son message était doux à la bouche, pourquoi ne comprit-il pas qu'il serait amer au ventre (verset 10), et qu'un autre mouvement se lèverait des cendres de l'amertume, pour transmettre un message à « beaucoup de peuples, de nations, de langues et de rois » ?

La logique de Miller aurait dû l'amener à comprendre que Dieu avait prévu leur amère déception, tout comme Jésus avait prédit celle de ses disciples.

De même, si Miller comprenait qu'il prêchait le message du premier ange (Apocalypse 14.6,7) et si beaucoup de ses partisans pensaient prêcher celui du deuxième ange (verset 8), pourquoi accordèrent-ils si peu d'importance au message du troisième ange (versets 9-12) ? Ces trois messages amènent progressivement au retour de Jésus décrit aux versets 14-20.

Nous regrettons peut-être que Dieu choisisse des moyens humains faillibles pour achever sa mission sur terre, mais voici une bonne nouvelle : Dieu continue à travailler en nous, en dépit de nos faiblesses. Nous pouvons le louer pour cela !

LE TEMPS DE LA DISPERSION — 1RE PARTIE

Voici que l'heure vient, et même elle est venue, où vous serez dispersés. Jean 16.32

Josiah Litch emploie des mots riches de sens quand, deux jours après la déception d'octobre, il écrit : « Aujourd'hui est une bien sombre journée, les brebis sont dispersées et le Seigneur n'est pas encore revenu. » Les profondes déceptions spirituelles provoquent souvent la désillusion et la dispersion des croyants.

C'est le cas des millérites adventistes à la fin del'année 1844 et au début de l'année 1845. Totalement désorientés, ils cherchent le sens de leur récente expérience. La profondeur de leur désespoir est proportionnelle à la force de leur espérance.

Il est impossible de saisir pleinement quelle était la situation, mais beaucoup abandonnent leur foi dans le retour de Jésus et retournent dans leur ancienne Église, ou dérivent vers l'incroyance.

Ceux qui gardent la foi dans le retour de Jésus se distinguent en trois groupes principaux. Tous se posent la grande question : Si un évènement a eu lieu à la fin des 2 300 jours de Daniel 8.14, quel est-il ?

Le premier groupe identifiable après la grande déception est celui des spiritualistes. Ils soutiennent que le mouvement ne s'est pas trompé sur la date ni sur l'évènement. Le Christ est bien revenu le 22 octobre 1844, mais sous forme spirituelle, dans le cœur de chacun et non dans une apparition visible.

Cette interprétation les éloigne sensiblement de la compréhension de Miller de la Bible. Ils commencent à spiritualiser son sens, même lorsque le texte évoque clairement des évènements littéraux. Ils vont ainsi à l'encontre de nombreuses déceptions.

Les spiritualistes font rapidement preuve de fanatisme. Certains proclament qu'ils appartiennent au royaume et sont par conséquent sans péché. Dans ce groupe, certains prennent des maris et des femmes « spirituels », mais les résultats de ces unions sont tout sauf spirituels. D'autres soutiennent qu'ils vivent dans le septième millénaire et qu'ils ne doivent donc pas travailler. D'autres n'utilisent plus de couteaux ni de fourchettes et marchent à quatre pattes puisque selon Jésus, ceux qui appartiennent au royaume sont comme des enfants. Inutile de préciser que des vagues charismatiques envahissent leurs rangs.

Il y a là une importante leçon pour nous : Restons attentifs et intelligents dans notre étude de la Parole de Dieu. Nous risquons le désastre quand nous spiritualisons à l'excès les enseignements clairs et pratiques de l'Écriture.

LE TEMPS DE LA DISPERSION — 2E PARTIE

Jésus leur dit : [...] Je frapperai le berger et les brebis du troupeau seront dispersées. Matthieu 26.31

Ce que Miller craint par dessus tout, c'est le fanatisme. Son mouvement en était exempt jusque-là, mais au printemps 1845, le fanatisme et le charismatisme se déchaînent chez certains groupes spiritualistes.

En avril 1845, le fanatisme croissant le fatigue. Il écrit à Himes : « Nous vivons une époque particulière. De nouvelles étoiles montantes proposent une incroyable variété d'interprétations farfelues des Écritures, et proclament leurs théories partout. Certains sont plutôt des étoiles filantes et d'autres de faibles étoiles. J'en ai assez de ces incessantes évolutions, mais, cher frère, nous devons prendre patience. Si Christ revient ce printemps, nous n'en aurons pas trop besoin ; s'il ne revient pas, il nous en faudra plus. Je me prépare au pire, mais j'espère le meilleur. »

Malheureusement pour Miller, le temps passe et lui et ses compagnons connaissent le pire plus que le meilleur. Dix-huit mois plus tard, Miller, souffrant, écrit : « Je n'arrive pas à me débarrasser de la douleur. Je souffre de maux de tête, de dents, des os et du cœur depuis votre départ, mais la douleur qui me pèse le plus est de voir nos frères bien-aimés dériver dans les fanatismes de toutes sortes, et abandonner le principe de la certitude du retour glorieux de notre Dieu et Seigneur Jésus-Christ. »

Il n'est pas le seul à être troublé par le vent de confusion qui souffle parmi les spiritualistes en ce début d'année 1845. Himes écrit en mai que « le mouvement du septième mois exerce une profonde influence ».

Le problème de tous les Millérites au début de l'année 1845 est celui de l'identité. Tous se posent les mêmes questions, même si les différentes branches du mouvement proposent des réponses différentes.

En clair, il a toujours été et il sera toujours difficile de marcher droit dans les périodes de grand trouble. Prions chaque jour pour que Dieu nous aide à garder les pieds sur terre, les idées claires et tout notre bon sens, en particulier dans les moments difficiles.

Père céleste, aide-nous aujourd'hui à garder une attitude équilibrée et un esprit de prière.

LE TEMPS DE LA DISPERSION — 3E PARTIE

Que tout se fasse avec bienséance et en ordre. 1 Corinthiens 14.40

Susciter l'ordre au cœur de la confusion : C'est ce dont les adventistes ont besoin au printemps 1845, c'est du moins ce que pense Joshua V. Himes. Il se rend tout à fait compte que les spiritualistes fanatiques risquent de conduire le mouvement à sa perte.

Le fanatisme n'est cependant pas le seul sujet de désaccord entre Himes et les spiritualistes. Il n'est pas non plus d'accord avec eux sur la prophétie qui s'est réalisée en octobre 1844. Comme nous l'avons vu précédemment, les spiritualistes soutiennent que Jésus est revenu dans leur cœur le 22 octobre 1844, que la prophétie des 2 300 jours est ainsi accomplie et qu'ils ne se sont donc trompés ni sur l'évènement, ni sur la date.

Himes pense au contraire que le millérisme s'est trompé sur la date mais a raison sur ce qui doit se produire à la fin des 2 300 jours. En d'autres termes, rien ne s'est passé le 22 octobre 1844, mais ils doivent continuer à attendre le retour de Jésus dans les prochaines années. Pour arriver à cette conclusion, Himes a abandonné dès novembre 1844 la compréhension de Miller de la prophétie. Il finit par éloigner ceux qui adhèrent à ses idées de la compréhension prophétique qui a donné au millérisme sa force et sa pertinence.

Cette évolution n'est pourtant claire pour personne au printemps 1845. Tout ce que Himes sait, c'est qu'il faut fuir les faux enseignements des fanatiques. Cette même crainte rallie Miller, de plus en plus faible et souffrant, au camp de Himes fin avril 1845. Himes le persuade de l'accompagner à une conférence à Albany, dans l'État de New York, le 29 avril 1845. C'est là, quasiment, que le groupe adventiste majoritaire s'organise en une dénomination, avec ses doctrines et une ébauche d'organisation proche du congrégationalisme.

Cet évènement a un aspect positif : Il cherche à mettre de l'ordre dans le chaos. Malheureusement, cette branche du millérismerenonce en même temps à la compréhension des prophéties qui lui a permis de voir le jour et lui a donné sa raison d'être. Il y a aussi un problème sous-jacent : Sa principale motivation est de se définir en fonction de ce qu'il combat. Ces croyants sont tombés dans le piège consistant à étudier la théologie pour répondre à leurs adversaires. Cela entraîne une perte d'équilibre.

Seigneur, aide-nous à garder les yeux fixés sur ta Parole plus que sur les problèmes de nos voisins, alors que nous avançons aujourd'hui.

LE TEMPS DE LA DISPERSION — 4E PARTIE

C'est par la foi que nous comprenons. Hébreux 11.3

Il n'est pas facile de comprendre, surtout quand on en a le plus besoin, quand la confusion ébranle les fondements mêmes de notre vie.

Il est pratiquement impossible, pour nous qui vivons cent-soixante ans après ces évènements, de nous représenter l'intensité du bouleversement et du chaos qui suivirent la grande déception d'octobre pour les millérites.

Comme nous l'avons évoqué ces trois derniers jours, cet évènementsuscite plusieurs réactions. Les spiritualistes affirment que l'évènement et la date étaient justes et que Jésus est bien revenu le 22 octobre. Les adventistes d'Albany, de leur côté, pensent que la date est fausse, mais que l'évènement qui se produit à la fin des 2 300 jours est bien le retour de Jésus. Aucune prophétie ne s'est accomplie le 22 octobre, mais la purification du sanctuaire, c'est-à-dire le retour du Christ, doit encore arriver.

Les deux groupes ont oublié un élément essentiel. Pour les spiritualistes, c'est la compréhension littérale de la Bible ; pour le groupe d'Albany, c'est l'approche de la prophétie proposée par Miller.

Il existe cependant une troisième position concernant l'accomplissement de la prophétie des 2 300 jours le 22 octobre 1844. Les millérites auraient eu raison sur la date, mais tort sur l'évènement. Autrement dit, la prophétie des 2 300 jours s'est réalisée, mais la purification du sanctuaire n'est pas le retour du Christ.

La caractéristique intéressante de cette dernière perspective est que, contrairement aux deux autres, on ne lui connaît pas d'adhérents. En 1845, des milliers de personnes s'identifient aux idées, aux responsables et aux publications des spiritualistes ou du groupe d'Albany, alors que cette orientation suggérant que quelque chose s'est passé le 22 octobre mais que la purification du sanctuaire n'est pas le retour de Jésus n'a manifestement aucun adepte.

C'est pourtant autour de cette troisième position que le groupe des adventistes du septième jour, majoritaires parmi les adventistes, finit par se former. Trois éléments seront cependant nécessaires : des dirigeants, l'évolution des doctrines expliquant l'expérience millérite et clarifiant les notions erronées, et la publication de périodiques et les stratégies pratiques pour les diffuser.

Nous suivrons tout au long de cette année les traces de ce troisième groupe.

En attendant, remercions Dieu pour sa patience quand nous tâtonnons face aux difficultés de la vie.

Joseph Bates

Je suis moi-même avec toi, je te garderai partout où tu iras. Genèse 28.15

Joseph Bates occupe une place prépondérante lors des débuts de l'adventisme. Non seulement il joue un rôle essentiel dans le développement de la position doctrinale du mouvement, mais il convainc aussi les deux autres fondateurs du mouvement de l'importance du sabbat. Bates, comme nous le verrons, n'est pas seulement un grand fondateur de l'adventisme mais aussi un missionnaire zélé.

Il n'a pourtant pas toujours été chrétien. Né dans le Massachusetts le 8 juillet 1792, il rejette rapidement la foi de son père. Sa ville natale est en train de devenir le plus grand port des États-Unis et il rêve d'une vie maritime aventureuse.

Son père a des projets différents pour lui, mais il finit par l'autoriser à partir, pensant que sa passion s'évanouira. C'est le contraire qui se produit.

En juin 1807, juste avant son quinzième anniversaire, Joseph s'embarque comme garçon de cabine sur un bateau en partance pour l'Europe. Ses expériences maritimes précoces auraient poussé un jeune plus timoré à abandonner ses rêves. En effet, sur la traversée de retour d'Angleterre, le jeune marin tombe d'un mât dans l'océan, près d'un gros requin que ses compagnons tentaient d'appâter. Si l'animal n'était pas parti à ce moment précis, la carrière maritime de Joseph aurait été prématurément interrompue.

Au printemps 1809, Bates frôle encore la mort quand son navire heurte un iceberg au large de Newfoundland. Prisonnier du bateau avec un autre marin, ils se soutiennent mutuellement dans l'obscurité, « entendant les cris et les pleurs de leurs compagnons d'infortune, sur le pont au-dessus d'eux, implorant la pitié divine ».

Des années plus tard, Bates évoque son agitation spirituelle du moment : « Quelle épouvantable pensée ! Je me voyais rendre l'âme et [...] sombrer au fond de l'océan dans l'épave du navire, loin de ma famille et mes amis, sans aucune espérance de salut. »

Le courageux marin n'est pourtant pas encore prêt à donner sa vie à Dieu.

Remercions Dieu de ne pas nous abandonner et de continuer à œuvrer pour nos proches qui ne l'ont pas encore accepté.

BATES FAIT PRISONNIER

À chaque jour suffit sa peine. Matthieu 6.34

Il m'a fallu du temps pour bien comprendre ce verset. La version Parole de Vie le traduit ainsi : « La fatigue d'aujourd'hui suffit pour aujourd'hui. »

Le jeune Bates aurait certainement été d'accord avec cette affirmation. Ses aventures maritimes entre 1807 et 1809 ne sont qu'un avant-goût des difficultés qu'il devra affronter.

Le 27 avril 1810 est un tournant dans sa vie. Un groupe de racoleurs de l'armée britannique, composé d'un officier et de douze hommes de main, fait irruption dans la maison des marins à Liverpool, en Angleterre. Les hommes le saisissent ainsi que plusieurs autres marins pour en faires des « recrues » pour l'armée, bien qu'ils prouvent leur nationalité américaine par leurs papiers d'identité.

Une telle aventure peut nous paraître incongrue, mais à l'époque, la situation est différente. L'Angleterre est en guerre contre Napoléon et la marine britannique a besoin d'hommes. Il est impossible de recruter des volontaires à cause du salaire extrêmement bas, des conditions de vie insalubres, des rations alimentaires insuffisantes et des châtiments corporels fréquents. Au début de la guerre entre l'Amérique et l'Angleterre en 1812, la marine britannique compte environ six mille américains.

Bates, âgé de dix-sept ans, passe les cinq années suivantes (1810-1815) au « service » du gouvernement britannique, la moitié du temps comme marin dans la Royal Navy, l'autre moitié comme prisonnier de guerre. Ses expériences montrent de quelle trempe est le jeune homme. Lorsque la guerre éclate en 1812, les Anglais contraignent les deux cents Américains de l'escadron de Bates à combattre pour eux contre les Français. Six seulement, dont Bates, refusent ; cela lui coûtera cher.

Il raconte que lors d'une bataille contre la flotte française, il est le seul à refuser de combattre. Un officier anglais le fait battre et mettre au cachot. Bates répond qu'il est libre de le faire, mais qu'il ne se battra pas car il est prisonnier de guerre. L'officier lui signale que quand les hostilités commenceront, il le liera sur le gréement principal pour en faire la cible des tirs français.

Cet esprit d'indépendance et de détermination caractérise toute la vie de Bates. Son courage et sa fidélité à ses principes font de lui un fondateur efficace du mouvement qui renaît des cendres du millérisme.

Dieu a besoin d'autres Joseph Bates dans chaque église !

La conversion de Joseph Bates

J'ai cherché l'Éternel et il m'a répondu. Psaume 34.4

Le père de Joseph Bates, homme religieux, avait sans grand succès tenté d'intéresser son fils aîné à la spiritualité. Pourtant, en 1807, une vague du second grand réveil religieux aux États-Unis émeut profondément Joseph, mais cet intérêt est de courte durée, car il pense surtout à faire carrière dans la marine.

La mer peut cependant tourner les yeux d'un marin vers Dieu, surtout quand il navigue sur un léger bateau de bois. Bates commente plus tard : « Sur une mer déchaînée, on ne voit que l'épaisseur d'une planche qui nous sépare de l'éternité. » C'est lors d'une situation désespérée en mer que Bates est touché spirituellement pour la première fois. Au cœur d'un ouragan qui projette des vagues aussi haut que les mâts, le jeune capitaine désespéré prend deux initiatives : il jette vingt tonnes de fer à la mer et demande à son cuisinier de prier.

Le cuisinier n'est pas le seul à prier ; Prudy, l'épouse de Bates fait de même. Elle trouve que son mari a emporté trop de romans pour le voyage, et elle a glissé un Nouveau Testament et des brochures chrétiennes dans ses bagages. Le Saint-Esprit accomplit son œuvre par leur intermédiaire. Rapidement, Bates perd tout intérêt pour ses romans et commence à dévorer des ouvrages tels que *La naissance et les progrès de la religion dans l'âme* de Philip Doddridge. Ce capitaine de trente-deux ans se passionne pour la religion mais il craint que son équipage ne s'en rende compte et se moque de lui.

Le moment décisif a lieu lors du décès d'un de ses marins appelé Christopher. En tant que capitaine, Bates a le devoir de présider à la cérémonie de sépulture, mais il s'en sent totalement indigne. Il fait de son mieux et, quatre jours après l'enterrement, il donne sa vie à Dieu : « Je promis au Seigneur de le servir pour le restant de ma vie. »

Les funérailles de Christopher ne prennent pas un sens uniquement pour Bates ; il saisit l'occasion d'éveiller la conscience de son équipage en lui adressant un sermon sur la vie éternelle le dimanche suivant.

Bates commente ainsi sa conversion : « J'ai trouvé la perle de grand prix dont la valeur surpasse largement toutes les richesses que mon navire pourrait contenir. » Son seul désir est de « montrer aux autres le chemin de la vie et du salut ».

C'est ce qu'il fait, et cette mission influence tout le reste de sa vie.

Nous servons un Dieu puissant qui peut transformer notre vie ainsi que celle de nos enfants.

Bates et les réformes sociales

Examinons à fond notre conduite et revenons au Seigneur. Lamentations 3.40

Lors de son dernier voyage, celui qui suit sa conversion, Bates est convaincu non seulement qu'il doit convertir les membres de son équipage au christianisme, mais qu'il doit également les motiver à se comporter en vrais chrétiens, avant même de le devenir.

Ainsi, le soir du 9 août 1827, jour où ils quittent le port, il réunit l'équipage et présente les règles qui seront en vigueur pendant le voyage. Les marins rustres qui l'écoutent sont choqués. Ils doivent non seulement cesser de jurer, mais également se témoigner mutuellement du respect, en s'adressant les uns aux autres par leur prénom et non par leur surnom. Un règlement encore plus radical leur est imposé : dans les ports, ils n'iront pas la permission d'aller en ville le dimanche, mais observeront le jour du repos à bord.

Le personnel reste bouche bée à l'écoute de ces annonces. Certains tentent de protester mais ils ont déjà pris le large, pour un voyage qui doit durer environ dix-huit mois.

Bates n'a cependant pas encore lâché sa dernière bombe : « Le *Empress*, annonce-t-il, sera un navire tempérant. Aucune liqueur ne sera embarquée et il encourage l'équipage, si possible, à ne pas boire d'alcool, même lorsqu'ils font escale. » Puis il s'agenouille et prie pour se confier, ainsi que son personnel à Dieu.

C'est dans cette atmosphère que se déroule ce voyage qui doit sembler bien étrange à l'équipage. Nous ne savons pas ce que les marins en ont pensé, mais l'un d'eux s'est exclamé que « c'était un bon début ! » et un autre aurait rétorqué que c'était un très mauvais début.

C'est au cours de ce voyage que Bates acquiert une meilleure compréhension du sabbat. Il lit au moins deux fois *Five Discourses on the Sabbath*, [Cinq discours sur le sabbat] de Seth Williston. Après sa première lecture, Bates déclare qu'il ne savait pas que la Bible parlait autant sur ce sujet. « Bien sûr, remarque-t-il, ce jour a été changé au premier jour de la semaine, en souvenir du jour où notre Seigneur est sorti triomphant de la tombe. » Quelques semaines plus tard, il écrit : « Plus je lis et réfléchis sur ce saint jour (le dimanche), plus je suis convaincu de la nécessité de le sanctifier totalement. »

Le christianisme a totalement transformé Joseph Bates, et il doit en être de même pour nous si nous avons accepté Jésus comme Sauveur et Seigneur. Suivre ses traces implique de vivre une vie radicalement différente de celle du monde qui nous entoure.

Bates et la véritable réforme

Mais nous attendons, selon sa promesse, de nouveaux cieux et une nouvelle terre où la justice habitera. 2 Pierre 3.13

Bates entend parler pour la première fois du prochain retour du Christ par un pasteur local. Cette notion ne l'impressionne pourtant pas jusqu'à l'automne 1839, quand il entend parler de la prédication de Miller annonçant le retour du Christ aux environs de 1843.

Bates s'oppose à cette idée mais on lui répond que Miller s'appuie entièrement sur les Écritures pour soutenir sa théorie. Bates se rend à une série de réunions adventistes et est « très étonné de constater que l'on peut déterminer la *date* du retour du Christ ». En rentrant chez lui après la première réunion, il déclare à sa femme : « C'est la vérité ».

Il lit ensuite *Evidence from Scripture and History of the Second Coming of Christ, About the Year 1843* [Preuves tirées des Écritures et de l'histoire du retour du Christ, vers l'année 1843]. Bates accepte sans réserve l'enseignement de Miller, devenant le premier des futurs adventistes à adhérer au mouvement millérite.

Le millérisme devient rapidement prépondérant dans la vie de Bates et il consacre moins de temps aux réformes sociales, au point que certains amis lui demandent pourquoi il ne fréquente plus leurs réunions. Il leur répond qu'en embrassant la doctrine du retour du Sauveur, il a besoin de tout son temps pour se préparer à cet évènement, et aider autrui à faire de même, et que tous ceux qui adhèrent à cette doctrine défendent nécessairement la tempérance et l'abolition de l'esclavage.

Il poursuit : « Mieux vaut s'attaquer à la racine du problème. Les sociétés de réformes sociales s'attaquent à des vices produits par le péché. Le retour du Christ éliminera définitivement le péché, le millérisme est donc la véritable réforme ». Il conclut : « Une humanité corrompue ne peut réformer la corruption. Le retour du Christ est donc la seule solution réelle et permanente. »

Bates devient rapidement un leader important du millérisme, il fait partie des seize personnes qui organisent la Conférence générale de 1840 et préside celle de mai 1842. Il est aussi un des acteurs principaux de l'évolution de l'adventisme vers le sabbat, à la fin des années 1840.

Dieu a dirigé pas à pas la vie de Joseph Bates. Il fait de même pour nous, il nous suffit de le suivre au quotidien.

RENCONTRE AVEC JAMES WHITE

Un jour, le Seigneur adresse cet ordre à Jonas [...] : Debout, va à Ninive, la grande ville. Tu menaceras ses habitants en disant : Le Seigneur en a assez de vos actions mauvaises. Jonas se met en route, mais pour fuir à Tarsis, loin du Seigneur. Jonas 1.1-3, PDV

Il arrive que nous entendions l'appel du Seigneur à prêcher sa Parole, mais que nous soyons réticents à y répondre. C'est le cas de James White, autre fondateur de l'adventisme du septième jour.

Il naît à Palmyre, dans le Maine, le 4 août 1821. « À l'âge de quinze ans, raconte-t-il, j'ai été baptisé dans l'église Christian Connexion. À vingt ans, j'étais tellement absorbé par les études et l'enseignement que j'avais laissé la croix de côté. Je ne commettais pas de péché grave, je ne fumais pas, ne consommais pas de thé, de café ni d'alcool, pourtant, j'aimais ce monde plus que Dieu et j'adorais l'éducation plutôt que le Dieu des cieux. »

Le jeune James a entendu parler du millérisme mais le considère comme un fanatisme insensé, c'est pourquoi il est très étonné d'entendre sa mère parler favorablement de la doctrine adventiste. Il n'imagine pas l'impact de cet enseignement dans sa vie, entre autres parce qu'il a déjà fait des plans pour sa vie. Pourtant, il ne peut s'empêcher d'être convaincu.

« En retournant au Seigneur, explique-t-il, j'avais la ferme conviction de devoir renoncer à mes projets de vie pour me consacrer à inviter les gens à se préparer pour le jour du Seigneur. J'aimais les livres en général, mais j'avais perdu le goût de l'étude des Écritures et je ne prenais pas le temps de les lire. J'étais donc ignorant concernant les prophéties. »

James se sent particulièrement poussé à s'adresser à ses étudiants d'une école publique locale. « Je priai pour être dispensé de ce devoir, raconte-t-il, mais aucun soulagement ne venait. » Dans cet état d'esprit, il va aider son père dans les travaux des champs, espérant se débarrasser de l'appel qui le tourmente. Ce n'est pas le cas. James prie pour se sentir soulagé mais rien ne se passe. Finalement, il se rebelle ouvertement face à Dieu et répond obstinément qu'il n'ira pas. D'un coup de pied rageur, il met un terme à cette histoire et veut reprendre ses projets.

L'attitude de James ressemble parfois à la nôtre. Nous entendons l'appel de Dieu mais nous obstinons à refuser. Dieu n'abandonne cependant pas. Il a un plan pour chacun de nous. Quel est son dessein pour nous aujourd'hui ? Que répondrons-nous ?

PRÉDICATEUR MALGRÉ LUI

Voici ce que je te demande avec force devant Dieu et devant le Christ Jésus… annonce la parole de Dieu, insiste toujours, même si ce n'est pas le bon moment. Corrige les erreurs, fais des reproches et encourage avec beaucoup de patience, en cherchant toujours à enseigner. 2 Timothée 4.1,2, PDV

Hier, nous avons laissé James White en rébellion contre l'appel de Dieu. « Finalement, je me suis résolu à accepter la mission. Immédiatement, une douce paix divine m'envahit et le ciel semblait rayonner autour de moi. J'élevai les mains et louai Dieu. » Ses luttes avec ses ambitions terrestres ne sont pas totalement résolues, mais il a choisi la bonne voie.

Le témoignage de James exerce tout de suite un grand impact. Dans une ville, une femme appelle vingt-cinq voisins et amis, tous non-chrétiens. James témoigne, puis s'agenouille pour prier. « J'étais étonné, écrit-il, de voir ces vingt-cinq fermiers se mettre à genoux avec moi. Je ne pus m'empêcher de pleurer, et ils pleurèrent avec moi. »

Malgré ses succès, James est toujours déchiré entre ses ambitions personnelles et l'appel de Dieu à annoncer le proche Avent. « La lutte était dure », reconnaît-il. À une certaine occasion, il se sent embarrassé par son manque de connaissance biblique, mais il s'étonne d'entendre les auditeurs l'appeler « pasteur White ». Il se souvient : « Le terme pasteur me toucha droit au cœur, j'étais bouleversé. »

Tout se passe bien jusqu'à ce qu'il parle en présence de deux prédicateurs qui n'ont pas accepté la doctrine adventiste. Au bout de vingt minutes, confus et embarrassé, il s'assied. « À partir de ce moment là, écrit-il, j'ai tout abandonné pour Christ et j'ai trouvé la paix du cœur. »

Avant de s'abandonner, James est conscient qu'il a besoin de se préparer s'il veut devenir un prédicateur convaincant. Il achète donc des publications adventistes, les lit attentivement, étudie sa Bible et s'adresse au public, quand Dieu lui en donne l'occasion.

L'expérience de James White est une leçon pour chacun de nous. Nous ne sommes pas tous appelés à devenir prédicateurs, mais Dieu nous demande d'utiliser les talents qu'il nous a confiés. Certains doivent lutter avant de répondre, mais Dieu ne perd pas patience avec nous. Comme il l'a fait pour James, il travaille EN nous, jusqu'à ce qu'il puisse travailler PAR notre intermédiaire. Prions chaque jour pour discerner la volonté de Dieu pour nous et la suivre.

Personne n'a dit que ce serait facile

Sois raisonnable en toute chose, supporte la souffrance, travaille à annoncer la Bonne Nouvelle, sois un parfait serviteur de Dieu. 2 Timothée 4.5, PDV

Dieu n'a jamais dit qu'il serait aisé de suivre sa volonté. Ce n'est en tous cas pas facile pour James White, prédicateur fraîchement consacré. Tout d'abord, il est pauvre. Quand il commence sa mission, il se souvient : « Je n'avais ni cheval, ni selle, ni argent, et pourtant je me sentais appelé à partir. J'avais utilisé l'argent gagné l'hiver précédent pour acheter quelques vêtements, aller aux rencontres adventistes et me procurer quelques livres. Mon père me proposa d'utiliser son cheval pendant l'hiver, et frère Polley m'offrit une vieille selle déchirée, ainsi qu'une bride usagée. »

Malgré sa pauvreté, il part, mais tout le monde ne se réjouit pas de son arrivée. Dans une ville il se souvient qu'une boule de neige manque de peu sa tête alors qu'il est en train de prier. Un déluge de boules de neige s'abat alors sur lui, et il doit crier pour couvrir le brouhaha de la foule. « Mes vêtements et ma Bible étaient mouillés à cause des centaines de boules de neige », raconte-t-il.

Il se demande alors comment réagir. « Je n'avais pas le temps d'être logique, explique-t-il. J'ai fermé ma Bible et j'ai commencé à décrire la terreur qui s'emparera des incroyants au jour du Seigneur. Je lançai l'appel final : repentez-vous et convertissez-vous ! » À la fin de la réunion, près de cent personnes se lèvent pour prier.

Dieu n'a jamais promis que tout serait facile, mais la difficulté ne signifie pas que Dieu n'est pas avec nous. James White, jeune prédicateur, apprend à grandir malgré les obstacles. Durant ce processus, il développe des approches nouvelles qui lui permettent de parler au cœur et à l'esprit de nombreuses personnes.

Dans un endroit extrêmement bruyant où il a du mal à parvenir jusqu'à l'estrade, les auditeurs entendent d'abord de sa bouche un chant puissant et clair :

Bientôt très bientôt, nous allons voir le Seigneur
Bientôt très bientôt, nous allons voir le Seigneur
Bientôt très bientôt, nous allons voir le Seigneur
Alléluia, alléluia, nous allons voir le Seigneur

Son chant non seulement fait taire la foule, mais il exprime également l'espoir du prochain retour de Jésus, auquel il a consacré sa vie. Dieu ne nous a jamais promis qu'il serait facile de suivre Jésus, mais il nous assure d'infinies bénédictions si nous nous le faisons.

Rencontre avec Ellen White

Souviens-toi de ton créateur pendant les jours de ta jeunesse. Ecclésiaste 12.1

« Alors que je priais au culte de famille, le Saint-Esprit reposa sur moi, et il me semblait m'élever de plus en plus au-dessus de ce monde de ténèbres. Je me détournai pour voir mes frères adventistes restés en ce bas monde, mais je ne pus les découvrir. Une voix me dit alors : "Regarde encore, mais un peu plus haut." Je levai les yeux, et je vis un sentier abrupt et étroit, bien au-dessus de ce monde. C'est là que les adventistes s'avançaient vers la sainte cité. » — *Premiers écrits*, p. 59. Ellen G. Harmon résume ainsi une partie de sa première vision reçue à dix-sept ans, en décembre 1844.

Ellen et sa sœur jumelle, nées le 26 novembre 1827, sont les plus jeunes d'une famille de huit enfants, à Gorham dans le Maine. Son père, fabricant et vendeur de chapeaux, déménage avec sa famille à Portland (Maine). C'est là qu'Ellen, neuf ans, a un grave accident. Une camarade de classe lui lance une pierre qui l'atteint au visage, et elle reste entre la vie et la mort pendant plusieurs semaines. Elle finit par se rétablir, mais garde une santé fragile qui l'empêche de poursuivre normalement sa scolarité, bien qu'elle s'y efforce de tout son cœur. Ses problèmes de santé la gêneront toute sa vie.

L'impossibilité de fréquenter l'école ne l'empêche cependant pas de s'instruire de façon informelle. Son autobiographie révèle une jeune femme douée d'un esprit curieux et d'une nature sensible. À la fin de sa vie, le nombre de livres de sa bibliothèque indique qu'elle se documentait sur toute une variété de sujets.

Elle se révèle particulièrement sensible dans ses relations avec autrui mais également avec Dieu. En effet, une lecture même rapide de son autobiographie montre que depuis ses premiers souvenirs, elle est fervemment en quête de spiritualité.

La pensée que Jésus peut revenir d'ici quelques années traumatise la jeune Ellen. Elle en entend parler pour la première fois à l'âge de huit ans quand, en revenant de l'école, elle ramasse un tract sur ce sujet. « Je fus saisie de terreur, écrit-elle. J'étais tellement impressionnée [...] que j'eus du mal à dormir pendant plusieurs nuits et priai continuellement d'être prête quand Jésus reviendrait. » — *Life Sketches of Ellen G. White* [Notes biographiques d'Ellen White], p. 20, 21.

Son expérience nous enseigne que ce que nous craignons peut parfois devenir l'espérance de notre vie, en particulier quand nous apprenons à connaître le caractère de Dieu.

LUTTER AVEC DIEU

Je crois ! Viens au secours de mon incrédulité ! Marc 9.24

Le cheminement chrétien n'est pas toujours facile, en particulier pour les personnes sensibles comme Ellen White.

Nous l'avons vue hier, « saisie de terreur » quand à huit ans, elle lit que le retour de Jésus est imminent. Sa crainte résulte tout d'abord d'une sensation profonde d'indignité. « J'avais le sentiment dans mon cœur que je ne serais jamais digne d'être appelée une enfant de Dieu, écrit-elle. Il me semblait que j'étais trop mauvaise pour entrer au ciel. » — *Life Sketches of Ellen G. White* [Notes biographique d'Ellen White], p. 20, 21.

Pendant plusieurs années, Ellen lutte avec ses craintes. Deux fausses croyances en sont la cause. La première est qu'elle doit être juste – et même parfaite – pour être acceptée par Dieu. La deuxième est que si elle était vraiment sauvée, elle ressentirait une sensation d'extase spirituelle.

L'été 1841, à un camp meeting de l'église méthodiste à Buxton, dans le Maine, elle entend lors d'un sermon que tout ce que nous pouvons faire par nous-mêmes et tous nos efforts ne servent à rien pour gagner la faveur de Dieu. Elle comprend que « c'est uniquement dans sa relation avec Jésus par la foi que le pécheur peut croire, espérer et devenir un enfant de Dieu. » — *Ibid*. p. 23.

À partir de ce moment, elle demande ardemment pardon pour ses péchés et lutte pour se donner entièrement au Seigneur. Elle écrit : « Mon cœur disait continuellement "Sauve-moi, Jésus, sinon je meurs." Soudain, mes fardeaux disparurent et j'eus le cœur léger. » — *Ibid*.

Elle pense pourtant que c'est trop beau pour être vrai, et réendosse la culpabilité et la détresse qui l'accompagnent depuis toujours. « Il me semblait que je n'avais pas le droit de me sentir heureuse ou joyeuse. » — *Ibid*. Ce n'est que progressivement qu'elle prend conscience de la totale plénitude de la grâce rédemptrice de Dieu.

Malgré cette prise de conscience, elle continue à lutter avec ses doutes, parce qu'elle ne ressent toujours pas l'extase spirituelle qu'elle pensait connaître en étant vraiment sauvée. Elle continue par conséquent à croire qu'elle n'est pas assez parfaite pour rencontrer son Sauveur lors de son retour.

La réaction d'Ellen nous est-elle familière ? Nous avons parfois du mal à croire que l'Évangile est aussi gratuit que ce que Dieu promet. La solution consiste à ne pas nous fier à nos sentiments, mais à lire les promesses de Dieu et nous les approprier.

Seigneur, viens aujourd'hui au secours de mon incrédulité !

Une jeune millérite — 1re partie

Il y a beaucoup de demeures dans la maison de mon Père.
Sinon, je vous l'aurais dit, car je vais vous préparer une place. Donc, si je m'en vais et vous prépare une place, je reviendrai et je vous prendrai avec moi,
afin que là où je suis, vous y soyez aussi. Jean 14.2,3

Ellen Harmon entend pour la première fois William Miller lors d'une série de conférences à Portland, en mars 1840. Quand il revient présenter des conférences en juin 1842, elle va l'écouter avec plaisir. Elle accepte le message de Miller, mais la crainte de ne pas être « assez bonne » ne la lâche pas. Par ailleurs, elle est troublée à la pensée d'un Dieu torturant éternellement les pécheurs en enfer.

Voyant Ellen tourmentée, sa mère lui propose de demander conseil à Levi Stockman, un pasteur méthodiste qui a accepté le millérisme. Stockman rassure Ellen en lui parlant de « l'amour de Dieu pour ses enfants errants, qui désire les attirer à lui par la foi et la confiance, au lieu de se réjouir de leur destruction. Il insiste sur l'amour infini de Jésus et le plan du salut. »

« Rentre chez toi, libre et confiante en Jésus, lui dit-il, car il n'enlève jamais son amour à ceux qui le recherchent vraiment. » — *Testimonies for the Church*, vol. 1, p. 30. Cet entretien est l'un des moments cruciaux de la vie d'Ellen. À partir de là, elle considère Dieu comme « un père bon et tendre, et non plus comme un tyran intransigeant, contraignant les hommes à obéir aveuglément. Son cœur ressent pour Dieu un amour fervent et profond. Dès lors, obéir à la volonté de Dieu et le servir deviennent pour elle une véritable joie. » — *Life Sketches of Ellen G. White*, p. 39.

Sa nouvelle vision de Dieu l'aide beaucoup, en particulier concernant ses perplexités sur l'enfer, comme nous le verrons dans une prochaine lecture.

Le fait de considérer Dieu comme un tendre père l'aide aussi à attendre son retour avec joie et enthousiasme : elle n'a rien à craindre de Dieu mais au contraire tout à espérer.

Quelle merveilleuse espérance, effectivement ! Aujourd'hui, au XIXe siècle, nos activités quotidiennes nous absorbent tellement que nous sous-estimons l'extraordinaire promesse du retour de Jésus.

Quelles que soient les bénédictions que notre tendre Père céleste nous offre dans cette vie, la Bible nous assure qu'il nous réserve encore infiniment plus dans l'avenir.

Soyons reconnaissants envers notre Père aimant et tendre.

UNE JEUNE MILLÉRITE — 2E PARTIE

Le Seigneur lui-même, à un signal donné, à la voix d'un archange, au son de la trompette de Dieu, descendra du ciel et les morts en Christ ressusciteront en premier lieu. Ensuite nous les vivants qui serons restés, nous serons enlevés ensemble avec eux dans les nuées, à la rencontre du Seigneur dans les airs et ainsi, nous serons toujours avec le Seigneur. Consolez-vous donc les uns les autres par ces paroles. 1 Thessaloniciens 4.16-18

Ces mots sont de grande consolation pour la jeune Ellen. Elle a découvert que Dieu est un Père aimant et cela la motive à répandre la nouvelle du retour de Jésus, pour que d'autres se préparent également à cet heureux évènement.

Ainsi, malgré sa timidité, elle commence à prier en public, à partager sa certitude du salut en Jésus et de son prochain retour lors de réunions dans son église méthodiste. Elle veut gagner de l'argent pour acheter et distribuer des brochures sur la doctrine adventiste.

Cette dernière activité lui est plutôt pénible. Assise dans son lit, soutenue par des oreillers, elle tricote des bas, pour 25 cents par jour. Profondément sincère, sa conviction se manifeste dans tous les aspects de sa vie. Elle amène ainsi plusieurs amis à la foi en Jésus.

Les parents et frères et sœurs d'Ellen sont aussi zélés qu'elle pour faire connaître la vérité adventiste prêchée par Miller. Cependant, leur église méthodiste qui prêche le retour du Christ après un millénium de paix n'apprécie pas qu'on parle sans cesse du proche retour de Jésus. En septembre 1843, elle exclut donc la famille White de ses membres.

Leur expérience est similaire à celle de beaucoup d'adventistes millérites qui refusent de se taire sur le sujet du proche retour de Jésus.

Ellen et beaucoup d'entre eux ne sont cependant pas affectés outre mesure de leur expulsion de différentes églises. En effet, tous leurs problèmes disparaîtront dans quelques mois, lorsque Jésus reviendra. Avec cette ferme espérance, les Millérites continuent à se rencontrer pour s'encourager mutuellement, alors que le moment prédit approche.

La joie remplit leur cœur. Ellen décrit plus tard la période de 1843 à 1844 comme « la plus belle année de ma vie. » — *Life Sketches of Ellen G. White*, p. 59. Aujourd'hui, nous savons que ces croyants se trompaient concernant le jour de l'Avent, mais ils avaient raison sur l'espérance elle-même. L'espérance bénie du retour de Jésus remplit encore aujourd'hui nos cœurs de joie, dans l'anticipation.

LE PEUPLE DU LIVRE — 1RE PARTIE

Toute Écriture est inspirée de Dieu et utile pour enseigner, pour convaincre, pour redresser, pour éduquer dans la justice. 2 Timothée 3.16

Le problème fondamental de tout groupe religieux est l'autorité. Ceux qui initièrent le mouvement adventiste du septième jour étaient au clair sur ce point. James White écrit déjà en 1847 : « *La Bible* est une révélation parfaite et complète. Elle est *notre seule règle de foi et de pratique.* » (c'est nous qui soulignons).

Les sabbatistes, comme nous le verrons, ont formulé leurs croyances doctrinales propres en se basant sur l'étude de la Bible. Cela n'est pas toujours évident pour leurs détracteurs. Miles Grant, par exemple, écrit en 1874 dans *World's Crisis* [La crise du monde] un principal périodique des adventistes du premier jour : « Les adventistes du septième jour prétendent que le sanctuaire qui doit être purifié à la fin des 1 300 [2 300] jours de Daniel 8.14 se trouve au ciel, et que cette purification a commencé à l'automne 1844. Si on leur demande pourquoi ils croient cela, ils répondront certainement qu'Ellen White a reçu cette information lors d'une de ses visions. »

Uriah Smith, rédacteur de la revue adventiste du septième jour *Review and Herald* rectifie avec vigueur : « Des centaines d'articles ont été écrits sur le sujet [du sanctuaire], mais dans aucun d'eux, ces visions ne sont citées comme ayant autorité sur ce sujet, ni comme référence dont nos points de vue pourraient provenir. Aucun prédicateur ne s'y réfère sur ce sujet. Nous nous basons invariablement sur la Bible où nous trouvons de nombreuses preuves de ce que nous affirmons sur ce sujet. »

Si quelqu'un veut remonter aux sources de l'adventisme, il pourra facilement vérifier le bien fondé de l'affirmation de Smith. C'est le cas de Paul Gordon qui écrit en 1983 *The Sanctuary, 1844 and the Pioneers* [Le sanctuaire, 1844 et les pionniers] et dont les conclusions confirment la déclaration de Smith.

Le fait est que beaucoup d'adventistes tendent aujourd'hui à s'appuyer sur l'autorité d'Ellen White ou de la tradition adventiste, alors que les premiers adventistes étaient « le peuple du livre ». C'est ce que les adventistes d'aujourd'hui, de quelque tendance qu'ils soient, découvriront s'ils remontent aux origines exactes de l'adventisme. Bonne nouvelle : Dieu a placé dans la Bible les paroles de vie. Réjouissons-nous comme le Psalmiste : « Je garde tes enseignements dans mon cœur pour ne pas pécher contre toi. » (Psaume 119.11)

LE PEUPLE DU LIVRE – 2E PARTIE

Ils reçurent la parole avec beaucoup d'empressement et ils examinaient chaque jour les Écritures pour voir si ce qu'on leur disait était exact. Actes 17.11

Ellen White est totalement d'accord avec son mari et Bates sur la centralité de la Bible. Dans son premier livre, en 1858, elle écrit : « Cher lecteur, je vous recommande la Parole de Dieu ; qu'elle soit la règle de votre foi et de votre vie. » — *Premiers écrits*, p. 78. Cinquante-huit ans plus tard, elle s'adresse à l'assemblée de la Conférence générale de 1909 : « Frères et sœurs, je vous recommande ce Livre. » Ces mots exprimés lors d'une Conférence générale expriment la base de son ministère de plus de soixante ans.

En 1847, James White souligne le rôle unique de la Bible dans le développement de la doctrine adventiste, déclarant que « la Bible est notre seule règle de foi et de pratique ». Dans le contexte du ministère prophétique de sa femme, il écrit : « Les vision authentiques doivent mener à Dieu et à sa Parole écrite. Toutes celles qui donnent de nouvelles règles de foi ou de pratiques, différentes de la Bible, ne peuvent provenir de Dieu et doivent être rejetées. »

Quatre ans plus tard, il explicite ce point : « Chaque chrétien a le devoir de prendre la Bible comme norme parfaite de foi et de pratique. Il doit prier avec ferveur pour être guidé par le Saint-Esprit et trouver la vérité dans les Écritures. Il ne doit pas chercher sa ligne de conduite dans d'autres dons. Dès le moment où il fait une mauvaise utilisation des dons, il court un grave danger. L'Église doit fixer les yeux sur la Bible, comme guide à suivre et comme base de la sagesse pour accomplir "toute bonne œuvre." »

En clair, les premiers adventistes écartaient la tradition, l'autorité de l'Église et même les dons du Saint-Esprit dans leur développement doctrinal.

À ce stade, il est important de nous situer en tant qu'adventistes (individuellement et collectivement) sur le sujet de l'autorité. Il apparaît trop souvent que nous sommes faibles par rapport à la Bible.

Aujourd'hui est le jour idéal pour remédier à cette lacune. Engageons-nous, dans la prière, à l'étude assidue et quotidienne de la Bible. Pourquoi ne pas commencer par les évangiles, les lettres de Paul ou les Psaumes ?

L'important n'est pas le passage que nous choisissons, mais l'engagement, avec le même état d'esprit des pionniers, à passer au moins une demi-heure à l'étude. Je sais qu'il faudra réduire le temps passé devant la télévision, mais cela en vaut largement la peine.

La porte fermée

L'époux arriva ; celles qui étaient prêtes entrèrent avec lui au festin de noces, et la porte fut fermée. Plus tard, les autres vierges arrivèrent aussi et dirent : Seigneur, Seigneur, ouvre-nous. Mais il répondit : En vérité, je ne vous connais pas. Matthieu 25.10-12

Certains symboles bibliques prennent avec le temps plus d'une signification ; c'est le cas de la porte fermée dans l'adventisme post-millérite jusqu'à la fin des années 1840.

Nous avons vu précédemment qu'en 1836, Miller considérait que la porte fermée de Matthieu 25.10 signalait la fin du temps de grâce, c'est-à-dire qu'avant le retour du Christ, chaque homme aurait pris sa décision, pour ou contre lui.

Comme Miller attend le retour du Christ pour octobre 1844, il pense que le temps de grâce s'arrête donc à ce moment-là. Il garde cette position après la grande déception d'octobre. Le 18 novembre 1844 il écrit : « Nous avons achevé notre mission d'avertir les pécheurs. [...] Dieu a fermé la porte, il ne nous reste qu'à nous encourager les uns les autres à la *patience.* »

Ce n'est pas la seule idée confuse au sujet des évènements de 1844. Le 5 novembre, J.V. Himes conclut qu'aucune prophétie ne s'est accomplie en octobre et que par conséquent, la porte de la grâce n'est pas fermée. Le peuple de Dieu doit donc encore annoncer le message du salut.

Aussi étrange que cela puisse nous paraître, ce sont les différentes compréhensions de la porte fermée qui divisaient les différentes branches de l'adventisme dès 1845. Pour bien le comprendre, il faut savoir que début 1845, l'expression « porte fermée » revêt deux significations :

1. La fin du temps de grâce
2. Le fait que la prophétie s'est réalisée en 1844.

Sachant cela, nous pouvons classer les adventistes d'Albany qui suivirent Himes comme « adventistes de la porte ouverte », et les spiritualistes fanatiques ainsi que les futurs sabbatistes comme « adventistes de la porte fermée ».

James White veut tellement insister sur la réalisation de la prophétie des 2 300 jours qu'il propose d'appeler les sabbatistes « peuple du septième jour de la porte fermée ». (Heureusement que ce nom n'a pas été adopté !)

À la fin des années 1840, les sabbatistes se séparent de leurs cousins fanatiques de la branche « porte fermée ». Ce travail théologique ne s'effectue que par l'étude approfondie de la Bible, guidée par Dieu.

Nouvelle lumière sur le sanctuaire — 1re partie

Il me dit : Jusqu'à 2 300 soirs et matins et le sanctuaire sera rétabli. Daniel 8.14

Nous ne devons pas oublier que ceux qui deviendront les adventistes sabbatistes font partie de la branche de la « porte fermée », c'est-à-dire qu'ils croient que la prophétie de Daniel 8.14 s'est accomplie en octobre 1844. Ils n'ont aucun doute sur la date de cette prophétie. Les interprètes historicistes de Daniel s'accordent sur le fait que la prophétie des 2 300 jours s'accomplit entre 1843 et 1847. La controverse ne porte pas sur la date mais sur ce qui se passe à la fin de la période prophétique. En d'autres termes, on observe un large consensus sur les symboles liés à la date, mais un grand désaccord sur les deux autres symboles prophétiques de Daniel 8.14.

Le travail théologique des adventistes, après la grande déception d'octobre, consiste à décrypter le sens du sanctuaire et de la purification.

Comme nous l'avons vu précédemment, Miller assimile le sanctuaire à la terre et sa purification par le feu lors du retour du Christ. Son opinion est évidemment fausse. Il faut reconnaître que certains expriment déjà des doutes sur cette position avant la grande déception d'octobre. Josiah Litch, par exemple, écrit en avril 1844 : « Il n'est pas prouvé que la purification du sanctuaire qui doit avoir lieu à la fin des 2 300 jours corresponde au retour du Christ ou à la purification de la terre. » Il écrit encore, alors qu'il se débat avec le sens du texte, qu'ils sont « probablement dans l'erreur en ce qui concerne l'évènement qui marque la fin des 2 300 jours ».

Cette ligne de pensée resurgit après la grande déception d'octobre. Ainsi, Joseph Marsh admet début novembre : « Nous reconnaissons volontiers que nous nous sommes trompés sur la *nature* de l'évènement que nous attendions, [...] mais nous ne pouvons pas admettre que *ce jour-là*, notre Souverain sacrificateur n'a pas accompli *tout* ce que le symbole nous permettait d'attendre. »

Il y a là une leçon pour nous. Nous sommes parfois plus sûrs d'une interprétation particulière de l'Écriture que ce que le texte nous permet. Restons humbles et étudions sérieusement la Bible.

Père, aide-nous à garder l'esprit ouvert quand tu nous guides progressivement, alors que nous étudions ta Parole.

NOUVELLE LUMIÈRE SUR LE SANCTUAIRE – 2E PARTIE

Nous avons un souverain sacrificateur qui s'est assis à la droite du trône de la majesté divine dans les cieux ; il est ministre du sanctuaire et du véritable tabernacle dressé par le Seigneur et non par un homme.
Hébreux 8.1-2

Plusieurs années après l'évènement, Hiram Edson décrit son expérience du 23 octobre 1844, le lendemain de la grande déception : « Je commençai à comprendre que la lumière et l'aide nous rejoignaient dans notre détresse présente. J'ai demandé à quelques frères de m'accompagner dans la grange, nous y sommes entrés et nous nous sommes agenouillés devant le Seigneur. »

« Nous avons prié ardemment, car nous étions conscients de notre besoin, et sommes restés en prière jusqu'à ce que l'Esprit nous fasse sentir que notre prière était acceptée, que la lumière nous serait donnée, que notre déception serait expliquée, clairement et de façon satisfaisante. Après le petit déjeuner, je dis à un frère [probablement O.R.L. Crosier] de venir avec moi pour encourager les frères. Nous sommes partis et alors que nous traversions un grand champ, je fus arrêté au milieu. Il me semblait que le ciel était ouvert devant moi et je voyais distinctement, non pas que notre souverain sacrificateur descendait sur terre le dixième jour du septième mois, mais plutôt qu'il entrait dans la deuxième pièce du sanctuaire, parce qu'il avait une œuvre à accomplir dans le lieu très saint avant de revenir sur terre. »

Ces souvenirs d'Hiram Edson sont généralement bien connus des adventistes, et certains pensent même que c'est suite à cette vision que l'Église a développé la doctrine du sanctuaire.

La question se pose alors : ses visions ou celles de quelqu'un d'autres constituent-elles une base acceptable pour une doctrine ? Si l'adventisme n'avait pas entendu Edson parler de sa vision, cela aurait-il fait une différence ? Pas du tout !

Hiram précise que Crosier (qui vivait de temps en temps chez lui) et le Dr. F.B. Hahn étudient attentivement avec lui le thème du sanctuaire. Crosier effectue une étude approfondie dont Edson et Hahn financent la publication.

C'est important : la vision a suggéré une interprétation possible de la théorie du sanctuaire, mais seule l'étude de la Bible pose le fondement solide de la doctrine.

Basons TOUJOURS nos enseignements sur l'étude assidue de la Bible.

Nouvelle lumière sur le sanctuaire – 3e partie

Le service du sanctuaire terrestre est] une image et une ombre des réalités célestes, ainsi que Moïse en fut divinement averti quand il allait construire le tabernacle : Regarde, lui dit Dieu, tu feras tout d'après le modèle qui t'a été montré sur la montagne. Hébreux 8.5

Hier, nous avons fait la connaissance d'O.R.L. Crosier, ami d'Hiram Edson, qui consacrait son temps à l'étude biblique intensive et extensive, sur le sens du sanctuaire et de la purification qui devait avoir lieu à la fin des 2 300 jours de Daniel 8.14. Crosier écrit dans le *Day Dawn* [L'aurore], publié par Edson et Hahn, un article où il présente logiquement ses constatations. L'une de ses premières conclusions est que l'interprétation de Miller est fausse, puisque le terme « sanctuaire » ne peut d'aucune manière s'appliquer à la terre. Il travaille avec une concordance et fait remarquer que « le mot "sanctuaire" apparaît 104 fois dans la Bible, dont 100 dans l'Ancien Testament, [...] et 4 dans le Nouveau, toutes dans l'épitre aux Hébreux ».

Plus loin dans son article, Crosier explique que le sanctuaire de Daniel 8.14 ne peut pas être le sanctuaire juif qui a été « irrémédiablement détruit. Pourtant, si le sanctuaire juif a cessé d'exister il y a 1 800 ans, il existe à la fin des 2 300 jours une entité appelée *sanctuaire* et qui, à ce moment-là, doit être "purifiée", "justifiée", "vengée" ou "déclarée juste" ».

Crosier souligne un élément clair dans l'épitre aux Hébreux : « À son ascension, le Christ est entré dans un lieu dont le sanctuaire juif est une représentation ou un modèle, et c'est là qu'il exerce son ministère pendant la dispensation évangélique. » L'épitre aux Hébreux indique clairement : « *Nous avons un souverain sacrificateur qui s'est assis à la droite du trône de la majesté divine DANS LES CIEUX ; il est MINISTRE DU SANCTUAIRE. [...]* C'est le seul texte du Nouveau Testament où le sanctuaire est mentionné, exception faite des trois références qui évoquent le sanctuaire juif. Nous pouvons donc affirmer, selon l'autorité de l'Écriture pendant la dispensation évangélique, qu'on ne peut appeler "sanctuaire" que le lieu où le Christ exerce son ministère, depuis son ascension vers le Père jusqu'à son retour. »

Remercions Dieu aujourd'hui pour Jésus, notre souverain sacrificateur dans le sanctuaire céleste, qui « peut sauver parfaitement ceux qui s'approchent de Dieu par lui, étant toujours vivant pour intercéder en leur faveur » (Hébreux 7.25). Amen !

Nouvelle lumière sur le sanctuaire — 4e partie

Il peut sauver parfaitement ceux qui s'approchent de Dieu par lui, étant toujours vivant pour intercéder en leur faveur. Hébreux 7.25

Crosier commence à publier des articles sur le sanctuaire dès mars 1845, mais c'est le 7 février 1846 qu'il présente sa complète compréhension du sujet dans un article intitulé « la loi de Moïse ».

Nous pouvons résumer ainsi les principales conclusions de « La loi de Moïse » :

Un sanctuaire littéral existe dans le ciel.

Le sanctuaire hébreu était une représentation visuelle complète du plan du salut, construit sur le *modèle* du sanctuaire céleste.

De même que les sacrificateurs terrestres exercent un ministère en deux phases dans le sanctuaire du désert, ainsi Christ officie en deux temps dans le sanctuaire céleste. La première phase a commencé à son ascension, la deuxième a commencé le 22 octobre 1844 quand il est passé de la première pièce du sanctuaire à la deuxième. Ainsi, le jour des expiations céleste ou anti typique a commencé à cette date.

La première phase du ministère du Christ concerne le pardon, alors que la deuxième implique l'effacement des péchés et la purification du sanctuaire, et des croyants individuellement.

La purification de Daniel 8.14 est la purification des péchés, elle se fait par le sang et non par le feu.

Un certain temps doit s'écouler entre l'entrée du Christ dans la deuxième pièce du sanctuaire et son retour sur terre.

Les résultats de l'étude de Crosier répondent donc aux questions sur la nature du sanctuaire et celle de la purification. De plus, ils indiquent ce qui a eu lieu à la fin des 2 300 jours de la prophétie de Daniel 8.14.

L'article de Crosier suscite un grand intérêt chez ceux qui deviendront les adventistes sabbatistes. Dès mai 1846, Joseph Bates recommande l'étude de Crosier sur le sanctuaire et le qualifie de « supérieur à tout ce qui existait jusqu'à présent sur ce sujet ».

L'année suivante, Ellen White écrit : « Il y a plus d'un an, le Seigneur m'a montré en vision que frère Crosier a reçu la véritable lumière sur le sanctuaire, […] et c'est la volonté divine que frère Crosier présente son interprétation dans le numéro spécial de *Day Star* du 7 février 1846. » — *A Word to the Little Flock* [Un message au petit troupeau], p. 12.

Soyons reconnaissants : Dieu a prévu un plan pour sauver son peuple de ses péchés, et il le conduira à terme par le ministère du Christ en notre faveur dans le ciel.

NOUVELLE LUMIÈRE SUR LE SANCTUAIRE — 5E PARTIE

Il était donc nécessaire que d'une part, les représentations des réalités célestes soient purifiées de la sorte et que d'autre part, les réalités célestes le soient par de meilleurs sacrifices. Car Christ n'est pas entré dans un sanctuaire fait par la main de l'homme, imitation du véritable, mais dans le ciel même, afin de se présenter maintenant pour nous devant la face de Dieu. Hébreux 9.23,24

Vu l'importance des enseignements de Daniel 8.14 sur la purification du sanctuaire à la fin des 2 300 jours pour l'adventisme de la porte fermée, il n'est pas étonnant que Hiram Edson, O.R.L. Crosier et F.B. Hahn ne soient pas les seuls à s'intéresser à la nature du sanctuaire et de sa purification, au terme de la prophétie des 2 300 jours.

D'autres présentent les résultats de leurs recherches sur ce sujet, comme Emily C. Clemens qui publie en 1845 un périodique intitulé *Hope Within the Veil* [L'espérance derrière le voile], et G.W. Peavey qui enseigne en avril 1845 que « le Christ a achevé le ministère représenté par les rites quotidiens qui avaient lieu avant le dixième jour du septième mois et, ce jour-là, il est entré dans le lieu très saint ».

Peavey voit également un lien entre Daniel 8.14, Hébreux 9.23,24 et Lévitique 16, et conclut que le lieu très saint du sanctuaire céleste nécessite une purification par le sang du Christ, le jour antitypique des expiations. Il croit pourtant que la purification du sanctuaire céleste a eu lieu le 22 octobre 1844, alors que Crosier et ses amis considèrent qu'il s'agit d'un processus qui a débuté ce jour là. C'est la compréhension de Crosier qui serait finalement adoptée par l'adventisme sabbatiste.

Les premières visions d'Ellen Harmon concernent aussi le thème du sanctuaire. En 1845, elle relate cette vision : « Je vis le Père se lever de son trône, et se rendre dans un chariot de feu, au lieu très saint, au-delà du voile et s'y asseoir. » — *Premiers écrits*, p. 55.

Si sa vision confirme les résultats de l'étude de la Bible de Crosier et les autres, il faut se rappeler qu'à l'époque, Ellen n'a aucune autorité dans l'adventisme. Pratiquement inconnue de ceux qui développent la théologie du sanctuaire, elle n'est pour eux qu'une jeune fille de dix-sept ans, qui dit avoir des visions, parmi les nombreuses voix conflictuelles prétendant avoir des dons charismatiques, dans l'adventisme de la « porte fermée ».

Merci, Père, de guider notre esprit alors que nous cherchons à comprendre ton plan de rédemption.

LA PREMIÈRE VISION D'ELLEN WHITE — 1RE PARTIE

Après cela, je répandrai mon Esprit sur toute chair, vos fils et vos filles prophétiseront. Joël 3.1

En décembre 1844, Ellen Harmon prie avec quatre autres femmes chez Madame Haines, à Portland, dans le Maine. « Pendant que nous priions, écrit Ellen, la puissance de Dieu vint sur moi, telle que je ne l'avais jamais ressentie auparavant. » — *Life Sketches of Ellen White*, p. 64.

Elle décrit ainsi cette expérience : « Il me semblait m'élever de plus en plus au-dessus de ce monde de ténèbres. Je me détournai pour voir mes frères adventistes, [...] mais je ne pus les découvrir. Une voix me dit alors : "Regarde encore, mais un peu plus haut." Je levai les yeux, et je vis un sentier abrupt et étroit, bien au-dessus de ce monde. C'est là que les adventistes s'avançaient vers la sainte cité. Derrière eux, au début du sentier, il y avait une brillante lumière, que l'ange me dit être le cri de minuit. Cette lumière éclairait le sentier dans toute sa longueur pour que leurs pieds ne s'achoppent pas. Jésus marchait à leur tête pour les guider ; et tant qu'ils fixaient les regards sur lui, ils étaient en sécurité.

Mais bientôt quelques-uns se lassèrent et dirent que la cité était encore fort éloignée et qu'ils avaient pensé y arriver plus tôt. Alors Jésus les encouragea. [...]

Certains d'entre eux repoussèrent effrontément cette lumière, en disant que ce n'était pas Dieu qui les avait conduits. La lumière qui était derrière eux finit par s'éteindre, et ils se trouvèrent alors dans de profondes ténèbres. Ils trébuchèrent et perdirent de vue et le but et Jésus, puis tombèrent du sentier et sombrèrent dans le monde méchant qui était au-dessous. [...]

Bientôt nos regards se dirigèrent vers l'Orient, car une petite nuée noire y avait fait son apparition. Elle avait à peu près la grandeur de la moitié de la main, et nous savions tous que c'était le signe du Fils de l'homme. Dans un silence solennel, nous contemplâmes tous la nuée qui descendait. Plus elle s'approchait, plus elle devenait lumineuse et glorieuse, jusqu'à ce qu'elle parut comme une grande nuée blanche. [...]

Alors la trompette d'argent de Jésus se fit entendre, pendant qu'il descendait sur la nuée, enveloppé de flammes de feu. Ses regards se portèrent sur les sépulcres des saints endormis ; puis, levant vers le ciel les mains et les yeux, il s'écria : "Réveillez-vous ! Réveillez-vous ! Réveillez-vous, vous qui dormez dans la poussière et levez-vous ! » —*Premiers écrits*, p. 59-63.

La première vision d'Ellen White — 2e partie

Dans les derniers jours, dit Dieu, je répandrai de mon Esprit sur toute chair, vos fils et vos filles prophétiseront. Actes 2.17

Cela peut paraître étonnant, mais la première vision d'Ellen White ne concerne pas le sanctuaire ni sa purification. Elle a plutôt pour but d'encourager les adventistes millérites déçus en leur apportant assurance et consolation. Elle leur fournit aussi des instructions.

Elle indique tout d'abord que le mouvement du 22 octobre n'était pas une erreur et qu'une prophétie s'était bien réalisée ce jour-là. Elle est donc une « lumière brillante » derrière eux, qui les guide vers le futur. C'est intéressant, car Ellen White avait abandonné sa croyance dans le 22 octobre un mois avant de recevoir cette première vision, ce qui lui fit donc changer d'avis.

Ensuite, la vision assure que Jésus continue à les guider, mais qu'ils doivent garder les yeux fixés sur lui. L'adventisme a donc deux points de repère : l'évènement d'octobre dans son passé et Jésus qui continue de les diriger dans l'avenir.

Troisièmement, la vision semble impliquer que le délai avant le retour du Christ sera plus long que prévu.

Enfin, elle met en garde contre l'erreur d'abandonner la foi dans leur expérience du mouvement de 1844, et d'affirmer qu'il s'agissait d'une erreur qui ne venait pas de Dieu. Ceux qui arriveraient à cette conclusion sombreraient dans les ténèbres spirituelles et perdraient leur chemin.

Cette première vision fournit plusieurs leçons positives, mais il faut remarquer qu'elle n'indique pas ce qui s'est passé le 22 octobre. Ce point s'éclaircira grâce à l'étude de la Bible. Au lieu de donner des indications spécifiques, cette vision assure que Dieu guide encore son peuple, malgré sa déception et sa confusion. C'est le premier signe que Dieu dirige prophétiquement son peuple, transmis par l'intermédiaire d'Ellen Harmon.

Le thème de Dieu dirigeant son peuple au travers des pièges et obstacles de ce monde devient le sujet central de son ministère. Il vient à maturité dans les cinq volumes traçant l'histoire de Dieu guidant son peuple, depuis l'introduction du péché (*Patriarches et prophètes*) jusqu'à la pleine réalisation du plan du salut (*La tragédie des siècles*).

Merci, Seigneur, de continuer encore aujourd'hui à nous diriger.

L'APPEL À TÉMOIGNER

Sois sans crainte, mais parle et ne te tais pas. Actes 18.9

Environ une semaine après sa première vision, Ellen en reçoit une deuxième dans laquelle il lui est demandé de transmettre aux adventistes ce que Dieu lui a révélé. De plus, on la prévient qu'elle rencontrera une forte opposition.

Elle se dérobe devant la mission. Après tout, elle n'a que dix-sept ans, est de santé fragile et de nature timide. « Pendant plusieurs jours, écrit-elle plus tard, j'ai prié pour que ce fardeau me soit enlevé et soit confié à quelqu'un de plus capable que moi. Pourtant, mon devoir m'était toujours présenté par l'ange : "Fais connaître aux autres ce que je t'ai révélé." » — *Life Sketches of Ellen White*, p. 69. Elle insiste, avouant qu'elle préfère la mort à cette tâche, et perdant la paix reçue lors de sa conversion, elle se retrouve à nouveau dans le désespoir.

Il n'est pas étonnant qu'Ellen soit consternée à la perspective d'un ministère public. En effet, la population se moque ouvertement des millérites déçus, et, au sein même du mouvement, de graves erreurs doctrinales apparaissent, ainsi qu'une grande variété de fanatisme.

Plus spécifiquement, le don de prophétie devient particulièrement suspect, dans la population générale comme parmi les millérites adventistes. Le prophète mormon Joseph Smith perd la vie lors d'une émeute en Illinois et, fin 1844 – début 1845, de nombreux « prophètes » adventistes d'authenticité plus que discutable se manifestent, surtout dans l'état du Maine. Au printemps 1845, les adventistes d'Albany votent de n'accorder « aucune confiance aux nouveaux messages, visions, rêves, langues, miracles, dons extraordinaires, révélations », ainsi de suite.

Dans ce contexte, il n'est pas étonnant qu'Ellen cherche à éviter à tout prix sa mission prophétique, mais malgré ses craintes, elle se lance et présente les conseils réconfortants de Dieu aux adventistes confus.

Même un rapide survol de son autobiographie indique qu'elle a rencontré beaucoup de fanatisme et d'opposition personnelle. Certaines de ses premières visions concernent le fanatisme et l'opposition, et fournissent des conseils et reproches souvent très personnels.

Seigneur, aide-moi aujourd'hui à être fidèle là où tu m'as placé, pour transmettre le message que tu m'as donné.

LES DONS SPIRITUELS ET LA BIBLE — 1RE PARTIE

C'est lui qui a donné les uns comme apôtres, les autres comme prophètes, les autres comme évangélistes, les autres comme pasteurs et docteurs, pour le perfectionnement des saints, cela en vue de l'œuvre du service et de l'édification du corps de Christ, jusqu'à ce que nous soyons tous parvenus à l'unité de la foi et de la connaissance du Fils de Dieu. Éphésiens 4.11-13

Les premiers adventistes sabbatistes croient que, selon la Bible, les dons spirituels, y compris le don de prophétie existeront dans l'Église jusqu'au retour du Christ.

Uriah Smith propose une illustration pour l'expliciter : « Supposons que nous sommes sur le point de partir en voyage. Le propriétaire du bateau nous donne un manuel d'instructions, nous assurant qu'il contient les indications nécessaires pour le voyage et que si nous les suivons, nous arriverons en sécurité à destination. »

« En levant l'ancre, nous ouvrons le manuel pour en apprendre le contenu. Nous découvrons que l'auteur nous donne des indications générales pour diriger notre voyage, des informations pratiques quant aux différents imprévus qui pourraient survenir, mais nous signale également que la dernière partie du voyage sera exceptionnellement périlleuse, car les caractéristiques côtières changeront continuellement à cause des sables mouvants et des tempêtes. À ce moment là, promet-il, je vous enverrai un pilote qui vous donnera les informations nécessaires en fonction des circonstances et des dangers. Écoutez-le. »

« Suivant les instructions, nous parvenons au moment particulièrement périlleux et le pilote annoncé apparaît, mais quand il propose ses services, une partie de l'équipage le rejette. "Nous avons le livret d'instructions, protestent-ils, et cela nous suffit. Nous nous contentons de ces indications et n'avons pas besoin de toi." »

« Qui sont ceux qui suivent réellement les indications du manuel ? Ceux qui repoussent le pilote ou ceux qui le reçoivent comme le leur conseille le livret ? Jugez-vous-mêmes ! »

« Certains nous répondront alors : "Vous considérez alors sœur White comme notre pilote ?" C'est pour anticiper cette question que nous soulignons : nous n'avons jamais dit cela. Voici précisément ce que nous affirmons : les dons de l'Esprit sont accordés pour nous guider dans les temps périlleux, et chaque fois que nous les reconnaîtront, chez qui que ce soit, nous les recevrons, car les refuser équivaudrait à rejeter la Parole de Dieu qui nous recommande de les écouter. »

Une leçon sur le restaurationnisme

Grâce à toi, on rebâtira sur d'anciennes ruines, tu relèveras les fondations des générations passées ; on t'appellera réparateur des brèches, celui qui restaure les sentiers, qui rend le pays habitable.
Ésaïe 58.12

Autour de 1800, dans différents endroits des États-Unis, le restaurationnisme se développe, avec pour objectif de réformer les églises, selon les enseignements du Nouveau Testament. Les restaurationnistes rejettent l'idée selon laquelle la Réforme a eu lieu au XVIe siècle. Pour eux, la Réforme est un processus qui a commencé à ce moment-là et se poursuit jusqu'à ce que les derniers vestiges de tradition aient disparu, et que les enseignements bibliques soient solidement implantés dans l'Église. Ils considèrent donc comme leur devoir de compléter la réforme inachevée.

Les restaurationnistes adoptent une vue radicale de *sola scriptura*. Ils cherchent une preuve biblique de tout ce qu'ils avancent. L'Écriture est la seule base de leur foi et de leur pratique. Ils sont aussi un mouvement anti-credo, et répètent volontiers qu'ils n'ont « aucun credo sinon la Bible elle-même ».

L'esprit restaurationniste constitue la toile de fond de la plupart des confessions protestantes américaines du début du XIXe siècle. Il encourage le retour à la Bible qui caractérise la mentalité protestante de l'époque.

Une branche du restaurationnisme a une importance particulière pour les adventistes du septième jour : la *Christian Connexion* [Connexion chrétiennes], dont James White et Joseph Bates, deux des trois fondateurs de l'adventisme, sont membres.

Ces deux hommes apportent dans l'adventisme la philosophie orientée vers la Bible de Christian Connexion et désirent que l'Église retourne aux enseignements perdus de la Bible. Ils sont convaincus qu'une telle réforme doit avoir lieu avant le retour du Christ.

La vision restaurationniste de l'histoire influence encore aujourd'hui l'adventisme. Prenons par exemple les mots d'introduction des croyances fondamentales de notre dénomination : « Les adventistes du septième jour acceptent la Bible comme leur seul credo. » Le livre d'Ellen White *La tragédie des siècles* est construit sur un modèle restaurationniste qui évoque la redécouverte des enseignements bibliques perdus dans les premiers siècles du christianisme, depuis la Réforme jusqu'au retour du Christ.

Soyons reconnaissants, en tant qu'adventistes du septième jour, d'appartenir à un mouvement solidement enraciné dans l'Écriture.

Les dons spirituels et la Bible – 2e partie

Dieu a établi dans l'Église premièrement des apôtres, deuxièmement des prophètes, troisièmement des docteurs ; ensuite il y a le don de guérir, de secourir, de gouverner, de parler diverses sortes de langues. 1 Corinthiens 12.28

La Christian Connexion a exercé un fort impact sur l'adventisme primitif, y compris sur sa vision des dons spirituels. Les écrits de William Kinkade (né en 1783), l'un des premiers théologiens du mouvement, nous renseignent sur ses points de vue. Il écrit en 1829 qu'il refuse d'être appelé par un autre nom que celui de chrétien, et n'accepte comme norme de conduite aucun autre livre que la Bible.

Il est très clair sur l'autorité suprême de la Bible en matière de religion. Dans sa discussion sur la restauration de l'ancien ordre des choses, il déclare ne pas pouvoir enlever une seule ligne de l'ordre du Nouveau Testament. Au centre de cet ordre du Nouveau Testament se trouvent les dons spirituels, y compris le don de prophétie, cité dans 1 Corinthiens 12.8-31 et Éphésiens 4.11-16. L'existence des dons spirituels dans l'Église est pour lui *l'ancien ordre des choses*. Tous ceux qui le nient s'opposent au christianisme primitif. Prétendre que Dieu les a supprimés revient à dire qu'il a aboli l'ordre de l'Église du Nouveau Testament. [...] Ces dons constituent l'ancien ordre des choses.

Kinkade soutient qu'il s'agit de dons permanents qui ne cessent pas à la fin de l'époque apostolique. Au contraire, ces dons tels qu'ils sont présentés dans l'Écriture constituent le ministère évangélique tel qu'il existe dans le Nouveau Testament.

Cette théologie du Nouveau Testament de William Kinkade sur la perpétuité des dons spirituels, dans le contexte de la Bible comme unique source d'autorité, est essentielle pour bien comprendre les débuts de l'adventisme, en sachant que deux de ses fondateurs étaient membres de Christian Connexion. Quand ils entrèrent dans l'adventisme, James White et Joseph Bates provenaient d'un mouvement qui prônait la Bible comme seule base des normes de foi et de conduite, et croyait à la continuation des dons spirituels.

Ce fragile équilibre entre les deux apparaît dans les écrits de James White qui précise la fonction exacte des dons spirituels dans l'Église.

Dieu, notre Père, merci d'avoir aimé ton Église au point de lui accorder les dons de ton Esprit. Aide-nous à utiliser ces dons avec sagesse.

LES DONS SPIRITUELS ET LA BIBLE — 3E PARTIE

N'éteignez pas l'Esprit ; ne méprisez pas les prophéties, mais examinez toutes choses et retenez ce qui est bon. 1 Thessaloniciens 5.19-21

Comme il est facile de mépriser ceux qui disent avoir le don de prophétie ! Après tout, nous avons la Bible ! En outre, tant de gens déséquilibrés et d'authenticité discutable ont prétendu avoir ce don dans le passé. À la lumière de ces faits, il est facile de douter, sinon de mépriser.

Mais voilà le conseil biblique : « N'éteignez pas l'Esprit ; ne méprisez pas les prophéties, mais examinez toutes choses et retenez ce qui est bon. » (1 Thessaloniciens 5.19-21)

Le mépris de ceux qui disent avoir le don de prophétie n'est pas envisageable pour les chrétiens du Nouveau Testament. Au contraire, l'Écriture leur recommande de tester ces personnes.

Heureusement, la Bible ne nous demande pas seulement de les évaluer, elle suggère également les moyens de le faire. Jésus en cite un dans son sermon sur la montagne : « Gardez-vous des faux prophètes. Ils viennent à vous comme des brebis mais au-dedans ce sont des lions ravisseurs. Vous les reconnaîtrez à leurs fruits. [...] Tout bon arbre porte de bons fruits, mais le mauvais arbre porte de mauvais fruits » (Matthieu 7.15-17).

On peut évaluer celui qui se dit prophète en observant les résultats des principes qu'il défend et en vérifiant si sa vie reflète le christianisme du Nouveau Testament.

On trouve un autre texte dans 1 Jean 4.1-3 : « Ne vous fiez pas à tout esprit, mais éprouvez les esprits pour savoir s'ils sont de Dieu, car plusieurs faux prophètes sont venus dans le monde. Reconnaissez à ceci l'Esprit de Dieu : tout esprit qui confesse Jésus-Christ venu en chair est de Dieu et tout esprit qui ne confesse pas Jésus n'est pas de Dieu. »

Demandons-nous : comment celui qui déclare être prophète témoigne-t-il de Jésus ?

Ésaïe 8.20 propose un troisième test : La prédication de cette personne est-elle en accord avec la Bible ?

Tous ces critères sont essentiels, mais le plus important est : les enseignements de cette personne tournent-ils les pensées vers elle-même et ses propres paroles, ou vers Jésus et la Bible.

Les premiers adventistes furent contraints de vérifier dans leur Bible la légitimité des enseignements d'Ellen White et des autres, à la fin des années 1840, et il n'était pas toujours facile de déterminer ce qui était juste. C'est tout aussi délicat aujourd'hui, mais c'est ce qui nous est demandé.

Aujourd'hui, aide-nous Père à étudier sérieusement ta Parole, afin d'évaluer intelligemment les choses spirituelles.

Tester les prophètes — 1re partie

Gardez-vous des faux prophètes. Ils viennent à vous comme des brebis. [...] Vous les reconnaîtrez à leurs fruits. Matthieu 7.15,16

Hier nous avons remarqué que la Bible recommande de tester ceux qui proclament avoir le don de prophétie. C'est exactement ce qu'on fait les premiers adventistes sabbatistes.

Prenons Joseph Bates, par exemple. Après avoir vu Ellen White en vision à plusieurs reprises, il déclare « douter comme Thomas ». « Je ne crois pas à ses visions, ajoute-t-il, mais si j'avais la certitude que le témoignage donné ce soir par cette sœur est réellement la voix de Dieu, je serais le plus heureux des hommes. »

Il reconnaît que son message le touche profondément, la croit sincère mais pense qu'elle se leurre elle-même quant à la nature de son expérience. « Même si je ne trouvais rien de contraire à la parole dans son message, écrit-il plus tard, je m'inquiétais beaucoup et, pendant longtemps, j'ai pensé qu'il s'agissait d'une conséquence de son mauvais état de santé. »

Pourtant, malgré ses doutes, il ne fait pas la sourde oreille. Provenant *de Christian Connexion*, il est au moins ouvert à l'idée que les dons de l'Esprit du Nouveau Testament, y compris le don de prophétie, seront présents dans l'Église jusqu'au retour du Christ.

Bates décide donc d'investiguer sur ce qu'Ellen White dit être un don de prophétie. « J'ai cherché des occasions, en présence d'autres personnes, et lorsque son esprit ne semblait pas agité, c'est-à-dire en dehors des réunions, de la questionner, ainsi que les amis qui l'accompagnaient, en particulier sa sœur aînée, pour découvrir la vérité, écrit-il. Lorsqu'elle était en vision, j'écoutai chacun de ses mots et observai chacun de ses mouvements pour détecter une tromperie ou l'influence du mesmérisme. »

Bates est l'exemple parfait de la personne qui hésite entre sa tendance à rejeter la déclaration d'une personne qui dit avoir le don de prophétie, et le commandement biblique qui demande de tester et de garder ce qui est bon (1 Thessaloniciens 5.19-21).

Nous reviendrons sur le combat intérieur de Bates à ce sujet, mais soyons honnêtes avec nous-mêmes. Où en sommes-nous ? Sommes-nous ouverts de cœur et d'esprit, ou remplis de préjugés sur ce don, au point que nous sommes aveugles devant l'évidence ? Que Dieu nous accorde un esprit clair et un cœur ouvert à ce sujet.

TESTER LES PROPHÈTES — 2E PARTIE

Bien-aimés, ne vous fiez pas à tout esprit, mais éprouvez les esprits pour savoir s'ils sont de Dieu, car plusieurs faux prophètes sont venus dans le monde. 1 Jean 4.1

Le moment décisif de l'évaluation d'Ellen White par Joseph Bates a lieu en novembre 1846 à Topsham, dans le Maine, lorsqu'une de ses visions inclut une donnée d'astronomie. En tant qu'ancien navigateur, Bates s'y connaît en la matière.

Il fait part ensuite de son expérience de Topsham à J.N. Loughborough qui raconte : « Un soir, en présence de frère Bates qui ne croyait pas à ces phénomènes, sœur White eut une vision dans laquelle elle se mit à évoquer les étoiles. Elle donnait une description des anneaux rosés qu'elle voyait autour d'une planète et ajouta qu'elle voyait quatre lunes. Bates comprit qu'elle voyait Jupiter. Elle continua à décrire plusieurs autres phénomènes astronomiques. »

Après la vision, frère Bates lui demanda si elle avait déjà étudié l'astronomie et elle répondit qu'elle n'avait aucun souvenir d'avoir ouvert un livre sur l'astronomie. — *Spiritual Gifts*, vol. 2, p. 83.

James White savait aussi qu'elle n'avait aucune connaissance en matière d'astronomie. « Il est évident, écrit-il en 1847, décrivant la vision de Topsham, qu'elle ne possédait aucune notion d'astronomie et était incapable de répondre aux questions concernant les planètes avant cette vision. »

Cette preuve convainc le sceptique Joseph Bates qu'elle a effectivement reçu un don divin. En avril 1847, il déclare qu'elle a reçu ce don de Dieu pour « réconforter et fortifier son peuple dispersé et blessé, depuis la déception de 1844 ».

En janvier 1848, Bates recommande à ses lecteurs de ne pas rejeter le travail d'Ellen White : « À cause de son jeune âge, de son infirmité, ou de son manque d'instruction. En effet, Dieu a toujours utilisé les choses faibles de ce monde pour confondre les érudits et les puissants. » Selon Bates, le Seigneur l'emploie pour « encourager le petit troupeau, au moment où beaucoup de ses anciens leaders l'abandonnent ».

« J'ai mis du temps, poursuit-il, à croire que les visions de cette sœur provenaient de Dieu. Je ne m'y suis pourtant pas opposé, car la Parole du Seigneur indique clairement que des visions spirituelles seront données à son peuple dans les derniers jours. »

Il en est ainsi, et nous avons le devoir de tester et de ne pas rejeter. Que Dieu nous aide dans ce sens.

BATES ADHÈRE AU SABBAT — 1RE PARTIE

Souviens-toi du jour du sabbat pour le sanctifier. Tu travailleras six jours et tu feras tout ton ouvrage, mais le septième jour est le sabbat de l'Éternel ton Dieu. Exode 20.8-10

Les adventistes du septième jour considèrent Joseph Bates comme l'apôtre du sabbat. Mais comment en est-il arrivé là ?

Cette question a plusieurs éléments de réponse. Tout d'abord, depuis qu'il est chrétien, il observe fidèlement le dimanche comme jour du repos, au point qu'il l'impose même à son équipage lorsqu'il est capitaine d'un navire.

Un autre élément fait sans doute intervenir son étude des prophéties. En effet, en étudiant l'Apocalypse, il a compris que les commandements de Dieu doivent être respectés jusqu'à la fin des temps (Apocalypse 12.17 ; 14.12).

Mais comment Bates a-t-il été sensibilisé au fait que le sabbat du Nouveau Testament est le samedi et non le dimanche ?

C'est là que les Baptistes du septième jour entrent en jeu. Ce groupe n'a jamais été une Église évangélisant de façon agressive. Ils ne sont que 6 000 aux États-Unis en 1840 et en l'an 2000, leur nombre est descendu à 4 800, ce qui correspond à une perte de 20 % en 160 ans. En clair, l'évangélisation n'a jamais été leur activité favorite.

Ils ont cependant été actifs pendant une certaine période. En 1841, la session de leur Conférence générale conclut que Dieu leur demande d'évangéliser sur le sujet du sabbat. En 1842, rapporte Merlin Burt, la maison d'édition de la dénomination « commence à publier une série de brochures destinées à présenter le sabbat au public chrétien ». De nouveau, lors de la Conférence générale de 1843, ils décident à nouveau qu'ils ont le devoir solennel d'éclairer leurs concitoyens sur le sujet du sabbat du septième jour.

Leurs efforts ont des résultats positifs. Lors de leur rencontre de 1844, les Baptistes du septième jour remercient Dieu, car « un intérêt profond pour le sabbat s'est répandu comme jamais auparavant dans notre pays ».

L'histoire de ces Baptistes nous enseigne que la vérité est essentielle, mais qu'elle ne présente aucun intérêt si elle n'est pas transmise.

C'est seulement quand ils prennent la décision ferme de faire briller leur lumière sur ce sujet que les choses commencent à évoluer.

De nos jours, nous aussi devons décider de faire briller notre lumière.

BATES ADHÈRE AU SABBAT — 2E PARTIE

Dieu bénit le septième jour et le sanctifia car en ce jour Dieu s'était reposé de toute l'œuvre qu'il avait créé. Genèse 2.3

Nous avons vu hier que les efforts des Baptistes du septième jour pour sensibiliser les chrétiens au sabbat biblique, au début des années 1840, eurent de bons résultats.

Il est intéressant de remarquer que cet intérêt se développa particulièrement parmi les Millérites adventistes. Ainsi on pouvait lire dans le *Sabbath Recorder* de juin 1844 qu'un « nombre considérable de ceux qui attendent le retour imminent du Christ ont adopté le septième jour et commencent à l'observer comme sabbat ». Le *Recorder* ajoute même que l'obéissance au sabbat est certainement « la meilleure préparation » à l'Avent.

Nous ne savons pas exactement ce que le *Recorder* entend par « un nombre considérable » de Millérites qui ont commencé à observer le sabbat durant l'été 1844, mais il est certain que le sujet du sabbat du septième jour était devenu assez problématique pour que les Millérites publient dans le *Midnight Cry* deux longs articles sur ce thème.

Nous lisons ceci : « De nombreuses personnes se tracassent beaucoup pour respecter une supposée obligation de respecter le septième jour ». Les éditeurs décident que « la loi n'exige pas des chrétiens qu'ils sanctifient un temps particulier », mais si cette conclusion est incorrecte, « alors nous pensons que le septième jour est le seul pour l'observance duquel il existe une loi. »

Le dernier article conclut avec cette pensée : « Les frères et sœurs du septième jour. [...] essaient de rafistoler le vieux joug hébreu cassé pour le remettre sur leur cou. » Cet article suggère aussi que les chrétiens ne devraient pas appeler le dimanche « sabbat ».

Les Baptistes du septième jour répondent au *Midnight Cry* que « la nouvelle découverte des croyants de l'Avent, qui ont la certitude que le Christ reviendra le dixième jour du septième mois a certainement accaparé toute leur attention, aux dépens de la considération de l'obéissance au sabbat ».

C'était vrai, mais la vérité biblique est tenace, et nous pouvons en être reconnaissants. Dieu conduit son peuple, collectivement et individuellement, pas à pas sur le chemin de sa Parole.

Bates adhère au sabbat — 3e partie

En vérité je vous le dis, jusqu'à ce que le ciel et la terre passent, pas un seul iota, pas un seul trait de lettre de la loi ne passera, jusqu'à ce que tout soit arrivé. Matthieu 5.18

Rachel Oakes est l'une des Baptistes du septième jour les plus connues, parmi ceux qui interagirent avec les Millérites. Début 1844, elle a non seulement accepté le message adventiste, mais a également partagé sa perspective du sabbat avec la communauté adventiste de Washington, dans le New Hampshire, dont sa fille, Mme Cyrus Farnsworth, est membre.

Son premier converti est apparemment William Farnsworth qui l'a déjà lui-même convaincue des enseignements millérites.

Elle amène également au sabbat le pasteur Frederick Wheeler qui, lors d'une prédication, déclare que « tous ceux qui confessent la communion avec le Christ devraient être prêts à le suivre, et à obéir aux commandements de Dieu en toutes choses ». Rachel Oakes rappelle plus tard sa déclaration à Wheeler : « À ce moment là, j'ai failli me lever pour intervenir. »

— Que vouliez-vous dire ? demande Wheeler.

— J'étais sur le point de vous dire de recouvrir la table de la communion avec sa nappe, jusqu'à ce que vous commenciez vous-même à suivre les commandements de Dieu.

Wheeler est abasourdi par ce choc frontal. Il dit plus tard à l'un de ses amis que les mots de Mme Oakes l'ont atteint de façon plus directe qu'aucune parole auparavant. Il y réfléchit, étudie ce que dit la Bible à ce sujet, et commence bientôt à observer le sabbat du septième jour.

Cela se passe apparemment en mars 1844. Par la suite, plusieurs membres de la communauté de Washington se joignent à Wheeler et William Farnsworth, et observent le sabbat biblique.

Lorsque j'entrerai dans le royaume, je souhaite vraiment rencontrer Rachel Oakes. Ce doit être une personne de caractère, et le moins qu'on puisse dire est qu'elle n'avait pas honte de partager ses convictions. Dieu lui a donné une voix et elle l'a utilisée pour faire connaître la vérité du sabbat. Je ne sais pas si son approche était centrée sur le Christ, ou simplement blessante, mais je penche plutôt pour la première option, vu que Wheeler ne s'est pas détourné d'elle.

Rachel Oakes nous enseigne une leçon : nous ne pouvons jamais savoir quelle est la portée de notre influence sur autrui. C'est valable pour chacun de nous !

BATES ADHÈRE AU SABBAT — 4E PARTIE

Si vous m'aimez, vous garderez mes commandements. Jean 14.15

L'expérience adventiste avec le sabbat, à Washington, New Hampshire, au printemps 1844 est marquante, mais c'est la conversion de Thomas Preble au sabbat biblique qui a le plus d'impact. Preble, pasteur de la communauté baptiste libre de Nashua, ville proche de Washington, est Millérite depuis 1841. Il semble qu'il ait entendu parler du sabbat par Frederick Wheeler, dont la communauté de Washington est à environ 55 km de chez lui. Preble commence à observer le sabbat pendant l'été 1844.

Nous n'avons aucune trace des publications de Preble sur le sabbat avant la grande déception, mais il est probable qu'il participe à la polémique qui suscite les plusieurs réponses publiées dans *Midnight Cry* en septembre, pour calmer la discussion sur le septième jour.

Début 1845, Preble revient cependant en force sur ce sujet, publiant un article sur le sabbat dans le numéro de *Hope of Israël* du 28 février. Il conclut ainsi son article : « Tous ceux qui observent le premier jour comme sabbat *obéissent au dimanche du pape et enfreignent le sabbat de Dieu* ! »

« Si je n'avais qu'un seul jour à vivre sur terre, déclare Preble, j'abandonnerais l'erreur au profit de la vérité dès que j'en prendrais conscience. Que le Seigneur nous donne sa sagesse, et qu'il nous aide à garder ses commandements pour que nous ayons part à l'arbre de vie (Apocalypse 22.14). »

Un pamphlet de douze pages intitulé *Brochure démontrant que le septième jour doit être observé comme sabbat et non le premier jour, conformément au commandement*, fait suite à cet article.

En avril 1845, Bates lit l'article de Preble dans *Hope of Israël*. Il raconte qu'il « lit et compare » les arguments de Preble avec la Bible, et est convaincu qu'il n'y a jamais eu de changement du sabbat au premier jour de la semaine.

« C'EST LA VÉRITÉ ! » se dit-il, et en quelques jours, il décide de commencer à observer le quatrième commandement.

Il est impressionnant de constater que Bates est disposé à changer de conviction, lorsqu'il est confronté à la preuve biblique. Dieu désire que chacun de nous soit réceptif dans son cœur et son esprit, alors qu'il nous conduit sur le chemin de la vie.

BATES FAIT CONNAÎTRE LE SABBAT — 1RE PARTIE

J'entendis la voix du Seigneur disant : Qui enverrai-je et qui marchera pour nous ? Je répondis : Me voici, envoie-moi. Ésaïe 6.8

Peu de temps après avoir accepté le sabbat, Bates se rend à Washington dans le New Hampshire, pour rencontrer Wheeler, les Farnsworth et d'autres adventistes qui observent ce jour. George, le fils de Wheeler, raconte qu'il arrive vers dix heures du soir, alors que toute la famille est déjà couchée. George entend son père qui fait entrer le visiteur. Il se réveille de temps en temps durant la nuit et entend leurs voix. Ils parlent toute la nuit, et le matin jusqu'à midi, puis Bates rentre chez lui.

De retour dans le Massachusetts, Bates rencontre James Madison Monroe Hall sur le pont qui relie les villes de Fairhaven et New Bedford. Lors de cette rencontre, Hall pose la question fatidique qui bouleverse probablement, non seulement tout son programme de la journée, mais aussi tout le cours de sa vie : « Quelles sont les nouvelles, capitaine Bates ? »

« La nouvelle est que le septième jour est le sabbat et que nous devons l'observer », répond abruptement Joseph Bates.

Je ne sais pas combien de temps les deux hommes sont restés sur ce pont, mais connaissant le style de Bates, cela a pu durer toute la journée. Ce que nous savons, c'est que Hall rentre chez lui, étudie les enseignements de la Bible sur ce sujet, et observe déjà le sabbat dès la semaine suivante. Sa femme fait de même une semaine plus tard. Hall est le premier converti de Bates ; il comprend cette vérité qui transforme totalement leur vie à tous les deux à partir de ce moment là.

En ce qui le concerne, Hall tient Bates en si grande estime qu'il nomme son fils unique Joseph Bates Hall.

À partir de là, Bates se considère chargé d'une mission, et ne relâchera ses efforts que sur son lit de mort. Rien ne l'arrête.

Au début des années 1850, par exemple, Bates part pour une tournée missionnaire de cinq semaines au Canada, au cours de laquelle il lutte pendant vingt jours contre le froid extrême et la neige. Un jour, il parcourt soixante-cinq kilomètres à pied dans la neige, pour porter son message à une famille intéressée. Une autre fois, il casse 90 centimètres d'épaisseur de glace pour pouvoir baptiser sept personnes par – 34° C.

Je crois que Joseph Bates a une bonne longueur d'avance sur les plus zélés d'entre nous !

Seigneur, aide-moi aujourd'hui à prendre ton message plus au sérieux. Aide-moi à sortir de ma zone confort.

BATES FAIT CONNAÎTRE LE SABBAT — 2E PARTIE

Soyez toujours prêts à vous défendre contre quiconque vous demande raison de l'espérance qui est en vous. 1 Pierre 3.15

Pour utiliser un euphémisme, on peut dire que Joseph Bates est un témoin enthousiaste de sa nouvelle compréhension du sabbat du septième jour. En 1854, par exemple, Stephen N. Haskell, jeune pasteur adventiste du premier jour rencontre ce tourbillon d'énergie, de conviction et d'enthousiasme. À vingt et un ans, il a déjà entendu parler du sabbat du septième jour, mais n'a pas été convaincu.

Quelqu'un amène un jour Bates chez Haskell. Il raconte que Bates passe dix jours avec eux, prêchant tous les soirs sur le thème du sabbat et du dimanche. De plus, l'infatigable Bates donne des études bibliques à Haskell et quelques autres personnes, « du matin jusqu'à midi, tout l'après-midi, et encore le soir jusqu'à l'heure du coucher. « Il a fait cela pendant dix jours, raconte Haskell, et depuis, je suis adventiste du septième jour. » Il ne doute plus jamais de l'importance du sabbat après cela. Bates a encore atteint son but.

Ce n'est pourtant pas toujours le cas : l'un des plus grands échecs de Bates a lieu en août 1846, lorsqu'il rencontre pour la première fois James White, jeune prédicateur de Christian Connexion et sa fiancée, Ellen Harmon. Bates, bien entendu, démarre immédiatement avec une étude biblique intensive sur ce qui est devenu son sujet de prédilection : c'est l'échec total !

Tous deux rejettent son enseignement sur le sabbat du septième jour. Ellen se rappelle : « Frère Bates observait le sabbat et le considérait comme essentiel. Je n'en voyais pas l'importance et pensais que Bates avait tort de mettre en avant le quatrième commandement par rapport aux neuf autres. » — *Life Sketches of Ellen White*, p. 236, 237.

La rencontre de Bates avec James White et sa future épouse n'est pas le seul évènement important d'août 1846. Ce même mois, James et Ellen se marient et Bates publie son premier livre sur le sabbat : *The Seventh Day Sabbath, a Perpetual Sign* [Le sabbat du septième jour, un signe perpétuel].

Mais revenons-en à Joseph Bates. Il nous enseigne au moins trois leçons importantes. Tout d'abord, nous sommes parfois un peu trop entiers et peu équilibrés dans notre présentation du message biblique. Ensuite, même les plus zélés connaissent parfois l'échec. Enfin, l'échec n'est pas une excuse pour abandonner.

JAMES WHITE CHANGE D'AVIS SUR LE MARIAGE

N'avez-vous pas lu que le Créateur, au commencement, fit l'homme et la femme et qu'il dit : C'est pourquoi l'homme quittera son père et sa mère et s'attachera à sa femme, et les deux deviendront une seule chair.
Matthieu 19.4,5

La plupart des adventistes seront certainement ébahis d'apprendre que James White ne croyait pas dans le mariage. Oui, vous avez bien lu ! En 1845, James White est opposé au mariage. Il publie ainsi dans *Day Star* qu'un couple adventiste qui annonce son mariage a certainement renié sa foi. « Le mariage, soutient-il, est une ruse du diable. Les fidèles du Maine qui attendent le retour du Christ ne doivent pas s'engager dans cette voie. »

On peut se demander pourquoi il défend une telle position, mais il répond avec la phrase suivante : « Nous sommes à la veille de la rédemption, nous l'attendons. »

En réalité, James attend le retour du Christ pour octobre 1845, et de toute façon, les premiers adventistes pensent que ce retour est imminent. Selon cette perspective, le fait de se marier et de fonder une famille semble être un reniement de la foi dans ce proche retour. En effet, si Jésus revient comme ils l'attendent, le mariage et la famille terrestre n'ont plus de raison d'être.

James White rapporte plus tard que « la plupart des frères qui croyaient que le Mouvement de l'avent provenait de Dieu étaient opposés au mariage parce qu'ils pensaient que le temps était très court. Ils considéraient que se marier signifiait renier cette foi, car cet engagement impliquait plusieurs années de vie sur cette terre ».

Mais le temps passe, et avec lui vient la révélation. James et Ellen se marient en août 1846. Pour quelle raison ? « Dieu nous avait confié une mission à tous les deux, et nous pouvions ainsi nous seconder mutuellement dans cette œuvre. » Ellen avait besoin d'un « protecteur légal » alors qu'elle voyagerait dans tout le pays pour porter « cet important message au monde ».

La leçon : il nous arrive de nous tromper, et dans ce cas, la meilleure chose à faire est de l'admettre et de rectifier notre position, mais cela n'est pas toujours facile pour certains d'entre nous.

Seigneur, aide-moi à discerner la façon dont tu me guides, malgré mes erreurs. Aide-moi à rester suffisamment humble pour me corriger quand j'ai tort.

BATES FAIT CONNAÎTRE LE SABBAT – 3E PARTIE

Il prononcera des paroles contre le Très-Haut, […] il espèrera changer les temps et la loi. Daniel 7.25

En août 1846, Bates publie, comme nous l'avons déjà vu, son premier livre sur le sabbat : *The Seventh Day Sabbath, a Perpetual Sign from the Beginning to the Entering into the Gates of the Holy City, According to the Commandment* [Le sabbat du septième jour, un signe perpétuel, depuis le commencement jusqu'à l'entrée dans la sainte cité, selon le commandement].

Quel titre ! Mais il témoigne de sa certitude sur l'importance du sabbat à la fin des temps.

L'édition de 1846 de ce petit livre (il ne compte que 48 pages) présente surtout la vision baptiste du septième jour sur le sabbat. Bates avance ainsi l'idée que le sabbat du septième jour est le véritable jour d'adoration, et que la papauté a tenté de changer les temps et la loi (Daniel 7.25).

Cependant, deux éléments particulièrement intéressants de cette édition de 1846 indiquent que Bates commence à interpréter le sabbat à la lumière d'une trame théologique adventiste.

Le premier est la pensée, dans la préface, que « le septième jour doit être restauré avant le retour de Jésus-Christ ». Cette idée provient de la mentalité « restaurationiste » de Christian Connexion que Bates a conservée. Ainsi, la réforme n'est pas complète et ne le sera que lorsque les grandes vérités bibliques négligées ou perverties au cours de l'histoire retrouveront leur juste place dans l'Église.

La deuxième notion très adventiste, dans l'édition de 1846, est l'interprétation par Bates du sabbat dans le contexte du livre de l'Apocalypse. Il établit un lien entre le sabbat et Apocalypse 14.12 : « C'est ici la persévérance des saints qui gardent les commandements de Dieu et la foi en Jésus. » Il souligne également, en se référant au verset 7 qui commande : « Prosternez-vous devant celui qui a fait le ciel, la terre, la mer et les sources d'eau ! », que « le sabbat du septième jour est plus clairement évoqué dans ces deux textes que les neuf autres ». C'est justement cette insistance sur le quatrième commandement qu'Ellen White refusait, mais Bates a persévéré malgré la critique et l'opposition.

Seigneur, aide-nous à garder les yeux ouverts sur les implications de ta Parole et donne-nous ta force quand nous découvrons d'importantes vérités.

QUE DEVIENNENT T.M. PREBLE ET RACHEL OAKES ?

Choisissez aujourd'hui qui vous voulez servir. Josué 24.15

Nous verrons aujourd'hui ce qu'il est advenu de T.M. Preble et Rachel Oakes, deux intervenants dans les évènements qui conduisirent Joseph Bates au sabbat.

Preble abandonne malheureusement le sabbat. « Après avoir consciencieusement observé le sabbat pendant environ trois ans, écrit-il en 1849, j'ai de bonnes raisons d'arrêter et d'observer le premier jour comme auparavant ». En 1867, il publie *The First-day Sabbath, Clearly Proved by Showing that the Old Covenant, or Ten Commandments Have Been Changed or Made Complete in the Christian Dispensation* [Le sabbat du premier jour clairement établi par la démonstration que l'ancienne alliance, ou dix commandements, ont été changés ou accomplis dans la dispensation chrétienne].

Dans son commentaire de ce livre, Uriah Smith déclare sans ambiguïté que l'ouvrage de Preble sur le sabbat du septième jour est nettement supérieur à l'autre.

Le beau-frère de Preble doute de la sincérité de ce dernier qui retourne à l'observance du premier jour. Preble est devenu administrateur d'une grande entreprise et selon lui, lorsque le sabbat interfère avec ses affaires, il l'abandonne. « La théorie de la loi caduque est une excuse pour cette raison », conclut-il.

Pourtant, si Preble rejette le sabbat dans son expérience personnelle, son impact sur le cœur et l'esprit de Bates est irréversible. Bates n'est pas le seul leader principal de l'adventisme du septième jour, suite à la brochure de Preble en 1845. Au printemps de cette même année, cette brochure tombe entre les mains de John Nevins Andrews qui se convertit sur le sujet du septième jour. Andrews deviendra l'un des spécialistes adventistes du sabbat, et publiera la première édition de *History of the Sabbath and the First Day of the Week* [Histoire du sabbat et du premier jour de la semaine], en 1873.

Qu'en est-il de Rachel Oakes, celle qui a indirectement amené Thomas Preble au sabbat ? Elle observe le sabbat durant toute sa vie, mais ne se joint pas à l'Église adventiste du septième jour parce qu'elle a entendu des rumeurs concernant James et Ellen White. À la fin des années 1860, quand ces ragots sont éclaircis, elle se fait baptiser, peu de temps avant sa mort.

« Elle dort, écrit S.N. Haskell sur son éloge funèbre, mais les résultats de sa présentation du sabbat aux adventistes sont toujours vivants. »

Dieu soit loué pour sa façon mystérieuse de guider ses enfants.

BATES FAIT CONNAÎTRE LE SABBAT — 4E PARTIE

Sois sans crainte, mais parle et ne te tais pas. Actes 18.9

Comme nous l'avons constaté, Bates n'a pas honte de parler aux autres du sabbat, mais l'un de ses échecs le plus évident sur le sujet est sa propre épouse. Il a beau écrire livre après livre sur ce thème et probablement la tarauder à ce sujet, elle se montre aussi obstinée que lui. Par conséquent, il observe le sabbat seul.

Selon la tradition de Fairhaven, « le capitaine Bates avait l'habitude d'emmener sa femme à l'église chrétienne le dimanche dans sa voiture à cheval, mais il n'entrait pas pour adorer "le sabbat du pape" et revenait la chercher à la fin du service ». La bonne nouvelle est que Prudence Bates accepte le sabbat en 1850. Les prières, l'exemple et « l'impatiente patience » de Joseph finissent par payer. Comme beaucoup de nos parents ou amis, elle devait l'écouter, contrairement aux apparences.

Une autre bonne nouvelle pour Joseph Bates est la conversion de James et Ellen White au septième jour, probablement en novembre 1846. James raconte plus tard : « En lisant le livre de Bates, *Seventh-day Sabbath, a Perpetual Sign*, j'ai été convaincu du sabbat et j'ai commencé à l'enseigner. »

Cette acceptation marque une étape dans le développement de l'adventisme du septième jour. À partir de ce moment là, Bates et les White commencent à travailler ensemble.

Les choses se mettent finalement à évoluer. En décembre 1846, le livre de Bates atteint l'ouest de l'état de New York. Plus tard dans l'année, Joseph Bates et James White souhaitent rencontrer Hiram Edson, O.R.L. Crosier et F.B. Hahn (qui ont développé la compréhension du sanctuaire céleste) à Port Gibson (New York) où habite Edson, mais James White est retenu dans l'est.

L'un des points à l'ordre du jour est le sabbat du septième jour, auquel Edson déclare être favorable depuis quelques mois, bien que n'ayant pas encore de conviction ferme. Après la présentation de Bates pendant laquelle Edson tient à peine en place, ce dernier se lève et déclare : « Frère Bates, c'est la lumière et la vérité. Le septième jour est le sabbat et je me joins à vous pour l'observer. »

Ainsi, fin 1846, nous trouvons un groupe de croyants unis sur les trois doctrines clé : le retour de Jésus, le sabbat et le sanctuaire céleste. Les circonstances sont réunies pour le développement de l'adventisme du septième jour. Dieu guide peut-être son peuple lentement à notre avis, mais il le guide.

Seigneur, aide-nous à être patient quand tu nous diriges.

La tentation du légalisme

Nul ne sera justifié devant [Dieu] par les œuvres de la loi, puisque c'est par la loi que vient la connaissance du péché. Romains 3.20

Tout ce que Bates enseigne n'est pas parole d'évangile. Si l'on ne peut avoir aucun doute sur son observation convaincue du sabbat, dès 1846 jusqu'à la fin de sa vie, sa compréhension du sabbat par rapport au plan du salut est beaucoup moins claire.

Parfois, le brave capitaine Bates devient très légaliste :

- « Obéir à ces commandements sauve l'âme. »
- « L'observation du saint sabbat de Dieu sanctifie et sauve l'âme ! Obéir à un commandement et même aux neuf autres sans respecter le quatrième ne sert à rien. »
- « Nous devons obéir à toute la loi si nous voulons être sauvés. »
- « S'ils sont sauvés, les enfants de Dieu le seront parce qu'ils ont gardé les commandements et y ont obéi. »

Si Bates s'exprime parfois de façon très évangélique, il reste sans aucun doute imprégné par un légalisme qui le suivra toute sa vie.

L'un de ses textes bibliques favoris pour étayer son approche légaliste du sabbat est le récit du jeune homme riche de Matthieu 19. Bates s'y réfère régulièrement pour démontrer son point de vue. « Un homme s'approcha et dit à Jésus : maître, que dois-je faire de bon pour avoir la vie éternelle ? Jésus lui répondit : [...] Si tu veux entrer dans la vie, observe les commandements. » Bates interprète cette réponse ainsi : la seule façon d'entrer dans la vie est de garder les commandements. « Si Jésus ne veut pas dire cela, ajoute-t-il, alors il induit le jeune homme en erreur. »

Vingt ans après avoir exprimé ces pensées, Bates a toujours la même optique, basée sur l'histoire du jeune homme riche : « Si vous désirez réellement avoir la vie éternelle lorsque Jésus reviendra, assurez-vous de garder chacun des dix commandements de Dieu. »

Malheureusement, en 1888, Uriah Smith et G.I. Butler utilisent aussi Matthieu 19 pour soutenir la même opinion. Pour ma part, je me souviens aussi d'avoir vu des études bibliques publiées dans les années 1960, qui se basaient également sur ce passage biblique pour prouver qu'il fallait obéir aux commandements. Pour certains, cette obéissance était toujours le seul chemin menant à la vie éternelle.

C'est exactement ce que l'apôtre Paul dément dans notre texte d'aujourd'hui (Romains 3.20). Il est regrettable que certains chrétiens sincères utilisent mal la Bible.

Aide-nous Seigneur, alors que nous sommes aux prises avec la véritable signification de ta Parole.

Visions sur l'Évangile

C'est par la grâce en effet que vous êtes sauvés, au moyen de la foi. Et cela ne vient pas de vous, c'est le don de Dieu. Ce n'est pas par les œuvres, afin que personne ne se glorifie. Éphésiens 2.8,9

Bates a réussi à convaincre les deux autres fondateurs de l'adventisme de l'importance du sabbat, mais ils ne se rallient pas à son légalisme.

James White, par exemple, est très explicite : « Il faut comprendre bien clairement qu'il n'y a pas de salut dans la loi, c'est-à-dire qu'il n'existe dans la loi aucune qualité rédemptrice. »

Pour lui, il est essentiel de « vivre une foi active en Jésus ». Parlant du message Millérite en 1850, il déclare « qu'il nous conduit aux pieds de Jésus, pour chercher en lui le pardon de nos fautes et recevoir un salut gratuit et total par le sang du Christ ».

Quand James White invite le peuple à « obéir et honorer Dieu en observant ses commandements », il écrit aussi que nous devons « rechercher un pardon entier et gratuit de toutes nos erreurs et transgressions, grâce à l'expiation de Jésus, maintenant, alors qu'il plaide devant son Père par son sang ».

Ellen partage l'avis de son mari, et son interprétation du récit de Matthieu 19, particulièrement éclairée durant tout son ministère, se démarque clairement de celle de Bates, Smith et Butler. Elle ne déclare jamais que dans ce contexte Jésus affirme que l'obéissance aux commandements est la condition du salut.

Au contraire, elle va toujours au-delà de ce qu'elle qualifie « la compréhension superficielle » du récit du jeune homme riche, pour indiquer le besoin de transformation totale de l'être qui ne peut s'effectuer que par la relation personnelle avec le Christ.

Pour elle, la leçon de Matthieu 19.16,17 n'est pas que l'on peut gagner son salut par la loi, mais plutôt que le jeune homme riche s'est complètement fourvoyé. S'il est vrai, souligne-t-elle, qu'il obéissait aux aspects externes de la loi, il n'avait pas compris que cette loi prenait racine dans l'amour de Dieu. Pour elle, le jeune homme riche n'a pas été sauvé par l'obéissance à la loi, il est totalement perdu (voir d'Ellen White : *Spiritual Gifts*, vol. 2, p. 239-243 ; *Jésus-Christ*, p. 514-518 ; *Les paraboles de Jésus*, p. 343-347).

Il est essentiel, pour vivre au quotidien, de bien comprendre le rapport entre la loi et l'Évangile. Nous reverrons le message de l'Évangile en détails durant cette année, mais nous devons commencer aujourd'hui notre cheminement sur ce sujet.

LE SABBAT ET LA VISION APOCALYPTIQUE — 1RE PARTIE

Le temple de Dieu dans le ciel fut ouvert et l'arche de son alliance apparut dans son temple. Apocalypse 11.19

Il y a quelques jours, nous avons évoqué la brochure sur le sabbat publiée par Joseph Bates en août 1846, *The Seventh-day Sabbath, a Perpetual Sign* dont la première édition présentait une compréhension du sabbat marquée par l'influence baptiste du septième jour, à savoir que le septième jour est le véritable jour du repos, et que l'église l'a changé au Moyen-âge. Nous avons vu que la lecture de ce livre a convaincu les White, Hiram Edson et d'autres personnes étudiant le sanctuaire céleste de la vérité du sabbat.

Les débats entre Bates et ces personnes l'amènent à une meilleure compréhension des implications du sabbat dans la période qui précèdera immédiatement le retour du Christ. Bates publie cette compréhension enrichie dans une deuxième édition en janvier 1847. Un ajout de quatorze pages présente un cadre d'interprétation dans lequel toute la future pensée théologique du sabbat s'insèrera.

Il met en particulier l'accent sur Apocalypse 11.19 : « Le temple de Dieu dans le ciel fut ouvert et l'arche de son alliance apparut dans son temple ». Joseph a remarqué un élément qui s'harmonise avec sa nouvelle compréhension du sanctuaire céleste, en lien avec Daniel 8.14. Chaque vision de l'Apocalypse commence avec une scène du sanctuaire, et dans la première moitié du livre, elles se passent dans le lieu saint. Cependant, à partir d'Apocalypse 11.19, on observe un déplacement vers le lieu très saint. En d'autres termes, Bates comprend que le livre de l'Apocalypse lui-même établit un lien entre le passage dans le lieu très saint et les évènements de la fin des temps.

Mais le plus important, pour lui, reste l'ouverture de l'arche. Comme il l'explique, le temple est ouvert pour un but précis. Selon lui, ce but est d'attirer l'attention sur les dix commandements, l'élément le plus important de l'arche (Deutéronome 10.5).

Bates commence à comprendre que le cœur même de l'Apocalypse est lié au retour du Christ, à l'ouverture du lieu très saint du sanctuaire céleste à la fin des temps, et à l'importance des dix commandements juste avant le retour de Jésus. Cette compréhension lui devient encore plus évidente à la lecture d'Apocalypse 12 à 14.

Aide-nous, Seigneur, à discerner ce que tu veux nous enseigner dans cet important passage concernant la fin des temps.

LE SABBAT ET LA VISION APOCALYPTIQUE — 2E PARTIE

Le dragon fut irrité contre la femme et il s'en alla faire la guerre au reste de sa descendance, à ceux qui gardent les commandements de Dieu et qui retiennent le témoignage de Jésus. Apocalypse 12.17

Quand Bates découvre l'enseignement sur le sanctuaire d'Apocalypse 11.19, cela l'amène naturellement à Apocalypse 12. Ce chapitre trace le portrait historique de l'Église depuis la naissance du Christ jusqu'à la fin des temps, quand le dragon (appelé « le diable et Satan » au verset 9) s'irrite contre la femme (l'Église) et part faire la guerre à ceux qui gardent les commandements de Dieu et le témoignage de Jésus (Apocalypse 12.17).

Joseph établit le lien entre Apocalypse 11.9 et 12.17. Le lieu très saint du sanctuaire céleste est ouvert à la fin des temps, révélant l'arche contenant les dix commandements, et ces commandements sont cités au moment crucial de la fin des temps du chapitre 12.

Dans son étude, Bates conclut non seulement que les dix commandements seront restaurés à la fin des temps, mais aussi qu'ils seront le point de départ du conflit. Selon lui, cet affrontement concernera principalement un commandement, celui du sabbat, qui a été modifié par l'Église (voir Daniel 7.25). Il considère que c'est ce commandement-là qui est précisément ciblé dans Apocalypse 14.7.

Bates souligne qu'il y aura indéniablement « un combat féroce sur le rétablissement et l'observation du sabbat, qui mettra à l'épreuve tous ceux qui entreront dans la sainte cité. Il est évident que le diable livrera une guerre sans pitié à ces personnes (voir Apocalypse 12.17). « Souvenez-vous du jour du sabbat et sanctifiez-le, Amen », c'est ainsi qu'il conclut l'édition de 1847 de son *Seventh-day Sabbath.*

Bates est éberlué par ses propres découvertes sur l'Apocalypse : Dieu aura « un reste » qui observera le sabbat à la fin des temps, et ce commandement sera également source de conflit. Cette conclusion se confirme alors qu'il étudie Apocalypse 13 et 14.

Apocalypse 12.17 est le texte clé de tout le livre. Presque immédiatement, le chapitre 13 développe la puissance du dragon de 12.17, et le chapitre 14 la femme des derniers temps. Les deux chapitres traitent de l'opposition subie par le peuple qui donne son allégeance à Dieu dans les derniers jours. Apocalypse 15 à 19 se construisent sur la base des chapitres 13 et 14, puisqu'ils décrivent les évènements de la fin.

Aide-nous, Seigneur, à étudier plus attentivement ces passages essentiels.

LE SABBAT ET LA VISION APOCALYPTIQUE – 3E PARTIE

C'est ici la persévérance des saints qui gardent les commandements de Dieu et la foi en Jésus. Apocalypse 14.12

Nous avons vu hier qu'en janvier 1847, Bates a compris à la lecture d'Apocalypse 12.17 qu'à la fin des temps, Dieu aura un peuple qui respectera les dix commandements contenus dans l'arche de l'alliance (Apocalypse 11.19), et que le dragon déclarera la guerre à ce peuple. Il n'a pas besoin d'aller beaucoup plus loin pour voir la description de ce conflit. Apocalypse 13.7,8 présente ceux qui adorent la bête, déclarant la guerre à ceux qui suivent l'Agneau.

Bates passe au chapitre 14 qui décrit ceux qui adorent l'Agneau et « le suivent partout où il va » (verset 4). Ce chapitre devient le point central de son étude dans sa deuxième édition de *The Seventh-day Sabbath, a Perpetual Sign.*

Avant de voir ses conclusions, étudions le plan de ce chapitre :

1. Les versets 1-5 décrivent les 144 000 de la fin des temps, qui suivent tous les enseignements de l'Agneau et « ont le nom de son Père inscrit sur leur front » (verset 1).
2. Les versets 6 et 7 présentent le message du premier ange.
3. Le verset 8 transmet le message du deuxième ange.
4. Les versets 9 à 12 concernent le message du troisième ange.
5. Le verset 13 décrit le sort de ceux qui suivent l'Agneau, pris dans la persécution de la fin des temps d'Apocalypse 13.
6. Le chapitre se conclut sur le retour du Christ sur les nuées du ciel, venant récolter la moisson de la terre (versets 14-20).

Cette progression n'échappe pas à Bates, quand il s'efforce de comprendre où est le peuple de Dieu dans les évènements de la fin des temps. Détail intéressant : certains Millérites avaient insisté sur les messages du premier et du deuxième ange. Miller lui-même croyait que l'heure du jugement dont il est question dans le message du premier ange était prêchée à son époque. Pour lui, le jugement du verset 7 était le retour du Christ.

Charles Fitch commence à proclamer le message du deuxième ange sur la chute de Babylone quand les églises se mettent à persécuter ceux qui attendent l'Avent. C'est cependant le contenu du message du troisième ange qui attire l'attention de Bates.

Avant de prier ce matin, nous ferions bien de relire Apocalypse 14.

Le sabbat et la vision apocalyptique — 4e partie

Craignez Dieu et donnez-lui gloire, car l'heure de son jugement est venue, et prosternez-vous devant celui qui a fait le ciel, la terre, la mer et les sources d'eau. Apocalypse 14.7

Nous avons étudié l'évolution de la compréhension de Bates d'Apocalypse 12 à 14. Il est particulièrement fasciné par les messages des trois anges d'Apocalypse 14, qui sont les derniers que Dieu envoie au monde avant le retour du Christ.

Il trouve le verset 12 particulièrement pertinent. Il souligne encore une fois (voir Apocalypse 12.17) que juste avant la fin des temps, Dieu aura un peuple fidèle aux commandements. Il saisit bien sûr les implications du verset 7 qui indique quel commandement sera à l'origine du conflit des derniers temps. Il reconnaît justement le fait que l'expression « celui qui a fait le ciel, la terre, la mer et les sources d'eau » fait référence au commandement du sabbat d'Exode 20.8-11 (voir Genèse 2.1-3). Il comprend clairement dans Apocalypse 14.7-9 que l'adoration sera un problème crucial à la fin de l'histoire du monde. Selon Apocalypse 14, avant le retour du Christ, les gens adoreront soit la bête d'Apocalypse 13 (voir Apocalypse 14.9), soit le créateur du ciel et de la terre (verset 7). Ce dernier groupe, bien entendu, observera *tous* les commandements de Dieu en attendant patiemment (verset 12) le retour de Jésus sur les nuées des cieux (versets 14-20).

La lecture d'Apocalypse 12.17 à 14.20 amène Bates à tirer plusieurs conclusions. Tout d'abord, depuis 1845, Dieu a suscité un peuple qui observe tous ses commandements, y compris le sabbat. « Maintenant, écrit-il en 1847, il est clair et indiscutable qu'il existe un peuple tel que celui décrit au verset 12. Ce peuple s'est constitué au cours des deux dernières années, sur la base des commandements de Dieu et de la foi ou le témoignage de Jésus ».

Ensuite, « Jean démontre que ce reste (ce terme suggère la fin) est attaqué (le terme « guerre » est clair) parce qu'il « garde les commandements de Dieu » (verset 7).

Troisièmement, Bates remarque qu'Apocalypse n'évoque que deux groupes à la fin des temps : « Les uns gardent les commandements et la foi en Jésus, les autres ont la marque de la bête. »

Ces découvertes posent les bases du développement de la théologie adventiste. En 1847, Bates a établi l'essence de ce qui est aujourd'hui appelé la théologie du grand conflit.

Père, encore aujourd'hui, éclaire notre esprit alors que nous méditons ton dernier message au monde pécheur.

Le sabbat et la vision apocalyptique — 5e partie

Je regardai et voici une nuée blanche, et sur la nuée était assis quelqu'un qui ressemblait à un fils d'homme. Il avait une couronne d'or sur la tête et une faucille tranchante à la main. Apocalypse 14.14

Ces derniers jours, nous avons médité sur le développement par Bates de la théologie du grand conflit. Début 1847, il comprend que ce qui devient le mouvement adventiste du septième jour n'est pas une dérive vers une nouvelle dénomination, mais bien un mouvement prophétique.

Il faut également remarquer que le thème du grand conflit est profondément enraciné dans l'Écriture. Trop de gens croient encore qu'il ne se fonde que sur les écrits d'Ellen White. Dès le 7 avril 1847, Ellen White met l'accent sur cet enseignement, mais sa vision sur ce sujet confirme simplement ce que Bates a découvert par l'étude de la Bible.

« Cher frère Bates, écrit-elle ce jour là, sabbat dernier nous nous sommes retrouvés ici avec les frères et sœurs, [...] soudain j'ai perdu contact avec les choses terrestres et j'ai reçu une vision de la gloire de Dieu. [...] Après avoir vu la gloire du lieu saint, Jésus a ouvert le voile et je suis passée dans le lieu très saint. C'est là que j'ai vu l'arche[...] contenant les tables de pierre. Jésus les a ouvertes et j'ai vu les commandements inscrits du doigt de Dieu. [...] Une table en contenait quatre et la seconde six. Le quatrième (commandement du sabbat) brillait plus que les autres, car le sabbat était mis à part pour être sanctifié en l'honneur de Dieu. [...] J'ai vu que Dieu n'avait pas changé le sabbat, car il ne change pas. [...] J'ai vu que le saint sabbat est et sera le mur de séparation entre le véritable Israël de Dieu et les incroyants, et qu'autour de lui se réuniront les saints de Dieu qui attendent Jésus. » — *A Word to the Little Flock*, p. 18,19.

Elle continue en affirmant que « la prédication et l'observation fidèle du sabbat deviendront un puissant message, mais qu'au début du temps de détresse, elles seraient source de persécution, au point que ceux qui ne recevront pas la marque de la bête ou son image, [...] ne pourront ni acheter ni vendre. La vision se termine sur la persécution et la délivrance, quand Jésus revient sur une grande nuée blanche » — *Ibid.*, P. 19, 20.

Père, nous attendons cette nuée, avec tout ce qu'elle signifie de bénédiction. Amen.

Poteaux indicateurs

Dresse tes signaux, place tes poteaux, prends garde à la route, à la voie où tu marches... Jérémie 31.21

Joseph Bates n'a jamais dissocié l'histoire de la théologie : elles sont pour lui les deux aspects d'un même thème. Ce lien apparaît dans le titre de la plupart de ses livres, y compris les deux éditions de *Le sabbat du septième jour, un signe perpétuel, depuis le commencement jusqu'à l'entrée dans la cité sainte, selon le commandement* (1846, 1847).

Cette même tendance apparaît très clairement dans *Second Advent Way Marks and High Heaps : Or a Connected View of the Fulfillment of Prophecy by God's Peculiar People from the Year 1940 to 1847* [Signaux et poteaux sur le chemin de l'Avent, ou vision de l'accomplissement de la prophétie par le peuple de Dieu entre 1840 et 1847].

Pour Bates, l'adventisme sabbatiste est un mouvement ancré dans l'histoire prophétique. Les « signaux et poteaux » sont un emprunt évident à Jérémie 31.21 qui les décrit comme des balises pour le peuple de Dieu, dans son voyage vers le ciel.

La lecture du 1er janvier (Josué 4.20-22), évoquait les « pierres du souvenir » que Dieu utilise pour que son peuple n'oublie pas qu'il l'a guidé dans le passé. Bates emploie la même métaphore pour indiquer que Dieu dirige son peuple encore aujourd'hui.

Enthousiasmé par ce livre de Bates *Signaux et poteaux sur le chemin de l'Avent*, James White le recommande vivement à un ami : « Frère Bates vient de sortir un livre sur notre expérience passée. » Trois mois plus tard, il écrit : « L'ouvrage de Bates sur le sabbat et notre expérience passée nous est très utile en ce temps d'épreuve. Je remercie le Seigneur d'avoir qualifié frère Bates pour établir aussi clairement le lien entre notre expérience passée et la Bible, et défendre la question du sabbat. »

Pour James White, Bates a mis en évidence la perspective de la « chaîne d'évènements » de la façon dont Dieu guide son peuple selon Apocalypse 14. La compréhension de cette séquence d'évènements commence avec la prédication de William Miller sur le retour du Christ (Apocalypse 14.6,7), se poursuit avec le message de la chute de Babylone réactualisé par Charles Fitch (verset 8), et trouve son apogée dans Apocalypse 14.12, avec l'insistance sur l'observance des commandements à la fin des temps. Bates, puis les White, comprennent que cette succession d'évènements mène au retour du Christ.

Merci, Seigneur, d'avoir fourni ces balises prophétiques. Aide-nous à comprendre leur pertinence.

AVANCER PAR LA FOI

Elle répondit : L'Éternel ton Dieu est vivant ! Je n'ai rien de cuit, je n'ai qu'une poignée de farine dans un pot et un peu d'huile dans une cruche. Me voici en train de ramasser deux morceaux de bois, puis je rentrerai et je préparerai cela pour moi et mon fils, nous mangerons après quoi nous mourrons. Élie lui dit : Sois sans crainte, rentre, fais comme tu l'as dit. Seulement prépare-moi d'abord avec cela un petit gâteau et tu me l'apporteras. Tu en feras ensuite un pour toi et ton fils.
1 Rois 17.12,13

Et elle le fait ! La veuve de Sarepta fait le pas de la foi et Dieu la récompense : ni la farine ni l'huile ne lui manquent tant que dure la famine.

Joseph Bates vit des expériences similaires. À l'âge de trente-six ans, il a mis assez d'argent de côté pour prendre sa retraite, mais fin 1844, il donne pratiquement tout pour contribuer à propager le message millérite. Sa générosité le met dans une situation où il doit également avancer par la foi.

Cette pensée nous ramène à ses livres : Bates se rend compte qu'il est bien plus facile de les rédiger que de financer leur publication. Ainsi, à l'automne 1847, il commence à écrire un livre de plus de cent pages, avec seulement 12,5 cents en poche. Juste avant d'aller chez l'éditeur, son épouse lui demande d'acheter de la farine, mais avec 12,5 cents, il ne peut en acheter que deux kilos. Ignorant la situation, elle lui demande comment il est possible qu'un homme qui a navigué sur les océans du monde entier rentre chez lui avec aussi peu de farine.

C'est alors qu'il lui révèle deux choses : d'abord, il a donné tout ce qu'il possédait, ensuite, il est en train d'écrire un autre livre sur le sabbat.

Ces nouvelles la mettent en colère, en effet, elle n'a même pas accepté le sabbat. Bates avoue plus tard : « elle ne comprenait pas mon devoir ». Comme d'habitude, il assure à Prudy que Dieu prendra soin d'eux.

Et Dieu le fit !

Peu après, Bates se sent poussé à aller à la poste, où il trouve 10 dollars dans une enveloppe à son nom. Avec cette somme, il peut acheter toutes les denrées nécessaires et même se préparer à faire publier son livre. Malgré cela, quand il arrive chez l'éditeur, il n'a pas assez d'argent. Il découvre cependant que quelqu'un a déjà réglé les frais d'impression.

Foi ou folie ? Cette question est toujours d'actualité. Dieu continue de bénir ceux qui avancent par la foi, et il utilise parfois d'autres personnes comme agents pour « payer la facture ».

LE TEMPS DU RASSEMBLEMENT — 1RE PARTIE

Allez donc aux carrefours et invitez aux noces tous ceux que vous trouverez. Ces serviteurs s'en allèrent par les chemins, rassemblèrent tous ceux qu'ils trouvèrent. Matthieu 22.9,10

Nous avons vu en janvier que la grande déception d'octobre 1844 a fait éclater le Millérisme. Ce mouvement, puissant auparavant, s'est dispersé en plusieurs branches, et beaucoup ont, à cette occasion, abandonné l'Adventisme même. Le temps de la dispersion commence fin 1844.

Mais tout n'est pas perdu. Après trois ans et demi d'étude biblique approfondie, Bates et les White tirent d'importantes conclusions sur la cause de leur déception et la trame de l'histoire prophétique selon le livre de l'Apocalypse.

Début 1848, ils présentent un message sur le cœur de l'Apocalypse de Jean, qui fait le lien entre le retour du Christ, l'ouverture du lieu très saint du sanctuaire céleste, et l'importance, à la fin des temps, du sabbat dans une théologie unifiée. Pour Bates et les White, il ne s'agit pas de trois doctrines ou « croyances fondamentales » distinctes, mais bien d'un message unique concernant les derniers jours. Les messages des trois anges d'Apocalypse 14 sont un ensemble évangélique unique.

Voici ce qu'écrit James White dans une lettre du 8 novembre 1849 : « Par la proclamation de la vérité du sabbat en relation avec le mouvement adventiste, Dieu fait connaître ceux qui lui appartiennent. Le temps de la dispersion est révolu, il est maintenant l'heure de rassembler les saints dans l'unité de la foi, afin qu'ils soient scellés et unifiés par une sainte vérité. Oui, cette heure est arrivée. Il est vrai que le mouvement avance lentement, mais il avance sûrement, et gagne en force à chaque pas. De nouvelles personnes entrent dans le champ, [...] et proclament le message du troisième ange d'Apocalypse 14. Quel message !

Notre expérience adventiste passée, notre situation actuelle et notre œuvre future sont mentionnées dans Apocalypse 14 aussi clairement que possible, par la plume prophétique. Nous remercions Dieu de l'avoir compris. [...] Je crois que la vérité du sabbat doit être répandue dans tout le pays, comme jamais auparavant. Restons alertes et prêts à travailler en tout temps pour Dieu. [...] Notre foyer, notre repos, notre ciel est proche, tout proche. [...] Jésus revient pour ramener les exilés chez eux. »

Il est difficile d'ignorer son enthousiasme. Je suis tout aussi passionné en lisant les promesses et prophéties de Dieu. Notre foyer n'est pas ici, mais il est tout proche !

LE TEMPS DU RASSEMBLEMENT — 2E PARTIE

Le maître dit au serviteur : va par les chemins et le long des haies, contrains les gens d'entrer afin que ma maison soit remplie.
Luc 14.23

Au milieu de l'année 1847, les leaders de ce qui devient l'adventisme sabbatiste se sont mis d'accord sur un ensemble de croyances. L'étape suivante consiste à les partager avec les autres. La première stratégie consiste à organiser une série de conférences avec pour objectif, selon James White, « l'unité des frères sur les grandes vérités liées au message du troisième ange ».

En 1848, beaucoup d'adventistes de Nouvelle Angleterre et de New York sont convaincus de la vérité d'une ou plusieurs doctrines sabbatistes, mais il manque un consensus. Les séries de conférences commencent en 1848 et diffusent le message évangélique du sabbat. Étant donné que les sabbatistes font partie de la branche « porte fermée » de l'adventisme, ces conférences s'adressent aux adventistes qui ont accepté les messages du premier et du deuxième ange. La tâche des évangélistes consiste à présenter le message du troisième ange comme une partie de la réponse aux évènements de la fin des 2300 jours, révélant ainsi où ils se situent dans l'histoire prophétique.

James White fait son rapport sur la première conférence en avril 1848 : « Environ cinquante personnes étaient présentes. Frère Bates a présenté clairement les commandements et leur importance, par un puissant témoignage. Son message a conforté ceux qui étaient déjà dans la vérité et éloigné ceux qui n'étaient pas très décidés. »

L'objectif des conférences apparaît clairement dans le rapport d'Ellen White sur une conférence d'août 1848, tenue « dans la grange de frère Arnold ». Elle raconte qu'il y avait trente-cinq présents, et « qu'il était difficile d'en trouver deux qui étaient d'accord entre eux. Tous désiraient nous parler, mais nous leur avons répondu que nous n'avions pas fait un tel voyage pour les écouter, mais pour leur enseigner la vérité ». Elle se réjouit qu'après une vive discussion, les participants se rallient autour du message du troisième ange. — *Spiritual Gifts*, vol. 2, p. 97-99.

Dieu utilise encore ceux qui se saisissent de sa Parole pour guider les autres dans sa compréhension. Il désire peut-être nous employer dans cet effort aujourd'hui.

Le temps du rassemblement — 3e partie

Qu'ils sont beaux sur les montagnes, les pieds du messager de bonnes nouvelles, qui publie la paix ! Du messager de très bonnes nouvelles qui publie le salut.
Ésaïe 52.7

La phase initiale de ce que James White appelle « le temps du rassemblement » dure de 1848 à 1850. Pendant ces années, Bates et les White organisent des conférences sur le sabbat pour former un groupe de croyants autour du message des trois anges d'Apocalypse 14. Dieu utilise cependant aussi d'autres moyens.

Lors d'une conférence à Dorchester, au Massachusetts, en novembre 1848, Ellen White reçoit une vision qui transformera l'adventisme. Elle dit ensuite à son mari : « J'ai reçu un message pour toi. Tu dois commencer à imprimer un petit journal que tu enverras aux gens. Il sera d'abord petit, mais au fur et à mesure que les gens le liront, ils t'enverront des fonds pour le financer et ce sera un succès. Concernant cette modeste initiative, elle commente : Il m'a été montré que cela se transformerait en rayons de lumière dans le monde entier. » — *Life Sketches of Ellen White*, p. 125.

Aujourd'hui, 160 ans plus tard, cette phrase n'impressionne pas tellement. En effet, en ce début de vingt et unième siècle, les publications adventistes sont diffusées dans le monde entier par millions chaque année, dans des centaines de langues, par nos maisons d'éditions. Mais il s'agit là de l'accomplissement, pas de la prophétie !

Qu'ont pensé les premiers adventistes de cette vision ? En novembre 1848, ils étaient probablement moins de cent, et la plupart étaient pauvres.

De plus, ils croyaient au concept de la porte fermée, y compris Ellen White. Elle écrit plus tard : « Avec mes frères et sœurs, quand l'année 1844 fut écoulée, je croyais qu'aucun pécheur ne se convertirait plus, bien que je n'ai jamais vu en vision que personne ne se repentirait plus. » – *Selected Messages*, vol. 1, p. 74.

Cette vision sur l'édition s'opposait en réalité à ce qu'elle et les sabbatistes pensaient. Dieu envoyait une vision de la porte ouverte au peuple de la porte fermée !

Pourtant, malgré son opinion, les publications adventistes, à commencer par ce « petit journal », diffusèrent « la lumière dans le monde entier ».

Merci, notre Dieu, de voir plus loin que nous. Aide-moi aujourd'hui à voir avec tes yeux plutôt qu'avec les miens.

La publication du message — 1re partie

Vous recevrez une puissance, celle du Saint-Esprit survenant sur vous, et vous serez mes témoins à Jérusalem, dans toute la Judée, dans la Samarie et jusqu'aux extrémités de la terre. Actes 1.8

L'Église primitive a souvent connu de petits débuts. C'est aussi le cas pour l'adventisme. On peut difficilement imaginer un démarrage plus modeste pour ce qui est devenu un réseau mondial de publications.

Suite à la vision de sa femme, James White, bien que financièrement en difficulté, fait le pas de la foi pour rédiger et imprimer le « petit journal ». Se souvenant de cette expérience, il écrit plus tard : « Nous avons commencé la préparation de ce journal et en avons rédigé chaque mot, alors que notre bibliothèque ne comptait qu'une Bible de poche, une concordance et un vieux dictionnaire auquel il manquait une des couvertures. Nous étions démunis et notre seule espoir de réussite était en Dieu. »

James White n'a pas le choix, il cherche un imprimeur non-adventiste qui accepte de produire le journal de huit pages et de n'être payé que quand les lecteurs espérés enverront des fonds. Charles Pelton, de Middletown, dans le Connecticut, accepte.

Les 1 000 premiers exemplaires de *Present Truth* [Vérité présente] sortent de presse le 8 juillet 1849. « Quand James ramena les premiers numéros de l'imprimerie, se souvient Ellen White, nous nous sommes agenouillés autour, demandant d'un cœur sincère et avec larmes au Seigneur de bénir les faibles efforts de ses serviteurs. James les adressa alors à tous ceux qui, selon lui, les liraient, et les porta à pied à la poste (à treize kilomètres de distance) dans un sac de toile. [...] Rapidement, des lettres arrivèrent, contenant des fonds pour la publication, et la bonne nouvelle des âmes acceptant la vérité. » — *Life Sketches of James and Ellen White*, p. 260.

Le contenu de *Present Truth* était la vision du sabbat en tant que message particulier pour cette époque, le message des trois anges et les sujets qui y étaient liés. Ce petit journal joua un rôle important pour le « temps du rassemblement » de la fin des années 1840.

À vues humaines, Dieu agit souvent de façon étrange. Nous sommes impressionnés par la grandeur et la puissance, mais le Seigneur donne de la valeur à l'humilité et à la consécration. James White n'était pas le seul à devoir avancer dans l'humilité et la foi. Dieu veut également nous utiliser, si nous acceptons humblement de lui consacrer le peu que nous possédons.

La vérité présente — 1re partie

Voilà pourquoi je vais toujours vous rappeler ces choses, bien que vous les sachiez et que vous soyez affermis dans la vérité présente. 2 Pierre 1.12

Tous les fondateurs de l'Adventisme sabbatiste ont une compréhension dynamique de ce qu'ils appellent la « vérité présente ». Bien entendu, l'utilisation de ce terme ne leur est pas exclusive. Les Millérites l'employaient déjà pour évoquer le retour imminent de Jésus. Ils l'appliquèrent plus tard au « mouvement du septième mois », c'est-à-dire celui qui annonçait ce retour pour octobre 1844. Ainsi, même dans l'utilisation millérite du terme, nous voyons une compréhension progressive dynamique.

Ce n'est pas par hasard que James White choisit ce titre pour le premier périodique adventiste sabbatiste.

Dans la première édition de sa publication en juillet 1849, il cite 2 Pierre 1.12 qui recommande d'être « affermis dans la vérité présente » et écrit : « Au temps de Pierre, il existait une vérité présente, ou vérité applicable au temps présent. L'Église a toujours eu une vérité présente. La vérité présente d'aujourd'hui est celle qui nous montre notre devoir, et notre position correcte, alors que nous devons témoigner du temps de détresse. » Il est d'accord avec Bates sur le contenu de la vérité présente. Les deux premiers anges d'Apocalypse 14 ont lancé leur message, c'est maintenant le tour du troisième.

Les premiers sabbatistes sont convaincus d'avoir un message à adresser au monde, mais ils sont conscients que Dieu a encore plus à leur révéler, c'est-à-dire qu'ils envisagent la vérité comme progressive et dynamique. Ellen White écrit au sujet des problèmes théologiques débattus lors de la session de la Conférence générale de 1888 : « Ce que Dieu demande à ses serviteurs de dire aujourd'hui n'était peut-être pas la vérité présente d'il y a vingt ans, mais c'est le message de Dieu pour aujourd'hui. » — Manuscrit n° 8a, 1888.

Les White et Bates sont tout à fait ouverts à des développements futurs de la vérité, et les jeunes leaders en témoignent. Uriah Smith écrit par exemple en 1857 que les sabbatistes ont découvert une vérité progressive depuis 1844. « Nous avons pu atteindre ces vérités bien plus tôt que ce que nous croyons, mais nous n'imaginons pas que nous possédons déjà tout. [...] Nous espérons progresser encore, et notre chemin sera de plus en plus lumineux. »

Qu'en est-il de nous aujourd'hui ? Mon esprit est-il ouvert à l'influence de Dieu qui veut me révéler la vérité de sa Parole ?

La vérité présente – 2e partie

Un autre, un troisième ange les suivit, en disant d'une voix forte. Apocalypse 14.9

Un bon moyen pour comprendre la position des fondateurs de l'adventisme sabbatiste sur la vérité présente consiste à étudier les sermons évangéliques de James White. Il faut pour cela se rappeler qu'il écrivait et s'adressait aux anciens Millérites qui avaient déjà accepté le message du premier et, pour certains, du deuxième ange d'Apocalypse 14.

« Le verset 6 du chapitre 14 introduit le message de l'Avent, déclare-t-il, puis commence une autre *chaîne d'évènements* liés aux messages successifs qui doivent être annoncés au peuple de Dieu avant le retour du Christ. »

« Tous ceux qui croient à ce retour s'accordent pour affirmer que le message du premier ange s'est accompli avec la proclamation du retour du Christ dans les années 1840. Avec quelle solennité, quel zèle et quelle sainte confiance les serviteurs du Seigneur ont annoncé ce temps ! Leur message a été accueilli par la population, touchant le cœur du pécheur le plus endurci. »

Un second ange « suivit lorsque le premier a délivré son message. Il nous a appelés à sortir de nos églises pour penser librement et nous mettre en marche dans la crainte de Dieu. Il est très intéressant de remarquer que la question du sabbat surgit parmi ceux qui croient au retour du Christ juste après l'appel du deuxième ange à sortir des églises. Dieu agit du manière ordonnée. La vérité du sabbat arrive juste au bon moment pour accomplir la prophétie. Amen ».

« Il nous a invités à nous libérer des églises en 1844, nous a rendus humbles, nous a éprouvés, a préparé le cœur de son peuple, a examiné s'il suivait ses commandements. »

« Beaucoup se sont arrêtés au message du premier ange, d'autres au second, et plusieurs refuseront le troisième, mais quelques-uns suivront l'Agneau partout où il va et se lèveront pour hériter du pays. »

Pour les fondateurs de l'adventisme sabbatiste, la vérité présente concerne le déroulement de l'histoire prophétique. Dieu rassemble un peuple, et pas à pas, il lui révèle sa vérité. Ils ne se sont jamais considérés comme une simple dénomination de plus, au contraire, ils étaient convaincus d'être un mouvement prophétique. Ils avaient un message particulier à délivrer avant le retour de Jésus – message contenu dans Apocalypse 14.6-12 – et devaient former le groupe proclamant le dernier message de Dieu.

LA PUBLICATION DU MESSAGE — 2E PARTIE

Tu marcheras devant le Seigneur pour préparer ses voies. Luc 1.76

Quand un message est passionnant, on a envie de le partager. C'est particulièrement vrai s'il s'agit d'un message d'espoir de la part de Dieu.

En 1849, même s'ils sont peu nombreux, les adventistes sabbatistes désirent diffuser leur message par la page imprimée. James White ne se contente pas de *Present Truth* [Vérité présente] pour présenter la compréhension du sabbat et du message du troisième ange. Pendant l'été 1850, il commence à publier *Advent Review* [Revue de l'Avent], périodique destiné à toucher les Millérites dispersés, sur la force et la vérité des arguments fondateurs du mouvement de 1844.

Son approche est stratégique. Si *Advent Review* doit sensibiliser les Millérites déçus à la vérité des messages du premier et du deuxième ange, *Present Truth* les invite à accepter celui du troisième. Il réunit les deux périodiques pour n'en faire qu'un seul en novembre 1850 et l'appelle *The Second Advent Review and Sabbath Herald* [Revue du second Avent et messager du sabbat], aujourd'hui connu comme *Adventist Review* [Revue Adventiste].

Les sabbatistes sont convaincus d'être les dépositaires du dernier message de Dieu pour la fin. Ils sont enthousiastes de leur prédication et disposés au sacrifice pour les publications, comme le démontre le premier recensement adventiste de 1860. Effectué par D.T. Taylor, membre *d'Advent Christian Movement* [Mouvement chrétien adventiste], il dénombre 54 000 adventistes de différentes tendances, dont 3 000 sabbatistes. Ce qui est remarquable dans ces statistiques, c'est l'intérêt relatif des différents groupes pour les publications. Les groupes majoritaires, presque vingt fois plus nombreux que les sabbatistes, n'envoient leurs publications qu'à environ 5 000 personnes, alors que le groupe le moins nombreux a 4 300 destinataires. Taylor conclut que les sabbatistes, bien que largement minoritaires, sont très zélés et actifs pour promouvoir leur vision du sabbat face au dimanche.

C'est le cas : ils sont conscients d'avoir un message à transmettre au peuple de Dieu des derniers temps.

Leur combativité est efficace : pendant le temps du rassemblement, les membres sont environ 100 fin 1848, et presque 2 500 quatre ans plus tard. Grâce à leurs publications, d'autres encore commencent à accepter la logique de leur enseignement.

Dieu utilise encore aujourd'hui l'édition pour transmettre son message, nous pouvons y participer par nos dons et nos prières.

Bons amis, mais âpres discussions

Le dissentiment fut si aigre que finalement, ils [Paul et Barnabas] se séparèrent. Actes 15.39

On pensait qu'ils formaient une équipe d'évangélistes idéale, mais les problèmes peuvent surgir même entre de bons amis chrétiens. C'est le cas quand Paul et Barnabas s'opposent sur la qualification de Marc pour le ministère, et chacun part de son côté suite à ce différend. Dieu les bénit pourtant malgré ce problème, et il forme deux équipes à partir d'une seule.

Ce récit me rappelle un désaccord qui a failli diviser les deux dirigeants sabbatistes en 1850, et dont le sujet est le « petit journal » de la vision de Dorcherster. Après sa vision, Ellen White informe son mari – certainement de façon privée – qu'il devrait publier un petit journal, pour répandre la vérité « comme des rayons de lumière dans le monde entier ». Bates a une opinion différente à ce sujet.

Le vieil homme est persuadé que le périodique de James utilise de l'argent qui devrait être consacré à l'évangélisation. White, de son côté, trouve que de l'argent est gaspillé alors qu'il pourrait soutenir les publications.

James écrit : « Frère Bates m'envoya une lettre qui mit mon moral au plus bas. J'avais déjà eu beaucoup de difficultés en raison du devoir que je sentais de publier le journal, mais la lettre de Bates rendit tout cela encore plus lourd. Le fardeau pesait de plus en plus sur mes épaules et je pensai à tout abandonner définitivement. [...] Je pense que le journal va mourir. [...] Je vais tout laisser tomber. »

Le désaccord dura pendant une bonne partie de l'année 1850 et menaça de détruire l'adventisme sabbatiste. Le diable ne se repose jamais, mes amis ! Après des années de luttes et de sacrifice, Bates et James White avaient un message à annoncer, le temps du rassemblement était arrivé, et le mouvement risquait de sombrer à cause de l'entêtement de ses deux dirigeants. Ellen White, dans son rôle de médiateur entre les deux hommes, craignait qu'ils détruisent ce qu'ils avaient de plus cher. Pourtant une bonne nouvelle s'annonce : Dieu les aida à se regarder en face et à collaborer malgré et grâce à leurs différences.

Les choses n'ont pas beaucoup changé. L'Église du XIXe siècle est aussi composée d'une grande variété d'opinions, et a ses fortes personnalités.

Le diable tente de diviser.

Dieu essaie de guérir. Et nous avons toujours besoin d'être ouverts à l'influence apaisante de son Esprit.

UN CHANT POUR LE PEUPLE DE DIEU

Ils chantent le cantique de Moïse, le serviteur de Dieu, et le cantique de l'Agneau. Apocalypse 15.3

Lorsqu'un mouvement chrétien commence à se structurer pour prendre sa forme définitive, il développe généralement son propre recueil de chants. James White entreprend cette tâche pour l'adventisme sabbatiste en 1849, et publie *Hymns for God's Peculiar People, that Keep the Commandments of God and the Faith in Jesus* [Hymnes pour le peuple de Dieu qui garde les commandements de Dieu et la foi en Jésus].

Bien entendu, les chants et recueils de chants ne sont jamais neutres. Ils reflètent le message que les auteurs et compilateurs considèrent comme de la plus haute importance. Tout comme, à l'époque de l'Empire romain, les croyants chantaient leur doctrine chrétienne orthodoxe, au XIXe siècle, ils chantent le message de l'Avent.

James White connaît le pouvoir du chant et sa fonction doctrinale. Il n'est donc pas étonnant que le premier chant s'intitule « Saint Sabbat ». Le titre parle de lui-même. Voici sa traduction libre :

1. La Parole de Dieu, pure, infaillible,
   Fontaine intarissable
   Ses statuts, préceptes et lois
   Sont écrits pour les cœurs droits
2. Au paradis, l'homme fut placé
   La Parole devait le guider
   Mais il voulut s'en dégager
   Et choisit le chemin du danger
3. Le saint sabbat y fut créé
   Ce jour par Dieu sanctifié
   Tous ceux qui lui obéissent
   Font du sabbat leurs délices
4. Au temps de Moïse
   Dieu grava sa loi dans la pierre
   Ceux qui gardent la sainte Parole
   Savent que Dieu les sanctifie
5. Au cours de l'histoire
   La voix du prophète résonne
   Qu'il ne craigne jamais la honte
   Celui qui garde le sabbat
6. Le Dieu Tout Puissant promet
   Que ceux qui gardent son saint sabbat
   Dans son amour seront gardés
   Et ils marcheront dans la joie
7. S'ils sont patients, persévérants
   S'ils gardent les commandements
   Et s'ils marchent jusqu'à la fin
   Ils entreront dans le royaume divin
8. Poursuivons donc notre chemin
   Marchons jusqu'en Canaan
   Nous entrerons dans le royaume
   Et connaîtrons le repos divin.

Dans le recueil de James White, seules les paroles des chants figuraient, la musique n'était pas imprimée. Néanmoins, le poème ne laisse aucun doute sur le message.

CHANTS DE L'AVENT

Ceux que l'Éternel a libérés retourneront, ils arriveront dans Sion avec des chants de triomphe et une joie éternelle couronnera leur tête. Ésaïe 35.10

La majorité des chants du recueil de James White ont pour thème le retour de Jésus et le ciel. La plupart des gens étant déjà chrétiens avant de devenir adventistes sabbatistes, il semble qu'il n'ait pas jugé nécessaire d'ajouter beaucoup de chants sur le thème de la grâce et de l'adoration à Dieu. Ces chants-là étaient connus, et il a apparemment fait sa sélection pour combler une lacune thématique.

Certains chants de la sélection de James White font partie du recueil actuel de l'Église adventiste, dont mon favori : *I'm a pilgrim* [Je suis pèlerin]. Dans l'édition de 1941 de notre recueil, il portait le numéro 666, mais je suis heureux que dans la version actuelle, il porte le numéro plus sanctifié de 444.

1. Je suis pèlerin, étranger
   Je ne peux m'attarder ici plus d'une nuit
   Ne me retenez pas car je vais
   Vers les sources d'eau vive
2. Là haut la gloire est éternelle
   C'est là que mon cœur est attaché
   Dans ce monde sombre et triste
   J'ai trop longtemps marché
3. Je marche vers une cité
   Mon Dieu l'éclaire de sa lumière
   Là, plus de tristesse, de souffrance
   Plus de larmes ni de deuil.

Le refrain est un message à lui tout seul : « Je suis pèlerin, étranger, ici-bas je ne peux m'attarder plus d'une nuit. »

Nous, adventistes d'aujourd'hui, nous considérons-nous encore comme des pèlerins, étrangers sur cette terre où nous ne resterons pas plus d'une nuit ? Beaucoup d'entre nous s'y installent confortablement. Nous y sommes chez nous, nous l'aimons et pensons : « Je me suis enrichi, je suis riche et je n'ai besoin de rien » (Apocalypse 3.17).

Puis le médecin nous annonce un cancer à un stade avancé, un de nos enfants sombre dans la délinquance, notre conjoint demande le divorce. Et soudain nous prenons conscience que cette terre n'est pas notre chez nous.

Aide-moi aujourd'hui, Père, à réévaluer mes priorités dans ma vie quotidienne.

Rêves providentiels

Voici le tabernacle de Dieu avec les hommes ! Il habitera avec eux, ils seront son peuple et Dieu lui-même sera avec eux.
Apocalypse 21.3

Alors que nous nous remémorons les premiers hymnes adventistes, nous devons penser à la vie courte mais productive d'Annie Smith qui a laissé trois chants dans le recueil adventiste américain.

La mère d'Annie était Millérite. En 1851, suite à sa rencontre avec Joseph Bates, elle est devenue sabbatiste. Ils prient tous deux pour ses enfants qui ne s'intéressent pas à l'adventisme. Peu de temps après, Bates tient des conférences près de chez Annie et sa mère l'invite à y participer, mais elle n'est pas très enthousiaste. Pourtant, peut-être pour faire plaisir à sa mère, elle s'y rend.

La nuit qui précède la conférence, Joseph Bates fait un rêve. Il voit la salle pleine, à l'exception d'une place, près de la porte. Il rêve qu'il change le sujet de sa conférence et parle du sanctuaire céleste. Dans son rêve, ils chantent le premier hymne, prient et en chantent un deuxième, puis il ouvre sa Bible et commence à lire : « Deux mille trois cent soirs et matins et le sanctuaire sera purifié. » Alors qu'il indique une grande illustration du sanctuaire sur un diagramme prophétique, la porte s'ouvre, une jeune femme entre et s'assied sur la chaise libre. Bates rêve aussi que cette personne s'appelle Annie Smith, et qu'il a prié pour elle avec sa mère. La même nuit, Annie fait pratiquement le même rêve. Elle se voit entrer dans la salle de conférences, en retard, alors que le prédicateur lit Daniel 8.14 dans sa Bible.

Le lendemain soir, Annie part de chez elle en avance, mais elle se perd et arrive à la conférence juste après le deuxième chant. Elle prend discrètement le siège à côté de la porte alors que le prédicateur lit le texte dont elle a rêvé.

Bates ne pense plus à son rêve jusqu'au moment où Annie entre dans la salle. Après la réunion, il s'adresse à elle et lui demande si elle est bien Annie Smith pour laquelle il a prié et dont il a rêvé la nuit précédente. La vie d'Annie ne sera plus jamais la même et elle accepte le message adventiste ce soir-là.

Dieu agit de façon miraculeuse, encore aujourd'hui. Nous avons tous des proches et personnes chères qui n'ont pas encore découvert l'amour de Dieu, ou le connaissent peu. Le Dieu qui nous aime prend également soin de ceux que nous aimons. Ne cessons jamais de prier pour eux.

ANNIE SMITH

Il essuiera toute larme de leurs yeux, la mort ne sera plus et il n'y aura ni deuil, ni cri, ni douleur, car les premières choses ont disparu. Apocalypse 21.4

Nous avons fait hier la connaissance d'Annie Smith au moment de sa conversion. Peu après, le 21 novembre 1851, elle écrit pour *Review and Herald* : « J'ai tout abandonné pour suivre l'Agneau partout où il me conduira. La terre a perdu son attrait ; mes espoirs, joies et affections sont maintenant tous centrés sur les choses d'en haut. »

« Je ne désire maintenant rien d'autre que de rester aux pieds de Jésus et apprendre de lui, me mettre au service de mon Père céleste et ne me réjouir que de la paix de Dieu qui va au-delà de toute compréhension. »

« Je loue son nom pour ce qu'il a fait pour moi. Je sens déjà le doux avant-goût des gloires d'un monde meilleur dont je suis l'héritière, et je suis déterminée, par sa grâce, à vaincre chaque obstacle, à persévérer, à supporter la honte, afin de pouvoir entrer dans le royaume éternel de notre Seigneur et Sauveur Jésus-Christ. »

À ce moment de sa vie, elle avait désiré faire carrière comme enseignante au collège et avait reçu, peu avant sa conversion, une offre pour un poste prestigieux avec un excellent salaire. En 1851, ses ambitions terrestres s'étaient parfaitement réalisées.

Cependant, après avoir entendu le message adventiste par l'intermédiaire de Joseph Bates, ses objectifs changent et quand elle apprend que James White a besoin d'aide pour la rédaction de la *Review*, elle propose son aide sans recevoir d'autre salaire que le logement et la nourriture. Elle se réjouit de participer à l'œuvre du Seigneur, et de faire connaître à d'autres le royaume qui vient.

Elle collabore pendant trois ans avec James White, jusqu'à ce qu'une tuberculose pulmonaire mette prématurément fin à sa vie, à l'âge de vingt-sept ans.

La veille de sa mort, elle écrit la préface de son poème « Home Here and Home in Heaven » [Un foyer ici-bas et un foyer au ciel], dans lequel elle remercie Dieu pour le travail qu'il lui a donné sur terre, mais tourne son regard vers le ciel, alors que « le temps s'arrête pour elle ».

Si la vie d'Annie a été brève, son influence reste durable, en particulier par les chants qu'elle nous a laissés et pour l'impact de son expérience sur son frère Uriah qui a accepté le Seigneur fin 1852.

Seigneur, en pensant à la vie d'Annie Smith, aide-moi à réorienter mes priorités et valeurs vers toi. Je me mets aujourd'hui à ton service, merci pour la vie.

ET QU'EN EST-IL DE LA MORT ? — 1RE PARTIE

Nous ne voulons pas, frères, que vous soyez dans l'ignorance au sujet de ceux qui dorment. 1 Thessaloniciens 4.13

Nous avons vu précédemment que les premiers sabbatistes ont découvert les vérités bibliques sur le septième jour et les deux phases du ministère du Christ dans le sanctuaire céleste. Ils ont intégré à ces enseignements la compréhension du retour de Jésus, selon Apocalypse 11.19 à 14.20. Ces trois piliers se trouvent au cœur même de l'adventisme sabbatiste.

Le lecteur attentif aura pourtant noté un quatrième pilier de l'adventisme qui n'a pas été évoqué jusqu'ici : les adventistes l'appellent traditionnellement « l'état des morts ».

Voici un aperçu de la façon dont les premiers sabbatistes ont développé leur compréhension de l'enfer et de ce qui advient après la mort.

Ces sujets troublent de nombreuses personnes. Voici d'ailleurs ce qu'écrit la jeune Ellen Harmon : « Dans mon esprit, la justice de Dieu éclipsait sa miséricorde et son amour. Je vivais alors dans une angoisse intense. On m'avait enseigné à croire à un enfer brûlant éternellement. [...] J'avais continuellement cette pensée horrifiante : mes péchés étaient trop graves pour être pardonnés et je serais éternellement perdue. Les descriptions terrifiantes des âmes perdues que j'avais entendues étaient gravées dans ma tête. Les prédicateurs décrivaient précisément la condition des perdus. [...] les tortures subies pendant des milliers d'années. [...] les vagues de feu dévorant les victimes agonisantes qui hurlaient "Combien de temps, Seigneur, combien de temps ?" et la réponse, tonnant depuis les abîmes : "Pour l'éternité." »

« Je me représentai notre Père céleste comme un tyran se réjouissant de l'agonie des condamnés, et non comme l'ami tendre et compatissant des pécheurs, qui aime ses créatures d'un amour infini, et désire les sauver et les prendre dans son royaume. Quand la pensée d'un Dieu prenant plaisir à la souffrance des créatures formées à son image s'est enracinée dans mon esprit, un mur de ténèbres semblait me séparer de lui. » — *Life Sketches of Ellen White*, p. 29-31.

Il est inutile de dire que la jeune Ellen ne parvenait pas à harmoniser les enseignements traditionnels sur l'enfer avec le concept d'un Jésus aimant, pourtant cette pensée ne servit qu'à empirer la situation puisqu'elle pensait qu'en rejetant la Parole de Dieu, elle méritait l'enfer encore plus qu'avant.

Aide-nous, Seigneur, quand notre esprit limité tente de comprendre les enseignements complexes de l'Écriture.

Et qu'en est-il de la mort ? — 2e partie

Le salaire du péché, c'est la mort ; mais le don gratuit de Dieu, c'est la vie éternelle en Christ Jésus, notre Seigneur. Romains 6.23

Quand on connaît les tourments d'Ellen White face aux enseignements traditionnels sur l'enfer, on ne peut s'étonner qu'à l'âge adulte, elle écrive ceci : « Il est impossible à l'esprit humain d'évaluer le mal accompli par l'hérésie des tourments éternels. La religion des Écritures, toute d'amour, de bonté et de compassion, s'y trouve enténébrée de superstition et drapée d'épouvante. [...] Les idées terrifiantes répandues du haut de la chaire au sujet de la divinité ont fait des milliers, que dis-je ? des millions de sceptiques et d'incrédules. » Elle poursuit en indiquant que cet enseignement traditionnel fait partie des fausses doctrines de l'Eglise, qui mêlent les théories humaines aux vérités divines. — *La tragédie des siècles*, p. 584, 585.

Ce problème m'a aussi préoccupé, et en 1997, j'ai écrit un article pour *Signes des Temps*, intitulé « Hitler pour toujours ». L'idée de base était que si cet enseignement était juste, alors on pourrait considérer Hitler et Staline comme de sympathiques garçons. Après tout, leurs victimes finissaient par mourir, alors que Dieu ferait rôtir volontairement les siennes pour les maintenir en agonie aux siècles des siècles.

Je savais que d'autres partageaient mon opinion, puisque je citais de grands leaders évangéliques comme John R.W. Stott et Clark Pinnock, ainsi que d'autres qui préféraient la perspective biblique à la tradition de l'Église.

Mais quelle est donc la perspective biblique, et comment les adventistes y sont-ils parvenus ? Nous répondrons demain à ces questions. En effet, il est important de comprendre d'abord que le problème sous-jacent est celui de l'immortalité. Les philosophes grecs croient à l'immortalité humaine, mais la Bible déclare que seul Dieu est immortel (1 Timothée 6.16), que les hommes qui l'obtiendront sont ceux qui croient en Jésus, et qu'elle leur sera donnée au retour du Christ (1 Corinthiens 15.51-55).

Être immortel signifie ne pas être soumis à la mort. Or, si les méchants le sont, cela signifie qu'ils vivront sous une forme ou une autre pour l'éternité. Si, au contraire, ils ne le sont pas, ils devront mourir, comme Romains 6.23 le dit clairement. Il n'existe aucune autre option.

Seigneur, nous te remercions d'avoir rendu l'immortalité accessible à ceux qui croient en Jésus. Merci aussi de ce que le péché et les pécheurs ne sont pas immortels.

ET QU'EN EST-IL DE LA MORT ? — 3E PARTIE

Le serpent dit à la femme : Vous ne mourrez pas du tout ! Genèse 3.4

Deux courants amènent l'adventisme sabbatiste à découvrir la vérité biblique sur la mort et l'enfer. George Storrs, que nous avons déjà évoqué, est à l'origine de l'un d'eux. En 1837, il a lu un livre de Henry Grew qui traite du sort final des méchants et défend la théorie de « l'extinction totale de l'être, et non son maintien perpétuel dans le péché et la souffrance ».

Jusque là, Storrs n'a jamais douté de l'immortalité de l'âme, mais le travail de Grew le motive à étudier attentivement ce que dit la Bible à ce sujet. En résultat, il est convaincu que « l'homme ne possède pas l'immortalité par sa création ou sa naissance, et que Dieu détruira les méchants, il les exterminera définitivement ». Il croit que l'on reçoit l'immortalité, uniquement à condition de croire en Jésus (conditionalisme), et que les méchants seront finalement détruits, et non pas maintenus en vie, dans les souffrances de l'enfer pour l'éternité (annihilationisme).

L'enseignement de ces doctrines met Storrs en désaccord avec les croyances de l'église méthodiste et contribue à sa démission de la fonction de pasteur en 1840. En 1842, il présente son point de vue dans plusieurs livres et soutient que la déclaration du diable à ve «Vous ne mourrez pas du tout » est le plus grand de tous les mensonges.

En 1842, Storrs devient Millérite grâce à Charles Fitch. Malheureusement, tous les dirigeants millérites, à l'exception de Fitch, réagissent négativement au point de vue de Storrs. Le 25 janvier 1844, voici ce que Fitch lui écrit : « Puisque vous avez longtemps combattu seul pour l'Éternel la bataille concernant l'état des morts et le sort final réservé aux méchants, je vous écris pour vous informer qu'enfin, après beaucoup d'étude et de prière, et convaincu de mon devoir envers Dieu, je prends position à vos côtés. Je suis entièrement converti à la vérité biblique selon laquelle "les morts ne savent rien." »

Ne voulant pas « cacher la lumière », Fitch prêche deux fois fin janvier sur ce sujet dans son église. « L'assemblée était en grande effervescence, écrit-il à Storrs, tous pensaient que j'avais un démon, mais maintenant, ils sont convaincus. Je n'ai pas le droit, frère, d'avoir honte de la vérité de Dieu, ni sur ce sujet, ni sur un autre ».

Comme nous l'avons déjà constaté, une fois qu'il est certain d'un enseignement biblique, Fitch veut être cohérent avec ses convictions. Prenons exemple sur lui !

ET QU'EN EST-IL DE LA MORT — 4E PARTIE

Pourrions-nous savoir quel est ce nouvel enseignement dont tu parles ? Car tu portes à nos oreilles des choses étranges. Nous voudrions donc savoir ce que cela veut dire.
Actes 17.19-20

Si les auditeurs de Paul à Athènes étaient désireux d'en savoir plus sur la nouvelle doctrine enseignée par l'apôtre, ce n'était pas le cas des dirigeants millérites face à la compréhension de Storrs sur l'état des morts.

Le 7 mai 1844, Miller publie une lettre dans laquelle il nie « tout lien, relation ou sympathie avec les théories de frère Storrs concernant l'état intermédiaire et le sort des méchants ». En avril, Joshua Litch va jusqu'à publier un périodique intitulé *The Anti-Anihilationist.* L'approche millérite consiste à éviter le sujet, puisque Jésus revient dans quelques semaines et qu'à ce moment-là, tous seront au clair sur la question. Cette solution ne réduit pas Storrs et ses compagnons au silence, et leur prédication porte du fruit. Dans les années suivantes, deux dénominations majeures naissent du millérisme : les chrétiens de l'Avent et les adventistes du septième jour. Toutes deux adoptent le conditionalisme et l'annihilationisme.

Les enseignements de Storrs sont un canal par lequel le conditionalisme entre dans l'adventisme, *Christian Connexion* est un autre. Elias Smith, l'un de ses fondateurs, a accepté cette théorie au début du siècle, et beaucoup d'entre eux, souhaitant restaurer les enseignements bibliques perdus, mettent l'accent sur le conditionalisme et l'annihilationisme. James White et Joseph Bates, tous deux anciens membres de *Christian Connexion* sont influencés par cette position.

La jeune Ellen Harmon accepte aussi ce point de vue, suivant l'exemple de sa mère, membre de l'église *Christian Connexion* de Portland, dans le Maine. Entendant sa mère en parler avec un ami, elle étudie la Bible sur ce sujet et est convaincue. Cette compréhension soulage énormément son cœur et son esprit. Elle dissipe tout doute concernant l'amour et la justice de Dieu, et l'aide à saisir le sens de la résurrection. En effet, « si à la mort, l'âme entre soit dans la misère éternelle, soit dans le bonheur éternel, à quoi sert la résurrection du corps ? » — *Life Sketches of Ellen White*, p. 39, 40.

Ainsi, les trois fondateurs de l'adventisme ont déjà adopté cette doctrine lors de la naissance du mouvement.

Merci Seigneur pour tes grandes promesses et pour les croyances qui donnent sens et cohérence à la vie.

Les doctrines piliers

Prêche la parole, insiste en toute occasion, favorable ou non, convaincs, reprends, exhorte avec toute patience et en instruisant, car il viendra un temps où les hommes ne supporteront plus la saine doctrine.
2 Timothée 4.2,3

Début 1848, les leaders de l'adventisme sabbatiste, grâce à une étude intensive de la Bible, s'accordent sur au moins quatre points de doctrine :

1. Le retour personnel et visible du Christ, avant le millénium.
2. La purification du sanctuaire et l'entrée du Christ dans le lieu très saint du sanctuaire céleste ont commencé en octobre 1844, début du jour anti-typique des expiations.
3. Le devoir d'observer le sabbat et son rôle dans le grand conflit de la fin des temps, annoncé dans Apocalypse 12-14.
4. L'immortalité n'est pas une qualité humaine inhérente, mais on peut la recevoir, uniquement par la foi en Christ.

Les adventistes sabbatistes, qui deviendront les adventistes du septième jour, considèrent ces enseignements comme des « balises » ou doctrines « piliers ». Ainsi, cette branche du Millérisme se distingue non seulement des autres Millérites, mais des chrétiens en général.

Ces quatre caractéristiques forment la base du développement de l'adventisme et le définissent comme un peuple distinctif. Ces doctrines « balises » forment le noyau non négociable de la théologie du mouvement.

Le lecteur attentif se demande peut-être pourquoi je n'ai pas inclus dans cette liste la doctrine des dons spirituels, puisqu'elle concerne Ellen White. Il s'agit d'une perspective exclusivement adventiste, mais, comme nous le verrons, elle n'a pas été considérée comme doctrine avant les 1850-1860. De plus, Ellen White elle-même ne considérait pas cet enseignement comme l'un des piliers.

Les adventistes partagent, bien-sûr, de nombreuses croyances avec d'autres chrétiens, comme le salut par la grâce, au moyen de la foi dans le sacrifice de Jésus, et l'efficacité de la prière. Toutefois, dans les premières années, leurs enseignements comme leurs cantiques sont axés plus sur ce qui les distingue des autres, que sur ce qui les unit.

Cela finira par poser des problèmes théologiques qu'ils devront affronter en 1880, mais nous y reviendrons plus tard.

Pour l'instant, soyons reconnaissant de la clarté avec laquelle les fondateurs de l'adventisme ont effectué leur travail théologique, car leur système de doctrine a réellement du sens.

PRIVATIONS ET SACRIFICES FINANCIERS

Je vous exhorte donc, frères, par les compassions de Dieu, à offrir vos corps comme un sacrifice vivant, saint, agréable à Dieu, ce qui sera de votre part un culte raisonnable. Romains 12.1

Il est plus facile d'être un sacrifice mort qu'un sacrifice vivant. Au moins, dans la mort, le sacrifice cesse, alors qu'il continue tant qu'il y a de la vie. C'était le cas pour les fondateurs de l'adventisme.

Comme nous l'avons vu, Bates était un homme aisé, mais après avoir tout donné au Millérisme, à l'exception de sa maison, il passe le reste de sa vie à compter chaque centime.

Il n'est pas le seul. En avril 1848, James White écrit : « Tout ce que nous possédons, vêtements, literie et meubles, tient dans une malle, et elle n'est même pas pleine. Tout notre devoir consiste à servir Dieu et aller là où il nous conduit. »

À l'époque il n'est pourtant pas facile de voyager, surtout quand on manque d'argent. Début 1849, par exemple, Bates se sent appelé à prêcher le message dans le Vermont. Dépourvu d'argent, il décide d'y aller à pied, depuis le sud du Massachusetts.

Il n'est pas le seul à se sentir poussé à partir en voyage missionnaire. Sarah, la sœur d'Ellen White, se sentant en devoir de l'aider, demande à son employeur une avance sur son salaire et travaille comme employée de maison pour 1,25 dollars par semaine pour payer le voyage. Cette tournée est fructueuse. James White écrit : « Bates a affronté de grandes difficultés, mais Dieu l'accompagnait et il a pu faire beaucoup de bien. De nombreuses personnes ont accepté le sabbat. »

Pour nous qui vivons en des temps plus prospères, il est difficile d'imaginer les privations que nos précurseurs ont endurées pour accomplir leur mission. James White commente plus tard : « Les quelques personnes qui enseignaient la vérité voyageaient à pied, dans des wagons de seconde classe, sur les ponts des bateaux à vapeur, par manque d'argent. » Sa femme ajoute : « Ces voyages nous exposaient à la fumée du tabac, sans parler des jurons et vulgarités des marins, et à côtoyer des voyageurs de la plus basse classe. » — *Testimonies for the Church*, vol. 1, p. 77. La nuit, ils dormaient souvent à même le sol, sur les malles ou les sacs de blé, avec leur valise pour oreiller et leur manteau pour couverture. En hiver, ils faisaient les cent pas sur le pont pour se réchauffer.

Et nous pensons parfois mener une vie difficile ? La plupart d'entre nous n'ont pas la moindre idée des sacrifices qui ont été acceptés pour fonder notre Église.

SPÉCULATIONS AUTOUR D'UNE DATE — 1RE PARTIE

Pour ce qui est du jour et de l'heure, personne ne les connaît, ni les anges des cieux, ni le Fils, mais le Père seul. Matthieu 24.36

Malgré les paroles on ne peut plus claires de Jésus à ce sujet, et la crise des Millérites qui essayaient de fixer la date du retour du Christ, les adventistes ont toujours été tentés de prédire une date, ou tout au moins de s'en rapprocher autant que possible. Il faut reconnaître que c'est excitant, mais l'échec inévitable affecte toujours douloureusement les membres et l'Église.

Après la prédiction non réalisée du retour du Christ en octobre 1844, il semblait normal que les Adventistes déçus établissent une nouvelle date, sur la base des différentes prophéties. Ainsi, William Miller et Josiah Litch s'attendent à voir Jésus apparaître avant la fin de l'année juive 1844, c'est-à-dire au printemps 1845. H.H. Gross, Joseph March et d'autres projettent cette date en 1846, et quand l'année s'achève, Gross trouve des raisons d'attendre Jésus en 1847.

Les premiers adventistes sabbatistes fixent aussi des dates. En septembre 1845, James White croit fermement que Jésus reviendra le dixième jour du septième mois juif, en octobre de cette même année. C'est la raison pour laquelle il affirme qu'un couple qui annonce son mariage est tombé dans « un piège du diable » et a « renié sa foi » dans le retour du Christ, puisqu'un tel engagement implique que l'on envisage de longues années de vie sur terre ».

Pourtant, « quelques jours avant la date fixée, se rappelle James, j'étais à Fairhaven et à Dartmouth, au Massachusetts, avec un message pour la date du retour. Pendant ce temps là, Ellen était à Carver, où elle vit en vision que nous serions déçus et que les saints devraient, dans le futur, traverser le temps de détresse de Jacob. Cette notion du temps de détresse de Jacob était tout à fait nouvelle, pour nous comme pour elle. »

Cette expérience coupa certainement l'envie à James White de spéculer sur la date du retour de Jésus, mais, comme nous le verrons demain, Joseph Bates continua.

Prédire la date du retour du Christ ! C'est ce que les disciples demandent à Jésus dans Matthieu 24, mais il refuse. Il refuse aussi aujourd'hui. Souvenons-nous de cette importante leçon.

SPÉCULATIONS AUTOUR D'UNE DATE – 2E PARTIE

Veillez donc, parce que vous ne savez pas quel jour votre Seigneur viendra.
Matthieu 24.42

Est-ce que Jésus était vraiment certain ? Il doit bien exister un moyen de connaître cette date, au moins pour nous, fidèles adventistes.

C'est ce que pense Joseph Bates en 1850. Le temps qui passe l'a découragé. Six longues années se sont écoulées depuis la grande déception des Millérites. Il est certain de pouvoir découvrir cette date, s'il travaille assidument. En 1850, il pense y être parvenu.

Cette année là, il écrit : « Je suis convaincu que les sept taches de sang sur l'autel d'or qui se trouve devant le trône de la miséricorde représentent la durée du jugement des saints vivants, dans le lieu très saint ».

La plupart d'entre nous ont entendu parler du très valable principe jour/année de l'interprétation prophétique. Bates invente le principe tache de sang/année et selon cette nouvelle vision, il conclut que le jugement investigatif doit durer sept ans et se terminera en octobre 1851, date à laquelle le Christ reviendra.

Bates est une figure de référence dans le milieu sabbatiste et plusieurs le suivent dans sa nouvelle interprétation. Cependant, les White lui résistent vigoureusement.

En novembre 1850, Ellen White déclare publiquement : « Le Seigneur m'a montré que depuis 1844, le temps ne doit plus être un test, et qu'il ne le sera pas dans le futur. » — *Present Truth*, novembre 1850.

Le 21 juillet 1851, alors que les gens deviennent fiévreux, à l'approche de la date annoncée, elle écrit dans *Review and Herald* : « Le Seigneur m'a montré que le message du troisième ange doit être annoncé à ses enfants dispersés, et qu'il ne s'agit pas d'une question de temps, car le temps ne sera plus jamais un test. J'ai vu que certains s'agitent à tort en prêchant une date. Le message du troisième ange est plus important qu'une date. Ce message est essentiel en lui-même et n'a pas besoin d'être soutenu par une date. Il sera de plus en plus puissant et accomplira son œuvre. »

L'Église d'aujourd'hui a besoin de tenir compte de ces remarques. Quand je considère l'adventisme, je vois souvent un peuple qui a oublié la force de son message. Je me souviens encore à quel point j'ai été frappé par l'Apocalypse, quand je l'ai découverte il y a cinquante ans. Les années n'ont pas amoindri cette puissance. L'un des grands besoins de l'adventisme actuel est de redécouvrir son message.

SPÉCULATIONS AUTOUR D'UNE DATE — 3E PARTIE

Longtemps après, le maître de ces serviteurs revint et leur fit rendre compte.
Matthieu 25.19

Hier, nous avons vu Joseph Bates tourmenté par ce « long temps » que Jésus évoque dans son sermon de Matthieu 25 et 26. Faisant correspondre une tache de sang à une année, il prévoit le retour du Christ pour octobre 1851. Nous avons également vu qu'Ellen White s'est opposée à lui sur ce point.

« J'ai vu, écrit-elle dans la *Review* du 21 juillet 1851, que certains annoncent le retour pour cet automne, et font leurs calculs dans ce sens. J'ai vu qu'ils ont tort, parce qu'au lieu d'aller vers Dieu chaque jour pour connaître leur présent devoir, ils se projettent dans le futur et calculent comme si le monde devait finir cet automne, sans chercher à savoir ce que Dieu attend d'eux aujourd'hui ».

Le mois suivant, James White se démarque de Bates en affirmant son désaccord sur cet enseignement depuis le début. Se référant spécialement à cette théorie, il écrit : « Nous tenons en très haute estime et aimons comme un frère celui qui enseigne cela, et nous ne désirons en aucun cas heurter sa sensibilité, mais nous devons pourtant expliquer pour quelles raisons nous refusons sa théorie concernant le temps ». Il donne alors six arguments pour prouver que Bates a tort.

Cette opposition d'Ellen, que Joseph Bates considère comme un prophète, et de James White finit par le convaincre qu'il se trompe sur la question de la date. Rapidement, il laisse tomber ce sujet, ainsi que tous ceux qui le suivent. Par conséquent, dès septembre, James White fait savoir lors de sa tournée dans les églises que la période des sept années était une erreur. Pourtant, remarque Ellen en novembre, certains s'accrochaient à l'attente cet automne et sont déçus, confus et triste. — Lettre n° 8, 1851.

La « crise des sept taches » guérit définitivement Bates de l'envie de fixer un temps. À partir de là, bien que convaincu que la fin est proche, il n'avance plus jamais une date.

Malheureusement, tous ceux qui le suivaient n'ont pas compris la leçon. La tentation de proposer une date, avec l'excitation et la dépression qui s'ensuivent, existe toujours parmi nous. Il est dommage qu'encore aujourd'hui, trop d'adventistes soient plus intéressés par le jour du retour du Christ, que par leur devoir quotidien dans cette attente. Ne nous attendons pas à être bénis par Dieu si nous ne réorientons pas nos priorités.

Seigneur, aide-nous à nous concentrer sur ce que tu attends de nous, aujourd'hui.

SPÉCULATIONS AUTOUR D'UNE DATE — 4E PARTIE

Comme l'époux tardait, toutes s'assoupirent et s'endormirent. Matthieu 25.5

Quand Ellen White s'oppose à Bates en 1851, ce n'est pas la première fois qu'elle recommande de ne pas fixer de date. Déjà en 1845, elle mettait en garde, prévenant que chaque date qui passait sans que rien ne se passe affaiblissait la foi de ceux qui avaient espéré. Même sa première vision suggérait que la ville sainte était encore éloignée. Suite à sa prise de position sur le fait de fixer une date, plusieurs l'accusent d'être « un agent du mal qui dit en son cœur "Mon maître tarde à venir." » — *Early Writings*, p. 14, 15, 22.

Elle a bien compris que le message du troisième ange fournit une base sûre pour la foi, et non pas un élément de datation. De plus, sur la question du temps, elle recommande continuellement aux sabbatistes de ne pas s'emballer sur une date, mais plutôt de se fixer sur leur devoir quotidien, sur terre. Comme nous le verrons, ce conseil sera à l'origine de la création des institutions qui porteront le message adventiste dans le monde entier.

Dans Matthieu 24, Jésus signale clairement le danger de fixer des dates, mais si ce n'est pas suffisant, Ellen White le confirme et en souligne les risques. Pourtant, certains persistent à calculer des dates, essayant de maintenir à tout prix l'effervescence. Je me souviens de l'année 1964. Beaucoup de gens étaient persuadés que Jésus reviendrait cette année là, car selon la Bible, « ce qui arriva aux jours de Noé arrivera de même aux jours du Fils de l'homme » (Luc 17.26). Noé n'avait-il pas annoncé le déluge pendant cent vingt ans ? Et voilà ! Les adventistes annoncent leur message depuis cent vint ans en 1964, et Jésus reviendra donc en 1964, probablement le 22 octobre.

Puis, l'an 2000 est arrivé, avec le début du septième millénaire : le millénaire sabbatique du repos éternel. Dans le monde entier, des gens s'emballèrent sur cette prédiction. Cette année là, un best-seller adventiste eut un succès fou : la couverture représentait une horloge indiquant quelques minutes avant minuit, assurant que « l'arrivée de l'époux était une question de minutes ».

Malheureusement, les adventistes sont encore aujourd'hui plus portés à s'emballer sur l'eschatologie que sur leur devoir quotidien. Ils oublient le message de Jésus rapporté dans Matthieu 24 et 25.

Seigneur, aide-nous à désirer une nourriture solide, et à ne pas lui préférer les « sucreries spirituelles ».

Alternative à la spéculation sur la date — 1re partie

Son maître lui dit : Bien, bon et fidèle serviteur, tu as été fidèle en peu de choses, je t'établirai sur beaucoup ; entre dans la joie de ton maître. Matthieu 25.21

Matthieu 24 et 25 est un bien étrange sermon ! Les disciples interrogent Christ sur la destruction du temple et sur les signes de son retour. La réponse de Jésus paraît pour le moins frustrante. Il commence par donner une liste de signes qui caractérisent tous les temps, comme les famines, guerres, tremblements de terre, puis poursuit : « ce ne sera pas encore la fin, [...] tout cela ne sera que le commencement des douleurs » (Matthieu 24.6,8).

De plus Jésus mélange les évènements liés à la destruction du temple, en l'an 70, et ceux qui précèderont son retour. Il prévient que personne, à l'exception du Père, ne connaît le jour de son retour (verset 36), et conclut en recommandant de veiller, puisqu'on ne sait pas quel jour leur Seigneur viendra (verset 42). En d'autres termes, il conseille donc de ne pas se soucier de la date de son retour.

Jésus change alors de sujet, laissant de côté les signes pour aborder ce qui, pour lui, est essentiel. À partir du verset 43, il raconte cinq paraboles qui les orientent progressivement, non sur ce qu'ils *veulent* entendre, à savoir la date de la fin, mais sur ce qu'ils ont *besoin* de savoir.

La première parabole (versets 43, 44) conseille principalement de veiller puisqu'on ne connaît pas le moment du retour du Christ. La seconde (versets 45-51) précise les tâches à accomplir pendant qu'on attend et qu'on veille et avertit que le temps sera plus long que prévu. La troisième (Matthieu 25.1-13) insiste sur le thème du retour tardif et souligne le besoin de s'y préparer. La quatrième (versets 14-30) indique en quoi consiste cette préparation. Il s'agit de développer et d'exploiter ses talents. La cinquième et ultime parabole présente les brebis et les boucs (versets 31-46) et explicite les actions pratiques à accomplir pendant que l'on attend et veille.

En d'autres termes, Jésus détourne la discussion et l'agitation sur la date, et l'oriente sur le devoir PRÉSENT. John Wesley, fondateur du Méthodisme l'a compris. Quand quelqu'un lui demande : « Que feriez-vous aujourd'hui si vous étiez certain que Jésus revenait demain ? », il répond qu'il ferait exactement ce qu'il avait prévu de faire.

Seigneur, aide-nous à comprendre que se préparer ne signifie pas bouillonner d'effervescence, mais accomplir d'une manière responsable ta volonté dans ce monde.

ALTERNATIVE À LA SPÉCULATION SUR LA DATE — 2E PARTIE

En vérité je vous le dis, dans la mesure où vous avez fait cela
à l'un de ces plus petits de mes frères, c'est à moi que vous l'avez fait.
Matthieu 25.40

Comment être un adventiste fidèle ? Voilà la question !

Les disciples et les premiers adventistes (peut-être même certains aujourd'hui) voulaient attendre le Christ dans l'excitation émotionnelle. Jésus conseille pourtant de vivre sobrement en chrétiens dans le monde.

Ellen White a très bien compris le message de Jésus dans la parabole de Matthieu 25.36-41 et commente : « C'est ainsi que le Christ décrivit à ses disciples la scène du grand jour du jugement. [...] Il montra que sa décision dépendrait d'un seul facteur. Quand les nations seront rassemblées devant lui, il n'y aura que deux classes, dont la destinée respective sera déterminée par ce qui aura été fait ou négligé par rapport à lui dans la personne des pauvres et des affligés. [...] Il se peut que ceux qui sont loués par le Christ au jour du jugement ne soient pas très versés dans les sciences théologiques, mais ils ont cultivé les principes divins. Grâce à l'influence de l'Esprit divin, ils ont exercé une action bienfaisante sur leur entourage. Il s'en trouve même parmi les païens qui ont cultivé un esprit de bonté ; avant même d'avoir entendu les paroles de vie, ils ont eu des amabilités pour les missionnaires et les ont même servis au péril de leur vie. Il est des païens qui dans leur ignorance adorent Dieu, [...] ils ne périront pas. S'ils ignorent la loi écrite, ils ont entendu la voix divine[...] et ils ont fait ce qu'exige la loi. Leurs œuvres démontrent que leurs cœurs ont été touchés par le Saint Esprit, aussi seront-ils reconnus comme des enfants de Dieu. » — *Jésus-Christ*, p. 639, 640.

Le Saint Esprit a-t-il touché mon cœur ? Quelle est ma priorité en tant qu'adventiste ? Est-ce que je m'emballe dès qu'un prédicateur annonce le retour imminent du Christ, ou est-ce que je me concentre sur mon devoir PRESENT, tandis que j'attends activement son retour ? Je reconnais que l'excitation est peut-être plus attirante, mais le devoir est certainement plus chrétien.

Selon Jésus, l'adventiste authentique n'est pas celui qui ne pense qu'à la date du retour du Christ, mais celui qui vit l'amour de Dieu au quotidien et veille, dans l'espérance et l'attente de ce jour.

Ami lecteur, aujourd'hui Jésus désire que nous nous reconsacrions pour vivre en chrétiens dans ce monde, alors que nous attendons le monde d'après.

LES ADVENTISTES DE LA PORTE OUVERTE — 1E PARTIE

Voici j'ai mis devant toi une porte ouverte que nul ne peut fermer.
Apocalypse 3.8

Nous avons vu il y a quelques semaines que les premiers sabbatistes étaient des adventistes de la « porte fermée ». Miller avait tiré cette expression de Matthieu 25.10 pour évoquer la fin du temps de grâce, avant l'arrivée de l'époux. Miller croyait que chacun aurait pris sa décision, pour ou contre le Christ, avant son retour, et qu'il n'y aurait pas de deuxième chance après ce moment-là. C'est un enseignement biblique.

La compréhension de Miller pose pourtant un problème, puisqu'il lie le retour du Christ à la fin des 2 300 jours de Daniel 8.14. Il croit donc que le temps de grâce se termine le 22 octobre 1844 et qu'à partir de là, il est inutile de prêcher l'Évangile aux pécheurs, puisqu'ils ne peuvent plus se convertir.

Tous les premiers sabbatistes étaient, sans exception, des croyants de la « porte fermée ». Pourtant, comme nous l'avons vu, l'étude assidue de la Bible les a amenés à comprendre que la purification du sanctuaire ne correspondait pas au retour du Christ mais concernait son ministère dans le sanctuaire céleste.

À ce moment-là, leur théologie ne tient plus debout. Ils avaient modifié leur compréhension de la purification du sanctuaire mais n'ont pas réinterprété le moment de la fermeture de la porte. Un changement de croyance entraîne une adaptation des autres doctrines, mais les premiers sabbatistes n'en sont pas encore conscients.

C'est seulement au début des années 1850 qu'ils commencent à harmoniser leur position sur le sujet. Cela ne se produit pas suite à l'étude de la Bible, mais parce qu'ils sont confrontés à un nouveau problème : qu'ils le veuillent ou non, des personnes non Millérites se convertissent. Au début, ils pensent devoir leur refuser le baptême, puisque leur conversion est « impossible. » C'est le cas de J.H. Waggoner qui deviendra un leader parmi les pasteurs adventistes.

Cette situation inattendue pousse les sabbatistes à réétudier ce sujet dans la Bible. Fin 1851, début 1852, ils comprennent leur erreur et concluent que, s'il est vrai que le temps de grâce prendra fin avant le retour du Christ, cet évènement aura lieu dans le futur. Cette nouvelle compréhension ouvre la voie à la diffusion du message dans le monde entier.

Voilà la bonne nouvelle : Dieu nous guide, même au travers de nos pensées embrouillées.

Dieu utilise même nos erreurs

Je t'instruirai et je te montrerai la voie que tu dois suivre ; je te conseillerai, j'aurai le regard sur toi. Psaume 32.8

Nous servons un Dieu bienveillant.

Si j'avais affaire à des personnes qui ne reconnaissent pas leurs erreurs, je les ignorerais probablement ou je les laisserais payer le prix de leurs choix. Je ne pense pas que je les bénirais en dépit de leurs erreurs. Nous pouvons être reconnaissants que Dieu ne me ressemble pas. Notre Dieu nous bénit malgré ce que nous sommes. Il nous aide à résoudre nos problèmes et nous bénit pendant ce processus. Dieu utilise même nos erreurs, c'est la vérité de l'Évangile.

Il en est de même pour l'expérience de la porte fermée. Les sabbatistes font visiblement une grave erreur théologique. Ils pensent que leur effort d'évangélisation ne s'adresse qu'à ceux qui ont accepté le message millérite des années 1830 et 1840, puisque la porte de la grâce est désormais fermée pour les autres.

Dieu peut cependant utiliser cette erreur pour le bien du mouvement. Tout d'abord, il guide le petit groupe des sabbatistes afin qu'ils emploient cette période de leur histoire pour construire une base théologique cohérente. Ils utilisent donc peu de leurs maigres ressources pour l'évangélisation, jusqu'à ce qu'ils possèdent un vrai message. Ensuite, après avoir développé leur identité théologique, entre 1848 et 1851 ils limitent l'évangélisation aux autres Millérites. C'est seulement après avoir posé de solides fondements théologiques et acquis un nombre suffisant de membres qu'ils sont en mesure d'atteindre une population plus large et même « les extrémités de la terre ».

Quand je considère la phase « porte fermée » de l'adventisme, elle m'apparaît comme une étape nécessaire du développement du mouvement. Dieu guide chaque étape de la construction d'une plateforme de départ pour la mission vers « toute nation, tribu, langue et peuple » (Apocalypse 14.6).

Dieu nous bénit toujours, c'est la bonne nouvelle de l'Évangile. Qu'en est-il de nous ? Manifestons-nous le même esprit ? Bénissons-nous aussi ceux qui apprennent plus lentement ? Le souhaitons-nous ? J'encourage chacun de nous, aujourd'hui, à manifester la même grâce à nos conjoints, nos enfants et notre entourage.

Aide-nous, Père, à être une bénédiction, même quand ceux qui nous entourent commettent de graves erreurs.

LES ADVENTISTES DE LA PORTE OUVERTE

Écris à l'ange de l'église de Philadelphie : Voici ce que dit le Saint, le Véritable, celui qui a la clé de David, celui qui ouvre et personne ne fermera, celui qui ferme et personne n'ouvrira. Apocalypse 3.7

L'un des évènements les plus significatifs de l'histoire de l'adventisme est certainement le changement de la théologie de la porte fermée à celle de la porte ouverte au début des années 1850.

Avant d'étudier cette nouvelle position, il convient de revoir les trois significations données à l'ancienne, à la fin des années 1840 :

1. Le temps de grâce est fini depuis le 22 octobre 1844
2. La prophétie s'est accomplie à cette date
3. Depuis ce jour-là, la mission évangélique ne concerne que les millérites.

Quand James White évoque « le peuple du septième jour de la porte fermée », il se réfère aux deux doctrines principales, à savoir le sabbat et la croyance que la prophétie des 2 300 jours s'est accomplie en 1844. La compréhension du point 2 n'a pas changé.

Cependant, comme nous l'avons vu, l'accomplissement de la prophétie n'est évidemment pas le retour du Christ. Le temps de grâce n'est donc pas fini. Ils comprennent alors leur erreur sur le point 1 et abandonnent l'interprétation de la porte fermée.

Cette conclusion modifie alors le point 3. En novembre 1848, Ellen White voit en vision le message adventiste se propager dans le monde entier comme un rayon de lumière, et la perception d'une mission ouvrant la porte à toute la terre se développe chez ces croyants en recherche. Ils comprennent de plus en plus clairement qu'ils doivent porter le message de la fin des temps au monde entier et non exclusivement aux Millérites.

Ellen White écrit en mars 1849 : « Il me fut montré [...] depuis que le Sauveur a ouvert la porte du lieu très saint, où se trouve l'arche, les commandements de Dieu ont resplendi sur ses enfants. » En 1844, selon cette position, Jésus est passé du lieu saint au lieu très saint du sanctuaire céleste. « J'ai vu que Jésus avait fermé la porte du lieu saint, et que personne ne pouvait la rouvrir ; qu'il avait ouvert la porte du lieu très saint, et que personne ne pouvait la fermer. » — *Premiers écrits*, p. 42. Cette ouverture donne une nouvelle compréhension de la prophétie qui poussera les sabbatistes à propager le message dans le monde entier.

En termes de mission, l'adventisme ne sera plus jamais le même. Il répond à la mission de la porte ouverte en annonçant ce que le monde doit savoir avant le retour de Jésus.

Révision du message adventiste

L'Agneau qui est au milieu du trône les fera paître et les conduira aux sources des eaux de la vie. Apocalypse 7.17

Le développement du sabbatisme au cours des années 1850 inclut le révisionnisme, quand les adventistes commencent à revoir certaines de leurs positions et à les ajuster.

C'est le cas pour le problème de la porte fermée, comme nous l'avons vu hier. Ainsi, début 1852, James White déclare : « Nous enseignons cette PORTE OUVERTE, et invitons tous ceux qui ont des oreilles à entendre, à y entrer, et à trouver le salut en Jésus-Christ. Il y a une grande gloire dans la certitude que Jésus a OUVERT LA PORTE du lieu très saint. [...] Si quelqu'un dit que nous croyons en la porte ouverte et au sabbat du septième jour, nous confirmerons que telle est notre foi. »

Au début des années 1850, James White et les autres sabbatistes se réjouissent de ce que Dieu les conduit progressivement dans la compréhension d'un merveilleux message et de la grande mission qu'il leur confie.

Il y a quelque chose de vital dans leur attitude. Ils n'ont pas peur de reconnaître qu'ils ont commis une erreur, ils tiennent ferme dans les croyances qui sont confirmées par l'étude assidue de la Bible, et sont disposés à revoir celles qui se révèlent erronées par la recherche biblique.

Trop de gens parmi nous considèrent la vérité comme statique. Certains croient même que le message adventiste est apparu au début des années 1840, déjà développé et tel que nous le connaissons aujourd'hui.

Rien n'est plus faux. Le système des croyances adventistes est un aspect dynamique de notre mouvement. Notre Église a été disposée à suivre Dieu là où il la conduisait. Ainsi, sa compréhension de la vérité biblique et de sa mission ont évolué et se sont développées au fil du temps. Elle se fonde sur des croyances qui se sont révélées solides, en particulier ses doctrines piliers et sa compréhension de la chronologie prophétique contenue entre Apocalypse 12.1 et 14.20. Elle continue d'ajuster son ensemble de croyances pour qu'il corresponde toujours mieux au message biblique et aux besoins d'un monde de péché.

Les transformations ne sont pas achevées. Dieu continue à conduire son peuple, jusqu'au jour où nous verrons le Christ revenir.

Merci, Père, de nous avoir guidés dans le passé. Conduis-nous encore vers le futur. Aide-nous à garder un esprit ouvert et un cœur réceptif, alors que tu nous guides pas à pas.

RÉVISION DU MESSAGE DU DEUXIÈME ANGE — 1RE PARTIE

Un autre, un second ange suivit disant : Elle est tombée, elle est tombée Babylone la grande qui a fait boire à toutes les nations du vin de la fureur de son inconduite. Apocalypse 14.8

Dans quelle mesure les adventistes doivent-ils collaborer avec les autres églises chrétiennes ? Les pasteurs adventistes doivent-ils être actifs dans les associations pastorales protestantes ? L'Église et ses membres peuvent-ils s'engager avec d'autres confessions dans des projets communs au profit de la société ? Si oui, sur quelles bases ?

Ce sont d'importantes questions. Après tout, nos pionniers ont enseigné que les autres églises faisaient partie de la Babylone d'Apocalypse 14.8 et 18.1-4, et c'est la raison pour laquelle il existe encore aujourd'hui des tensions dans l'adventisme concernant la collaboration avec les autres chrétiens. Heureusement, l'histoire de l'adventisme éclaire considérablement le sujet de la chute de Babylone et les différents problèmes qui s'y rattachent.

Comme nous l'avons déjà vu, les interprétations de Babylone par les premiers adventistes étaient déjà établies avant la naissance de l'adventisme sabbatiste. Charles Fitch pose les bases de la compréhension millérite quand, pendant l'été 1843, il proclame la chute de Babylone. Pour Fitch, Babylone regroupe les catholiques romains et les protestants qui rejettent les enseignements bibliques sur le retour de Jésus.

James White écrit en 1859 : « Nous identifions sans hésitation la Babylone de l'Apocalypse à tout le christianisme corrompu. » La corruption se caractérise par la déchéance morale et le mélange entre les enseignements bibliques et les philosophies non chrétiennes comme l'immortalité de l'âme. Cette dernière met les églises en difficulté face au spiritisme. *En résumé, les églises qui sont dans la confusion constituent Babylone.*

Le temps passe et au début des années 1850, les adventistes sabbatistes commencent à remarquer que tout n'est pas mauvais dans les églises qui observent le dimanche, et que beaucoup de leurs enseignements et pratiques sont valables. Tout n'est pas tout noir ou tout blanc, comme ils l'ont cru au début. Ces constatations les mettent sur la piste de nouvelles réflexions et compréhensions du message du deuxième ange.

Père, aide-nous à voir ce qu'il y a de bon chez les autres, même chez ceux qui, individuellement ou collectivement, ont des croyances erronées. Ouvre nos yeux sur ce qui est bon et donne-nous la grâce d'accepter le don.

RÉVISION DU MESSAGE DU DEUXIÈME ANGE — 2E PARTIE

Après cela je vis descendre du ciel un autre ange qui avait une grande autorité, et la terre fut illuminée de sa gloire. Il cria d'une voix forte : Elle est tombée, elle est tombée Babylone la grande ! Elle est devenue une habitation de démons, un repaire de tout esprit impur et un repaire de tout oiseau impur et détesté. Apocalypse 18.1,2

Quand les adventistes délaissent la théorie de la porte fermée, ils portent un autre regard sur leur compréhension de la chute de Babylone. Le changement significatif consiste à comprendre la chute de Babylone comme une corruption progressive, ou en deux temps. Si Fitch pense qu'Apocalypse 14.8 et 18.1-4 décrivent un seul évènement, James White et les sabbatistes interprètent ces textes comme deux évènements distincts.

White remarque que la chute de Babylone décrite dans Apocalypse 14.8 a lieu dans le passé, alors qu'Apocalypse 18.1-4 concerne le présent et même le futur. Il écrit en 1859 : « Elle tombe d'abord (14.8), puis elle devient le repaire des démons et mauvais esprits, ensuite Dieu invite son peuple à la quitter, et enfin les plaies se déversent sur elle. »

Ainsi, même si les sabbatistes croient que le monde religieux a commis de graves erreurs depuis 1840, en rejetant l'enseignement biblique sur le retour du Christ, et en persécutant ceux qui y croient, cette fin des années 1840 n'est que le début de la confusion. Juste avant la fin des temps, les églises tomberont dans le chaos moral et doctrinal jusqu'à ce que Dieu délaisse celles qui auront définitivement choisi d'appartenir à Babylone.

Ellen White approuve cette réinterprétation de la chute progressive de Babylone, elle va même au-delà. Pour elle, « l'accomplissement total du message du second ange est encore dans l'avenir ». Ainsi, « la majorité des vrais disciples du Christ » se trouve encore dans les églises chrétiennes autres que l'adventisme. Babylone est dans la confusion, mais elle n'est pas encore tombée. L'appel à quitter Babylone ne résonnera pleinement que lorsque l'apostasie de Babylone aura atteint son comble. Ainsi, cet appel à « sortir du milieu d'elle » d'Apocalypse 18.1-4 constitue « l'avertissement final donné aux habitants de la terre. » — *La tragédie des siècles*, p. 420, 421, 656.

Seigneur, certains ne partagent pas mes croyances, et ils ont leurs raisons. Aide-moi à rester ferme dans la vérité, mais à me montrer accueillant, compréhensif et bon envers ceux qui ne voient pas les choses comme moi.

LES BASES DE LA COLLABORATION — 1RE PARTIE

J'ai encore d'autres brebis qui ne sont pas de cette bergerie, celles-là, il faut encore que je les amène, elles entendront ma voix.
Jean 10.16

Avec la réinterprétation de la « porte fermée » et de la chute de Babylone, James et Ellen White posent les bases théologiques de la collaboration de l'Adventisme avec les autres églises chrétiennes. Ce partenariat devient de plus en plus important, alors que les adventistes comprennent que le retour du Christ n'est pas aussi proche que ce qu'ils croyaient.

Cette collaboration avec les autres chrétiens suscite cependant des tensions qui divisent la pensée adventiste en deux courants dit « modéré » et « radical ». Les modérés favorisent toute collaboration qui ne compromet pas l'intégrité théologique et éthique du mouvement, alors que les radicaux ne parviennent pas à travailler avec ceux qui n'adhèrent pas à toutes leurs croyances.

Un exemple est la relation avec le WCTU (Women's Christian Temperance Union ou Union des femmes pour la tempérance chrétienne). Ce mouvement a évidemment de bonnes idées et défend la tempérance, tout comme l'adventisme. Ainsi, dès 1877, l'adventisme joint ses efforts au WCTU.

Tout se passe bien et les femmes du WCTU se comportent en bonnes chrétiennes. Pourtant les choses se gâtent quand en 1887, elles s'associent à la National Reform Association qui tente d'établir une législation nationale pour la sacralité du dimanche. La même année, le WCTU institue l'observation du dimanche dans son organisation. L'année suivante, il soutient la loi sur le dimanche proposée par le sénateur Blair.

Avec cette succession d'initiatives, il apparaît clairement à certains adventistes que le WCTU s'allie rapidement avec Babylone. Bien que défendant la vérité de la tempérance, il soutient l'erreur au sujet du sabbat. Certains adventistes concluent que le WCTU fait partie de Babylone. De tels développements continuent à causer des préoccupations parmi les adventistes pendant les années 1890.

Ce sont les faits. Que faire aujourd'hui ? Discuter avec les autres ou penser à sa propre attitude et à la ligne de conduite à suivre dans une telle situation ?

Quelles sont les raisons qui motivent nos choix ? Quels principes déterminent nos décisions ? En quoi ces problèmes influencent-ils notre façon de vivre en chrétiens adventistes dans le monde d'aujourd'hui ?

LES BASES DE LA COLLABORATION — 2E PARTIE

Jean lui dit : Maître, nous avons vu un homme qui chasse les démons en ton nom et qui ne nous suit pas, et nous l'en avons empêché parce qu'il ne nous suit pas. Marc 9.38

« Jésus lui dit : Ne l'en empêchez pas, car il n'est personne qui fasse un miracle en mon nom et puisse aussitôt parler mal de moi. En effet, celui qui n'est pas contre nous est pour nous. » (Marc 9.39,40)

Est-ce qu'en tant qu'adventistes, nous pouvons publiquement collaborer avec ceux qui mélangent vérité et des erreurs théologiques ? C'est la question que nous avons posée hier.

Pendant les années 1890, Ellen White et d'autres adventistes sont conscients que le WCTU est favorable au dimanche, mais ils cherchent néanmoins à collaborer au mieux avec lui.

D'autres adventistes, au contraire, ne sont pas certains que cette attitude soit la bonne. Par exemple, Alonzo T. Jones, rédacteur de *Review and Herald*, publie une série d'articles suggérant que le WCTU est apostat et n'a pas travaillé suffisamment pour s'opposer à l'intolérance religieuse.

Ellen White s'oppose par plusieurs lettres à cette mentalité du tout ou rien. Elle conseille à Jones de ne pas être trop intransigeant envers ceux qui n'ont pas la vision adventiste, et de ne pas les juger. « Il existe des vérités vitales sur lesquelles ils ont encore été très peu éclairés, écrit-elle. Par conséquent, il faut les traiter avec bonté et amour, et montrer du respect pour l'excellent travail qu'ils accomplissent. » — Lettre n° 62, 1900.

Elle souligne qu'elle ne conteste pas la légitimité de sa position, mais désapprouve son manque de vision, de tact et de bonté. Elle craint que cette approche pousse le WCTU à conclure : « Il est impossible de créer un lien avec les adventistes car ils n'acceptent de collaborer qu'avec ceux qui partagent toutes leurs croyances. » — *Ibid.*

Elle s'oppose donc à l'attitude du rejet et ajoute : « Nous devrions chercher à gagner la confiance des ouvriers du WCTU en nous harmonisant avec eux autant que possible. » — *Ibid.* Ils ont des choses à apprendre de nous comme nous en avons à apprendre d'eux.

Par ailleurs, elle demande à Jones de ne pas présenter la vérité comme tellement redoutable, de crainte que les autres ne s'en détournent, découragés. Elle lui conseille de « témoigner de l'affection chrétienne à ceux qui ne pensent pas comme lui. » — *Ibid.*

Quel est mon « quotient de tolérance » ? Est-ce que mon contact avec ceux qui ne croient pas comme moi exprime l'affection chrétienne ?

Seigneur, aide-moi à te ressembler dans mes relations avec autrui.

Les bases de la collaboration — 3e partie

Ils s'aident l'un l'autre et chacun dit à son frère : Courage ! Ésaïe 41.6

La réinterprétation de la « porte fermée » et de Babylone pose les bases de la collaboration de l'adventisme avec les autres églises chrétiennes, mais sur quels principes ?

De nouveau, le soutien du WCTU envers la sacralité du dimanche fournit un bon exemple. Ellen White écrit : « Il m'a été montré que nous ne devons en rien sacrifier nos principes, mais qu'il faut, autant que possible, collaborer avec ceux qui veulent promouvoir les réformes de tempérance. [...] Il m'a été montré que nous ne devons pas nous éloigner du WCTU. En collaborant avec eux pour promouvoir l'abstinence totale, nous ne changeons pas notre position sur l'observance du sabbat et nous montrons notre appréciation de leur position sur la tempérance. »

« En ouvrant la porte et en les invitant à se joindre à nous sur le sujet de la tempérance, nous nous assurons leur soutien dans ce domaine, et de leur côté, en s'unissant avec nous, ils entendront les vérités que le Saint-Esprit veut leur communiquer. » — *Review and Herald*, 18 juin 1908.

C'est le même esprit de paix qui pousse Ellen White à suggérer aux pasteurs adventistes de rencontrer les autres pasteurs chrétiens de leur région, faisant savoir que les adventistes sont « des réformateurs, mais pas des sectaires ». Elle conseille de se concentrer sur ce que les Adventistes ont en commun avec les autres et de « présenter la vérité en Jésus » plutôt que de dénigrer les autres églises. Ainsi, les pasteurs devraient « lier connaissance avec les ecclésiastiques des différentes églises. » — *Évangéliser*, p. 257, 1055.

Gardons-nous de taxer de « Babylone » tous ceux qui ne pensent pas comme nous. L'histoire de l'adventisme nous donne des leçons à ce sujet. La redéfinition de Babylone dans les années 1850 donne les bases de la participation de l'adventisme, dans un monde qui n'est pas encore arrivé à sa fin.

Tel est le fruit de la progression de la compréhension de James White sur les deux étapes de la chute de Babylone, en 1859. Nous devons apprendre à vivre la tension de la collaboration avec ceux qui ont des croyances différentes des nôtres, tout en conservant et en restant fermes sur les belles vérités bibliques qui font de nous un peuple particulier. Sinon, il n'existe qu'une seule alternative : le cloître adventiste.

Seigneur, enseigne-nous les principes et les nécessités de la collaboration, alors que nous agissons pour changer notre monde.

REDÉFINITION DU MESSAGE DU PREMIER ANGE — 1RE PARTIE

Je vis un autre ange qui volait au milieu du ciel, il avait un Évangile éternel,
pour l'annoncer aux habitants de la terre, à toute nation, tribu, langue et peuple.
Il disait d'une voix forte : Craignez Dieu et donnez-lui gloire,
car l'heure de son jugement est venue, et prosternez-vous devant celui
qui a fait le ciel, la terre, la mer et les sources d'eaux !
Apocalypse 14.6,7

Quel message fort ! Les adventistes le connaissent très bien, mais ils l'étudient rarement en profondeur. C'est ce que nous allons faire ce matin.

Ce message renferme quatre enseignements principaux. Le premier est l'Évangile éternel. Pour les Millérites, cet Évangile va au-delà de la croix et la résurrection de Jésus. Il inclut la meilleure des nouvelles : le retour de Jésus qui réalisera pleinement la bénédiction rendue possible par sa crucifixion et sa victoire sur la mort. Ainsi, pour les Millérites et les sabbatistes, l'Évangile éternel comprend la seconde venue, la résurrection des morts en Christ, la translation des vivants à sa rencontre, et la plénitude du royaume des cieux.

La deuxième partie du message annonce la prédication dans toute la terre. Ainsi, J.V. Himes envoie des publications millérites à toutes les églises protestantes du monde. Au contraire, les premiers sabbatistes pensaient que les Millérites avaient accompli cette mission au début des années 1840. C'est seulement petit à petit que les sabbatistes prennent conscience de leur responsabilité missionnaire et s'y engagent.

La troisième partie proclame que l'heure du jugement, que les Millérites assimilent au retour du Christ, est venue. Pour eux, il s'agit d'un jugement exécutif au cours duquel Dieu récompense ceux qui l'ont servi. C'est sur ce point que les sabbatistes apportent des idées nouvelles, comme nous le verrons.

Les Millérites n'ont pas tellement insisté sur la quatrième partie, qui concerne l'adoration au créateur. En revanche, comme nous l'avons vu, les sabbatistes ont bien perçu que ce texte fait allusion au sabbat, et se réfère à Exode 20 et Genèse 2.1-3. Ils font le lien avec Apocalypse 12.17 et 14.12, qui indiquent qu'à la fin des temps, Dieu aura un peuple qui gardera les commandements. Ainsi, cette partie qui concerne l'adoration du créateur constitue un aspect fondamental de l'enseignement adventiste.

Les messages des trois anges d'Apocalypse 14 sont les derniers que Dieu adresse à un monde mourant. Passons plus de temps à méditer sur leur contenu.

REDÉFINITION DU MESSAGE DU PREMIER ANGE — 2E PARTIE

On plaçait des trônes, l'Ancien des jours s'assit. [...]
Mille milliers le servaient et des myriades se tenaient en sa présence.
Les juges s'assirent et les livres furent ouverts. Daniel 7.9,10

Le premier changement majeur des sabbatistes dans le message du premier ange se concentre sur « l'heure du jugement [qui] est venue », avant même de souligner la référence au sabbat dans Apocalypse 14.7.

Les Millérites ont identifié la scène du jugement de Daniel 7, la purification du sanctuaire de Daniel 8.14, et le jugement d'Apocalypse 14.7, à ce qui se passe lors du second Avent. Il s'agit donc pour eux d'un jugement exécutif où Dieu rétribue chacun, selon ses actes et choix (voir Matthieu 16.27). Charles Fitch déclare que le jugement d'Apocalypse 14.7 se réfère à la « destruction » du monde.

Les sabbatistes, après des années d'étude pour certains d'entre eux, concluent que ces textes se réfèrent à un jugement préalable qui a lieu avant le retour du Christ et qu'ils appellent le jugement investigatif. Cette nouvelle interprétation est cependant source de division et certains dirigeants sabbatistes ne l'accepteront qu'à la fin des années 1850. Certains critiques du XXe siècle ont enseigné qu'après 1844, les adventistes se sont empressés de trouver cette explication pour justifier leur déception. Cela peut sembler plausible, mais ne correspond en rien aux faits historiques.

D'une part, le concept d'un jugement préalable au retour du Christ existait déjà avant la déception d'octobre 1844. Josiah Litch avait déjà développé cette idée à la fin des années 1830. Son principal argument était que le jugement devait précéder la résurrection.

En 1841, il écrit : « Aucun tribunal humain n'imaginerait d'exécuter une sentence avant le jugement d'un prisonnier, Dieu le ferait d'autant moins ». Ainsi, Dieu, avant la résurrection, passera toutes les actions humaines en jugement, et il exécutera la sentence à la résurrection. Plusieurs Millérites acceptent la thèse de Litch avant octobre 1844. Cela paraît logique puisque la Bible enseigne que le Christ rétribuera chacun quand il reviendra, ce qui suggère que Dieu aura décidé auparavant qui reviendra à la vie à la première résurrection.

Nous pouvons être reconnaissants de servir un Dieu qui n'est pas despotique et appuie son jugement sur des preuves et non des décisions arbitraires.

Redéfinition du message du premier ange — 3e partie

Puis viendra le jugement et on lui [la petite corne] ôtera la domination. [...] Le royaume, la domination... seront donnés au peuple des saints du Très-Haut. Daniel 7.26,27

Nous avons vu hier que déjà à la fin des années 1830, Litch commence à interpréter « l'heure de son jugement est venue » d'Apocalypse 14.7 comme un évènement qui a lieu avant le dernier jour. Litch lui-même croit que ce jugement préalable a commencé en 1798 à la fin de la période prophétique des 1 260 jours de Daniel 7.25, et se termine avant le retour du Christ, à la fin des 2 300 jours.

L'idée d'un jugement préalable ne disparaît pas avec la grande déception d'octobre 1844. Le non-sabbatiste Enoch Jacobs, par exemple, après avoir discuté du pectoral du jugement que le sacrificateur portait le jour des expiations, déclare en novembre 1844 que « si aucun évènement décisif tel que le jugement n'a commencé le dixième jour (22 octobre 1844), la prophétie n'est pas accomplie et nous sommes toujours dans les ténèbres ». Pour Jacobs, « le jugement a lieu avant l'apparition du Christ et la résurrection des saints ».

En janvier 1845, Apollos Hale et Joseph Turner proposent un approfondissement des paraboles des noces. Ils soulignent en particulier que dans la parabole de Luc 12, les hommes attendent que leur maître *revienne* des noces. Ils remarquent également que la parabole de Matthieu 22, présente une scène de jugement lors de laquelle le roi observe ses invités pour voir s'ils portent un vêtement adéquat.

Hale et Turner font le lien entre ces paraboles et le moment où Christ reçoit la royauté dans la scène du jugement de Daniel 7. Ils concluent qu'à partir du 22 octobre, le Christ accomplit une nouvelle œuvre « dans le monde invisible ». Ils proclament alors que le jugement a commencé.

Le 20 mars 1845, Miller fait correspondre le jugement d'Apocalypse 14 avec la scène du jugement de Daniel 7. Il précise que depuis 1844, Dieu « entre dans son rôle judiciaire, décidant du cas de tous les justes », afin que « les anges sachent qui rassembler » pour le retour du Christ. « Si c'est juste, ajoute-t-il, qui peut dire que Dieu n'est pas en train de rétablir son sanctuaire ? »

Merci, Seigneur pour la logique de ta Parole. Merci, car tu élimineras enfin les forces mauvaises qui gouvernent ce monde pour établir un royaume éternel où règnera la justice.

Redéfinition du message du premier ange — 4e partie

Le roi entra pour voir les convives et il aperçut là un homme qui n'avait pas revêtu un habit de noces. Matthieu 22.11

Nous avons vu hier que fin 1844, début 1845, Enoch Jacobs, Apollos Hale, Joseph Turner et William Miller font correspondre le 22 octobre et la doctrine du sanctuaire au jugement investigatif céleste de Daniel 7. Ainsi, ces non sabbatistes établissent un lien entre les textes centraux du Millérisme (tels que le jugement de Daniel 7 et l'arrivée de l'époux aux noces) et le passage du Christ dans le jugement investigatif, et non pas son retour sur les nuées du ciel. Ce même raisonnement s'applique à la purification du sanctuaire de Daniel 8.14 et à l'heure du jugement d'Apocalypse14.7.

Que pensent les dirigeants sabbatistes à la fin des années 1840 de l'enseignement d'un jugement investigatif précédant l'Avent ?

Joseph Bates est tout à fait d'accord. Il écrit en 1847 : « Selon l'expression "l'heure de son jugement est venue", il doit y avoir un ordre et du temps pour que Dieu, dans son rôle de juge, décide du cas de tous les justes, pour que leurs noms soient inscrits dans le livre de vie, et qu'ils soient tout à fait prêts à passer de la mortalité à l'immortalité. » Fin 1848, il déclare que « les saints décédés sont en train d'être jugés ». Bates est probablement le premier des dirigeants sabbatistes à enseigner le jugement investigatif.

Le 5 juillet 1849, Ellen White l'approuve à ce sujet. Elle commente une vision reçue à cette date : « Je vis qu'il ne quitterait pas ce lieu avant qu'il ait été décidé de chaque cas, soit pour le salut, soit pour la destruction. » — *Premiers écrits*, p. 36.

Bates et Ellen White sont donc d'accord, mais ce n'est pas le cas de James. En septembre 1850, il s'oppose ouvertement à Bates concernant un jugement investigatif. Il écrit : « De nombreux esprits sont dans la confusion à cause d'idées polémiques qui ont été présentées sur le sujet du jugement. Certains (sous-entendu, Bates) soutiennent que le jour du jugement précède le retour du Christ. Cette vision n'a aucun fondement dans la Parole de Dieu. »

Il y a là une leçon pour nous : même si les pionniers adventistes étaient en désaccord sur certains sujets importants, ils se respectaient les uns les autres. Nous avons besoin de faire preuve du même esprit aujourd'hui.

REDÉFINITION DU MESSAGE DU PREMIER ANGE – 5E PARTIE

J'apporte avec moi ma rétribution pour rendre à chacun selon son œuvre.
Apocalypse 22.12

Hier, nous avons laissé James White déclarant publiquement que Bates était dans la confusion dans sa croyance en un jugement précédant le retour du Christ, et que cet enseignement n'avait aucun fondement biblique.

Selon James, « le grand jour du jugement durera mille ans » et commencera au retour du Christ. Concernant le jugement investigatif, il observe : « Il n'est pas nécessaire que la sentence finale soit donnée avant la première résurrection, comme certains l'ont enseigné, car les noms des saints sont inscrits dans le ciel, et Jésus et les anges sauront sans doute qui ressusciter pour les emmener dans la nouvelle Jérusalem. » Ainsi, en septembre 1850, il est en désaccord avec son épouse et Joseph Bates sur le jugement investigatif, mais la situation va évoluer [...] progressivement.

La preuve que James change d'avis apparaît dans la *Review* de 1854, dans laquelle il publie un travail de J.N. Loughborough qui relie le message du premier ange au jugement investigatif. Celui-ci n'a pas écrit pour la publication, et James écrit dans une brève introduction qu'il a utilisé l'article parce qu'il « répondait à des questions qui leur avaient été posées ».

Tous les doutes sur l'opinion de James disparaissent en janvier 1857, lorsqu'il publie un travail complet sur le sujet du jugement investigatif dont il est lui-même l'auteur. Il écrit : « Les justes et les méchants seront tous jugés avant de ressusciter. Le jugement investigatif de la maison de Dieu, l'Église, aura lieu avant la première résurrection, et celui des méchants se passera pendant les mille ans d'Apocalypse 20, et ils ressusciteront à la fin de cette période. »

Le terme « jugement investigatif » a été utilisé pour la première fois pendant le même mois, dans un article signé par Elon Everts. En 1857, la plupart des adventistes sabbatistes ont accepté l'enseignement du jugement investigatif.

Le développement de cette doctrine illustre parfaitement la façon dont Dieu guide la compréhension de ceux qui le suivent, au fil du temps. Il accompagne toujours son peuple quand celui-ci cherche à mieux comprendre sa Parole. Il fait sa part en donnant cette parole ; à nous de faire la nôtre en l'étudiant dans un esprit de prière, pour chercher à toujours mieux connaître sa volonté et ses voies.

Le jugement ? Une bonne nouvelle !

Je regardai cette corne faire la guerre aux saints et l'emporter sur eux, jusqu'à ce que vienne l'Ancien des jours pour rendre justice aux saints du Très-Haut, et le temps arriva où les saints furent en possession du royaume. Daniel 7.21,22

Le jugement est une bonne nouvelle, c'est l'Évangile !

Ce n'est pourtant pas l'idée que beaucoup d'adventistes s'en font. Je me souviens la première fois où je suis entré dans une église adventiste. Je vivais sur un bateau de marine marchande dans la baie de San Francisco, et n'avais aucun intérêt pour la religion ou le jugement, mais j'ai rencontré une jeune fille qui m'a amené à l'église.

Le local me parut déjà plutôt étrange, mais le pire fut cette femme âgée (elle devait avoir quarante ans !) qui surgit devant le groupe des jeunes en agitant ses doigts osseux, les avertissant sans équivoque qu'ils feraient mieux de veiller et de confesser le moindre de leurs péchés, car personne ne savait quand leur nom serait appelé devant le tribunal céleste. Quand ce serait le cas, s'il restait un seul péché non confessé, ils passeraient l'éternité dans une destination peu enviable.

Cet enseignement a été prêché pendant des dizaines d'années et a contribué à faire connaître les adventistes comme présentant la « mauvaise nouvelle du jugement », mais surtout à leur faire craindre eux-mêmes ce jugement. C'est dommage, parce que la Bible présente le jugement comme une bonne nouvelle pour le peuple de Dieu. En réalité, c'est la meilleure des nouvelles. Comme Dieu le révèle à Daniel, le jugement investigatif est « en faveur » ou « pour » les saints. La Bible assure que le Juge divin est de notre côté. En effet, c'est Dieu qui a envoyé le Sauveur. Il n'essaie pas d'exclure les hommes du ciel, mais au contraire d'y faire entrer le plus de gens possible. Le Seigneur désire que sa maison soit pleine !

Pourtant, tous n'accepteront pas son offre du salut et le changement de cœur qu'il effectue. Certains se rebellent, maltraitent autrui, deviennent agressifs et destructeurs. Dieu ne le tolèrera pas indéfiniment, et il les appellera en jugement. Pour ceux qui choisissent de vivre ouvertement en rébellion contre Dieu et ses principes, le jugement n'est évidemment pas une bonne nouvelle.

Pour les chrétiens, c'est au contraire la meilleure des nouvelles. Le jugement est leur justification, et puisqu'il est prononcé en leur faveur, il leur ouvre les portes du royaume éternel. Loué soit Dieu pour son jugement plein d'amour.

RÉTROSPECTIVE SUR LE JUGEMENT

Il a fixé un jour où il va juger le monde selon la justice, par un homme qu'il a désigné, et il en a donné à tous une preuve digne de foi en le ressuscitant d'entre les morts.
Actes 17.31

Le jugement : angoisse pour certains, espérance pour d'autres ; et de toute façon, sujet complexe pour tous, que nous essaierons d'envisager sous une perspective large. Beaucoup pensent que le jugement est un évènement ponctuel qui a lieu à la fin du monde ou à la mort d'une personne. Les premiers adventistes découvrent qu'il s'agit au contraire d'un processus, dans lequel, en 1857, James White identifie quatre phases.

Selon lui, la première phase est le jugement investigatif de ceux qui suivent Dieu, et qui a lieu avant le retour du Christ. À partir de la typologie du jour des expiations, les premiers adventistes comprennent que cette phase ne concerne que le peuple de Dieu. En effet, ce jour là, le souverain sacrificateur entre dans le lieu très saint en portant le pectoral du jugement sur lequel sont inscrits les noms des enfants de Dieu, et pour lesquels il intercède au jour des expiations.

La seconde phase, selon la vision adventiste, est un jugement exécutif qui a lieu lors du retour du Christ, quand Dieu, dans son rôle de juge, accorde ses bénédictions à son peuple (Apocalypse 22.12, Matthieu 16.27).

La troisième phase est le jugement de mille ans mentionné dans Apocalypse 20.4 : « Je vis des trônes. À ceux qui s'y assirent fut donné le pouvoir de juger ». On peut alors se demander qui sont ceux qui doivent encore être jugés, puisque les justes sont au ciel avec Dieu, et les méchants dans leur tombe. C'est vrai, mais il ne s'agit pas de la destruction finale des méchants. Dieu veut auparavant donner l'occasion à chacun de comprendre le sort des méchants, et cela durant le millénium. Pour que personne ne garde des questions sans réponse, il donne à tous le temps de comprendre qu'il agit pour le mieux, dans une situation mauvaise. Il s'agit donc plutôt du jugement de la justice de Dieu, et de la confirmation que ses actions sont appropriées.

La phase finale du jugement advient à la fin des mille ans, quand un jugement exécutif élimine définitivement ceux qui ont persisté à rejeter Dieu et ses principes (Apocalypse 20.9 ; 12-15). Ce n'est pas une phase agréable, mais Dieu n'a pas le choix : il ne veut pas forcer la volonté des hommes, mais désire établir un univers dans lequel le péché et les relations destructrices n'existeront plus.

LE COMMENCEMENT DU SABBAT — 1RE PARTIE

Vous célèbrerez votre sabbat d'un soir à l'autre. Lévitique 23.32

S'il existait des désaccords sur le jugement investigatif, les premiers leaders de l'adventisme partageaient tous le même avis sur le début et la fin du sabbat.

Bates soutient que le sabbat devait être observé depuis le vendredi soir à 18 heures jusqu'au samedi soir, à la même heure, alors que les baptistes du septième jour l'observent du coucher du soleil le vendredi au coucher du soleil le samedi.

Bates défend sa position en 1846 dans son livre sur le sabbat, car « l'histoire montre que chez les Juifs… la journée commençait à six heures du soir ». Je ne sais pas à quelle histoire il se réfère pour tirer une telle conclusion, mais le fait est qu'il a entièrement tort.

Bates avance également des théories pratiques pour soutenir cette observation du sabbat de 18 heures à 18 heures. En bref, il affirme que si tout le monde observe le sabbat d'un lever de soleil à l'autre, ou d'un coucher de soleil à l'autre, le sabbat sera observé à des heures différentes selon les latitudes, ce que Dieu ne souhaite certainement pas. Ainsi, conclut-il, puisque le soleil se couche à 18 heures au niveau de l'équateur, tous ceux qui se calquent sur cet horaire pourront observer le sabbat au même moment, selon la volonté de Dieu.

Ce n'est pas une question d'importance secondaire pour le bon capitaine Bates. « En effet, déclare-t-il en 1849, il est tout aussi mal aux yeux de Dieu de rejeter la vérité biblique concernant le début du sabbat, […] que de ne pas l'observer du tout. »

C'est une conviction forte, et Bates est un homme enthousiaste, décidé et persévérant quand il est convaincu de quelque chose. Il enseigne à plusieurs reprises à l'église que le sabbat commence à 18 heures, et persuade la plupart des sabbatistes, y compris James et Ellen White, de son interprétation. Pendant dix ans, eux et la plupart des adventistes observent donc mal le sabbat.

Cela nous pose une question : quelle est l'attitude de Dieu face à une telle erreur ? Est-ce qu'il les abandonne parce qu'ils se trompent ? Certainement pas ! Sa bonté est infinie et quand nous sommes sincères, il nous accepte là où nous sommes. Cependant, il ne s'arrête pas là, et il nous conduit avec bonté sur le chemin de la vérité.

LE COMMENCEMENT DU SABBAT – 2E PARTIE

C'est dans le lieu que l'Éternel ton Dieu choisira pour y faire demeurer son nom que tu sacrifieras la Pâque, le soir, au coucher du soleil.
Deutéronome 16.6

Comment Dieu peut-il laisser son peuple dans l'erreur pendant dix ans sur l'heure du début de sabbat ? Je n'en sais rien, mais je sais ce qu'il a fait, et cela nous permet de mieux le connaître.

Tous les adventistes ne sont pas d'accord avec la théorie de Bates : certains observent le sabbat d'un coucher de soleil à l'autre, d'un lever de soleil à l'autre, ou même de minuit à minuit.

En 1854, cette question devient tellement problématique que James White craint des divisions, si elle n'est pas réglée de façon consensuelle. Il reconnaît que la théorie du début de sabbat à 18 heures ne l'a jamais pleinement satisfait et que les sabbatistes n'ont jamais réellement étudié ce sujet dans la Bible. Il écrit plus tard que « si cette question n'a pas été étudiée de façon plus approfondie, comme cela a été le cas pour d'autres sujets, c'est certainement en raison de l'opiniâtreté de Joseph Bates et par respect pour son âge ».

Pendant l'été 1855, James demande au jeune John Nevins Andrews de préparer une étude biblique sur ce thème. Il a choisi la bonne personne. Celui-ci se met au travail d'arrache-pied et effectue consciencieusement ses recherches. Jusque là fermement convaincu que le sabbat commence à 18 heures, ce qu'il découvre le déconcerte :

1. « Tu sacrifieras la Pâque, *le soir, au coucher du soleil* » (Deutéronome 16.6).
2. Celui qui en touchera *sera impur jusqu'au soir… après le coucher du soleil, il sera pur.* (Lévitique 22.6,7).
3. *Le soir venu, après le coucher du soleil*, on lui amena tous les malades (Marc 1.32).

L'un après l'autre, les textes bibliques lui apportent la preuve biblique de l'importance de la définition du « soir ».

Ses conclusions sont les suivantes :

Aucun texte biblique n'étaye la théorie du début de sabbat à 18 heures.

« La Bible, par plusieurs passages clairs, établit que le soir commence au coucher du soleil ».

Il présente ses découvertes lors d'une rencontre générale des sabbatistes le 17 novembre 1855, et tous décident d'aligner leur conduite sur cette « nouvelle » vérité biblique.

Seigneur, aide-nous à garder l'esprit ouvert, même quand nous sommes convaincus d'être dans la vérité.

LE COMMENCEMENT DU SABBAT — 3E PARTIE

Ils examinaient chaque jour les Écritures pour voir si ce qu'on leur disait était exact. Actes 17.11

La Bible et son étude consciencieuse étaient essentielles pour les premiers adventistes sabbatistes. C'est la raison pour laquelle, nous l'avons vu hier, ils étaient désireux d'étudier le sujet de l'heure à laquelle le sabbat commençait.

James White rapporte que l'étude de John Andrews, fin 1855, permet à la majorité des personnes présentes à la rencontre d'être au clair sur cette question du début du sabbat au coucher du soleil, et il s'inclut probablement dans le groupe.

Quelques-uns, cependant, ne sont pas d'accord, dont Joseph Bates. Ce dernier enseigne depuis dix ans que le sabbat commence à 18 heures, et il creuse la Bible pour défendre sa position.

C'est là qu'un problème se pose : même alors que l'étude de la Bible a formellement démontré que le soir commence au coucher du soleil et que, par conséquent, le sabbat doit aussi débuter à ce moment-là, certains dirigeants s'accrochent à l'ancienne position. Dieu demande pourtant clairement : « Vous célèbrerez votre sabbat d'un soir à l'autre » (Lévitique 23.32).

En dépit des preuves bibliques, « Bates et quelques autres » cherchent encore à justifier l'ancienne position par « la logique de leur raisonnement humain », basé sur quelques textes isolés.

James White ne s'identifie pas aux « quelques autres » qui suivent Joseph Bates et s'opposent à l'église sur le moment du début du sabbat. Uriah Smith révèle en revanche le nom de l'une d'entre eux : il s'agit d'Ellen White.

La tension sur cette question, générée par le désaccord entre deux des trois dirigeants et le reste des croyants, a été profondément ressentie par tous.

James White se souvient que deux jours après la présentation du travail de recherche de John Andrews, « ils ont organisé une réunion spéciale de prière, pendant laquelle Madame White a reçu une vision qui confirmait, entre autres, que le coucher du soleil était le moment correct pour le début du sabbat. Cela convainquit frère Bates et ceux qui le suivaient, et à partir de ce jour là, l'harmonie s'installa sur cette question ».

Que cela nous plaise ou non, le désaccord règne encore dans l'Église. Soyons reconnaissants que Dieu cherche toujours à guider son peuple vers l'unité.

Vers une doctrine des dons spirituels — 1re partie

Dieu a établi dans l'Église premièrement des apôtres, deuxièmement des prophètes, troisièmement des docteurs ; ensuite il y a le don des miracles, puis les dons de guérir, de secourir, de gouverner, de parler diverses langues.
1 Corinthiens 12.28

Nous avons constaté une séquence définie d'étapes progressives sur la compréhension de l'heure de commencement du sabbat :

1. Désaccord sur la question
2. Étude approfondie de la Bible
3. Consensus pratiquement général sur les conclusions de l'étude biblique, à l'exception de quelques-uns qui défendent l'ancienne position.
4. Vision d'Ellen White qui confirme les résultats de l'étude et contribue à l'unité parmi les croyants.

Ces étapes successives suscitent plusieurs observations, et James White en exprime une : « La question se pose naturellement : si les visions sont données pour corriger les erreurs, pourquoi Ellen n'a-t-elle pas reçu plus tôt une vision concernant l'heure du début du sabbat ? Cela dit, ajoute-t-il, j'ai toujours été reconnaissant que Dieu rectifie nos erreurs en son temps, et qu'il ne laisse pas un esprit de division persister parmi nous. [...] »

« Il semble que le Seigneur ne désire pas éclairer son peuple sur les questions bibliques grâce aux dons de l'Esprit, tant que ses serviteurs n'ont pas étudié sérieusement sa Parole. Lorsque nous avons travaillé sur le sujet du commencement du sabbat, la plupart étaient d'accord sur les résultats de la recherche, mais quand nous avons couru le risque d'être divisés, alors il était temps pour Dieu de manifester sa bonté par le don de l'Esprit, afin qu'il accomplisse son œuvre. Les saintes Écritures nous ont été données comme règle de foi et de conduite, et nous avons le devoir de les étudier. »

« Les dons doivent jouer un rôle adéquat dans l'Église. Dieu ne les a jamais placés en première ligne pour qu'ils nous guident sur le chemin de la vérité et du ciel. Il a favorisé sa Parole. L'Ancien et le Nouveau Testament sont une lampe qui éclaire les pas de l'homme sur son sentier vers le royaume. Celui qui s'en écarte risque de se perdre, et Dieu décidera certainement en son temps de le corriger pour le ramener à la Bible. »

Remercions Dieu pour les dons de l'Esprit, y compris le don de prophétie. Nos pionniers ont profité de ce don, mais lui ont donné sa juste place. Pour eux, la Bible gardait une position centrale et les dons les ramenaient à la révélation de Dieu dans les Écritures.

VERS UNE DOCTRINE DES DONS SPIRITUELS — 2E PARTIE

La révélation de ta parole éclaire, elle donne de l'intelligence aux simples.
Psaume 119.130

Nous avons vu hier que James White prônait la Bible comme premier guide pour le chrétien. Pour lui, la fonction du don de prophétie était de confirmer les vérités déjà découvertes dans la Bible, d'unifier le peuple de Dieu sur ces vérités et de « ramener à la Bible » elle-même.

Il y a ici un concept important. Quand James White souligne que les dons spirituels ont pour fonction de « ramener à la Bible », il touche un élément fondamental. Les adventistes se sont souvent mépris sur le juste rôle des dons spirituels, au point que certains passent plus de temps à étudier les écrits d'Ellen White que la Bible.

Cette attitude va à l'encontre de la position de James et Ellen White et des pionniers adventistes sur son œuvre. Pour elle, « ils ont remplacé « la grande lumière » par « la petite lumière » en reléguant la Bible à la deuxième place.

« La Parole de Dieu, écrit-elle, est suffisante pour éclairer les esprits les plus enténébrés et elle peut être comprise par tous ceux qui en ont le désir. Malgré cela, certains qui déclarent faire de la Parole de Dieu leur étude vivent en opposition directe avec ses enseignements les plus simples. Alors, afin qu'hommes et femmes n'aient aucune excuse, Dieu leur envoie des témoignages directs et précis, *les ramenant à la Parole qu'ils ont négligé de suivre.* » — *Témoignages pour l'Église*, vol. 2, p. 328, c'est nous qui soulignons.

« Frère R. jette la confusion dans les esprits en cherchant à montrer que la lumière que Dieu a donnée par les *Témoignages* est une addition à la Parole de Dieu. Mais il présente le sujet sous un faux jour. Dieu a jugé a propos d'agir ainsi pour attirer l'attention de son peuple sur sa Parole afin de lui en donner une intelligence plus claire. » — *Ibid.* Elle écrit ailleurs : « On a accordé trop peu d'attention à la Bible, aussi le Seigneur a-t-il suscité une plus petite lumière pour conduire hommes et femmes vers la plus grande lumière qui soit. » — *Le colporteur évangéliste*, p. 37.

Les pionniers adventistes affirmaient clairement que le rôle d'Ellen White consistait à conduire à la Bible et non pas à être une source de doctrine. En effet, une raison pour laquelle je crois qu'elle était réellement un prophète est qu'elle dirigeait continuellement ses lecteurs vers Jésus, le Sauveur, et vers la Bible, notre lumière.

Puissions-nous suivre aujourd'hui son conseil.

Vers une doctrine des dons spirituels — 3e partie

Les uns ont reçu le don d'être apôtres, ou [...] prophètes [...]. Par ces dons le Christ a voulu former ceux qui appartiennent à Dieu. Ainsi, ils peuvent accomplir leur service de chrétiens pour construire le corps de Christ. Alors tous ensemble, nous aurons peu à peu une même foi et une même connaissance du Fils de Dieu. Finalement nous serons des chrétiens adultes et nous atteindrons la taille parfaite du Christ. Éphésiens 4.11-13

En 1855, Ellen White est de plus en plus critiquée par ses détracteurs, et les sabbatistes ressentent le besoin de développer une théologie des dons prophétiques et d'intégrer ce concept dans leur ensemble doctrinal.

En février de cette année, James White écrit un article présentant sa compréhension de ce sujet. Il fournit plusieurs textes bibliques indiquant que les dons de l'Esprit, y compris le don de prophétie existeront jusqu'au retour du Christ.

Il se concentre sur Joël 2.28-32 qui promet le don de prophétie, souligne que la Pentecôte est une réalisation partielle de cette promesse, car Joël indique une manifestation spéciale de ce don sur le « reste » du verset 32.

Il identifie ensuite le reste de Joël 2.32 à celui d'Apocalypse 12.17 qui, à la fin des temps, « garde les commandements de Dieu et le témoignage de Jésus. » Qu'est-ce que le témoignage de Jésus ? Nous laisserons l'ange qui s'adresse à Jean répondre à cette question, répond-il. « Le témoignage de Jésus est le don de la prophétie » (Apocalypse 19.10). James White conclut que l'Église de Dieu des derniers temps sera caractérisée par un renouveau du don de prophétie, don qu'il est convaincu que sa femme possède.

En 1856, les sabbatistes insèrent donc leur compréhension du don de prophétie dans les passages apocalyptiques qui définissent leur identité. La doctrine des dons spirituels devient donc au milieu des années 1850 l'un des enseignements bibliques qui, (avec le sabbat, le sanctuaire, le retour du Christ et l'état des morts) les caractérisent comme mouvement particulier, dans le monde religieux.

Dans son article de février, James White souligne de nouveau qu'une personne « n'a pas la liberté [...] d'apprendre son devoir par un des dons. Si elle le fait, elle donne aux dons un rôle qui n'est pas le leur et court de grands risques. »

Merci, Seigneur pour la position claire des pionniers sur la centralité de la Bible et la place du don de prophétie. Aide-moi à être tout aussi clair.

Rencontre avec Uriah Smith

Il faut tout d'abord que la bonne nouvelle soit prêchée à toutes les nations.
Marc 13.10

Uriah Smith (1832-1902) deviendra l'un des premiers adventistes qui diffusera le message du mouvement dans le monde au moyen des publications. Son enfance est déjà difficile. Très jeune, il doit être amputé de la jambe gauche, au milieu de la cuisse. C'est d'autant plus douloureux que l'intervention se déroule sans anesthésie, sur la table de la cuisine. Son seul réconfort est sa mère qui lui tient la main. La plupart d'entre nous n'ont pas la moindre idée de ce que signifiait vivre « au bon vieux temps ».

La mère d'Uriah est devenue Millérite et le jeune garçon est baptisé pendant l'été 1844 par un ancien de l'Église adventiste. L'espérance d'octobre 1844 l'impressionne profondément, mais suite à la grande déception, il laisse tomber l'adventisme et se lance dans les études pour s'assurer une bonne situation. L'intérêt pour les choses spirituelles, propre aux adventistes, le quitte petit à petit.

À l'âge de seize ans, il entre à Philips Academy, à Exeter, dans l'État du New Hampshire, l'une des plus prestigieuses écoles secondaires privées de l'époque, que fréquentent beaucoup des futurs « grands » du pays. L'ambitieux Uriah est déjà décidé à entrer à Harvard après son diplôme secondaire. Il envisage une carrière d'enseignant dans une des meilleures écoles du pays et possède certainement les capacités pour y parvenir.

Dieu a pourtant d'autres plans pour le jeune intellectuel, et sa mère également. Nous avons vu dernièrement que sa sœur Annie avait accepté l'adventisme grâce aux prières de sa mère, et suite à une conférence de Joseph Bates et un rêve qu'elle-même et Bates avaient tous deux reçu. Annie se joint aux sabbatistes en 1852 et influence ensuite son talentueux jeune frère.

En septembre 1852, Uriah, âgé de vingt ans, accepte d'assister à une réunion adventiste, où il entend James et Ellen White expliquer les raisons de la déception d'octobre 1844 et de l'observance du sabbat du septième jour. Cela le pousse à étudier sérieusement le sujet pendant deux mois. En décembre 1852, son père meurt. Cet évènement le confronte brutalement à la réalité, et il s'abandonne de tout cœur au Seigneur, qui l'emploiera avec puissance.

Seigneur, il est difficile de s'abandonner entièrement à toi. Aide-moi à me consacrer entièrement à ta cause aujourd'hui. Utilise-moi pour être une bénédiction pour autrui.

DIEU BÉNIT URIAH

Celui qui avait reçu les cinq talents s'approcha en apportant cinq autres talents et dit : Seigneur, tu m'avais confié cinq talents, voici cinq autres que j'ai gagnés. Son maître lui dit : Bien, bon et fidèle serviteur, tu as été fidèle en peu de choses, je te confierai beaucoup. Matthieu 25.20,21

Uriah Smith est vraiment un homme aux cinq talents. Ses capacités intellectuelles le classent parmi l'élite du monde adventiste. Dès sa conversion, fin 1852, il se consacre à la cause adventiste jusqu'à la fin de sa vie. Il reçoit pourtant plusieurs offres d'emploi très intéressantes, et de salaires dépassant de loin tout ce qu'il peut espérer gagner en travaillant pour l'Église. Il reçoit une telle proposition un mois après sa conversion, mais son esprit est déjà fixé sur un autre objectif : « la cité qui a de solides fondations, dont Dieu est l'architecte et le constructeur » (Hébreux 11.10).

Début 1853, le jeune Uriah envoie à James White un poème de 3 500 vers intitulé « La voix qui annonce le temps et la prophétie ». James est tellement impressionné qu'il en publie un fragment chaque semaine pendant cinq mois dans *Review and Herald*. Durant cette année- là, Uriah Smith devient l'un des rédacteurs de *Review*, travail qu'il accomplira jusqu'à sa mort, cinquante ans plus tard.

Au début, les conditions de travail sont précaires. Tout le personnel de l'imprimerie vit à Rochester, dans une maison louée 175 dollars par mois par James White. La maison des White est pauvrement aménagée, avec des meubles empruntés et souvent en mauvais état, et elle abrite aussi l'imprimerie et son personnel.

Ils ne perçoivent pas de salaire et la seule promesse qu'ils ont est qu'ils ne mourront pas de faim. Aux yeux de certains, pourtant, ils n'en sont pas loin et leur alimentation se compose le plus souvent de haricots et de porridge. Uriah, avec l'optimisme de la jeunesse, décrit l'expérience avec humour après quelques semaines : « Je n'ai rien contre les haricots 365 jours d'affilée, mais il ne faudrait pas que cela devienne une habitude ! »

Bien qu'ils aient parfois faim, tous, y compris le jeune homme privé de sa jambe, acceptent le sacrifice, pour le travail qu'ils aiment.

Seigneur, nous te remercions aujourd'hui pour les talents que tu confies à chacun. Aide-nous à les utiliser pour toi, alors que tu nous ouvres les portes, même si cela nous coûte en richesses terrestres.

URIAH SMITH, UN LEADER ADVENTISTE

Celui qui est fidèle en peu de choses est aussi fidèle dans ce qui est important.
Luc 16.10

Quand Uriah Smith signe son contrat de travail avec James White, on peut dire que les publications adventistes en sont encore à un stade embryonnaire et précaire. Son premier emploi, vu que l'imprimerie ne possède même pas de massicot, consiste à couper les pages des livres avec son canif de poche.

Pourtant, cela va changer. Alors que le siècle se termine, les adventistes développent énormément leur maison d'édition et Uriah Smith devient rédacteur en chef des publications adventistes. Il occupe ce poste en 1855-1861, 1864-1869, 1870-1871, 1872-1873, 1877-1880, 1881-1897, 1901-1903, en tout pendant plus de trente-cinq ans. Cette fonction lui permet de développer la pensée adventiste sur une grande multiplicité de thèmes, pendant les années de formation de l'Église.

À côté de sa fonction de rédacteur pendant cette période de développement, Uriah Smith est également l'auteur de nombreux livres importants pour l'Église. Il écrit en particulier *Pensées critiques et pratiques sur le livre de l'Apocalypse* (1867) et *Pensées critiques et pratiques sur le livre de Daniel* (1873), qui influenceront particulièrement la pensée adventiste sur la prophétie. Réunis plus tard en un seul ouvrage, *Daniel et Apocalypse*, ses travaux seront une référence reconnue sur ce sujet pendant plus de trois quarts de siècles.

Smith sert également l'Église dans des postes administratifs pendant près de vingt-cinq ans. Il sera secrétaire de la Conférence générale en 1863-1873, 1874-1876, 1877-1881, 1883-1888.

Ce n'est pas tout. Ne pouvant pas s'agenouiller pour la prière, Uriah brevette une jambe artificielle avec un genou mobile, un bureau avec chaise pliante, et une canne transformable en tabouret de camping. Les droits d'auteur de ses livres et de ses inventions lui permettront de vivre confortablement ses dernières années. Uriah Smith a tout donné à Dieu ; Dieu le lui a rendu, et a béni l'homme privé de sa jambe qui s'est consacré entièrement à sa cause.

Comme nous tous, Smith a aussi rencontré des difficultés et nous découvrirons ses luttes dans les prochaines lectures. Mais la bonne nouvelle pour nous tous est que Dieu n'emploie pas d'hommes parfaits, car nous avons tous nos talents et nos lacunes.

Rencontre avec John Nevins Andrews

Efforce-toi de te présenter devant Dieu comme un homme qui a fait ses preuves, un ouvrier qui n'a pas à rougir et qui dispense avec droiture la parole de la vérité.
2 Timothée 2.15

John Andrews est l'un des premiers théologiens de la jeune église adventiste. Il se passionne pour l'étude et désire se « présenter devant Dieu comme un homme [...] qui dispense avec droiture la Parole de la vérité ».

Né en 1829 à Poland, dans le Maine, il est capable, à l'âge adulte, de lire la Bible en sept langues et de réciter le Nouveau Testament par cœur. Sa vie est une vie d'étude, jusqu'à sa mort prématurée en 1883.

À quinze ans, John découvre le message du sabbat en lisant un article de T.M. Prebles. Avec quelques-uns de ses amis adolescents, ils s'engagent à observer le jour mis à part par Dieu, avant même que leurs parents entendent parler du sabbat. Pour ne plus enfreindre le sabbat, ils décident de terminer leurs travaux et leur coupe de bois le vendredi. Leurs parents ne se joignent à leur nouvelle foi que plus tard.

Andrews rencontre les White pour la première foi en septembre 1849, quand le couple intervient parmi certains adultes de sa famille et de son église pour leur éviter de tomber dans le fanatisme. C'est ainsi qu'il admire grandement l'impact de leur prédication, et s'exclame : « J'échangerais mille erreurs contre une seule vérité ! »

En 1850, John débute un ministère pastoral en voyageant à travers la Nouvelle Angleterre. Mais après cinq ans, il est en état d'épuisement à cause de ses études intensives et de son programme surchargé de publication et de conférences. Il perd la voix, sa vue s'affaiblit et décide donc d'aller à Waukon dans l'Iowa, pour travailler à la ferme de ses parents le temps de recouvrer la santé. Malgré sa santé fragile, il ne peut se passer de ses livres et d'écrire et, en 1861, il publie son œuvre magistrale *History of the Sabbath and the First Day of the Week* [Histoire du sabbat et du premier jour de la semaine].

Il devient en 1867 le troisième président de la Conférence générale et accepte en 1869 un court mandat comme rédacteur de la *Review and Herald*. En 1874, il se rend en Europe, devenant ainsi le premier missionnaire officiel à l'étranger. Ellen White commente alors : « Nous avons envoyé celui d'entre nous qui est le plus compétent » — Lettre n° 2a, 1878.

Dieu n'a aucune limite quand il emploie des hommes qui lui consacrent leur vie et étudient sa Parole.

Aide-moi, Seigneur, à devenir un homme, une femme qui a fait ses preuves, un ouvrier qui n'a pas à rougir quand il est question de ta Parole.

Rencontre avec John Louhgborough, le jeune prédicateur.

Il est bon pour l'homme de porter le joug dans sa jeunesse. Lamentations 3.27

John Louhgborough (1832-1824) a seize ans quand il se sent appelé à prêcher. Depuis neuf semaines, il souffre de malaria. Désespéré, il crie à Dieu : « Seigneur, débarrasse-moi de ces frissons et cette fièvre, et j'irai prêcher dès que ma santé me le permettra. »

Sa fièvre cesse le jour même, mais il n'a pas d'argent pour voyager. Pendant quelques semaines, il coupe du bois et parvient à économiser un dollar. « Cela me paiera le voyage, se souvient-il, mais je n'avais pas de vêtements. Le voisin pour lequel je travaillais me donna un gilet et un pantalon usés. Comme il était beaucoup plus grand que moi, j'ai coupé le bas du pantalon, ce qui lui donnait bien piètre allure. Je n'avais pas de manteau et mon frère me donna un pardessus doublé dont le bas avait été coupé. Avec cet étrange accoutrement et 1 dollar en poche, je décidai d'aller à un endroit où on ne me connaissait pas et d'essayer de prêcher. Si c'était un échec, au moins mes amis ne le sauraient pas, et si je réussissais, ce serait la preuve que j'étais appelé à ce ministère. »

Le premier soir, la petite église baptiste du village où il se trouve est pleine à craquer. « J'ai chanté, raconte-t-il, prié et chanté encore. J'ai prêché sur la chute de l'homme. Je ne me sentais pas du tout gêné, comme je l'avais craint. La bénédiction de Dieu reposa sur moi et je m'exprimai facilement. Le lendemain matin, on me dit que sept pasteurs avaient assisté à ma conférence. »

« Le lendemain soir, l'église était encore bondée. Je supposais que les gens étaient curieux de voir prêcher un jeune garçon encore imperbe. [...] Après mon sermon, le pasteur se leva, expliqua que dès le lendemain, des cours de chant commenceraient et que mes conférences prendraient fin. C'est alors qu'un dénommé M. Thomson se leva et déclara clairement que ces cours de chant avaient été programmés pour faire cesser mes réunions. » Il se tourne alors vers le jeune prédicateur et l'invite à faire ses présentations dans une grande école dont il est l'un des membres du conseil d'administration. Encore une fois, le jeune prédicateur adventiste du premier jour réussit là où des personnes moins courageuses avaient échoué.

Je suis toujours émerveillé devant la façon dont le Dieu de grâce bénit l'offrande, en apparence dérisoire, de ceux qui se consacrent à lui. La plupart d'entre nous trouvons des excuses jusqu'à ce que nous soyons prêts [...] et nous ne nous sentons jamais prêts.

UN PRÉDICATEUR EN HERBE

Tu as tiré des louanges de la bouche des enfants et de ceux qui sont à la mamelle.
Matthieu 21.16

Le jeune prédicateur redoute, et c'est compréhensible, de rencontrer des pasteurs. Cette crainte se réalise lorsque le pasteur qui voulait annuler ses réunions se rend à une rencontre informelle organisée par certains de ses auditeurs.

— Eh bien, lui dit-il, vous avez fait salle comble hier soir.

— C'est vrai, et les gens semblaient intéressés, répondis-je.

— Ils étaient probablement curieux d'écouter le sermon d'un jeune garçon. Mais, ai-je bien entendu quand vous avez dit que l'âme n'est pas immortelle ?

— C'est exact, confirmai-je.

— Mais que pensez-vous alors du châtiment et de la mort éternelle ? demanda-t-il.

— Je ne connais pas ces textes, répondis-je, surpris. La moitié de vos citations sont tirées de la Bible, et les autres proviennent des hymnes méthodistes.

— Je vous garantis que le texte que je cite est tiré de la Bible, insista-t-il avec force. Il se trouve dans le chapitre 25 de l'Apocalypse.

— Je pense que vous faites allusion à Matthieu 25, rectifiai-je, où il est dit que les méchants subiront un châtiment éternel.

— C'est vrai, mais le texte que j'ai cité se trouve dans Apocalypse 25, persista-t-il.

— Alors ce verset dépasse de la Bible de trois chapitres, conclus-je, parce que l'Apocalypse ne compte que 22 chapitres.

— Donnez-moi votre Bible et je vais vous le montrer, dit-il.

À l'étonnement général, il se met à chercher et se trouve confus de ne pas trouver ce chapitre. Il rend sa Bible à John et prétexte un rendez-vous pour s'éclipser.

Cette mésaventure peut faire sourire, mais elle démontre que la religion des zones isolées et des « frontières » est plutôt primitive au XIXe siècle. Les prédicateurs des zones rurales – les adventistes comme leurs détracteurs – sont souvent des autodidactes. Dans ce contexte, la connaissance biblique reste souvent sommaire.

Les choses ont bien changé aujourd'hui, mais pas l'importance de la Parole de Dieu. La Bible est un don du ciel, et pourtant, à notre époque éclairée, beaucoup sont encore aussi ignorants que le pasteur du récit de Loughborough. Décidons aujourd'hui d'intégrer dans notre vie quotidienne un créneau horaire suffisant pour l'étude de la Bible.

J.N. LOUGHBOROUGH RENCONTRE J.N. ANDREWS

La loi de l'Éternel est parfaite, elle restaure l'âme. Psaume 19.8

Loughborough est pasteur adventiste du premier jour depuis trois ans et demi lorsqu'il rencontre pour la première fois un pasteur adventiste du septième jour. Dans les communautés Millérites on disait que beaucoup des croyants « de la porte fermée » avaient des tendances fanatiques, et on avertit Loughborough que non seulement le groupe qu'il allait rencontrer observait le samedi au lieu du dimanche, mais aussi que « lorsqu'ils se rencontraient, ils hurlaient et avaient de grandes manifestations bruyantes et fanatiques ».

Il n'a pas spécialement envie de rencontrer de tels individus, mais un nommé Orton, de Rochester (état de New York) vient le voir et l'informe que « nos amis du septième jour se réunissent au 124 Mount Hope Avenue », et qu'il devrait s'y rendre.

Loughborough décline tout d'abord l'invitation, mais Orton insiste : « C'est ton devoir. Certains de tes paroissiens se sont joints aux adventistes du septième jour et tu dois les sortir de cette hérésie. Ils t'autoriseront à parler lors de leur réunion, alors prépare tes arguments bibliques et démontre-leur en deux minutes que le sabbat a été aboli. »

Face à ce défi, Loughborough « révise ses textes » et se rend à la réunion des sabbatistes, accompagné de certains de ses amis du premier jour.

Le jeune prédicateur ne sera plus jamais le même. Il constate qu'il n'y a aucun fanatisme ni manifestation bruyante. Un pasteur du nom de John Andrews se lève, cite les textes sur la loi et le sabbat qu'il avait lui-même préparés, et les explique. Non seulement les citations bibliques sont exactement les mêmes que les siennes, mais il les aborde dans le même ordre. C'est trop pour Loughborough. Il accepte le sabbat en 1852 et commence à prêcher pour l'adventisme du septième jour.

Dans les années qui suivent, il est pionnier de l'adventisme en Californie et en Angleterre, sert comme pasteur et administrateur dans différentes parties des États-Unis et publie la première histoire des adventistes du septième jour en 1892 : *The Rise and Progress of Seventh-day Adventists* [Naissance et développement des adventistes du septième jour] qui deviendra en 1905 *The Great Second Advent Movement* [Le grand mouvement du second Avent].

Ellen White a écrit que l'efficacité de ceux qui consacrent leur vie à Dieu n'a pas de limites. C'est le cas de J.N. Loughborough, et cela peut s'appliquer aussi à chacun de nous.

BATTLE CREEK

Il y avait dans l'église qui était à Antioche des prophètes et des docteurs [...] pendant qu'ils célébraient le culte du Seigneur et qu'ils jeûnaient, le Saint Esprit dit : Mettez-moi à part Barnabas et Saul pour l'œuvre à laquelle je les ai appelés. Alors après avoir prié et jeûné, ils leur imposèrent les mains et les laissèrent partir.
Actes 13.1-3

Tout mouvement a un point central. L'Église chrétienne primitive lance sa mission vers les Gentils de Syrie depuis Antioche.

Battle Creek, petite ville du Michigan, devient le siège de l'Église adventiste du septième jour au cours du XIXe siècle. C'est de là que les publications et les missionnaires partent vers le monde entier, quand l'adventisme comprend sa responsabilité de prêcher partout le message du troisième ange.

L'adventisme s'implante pour la première fois à Battle Creek en 1852 quand Joseph Bates, toujours en voyage, visite ce village de deux mille habitants. Il est un peu perplexe. D'habitude, en arrivant dans une nouvelle région, il contacte les adventistes du premier jour, mais il n'y en a aucun à Battle Creek. Bates va donc directement au bureau de poste et demande le nom de l'homme le plus honnête de la localité. L'employé lui indique David Hewitt, qui habite Van Buren Street.

Bates trouve la famille Hewitt en train de prendre le petit déjeuner. L'intrépide évangéliste explique au chef de famille que puisqu'il est l'homme le plus honnête de la ville, il doit lui communiquer d'importantes vérités. En commençant le matin, et jusqu'au soir, « il leur présente le message du troisième ange et le sabbat », et ils l'acceptent avant le coucher du soleil.

Le baptême de Hewitt marque la naissance de la communauté adventiste de Battle Creek. En 1855, quatre convertis de Bates : Dan Palmer, J.P. Kellogg, Henry Lyon et Cyrenius Smith, donnentt des fonds pour financer une maison d'édition dans la ville. Certains d'entre eux vendent même leur maison pour couvrir les frais.

Battle Creek devient le centre d'action de l'adventisme pour le reste du siècle. De là seront conçues de nombreuses institutions adventistes. En 1879, la communauté construit le Dime Tabernacle avec des dîmes envoyées par des adventistes de tout le pays. Avec ses 4 000 places, c'est un véritable monument pour une petite église qui compte en tout 15 000 membres au moment où il est construit. C'est au « Tab » qu'auront lieu toutes les assemblées de la Conférence générale.

Les dons du peuple de Dieu ont financé l'implantation à Battle Creek, comme toutes les institutions de l'Église adventiste. Sans sacrifice, il n'y a pas de progrès.

FAUT-IL ORGANISER L'ÉGLISE ?

Vous annoncerez la libération pour tous les habitants du pays.
Lévitique 25.10, PDV

Qui veut organiser l'Église ? Certainement pas James White ni Joseph Bates à la fin des années 1840. Ils proviennent tous deux de *Christian Connexion*, église pour laquelle la liberté signifie que la communauté locale est libre de toute structure d'église et forme d'organisation.

Au début des années 1830, un de ses leaders écrit que *Connexion* s'est développée dans plusieurs endroits simultanément au début des années 1800, « pas tant pour établir des doctrines distinctives que *pour affirmer, pour les individus comme pour les communautés, plus de liberté et d'indépendance* en matière de foi et de pratique, pour se dégager de l'autorité des croyances humaines, des *entraves* des modes et formes, pour faire de la Bible le seul guide, pour que *chacun* ait le droit de l'interpréter, de juger pour lui-même des doctrines et ordonnances, et de mieux suivre la simplicité des apôtres et des premiers chrétiens ».

En 1873, un historien du mouvement résume ainsi la grande indépendance des membres de *Connexion* : « Quand on leur demande à quelle secte ils appartiennent, leur réponse est : à aucune ; à quelle église ils se joindront, leur réponse est : aucune ; quel nom prendrez-vous, leur réponse est : aucun ; que ferez-vous ? ils répondent : "nous ferons comme nous avons toujours fait, nous serons chrétiens. Le Christ est notre chef, la Bible notre seule croyance, et nous servirons Dieu, libres de tout sectarisme" ».

Il est clair que les premiers membres de *Christian Connexion* sont anti-organisation. Ils reconnaissent le besoin de structure au niveau local, mais considèrent « chaque église ou communauté comme un corps indépendant ». Ce sont leurs publications qui font le lien entre les différents courants de *Christian Connexion* et il n'est pas étonnant que leur journal s'intitule *Herald of Gospel Liberty* [Hérault de la liberté de l'Évangile]. Ils entretiennent également entre eux des liens plutôt souples, par des rencontres entre membres partageant les mêmes opinions.

Bates et White apportent au premiers sabbatistes le même genre d'organisation : une revue et des rencontres. Ils ne voient pas le besoin d'établir d'autres structures.

Il faut souligner que la liberté est une bonne chose. Toutefois, comme nous le verrons, la Bible envisage parfois une perspective plus large. Les premiers adventistes découvrent que Dieu guide leurs efforts quand de nouveaux besoins apparaissent.

S'ORGANISER, C'EST ÊTRE BABYLONE !

Sur son front était écrit un nom, UN MYSTÈRE : BABYLONE LA GRANDE, LA MÈRE DES PROSTITUÉES ET DES ABOMINATIONS DE LA TERRE. Apocalypse 17.5

Contrairement à ce que font les membres de *Connexion*, la plupart des Millérites sabbatistes ne sont pas opposés à l'organisation, au début du développement de leur mouvement. Pourtant, ils ne désirent pas former leur propre structure. En effet, Christ revient bientôt et ils n'en ont donc pas besoin. C'est pourquoi les Adventistes millérites restent dans leurs confessions respectives, tout en témoignant de leur foi dans l'Avent, et en attendant le retour du Christ.

Cela fonctionne bien jusqu'à l'été 1843, quand beaucoup de communautés commencent à les exclure, en raison de leur agitation croissante sur le retour imminent du Christ. Comme nous l'avons déjà vu, l'évangélisation active pousse Charles Fitch à proclamer la chute de Babylone et à inviter les croyants à quitter les différentes églises. Le conflit et la persécution qui résultent du rejet du message adventiste amènent de nombreuses personnes à conclure que ces églises appartiennent réellement à Babylone — l'oppresseur du peuple de Dieu dans l'Ancien Testament.

George Storrs est un prédicateur millérite qui se sent particulièrement appelé à proclamer le message invitant à quitter Babylone. Il écrit que « Babylone est *la vieille mère* et tous ses enfants [les églises protestantes] [...] ont la marque de famille : un esprit de domination, qui empêche toute initiative de recherche de la vérité et toute expression de notre conviction de la vérité ». Il faut quitter les églises, car « nous ne devons pas laisser un homme ou une organisation humaine nous gouverner. Rester dans de telles organisations [...] c'est rester dans Babylone ».

Pour Storrs, l'histoire de l'organisation religieuse (catholique et protestante) est une histoire de sectarisme et de persécution. Il finit par conclure qu' « aucune église ne peut être organisée sur initiative humaine, mais *quand un mouvement est organisé*, il devient Babylone ».

Ce message, ainsi que les douloureuses expériences des croyants dans leurs différentes églises, impressionnent tellement les Millérites, qu'ils pensent impossible de s'organiser à la fin des années 1840 et au début des années 1850.

C'est aussi le cas pour les sabbatistes, mais ils découvrent bientôt que dans la Bible, Babylone prend plusieurs significations.

Aide-nous, Seigneur, à avoir du discernement, même dans une époque de confusion.

LIBRE DE TOUTE STRUCTURE NE VEUT PAS DIRE LIBRE DE TOUT PROBLÈME

Comme je t'y ai exhorté à mon départ pour la Macédoine, demeure à Éphèse afin de recommander à certaines personnes de ne pas enseigner d'autres doctrines.
1 Timothée 1.3

L'Église primitive était peu structurée, mais elle n'en ressentait probablement pas le besoin puisque Jésus devait revenir bientôt.

Ce retour tardant pourtant, l'Église doit affronter certains problèmes et les résoudre. Ainsi, quand Paul rédige ses épitres pastorales (1 et 2 Timothée, Tite), il offre des stratégies pour maintenir l'ordre dans les communautés.

L'adventisme vit une expérience similaire. Dès septembre 1849, James White argumente en faveur du soutien financier des pasteurs qui voyagent, et il doit demander qu'une personne soit exclue de la communauté. En mars 1850, dans le contexte de remarques concernant un homme qui, selon lui, n'a pas été appelé par Dieu à être prédicateur itinérant, James recommande par écrit que l'on agisse « selon l'ordre évangélique ».

Il semble que son épouse ait les mêmes préoccupations. En décembre 1850, elle écrit : « J'ai vu que dans le ciel règne un ordre parfait. L'ange dit : Regarde, le Christ est la tête, avance en ordre. Que chaque acte ait son sens. L'ange dit : Regarde et comprends combien l'ordre céleste est beau et parfait, suis-le ». Elle poursuit en évoquant le fanatisme et ceux qui ont été radiés de l'église à cause de leur comportement inacceptable. Elle ajoute : « Si Israël [c'est-à-dire l'Église] avançait fermement, selon l'ordre de la Bible, il serait aussi efficace qu'une armée avec ses bannières. » — *Manuscripts* 11, 1850).

Les premières préoccupations de James et Ellen White concernant l'organisation paraissent principalement similaires. Tous deux craignent que des figures non autorisées sèment le désordre et le fanatisme dans le mouvement sabbatiste naissant. Au début des années 1850, le nombre de personnes attirées par la logique de la prédication sabbatiste augmente rapidement et en trois courtes années, le nombre de membres passe d'environ 100 à plus de 2000 en 1852.

Si cette croissance est un élément positif, elle cause également des problèmes et défis. Par exemple, s'il n'existe aucune structure au niveau local, les différents groupes sabbatistes peuvent devenir la proie facile des fanatiques et prédicateurs non autorisés.

Aide-nous, Père, à apprendre à apprécier la valeur de la structure dans ton œuvre, tout comme nous l'apprécions dans notre vie personnelle.

La consécration des dirigeants

Afin que tu mettes en ordre ce qui reste à régler et que, selon mes instructions, tu établisses des anciens dans chaque ville. Tite 1.5

En 1851, les problèmes qui surviennent dans les communautés sabbatistes en croissance amènent les White à conclure que leur présence personnelle est parfois nécessaire pour corriger les abus. Les années suivantes, la *Review* publie régulièrement des rapports de leurs voyages, au cours desquels ils doivent continuellement affronter le fanatisme et le manque d'ordre dans les communautés locales. Lors d'une assemblée fin 1851 à Medford, au Massachusetts par exemple, James White écrit : « L'ordre dans l'Église était le sujet de la rencontre ; il fallait dénoncer les erreurs de S. Smith, H.W. Allen, et souligner l'importance de prendre des mesures [exclure de la communauté] vis-à-vis de certains frères. »

Lors de ce voyage, les White rapportent qu'à plusieurs occasions, il a fallu exclure une personne « qui était tombée dans la sorcellerie et le spiritisme », réprimander les fanatiques et les forces de l'opposition, et rappeler l'importance de « l'ordre évangélique et de la parfaite union entre les frères, en particulier ceux qui prêchent la Parole ».

Le voyage dans l'est de 1851 est également significatif puisqu'il rapporte les premières informations sur la nomination de responsables au niveau local. Nous lisons ainsi que lors d'une assemblée, « un comité de sept personnes fut élu (voir Actes 6) pour subvenir aux besoins des pauvres ».

Un peu plus tôt cette même année, la *Review* signale la première consécration parmi les sabbatistes. En juillet « frère Morse a été consacré par l'imposition des mains comme administrateur des biens de la maison de Dieu. Le Saint Esprit, attesté par le don des langues, a manifesté de façon solennelle la présence et la puissance de Dieu. Le lieu était rempli de respect et de gloire ».

En 1852, les sabbatistes se considèrent moins comme un troupeau dispersé mais plus comme une église. Avec la réinterprétation de la « porte fermée », ils comprennent que leur mission va au-delà du Millérisme et cette prise de conscience leur fait ressentir le besoin d'une organisation plus concrète.

Seigneur, au cours de nos lectures, nous voyons ton Église prendre progressivement conscience de l'importance de ses responsabilités. Aide-nous à ne pas considérer ce réveil comme un évènement ponctuel ayant eu lieu il y a 150 ans, mais comme un fait qui doit se réaliser dans notre vie personnelle, alors que tu nous guides individuellement.

Des loups parmi les brebis

Je sais que parmi vous, après mon départ, s'introduiront des loups redoutables qui n'épargneront pas le troupeau, et que du milieu de vous se lèveront des hommes qui prononceront des paroles perverses pour entraîner les disciples après eux. Actes 20.29,30

Le problème majeur des sabbatistes au début des années 1850 est qu'ils n'ont aucun moyen de défense contre les imposteurs. N'importe qui peut, s'il le veut, prêcher dans une assemblée sabbatiste. Dans de larges secteurs de l'adventisme, il n'existe aucune vérification de l'orthodoxie ni même de la moralité des prédicateurs, et on observe une crise car les gens s'autoproclament pasteurs.

Ce problème est déjà devenu évident chez toutes les ex-communautés millérites, avant leur organisation à la fin des années 1850 et le début des années 1860. Par exemple, un journal adventiste du premier jour reçoit une lettre de plainte de la part d'une communauté qui a « encore été troublée par de faux enseignements. [...] Il y a trois semaines, un homme du nom de Joseph Bates est arrivé ici, se prétendant pasteur adventiste. [...] Nous l'avons entendu et il prêche le sabbat du septième jour et la "porte fermée" ».

Himes, le rédacteur, répond : « La capitaine Bates est l'un de nos amis personnels de longue date, et c'est un homme de bien. Néanmoins, nous n'avons pas confiance en ses enseignements et il ne devrait pas être autorisé à parler. »

Le véritable problème que devait affronter le groupe des ex-Millérites est celui des limites. Bates se sent libre d'aller évangéliser parmi les communautés du premier jour, mais celles-ci sont tout autant décidées à rendre la pareille. Le pire danger reste pourtant celui des imposteurs dont le premier objectif est de ponctionner financièrement les membres.

En 1853, les sabbatistes prennent deux mesures pour préserver leurs communautés des « faux frères ». Tout d'abord, les pasteurs reconnus décident que les prédicateurs recevront une carte « qui les recommande dans toutes les communautés. » Deux leaders reconnus signent et datent ces cartes. Celle que John Loughborough reçoit en 1853 est paraphée par James White et Joseph Bates.

Le deuxième moyen pour légitimer leurs pasteurs est la consécration. Fin 1853, ils commencent à consacrer régulièrement les prédicateurs itinérants (les pasteurs assignés à une seule communauté n'existent pas encore) et les diacres, qui sont, semble-t-il les seuls responsables d'église à l'époque.

Merci, Père, d'avoir institué une protection pour garantir la sécurité de ton Église sur terre.

APPEL À L'ORDRE ÉVANGÉLIQUE — 1 RE PARTIE

Dieu n'est pas un Dieu de désordre mais de paix, comme dans toutes les églises des saints.
1 Corinthiens 14.33,34

« Dieu n'est pas un Dieu de désordre », cela n'apparaît pourtant pas dans certaines communautés sabbatistes en 1853. Le mouvement a grandi rapidement, mais il lui manque les structures permettant d'assurer l'ordre.

Même si des progrès ont été faits dans ce sens, il reste vulnérable. Cette réalité apparaît dans le rapport d'Ellen White d'un voyage qu'elle fait avec son mari dans l'est en automne 1853 : « C'était un voyage laborieux et plutôt décourageant. Beaucoup de ceux qui ont accepté la vérité n'étaient pas sanctifiés dans leur cœur et leur vie. La dispute et la rébellion étaient manifestes, et il était nécessaire de prendre des mesures pour purifier l'Église. » — *Life Sketches of Ellen White*, p. 150, 151.

Connaissant la situation, il n'est pas étonnant qu'Ellen et James White lancent plusieurs appels à « l'ordre évangélique » en décembre 1853.

James lance une campagne pour une meilleure organisation avec une série d'article intitulés « L'ordre évangélique » dans la *Review*. Il écrit dans l'article du 6 décembre : « Il s'agissait d'un sujet essentiel dans l'Église primitive [...] et il ne doit pas être considéré de moindre importance dans les derniers jours. [...] Si l'ordre évangélique était capital au point que Paul en parlait beaucoup dans ses épitres aux églises, il ne devrait pas être sous-estimé aujourd'hui par le peuple de Dieu. Nous pensons qu'il a été plutôt négligé, que l'Église devrait lui consacrer plus d'attention et faire tous les efforts possibles pour atteindre l'ordre évangélique. »

« Il est lamentable que beaucoup de frères, qui ont su quitter en temps utile les différentes églises qui rejetaient la doctrine adventiste, sont aujourd'hui plus qu'avant dans Babylone. Ils ont malheureusement négligé l'ordre évangélique. »

« Beaucoup, dans leur zèle pour quitter Babylone, font preuve d'un esprit impétueux et désordonné et reproduisent parfaitement la confusion de Babylone. [...] Dieu n'a pas appelé son peuple à sortir de la confusion des églises pour qu'il vive sans discipline ».

Il est difficile de maintenir un équilibre sain dans ce monde de péché. L'histoire de l'Église prouve qu'elle a toujours eu du mal à se positionner, entre le contrôle oppressif et la liberté non coordonnée. Heureusement, Dieu conduit son peuple, non seulement dans la doctrine mais également dans son administration.

APPEL À L'ORDRE ÉVANGÉLIQUE – 2E PARTIE

Que tout se fasse avec bienséance et avec ordre. 1 Corinthiens 14.40

Comment instaurer l'ordre et l'unité d'action parmi un groupe de croyants très indépendants et souvent individualistes ? C'est le travail de James White au début des années 1850. Beaucoup de sabbatistes sont convaincus que toute forme de contrainte provenant d'une église s'assimile à l'oppression de Babylone. C'est pour cela que James White appelle à l'ordre évangélique en décembre 1853. Dans son premier article, il déclare : « Supposer que l'Église du Christ est libre de toute contrainte ou discipline est le plus fou des fanatismes. »

Dans le deuxième, il invite les croyants à étudier les méthodes présentées dans le Nouveau Testament et souligne l'importance de l'unité. « Il est de la plus haute importance, écrit-il, que l'union et l'ordre règnent dans l'Église, [...] sinon, le trouble et le désordre apparaîtront dans le précieux troupeau. Celui qui s'engage dans le ministère de la proclamation de l'Évangile doit être un homme d'expérience, appelé par Dieu. »

Cette affirmation prépare le troisième article qui traite de la sélection, la qualification et la consécration des pasteurs, car « rien n'est plus dangereux pour l'Évangile que l'influence de ceux qui enseignent l'erreur ».

« Après plusieurs années d'expérience, écrit-il, nous pouvons dire que ceux qui se sont autoproclamés enseignants, alors que Dieu ne les avait jamais appelés, ont causé plus de préjudice à la vérité présente que toute autre chose. [...] Frères, allons-nous nous lamenter sur la désastreuse influence de ces faux prédicateurs, sans faire d'efforts pour les empêcher de nuire ? Sûrement pas ! » Selon le Nouveau Testament, l'Église doit faire attention au choix et à la consécration de ses pasteurs.

Dans son quatrième et dernier article, James souligne le rôle de l'Église dans l'ordre de l'Évangile. « Le travail, le soin et la responsabilité de cet important devoir, argumente-t-il, ne doit pas reposer uniquement sur quelques pasteurs. [...] Chaque membre doit se sentir concerné par la responsabilité de l'ordre évangélique et le salut des âmes. » Il insiste sur le fait que les membres d'église doivent soutenir le travail des pasteurs par leurs prières et leurs dons financiers.

Nous ne comprenons peut-être pas toujours l'impact du dernier article de James qui s'adresse aussi à nous : si nous attendons que les pasteurs terminent l'œuvre, il faudra longtemps ! Chacun de nous a sa responsabilité.

APPEL À L'ORDRE ÉVANGÉLIQUE — 3E PARTIE

Si quelqu'un aspire à la charge d'évêque, il désire une belle activité. Il faut donc que l'évêque soit irréprochable, mari d'une seule femme, sobre, sensé, sociable, hospitalier, apte à l'enseignement.
1 Timothée 3.1,2

Fin décembre 1853, Ellen White écrit, suite à une vision reçue pendant son voyage avec James dans l'est en automne 1852 : « Le Seigneur m'a montré que l'ordre évangélique a été beaucoup trop négligé. Le formalisme doit être évité, mais il ne faut pas pour cela négliger l'ordre. Il y a de l'ordre au ciel. [...] Et maintenant que nous sommes dans les derniers jours, alors que Dieu amène ses enfants à l'unité de la foi, l'ordre est plus nécessaire que jamais. Car si le Seigneur unit ses enfants, Satan et ses anges font tous leurs efforts pour détruire cette unité » — *Premiers écrits*, p. 97.

Elle est particulièrement préoccupée par la consécration des pasteurs. Des « hommes dont la vie ne dénote aucune sainteté et qui ne sont pas qualifiés pour enseigner la vérité présente, entrent dans le champ sans être reconnus par l'Église ou les frères en général. Le résultat, c'est la confusion, la désunion. Quelques-uns d'entre eux connaissent la théorie de la vérité et sont capables de présenter des arguments, mais ils manquent de spiritualité, de jugement et d'expérience. » — *Ibid.* p. 97, 98.

« Ces messagers qui se sont envoyés eux-mêmes sont une malédiction pour la cause », surtout quand « des âmes sincères mettent en eux leur confiance », pensant qu'ils sont en harmonie avec l'Église. À cause d'eux, « il est beaucoup plus difficile aux messagers de Dieu d'aller travailler là où ces hommes ont exercé une mauvaise influence, que d'entrer dans de nouveaux champs. » — *Ibid.* p. 99.

Par suite de ces problèmes, elle encourage l'Église : « J'ai vu que l'Église devait sentir sa responsabilité, et agir judicieusement à l'égard de ceux qui veulent enseigner, c'est-à-dire examiner soigneusement leur vie, leurs aptitudes et leur conduite en général ». La solution, pour elle, consiste à se référer à la Bible pour trouver les principes de l'ordre évangélique et « imposer les mains à ceux qui ont donné la preuve indubitable qu'ils ont reçu de Dieu leur mission, afin de les mettre à part pour qu'ils se consacrent entièrement à son œuvre. » — *Ibid.* p. 101.

La direction de l'Église est une lourde responsabilité, nous devons la prendre au sérieux, dans ses qualifications comme dans sa pratique.

Que Dieu aide son Église, alors qu'elle cherche son chemin dans un monde perdu.

Schisme dans le champ

Tu sais que tous ceux qui sont en Asie m'ont abandonné, entre autres Phygèle et Hermogène. 2 Timothée 1.15

Début 1854, James et Ellen White ont bien compris la nécessité de plus d'ordre et de structure chez les sabbatistes. James considère que l'organisation est essentielle et croit que sans elle, le mouvement progressera difficilement. Il écrit donc en mars : « Dieu attend que son peuple avance, dans l'ordre évangélique et maintienne des normes de piété élevées avant de le faire grandir en nombre. »

Le fait que l'adventisme sabbatiste vive aussi à ce moment-là son premier schisme organisé renforce sa conviction. Début 1854, deux prédicateurs, H.S. Case et C.P. Russell prennent position contre les White. À l'automne 1854, ils diffusent leur propre publication *The Messenger of Truth* [Le messager de la vérité], espérant avoir plus de lecteurs que *Review and Herald*. Beaucoup de sabbatistes tombent sous leur influence.

Au même moment, deux des quatre pasteurs sabbatistes du Wisconsin démissionnent. J.M. Stephenson et D.P. Hall commencent à enseigner qu'une deuxième chance de conversion sera offerte pendant le millénium sur la terre. Rapidement, ils se joignent à Case et Russell et affirment leur opposition au leadership des White.

Avec la présence de tant de personnes dissidentes parmi eux, il n'est pas étonnant que durant la deuxième moitié des années 1850, les sabbatistes publient de plus en plus d'articles sur la compréhension des principes bibliques concernant l'ordre dans l'église et la consécration des prédicateurs approuvés. Dieu est bon !

Il aide même son peuple à tirer les leçons des divisions et problèmes qu'il rencontre. Il en est de même dans l'Église primitive, et nous lisons ainsi les grandes lettres pastorales de l'apôtre Paul à Timothée et Tite, qui insistent sur les principes bibliques d'organisation. De plus, les épitres de Paul, Jacques, Pierre, Jude et Jean réprouvent les enseignements de ceux qui sèment la division. Si Dieu ne guidait pas son Église à travers tous les problèmes suscités par les faux enseignants, elle serait de plus en plus pauvre.

Aide-nous, Père, à mieux comprendre que tu utilises même les situations problématiques pour faire croître ton Église.

FAUT-IL ALLER VERS LE CONGRÉGATIONALISME ?

Les églises d'Asie vous saluent. Aquilas et Priscille, avec l'église qui est dans leur maison, vous saluent bien dans le Seigneur.
1 Corinthiens 16.19

Joseph Bates partage l'avis des White sur l'ordre évangélique, et selon les racines restaurationistes de *Christian Connexion*, il proclame que l'ordre biblique doit être restauré dans l'Église avant le retour du Christ.

Il soutient que pendant le Moyen-âge, ceux qui enfreignaient la loi ont éliminé des éléments essentiels du christianisme tels que le sabbat et l'ordre évangélique. Dieu a utilisé les sabbatistes pour rétablir le sabbat du septième jour et « il est clair que Dieu utilisera ceux qui respectent sa loi pour rétablir […] "une Église parfaite, sans défaut ni sans tache" […] Cette unité de la foi et ce parfait ordre ecclésial n'ont jamais existé depuis l'époque apostolique, et ils doivent être rétablis avant le retour du Christ ».

Si Bates indique qu'il croit dans le rétablissement de l'ordre de l'Église apostolique, il ne mentionne aucun élément d'organisation qui ne figure pas dans le Nouveau Testament.

À cette époque, James White partage son opinion et il écrit : « Par ordre évangélique ou ordre ecclésial, nous entendons l'ordre et la discipline qui doivent exister dans l'Église, tels qu'ils sont enseignés dans l'Évangile de Jésus-Christ, par les auteurs du Nouveau Testament. »

Quelques mois plus tard, il évoque « le parfait système d'ordre, présenté dans le Nouveau Testament sous l'inspiration de Dieu. […] Les Écritures présentent un système parfait ».

White, Bates et les autres sont convaincus que chaque aspect de l'ordre ecclésial doit être explicitement mentionné dans la Bible. Ainsi, J.B. Frisbee s'oppose à tout nom d'église, en dehors du seul nom donné par Dieu dans la Bible. Il argumente : « L'ÉGLISE DE DIEU […] EST LE SEUL NOM que Dieu a jugé bon pour son église ».

En raison de cette vision extrêmement littérale, il n'est pas étonnant que les premiers dirigeants adventistes discutent des devoirs des diacres et anciens, tels que Paul les présente. Il est plus surprenant de les voir définir l'ÉGLISE comme « une assemblée particulière de croyants » quand on connaît les implications d'Actes 15 et les efforts de « supervision » de Paul et ses compagnons. C'est pourtant le cas. Au milieu des années 1850, les sabbatistes favorisent le congrégationalisme.

Merci, Seigneur pour nos communautés locales. Aide-nous à ne jamais oublier leur place importante dans ton œuvre.

Le congrégationalisme ne suffit plus

En passant par les villes, ils transmettaient les décisions prises par les apôtres et les anciens de Jérusalem, afin qu'on les observe. Actes 16.4

L'Église primitive découvre que certains problèmes dépassent la communauté locale et doivent être gérés par un organisme coordinateur plus large. Lors du conseil d'Actes 15, les anciens et les apôtres se rencontrent pour arriver à établir une relation de collaboration entre Juifs et Gentils. L'assemblée prend les décisions pour les communautés.

Les premiers adventistes comprennent eux aussi que certaines questions ne peuvent pas se régler au niveau local. La première moitié des années 1850 voit les sabbatistes établir des structures dans les communautés locales, pendant la deuxième moitié de la décennie, ils se concentrent sur l'unité entre les communautés.

Quatre problèmes, au moins, contraignent les leaders comme James White à considérer l'organisation de l'Église sous une perspective plus globale. Le premier concerne la propriété légale des biens, en particulier la maison d'édition et les bâtiments de l'Église. Il ne veut absolument pas prendre la responsabilité de mettre la propriété de la maison d'édition à son nom.

Le deuxième problème qui le préoccupe est la rémunération des pasteurs. La situation est particulièrement difficile puisque les prédicateurs ne servent pas une communauté, mais vont d'église en église comme évangélistes itinérants. Leur soutien financier est compliqué par le fait qu'il n'existe aucun système de dîmes ni de collectes pour les rémunérer.

Une troisième question pousse James White vers une organisation à plus grande échelle : l'affectation des pasteurs. En 1859, il écrit que certaines églises comme Battle Creek disposent souvent de plusieurs prédicateurs, alors que d'autres restent démunies et n'entendent parfois pas de sermon pendant trois mois. Que cela plaise ou non, en 1859, James White fait office de surveillant, s'occupant de rémunérer et d'affecter un district aux pasteurs, sans qu'aucune structure ne soutienne ses efforts. Il est donc exposé à toutes les critiques de mauvaise gestion des fonds.

Le quatrième problème concerne le transfert des membres d'une communauté à l'autre, en particulier quand une personne est exclue d'une église et veut se joindre à une autre.

Les églises ont besoin d'une structure si elles veulent progresser dans l'unité. Elles sont composées d'hommes imparfaits, vivant dans un monde imparfait.

CRISE DANS LE MINISTÈRE

De même, le Seigneur a établi comme règle que ceux qui annoncent l'Évangile vivent de l'Évangile. 1 Corinthiens 9.14

Les pasteurs s'occupent peut-être des choses éternelles, mais ils ont également besoin de nourriture terrestre, et la nourriture coûte de l'argent.

Au milieu des années 1850, la rémunération des prédicateurs devient une crise majeure pour la jeune église. John Nevins Andrews en est un exemple. Il servira plus tard l'Église en tant que principal théologien, premier missionnaire officiel à l'étranger et président de la Conférence générale. Pourtant, au milieu des années 1850, l'épuisement et les privations le contraignent à abandonner le ministère alors qu'il n'a pas encore trente ans. À l'automne 1856, il est employé dans le magasin de son oncle, à Waukon dans l'Iowa.

L'église de Waukon est en train de devenir rapidement un groupe d'adventistes sabbatistes apathiques. John Loughborough lui aussi vint s'installer dans cette ville, découragé par le manque de finances.

Les White évitent à temps et temporairement la crise du ministère pastoral en faisant un voyage dangereux à Waukon, en plein hiver. Ils secouent la communauté endormie et encouragent les pasteurs épuisés. Andrews et Loughborough voient la main de Dieu dans leur visite et reconsacrent leur vie à la prédication.

Pourtant, la réalité financière ne s'améliore pas. Par exemple, pour ses trois premiers mois de travail après avoir quitté Waukon, Loughborough est nourri, logé, il reçoit un manteau en peau de buffle d'une valeur de dix dollars, et dix dollars en liquide. Le problème est loin d'être résolu, c'est du moins ce qu'en conclut Mme Loughborough.

« Je suis fatigué, écrit James White, de voir dans la *Review* des demandes de la part des prédicateurs et des appels de fond. Je suis las de les publier. Ces appels qui s'adressent à tout le monde et à personne ne servent qu'à remplir du papier et attrister les lecteurs. C'est un déshonneur pour la *Review* et pour notre cause. »

Les ouvriers chrétiens ne vivent pas de pain seulement, mais ils ont besoin de pain aussi, ainsi que leurs conjoints et enfants. Paul est clair : ceux qui annoncent l'Évangile doivent vivre de l'Évangile.

Comment ? La réponse nous paraît évidente. Quand nous participons financièrement au soutien des prédicateurs, nous entrons dans la bénédiction de leur ministère.

COMMENT RÉCOLTER DES FONDS ?

Que chacun de vous, le premier jour de la semaine, mette à part chez lui ce qu'il pourra, selon ses moyens.
1 Corinthiens 16.2

Au milieu des années 1850, trouver les fonds nécessaires à l'œuvre des sabbatistes est un problème crucial. Samuel H. Rhodes de Brookfield lance involontairement la discussion sur un plan de dons quand, en décembre 1856, il envoie 2 dollars à la *Review*, expliquant à James White qu'il croit que 1 Corinthiens 16.2 définit son devoir de mettre de l'argent de côté pour le Seigneur chaque dimanche.

White s'enthousiasme à la perspective du potentiel de ce plan. « Nous recommandons à tous les chrétiens, conseille-t-il, de considérer attentivement ce texte. Il s'agit évidemment d'une réflexion personnelle que chacun réalisera dans la crainte du Seigneur. » Si tous les chrétiens faisaient comme Rhodes, « le trésor du Seigneur serait plein et permettrait d'avancer considérablement l'œuvre ».

Trois semaines plus tard, une autre personne envoie de l'argent au bureau de la *Review*, citant le même texte. White reconnaît « qu'il n'y a pas de meilleur plan que celui des apôtres » et il invite les lecteurs à s'y engager. Malheureusement, ceux-ci ne répondent pas. En avril 1859, James White écrit : « Les déceptions successives attristent et découragent nos pasteurs. Certains se sont engagés en s'attendant à être soutenus par leurs frères, […] mais leurs frères ont souvent manqué à leur devoir. » Par conséquent, plusieurs prédicateurs « sont au plus bas, vivent dans la pauvreté, en mauvaise santé et découragés ».

C'est alors que James White, assez désespéré lui aussi, propose un second plan. Il invite les croyants à verser à l'église une somme égale aux impôts qu'ils versent à l'État. Cependant, les adventistes se sont montrés réticents à suivre le conseil de 1 Corinthiens 16, ils le sont encore plus face à ce plan d'impôts. Trois mois plus tard, selon James White, « Satan exulte » devant l'absence de programme de soutien financier de l'Église.

Anxieuse face à ce problème, la communauté de Battle Creek, Michigan, forme un comité de travail en été 1858 pour chercher dans la Bible un plan de financement du ministère. Dirigé par J.N. Andrews, ce groupe développe un concept qui sera accepté début 1859.

Nous oublions parfois que nos précurseurs ont lutté pour résoudre des problèmes qui ne nous dérangent plus de nos jours. En fait, nous nous reposons sur leurs épaules, pour bénéficier aujourd'hui des solutions qu'ils y ont apportées. Tirons donc les leçons de leurs luttes.

Sœur Betsy

Que chacun donne comme il l'a résolu en son cœur, sans tristesse ni contrainte, car Dieu aime celui qui donne avec joie. 2 Corinthiens 9.7

En février 1859, James White annonce avec joie les résultats des travaux du comité qui a étudié le financement du ministère. Il présente le concept de la *Générosité systématique* qui permet aux membres de donner régulièrement pour soutenir l'Église.

Convaincu que ce plan est inspiré de Dieu, il souligne 1 Corinthiens 16.2 pour justifier une offrande hebdomadaire et des textes tels que 2 Corinthiens 9.5-7 qui rappellent que nous récoltons ce que nous semons et que Dieu aime celui qui donne de bon cœur.

James présente également les directives de ce plan de *Générosité systématique* : les hommes de dix-huit à soixante ans devraient donner chaque semaine entre 5 et 25 cents, et les femmes du même âge entre 2 et 10 cents. Chacun ajoutera 1 à 5 cents pour 100 dollars de valeur de propriété qu'il possède.

Suivant le modèle de 1 Corinthiens 16, les fonds de la *Générosité systématique* sont recueillis le dimanche matin quand les trésoriers visitent les foyers avec leurs registres de comptes.

Comme on peut se l'imaginer, ce programme ne suscite pas un enthousiasme délirant, pourtant, deux ans plus tard, James White résume la situation de façon encourageante : « Tous attendent [le trésorier], se préparent pour l'accueillir et le reçoivent avec bienveillance. Personne, écrit-il, n'est plus pauvre, et tous se sentent plus heureux quand ils ont remis leur offrande au trésorier. »

Le problème qui se pose alors est de savoir comment gérer cet argent. James White suggère d'abord que chaque communauté en dispose comme cela lui semble bon. Il propose ensuite que chaque église garde au moins une disponibilité de 5 dollars pour soutenir les prédicateurs en visite, et envoie le reste dans le Michigan pour l'évangélisation.

La *Générosité systématique*, que certains appelleront ensuite « Sœur Betsy » est déjà un progrès, mais elle est loin de suffire pour les besoins de l'Église. De plus, en 1859, les sabbatistes n'ont toujours pas de méthode systématique pour utiliser les fonds et payer les prédicateurs.

Nous apprécions certainement aujourd'hui de ne pas voir le trésorier arriver chez nous chaque dimanche avec son registre en main. Dieu a inspiré un moyen moins intrusif et plus adéquat pour le financement de l'Église.

LA DÎME : LE SYSTÈME IDÉAL

Apportez à la maison du trésor toute la dîme afin qu'il y ait des provisions dans ma maison. Mettez-moi de la sorte à l'épreuve, dit l'Éternel des armées, et vous verrez si je n'ouvre pas pour vous les écluses du ciel.
Malachie 3.10

Fait intéressant, les premiers débats sur la *Générosité systématique* ne font aucune référence à Malachie 3.10, et les rédacteurs de la *Review* n'évoquent pas non plus les bénédictions liées à la générosité.

Ils mettent simplement en évidence que la *Générosité systématique* n'est pas un sacrifice difficile par nature. En fait, elle implique tellement peu de sacrifices qu'elle ne suffit pas pour répondre de façon adéquate aux besoins de l'Église.

Les sabbatistes adoptent le principe de la dîme de façon très progressive. Il semble que certains y aient pensé déjà en 1859, mais James White croyait que le système de la *Générosité systématique* était supérieur au système israélite des dîmes.

Les choses changent en 1879, quand Dudley M. Canright publie dans la *Review* une série d'articles basés sur Malachie 3.8-11. Il présente la dîme comme le plan biblique pour le soutien financier des prédicateurs, il souligne « Dieu demande que la dîme, c'est-à-dire un dixième de tous les revenus de son peuple, soit donné pour rémunérer l'œuvre de ses ouvriers. » Il poursuit en remarquant que Dieu ne demande pas qu'on lui donne une dîme, mais dit que le dixième appartient à l'Éternel. Puisque la dîme appartient déjà à Dieu, les croyants la lui rendent donc. Canright met en évidence les bénédictions liées à la restitution de la dîme. « Je me réjouis, écrit-il, que Dieu bénisse spécialement ceux qui rendent volontiers leur dîme. »

Au-delà de la bénédiction personnelle, le système de la dîme parvient à faire face aux besoins financiers de l'Église, alors que celui de la *Générosité systématique* avait échoué. Lors de la Conférence générale de 1876, Canright fait remarquer que si les membres versaient fidèlement leur dîme, la trésorerie recevrait 150 000 dollars par an au lieu des 40 000 qui lui parviennent réellement.

Il demande que la Conférence générale valide le système de la dîme, ce qu'elle fait en octobre 1876. À partir de là, il est officiellement adopté pour rémunérer les pasteurs, et la « maison du trésor » est structurée pour organiser collectes et dépenses.

Merci, Seigneur, d'avoir guidé aussi l'organisation financière de ton Église. Nous apprécions ta bénédiction sur ceux qui suivent le plan biblique de la dîme et des offrandes.

REDÉFINITION DE BABYLONE

C'est pourquoi on l'appela du nom de Babel, car c'est là que l'Éternel confondit le langage de toute la terre. Genèse 11.9

Au milieu de l'année 1859, James White est prêt à lancer l'étape finale de l'organisation officielle de l'Église. « Nous manquons d'organisation, regrette-t-il le 21 juillet. Beaucoup de nos frères sont dispersés. Ils observent le sabbat, lisent la *Review* avec intérêt, *mais ne font rien ou bien peu parce qu'il nous manque une méthode unissant nos actions.* » Pour remédier à cette situation, il organise des rencontres dans tous les États pour coordonner les activités des sabbatistes de la région.

« Nous sommes conscients, reconnaît-il, que ces mesures ne conviendront pas à tous. Frère Craintif aura peur et recommandera à ses frères de faire attention et de ne pas s'aventurer trop loin ; Frère Confusion se plaindra : Cela ressemble à Babylone, la chute de l'Église est proche ! Frère Paresseux conseillera : C'est la cause de l'Éternel, remettons-la entre ses mains et il s'en occupera ; "Amen ! Si Dieu appelle des prédicateurs, qu'ils s'engagent et il prendra soin d'eux" s'écrieront frère Amour-du-monde, frère Égoïste et frère Avare. [...] Quant à Koré, Dathan et Abiram, ils seront prêts à se rebeller contre ceux qui portent le poids de la cause [c'est-à-dire James White] et prennent soin des âmes, en leur demandant des comptes et en prétendant qu'ils s'occupent de trop de choses. »

James White exprime sans équivoque qu'il est fatigué et agacé d'entendre crier Babylone chaque fois qu'on évoque l'organisation. « Frère Confusion, écrit-il, fait une énorme erreur en comparant l'organisation, qui est en harmonie avec la Bible et le bon sens, avec Babylone. *Puisque Babylone signifie confusion, notre frère mérite que ce nom soit inscrit sur son front. Nous allons même jusqu'à dire que personne n'est plus digne de recevoir le nom de Babylone que ceux qui professent la foi adventiste mais rejettent l'ordre de la Bible.* »

James se préoccupe plus que jamais de la santé du mouvement adventiste. Dans son appel pressant pour l'organisation, on remarque qu'il redéfinit Babylone comme l'oppression et la confusion, deux termes qui décrivent la situation de l'Église en 1859.

Il est parfois important de se lever pour affirmer nos convictions bibliques. Dieu emploie encore des hommes et femmes pieux et équilibrés comme James White pour ramener son église sur le bon chemin. Que Dieu nous donne le courage de prendre position au bon moment.

PENSER GRAND

Quand personne ne prévoit l'avenir, le peuple vit dans le désordre.
Proverbes 29.11, PDV

Quand on pense petit, on obtient de petits résultats. Dans les années 1850, la majorité des adventistes pensent petit, mais la place stratégique de James White dans l'adventisme lui donne une vision qui non seulement le différencie des autres membres, mais transforme également sa pensée.

En 1859, il dénonce l'état de l'Église. Elle se trouve dans une confusion semblable à celle de Babylone, en manque de structure et peu consciente de sa mission. Il a également changé d'avis et ne croit plus que la Bible doit citer explicitement et littéralement chaque aspect de l'organisation de l'Église. Il déclare maintenant qu'il « ne faut pas craindre un système qui ne s'oppose pas à la Bible et est confirmé par le bon sens ».

Il adopte donc une nouvelle herméneutique, en passant d'un principe d'interprétation biblique selon lequel les seules choses approuvées par la Bible sont celles qu'elle mentionne explicitement, à une pensée qui approuve ce que la Bible ne condamne pas.

Cette évolution de sa pensée est essentielle pour les initiatives innovatrices de l'organisation de l'église qu'il défendra dans les années 1860.

Cette nouvelle herméneutique le met cependant en opposition avec ceux qui restent sur une approche littérale de la Bible et pensent que l'Église ne peut accepter que ce que les Écritures citent explicitement.

Pour leur répondre, James White fait remarquer qu'il n'est écrit nulle part dans la Bible que l'Église doit avoir une revue périodique, une imprimerie à vapeur, des lieux de culte, ou des publications. Pour lui, l'Église vivante de Dieu doit avancer, dans un esprit de prière et avec bon sens.

James White est un grand visionnaire. Il ne l'était pas au début, mais en prenant la direction de l'Église, il acquiert une pensée élargie et créative.

Nous pouvons remercier Dieu pour cela. Sans de grands visionnaires tels que James White, l'adventisme n'aurait jamais dépassé le nord-est des États-Unis. Dieu appelle encore de telles personnes à faire avancer son œuvre, et il nous demande pour cela de « penser plus grand ».

LE CHOIX D'UN NOM

Bonne renommée vaut mieux que l'huile parfumée. Ecclésiaste 7.1

On comprend difficilement comment un mouvement en croissance peut rester presque vingt ans sans nom. C'est pourtant le cas de l'adventisme sabbatiste. Certains pensaient que choisir un nom les ferait ressembler aux autres églises. De plus, où était-il écrit dans la Bible que les églises doivent avoir un nom ?

Cette question est pertinente, mais si la Bible ne l'exige pas, c'est le gouvernement qui les contraint à se constituer en société, puisqu'ils possèdent des propriétés. La crise résulte de la nécessité de créer une société pour la maison d'édition de Battle Creek, au Michigan. Au début des années 1860, James White refuse désormais de continuer à porter personnellement la responsabilité financière de l'institution. Il faut maintenant faire le nécessaire pour être les propriétaires légitimes des biens de l'Église.

Cette suggestion suscite une violente réaction. Même s'il reconnaît qu'une église ne peut se constituer société sans posséder de nom, R.F. Cottrell écrit pourtant qu'il pense qu'il serait mal de « se faire un nom », puisque c'est le principe même de Babylone.

Cottrell suggère que le Seigneur doit s'occuper des propriétés de l'Église ; James White riposte qu'il est « dangereux de laisser au Seigneur ce qu'il nous a lui-même confié » et répète encore une fois que « tous les devoirs du chrétien ne sont pas cités dans les Écritures ».

En 1860, l'assemblée sabbatiste décide de constituer la maison d'édition en société, et vote le devoir des églises de s'organiser pour gérer correctement leurs biens, et le choix d'un nom pour la dénomination.

Beaucoup proposent « Église de Dieu », mais les leaders objectent que plusieurs confessions utilisent déjà ce nom. David Hewitt finit par suggérer « adventistes du septième jour » et sa proposition est adoptée, car la majorité des délégués trouvent qu'elle « exprime notre foi et notre position doctrinale ».

Ellen White reste silencieuse pendant les débats, mais elle exprime plus tard son opinion avec éloquence : « Le nom d'adventistes du septième jour met en évidence les vraies caractéristiques de notre foi. [...] Comme un flèche prise dans le carquois du Seigneur, il blessera les transgresseurs de la loi divine et conduira à la repentance envers Dieu et à la foi en notre Seigneur Jésus-Christ. » — *Témoignages pour l'Église,* vol. 1, p. 89.

Telle est la valeur d'un nom adéquat.

L'ÉGLISE S'ORGANISE ENFIN

Ils firent nommer pour eux des anciens dans chaque église, et après avoir prié et jeûné, ils les recommandèrent au Seigneur en qui ils avaient cru.
Actes 14.23

Même si le concept de structure ecclésiale qui permet l'ordre dans les communautés est souvent cité dans le Nouveau Testament, ce n'est pas le sujet favori de nombreux adventistes.

Le temps viendra pourtant. En avril 1861, les sabbatistes nomment un comité qui recommande la formation de fédérations de districts ou d'États, qui superviseront les activités de leurs régions respectives.

Les réactions sont fortes, en particulier dans les États de l'est. James White écrit en août : « Les frères de Pennsylvanie ont voté contre l'organisation et l'Église a été terriblement secouée en Ohio. » Il résume ainsi la situation : « Lors de notre voyage dans l'est, nous avons rencontré jusqu'à présente une stupide incertitude au sujet de l'organisation. [...] Nous existons partout, mais comme des fragments disséminés et de plus en plus faibles. »

Ellen White partage son opinion, elle écrit le même mois : « Certains craignent que nos églises deviennent Babylone si elles s'organisent, mais les églises du centre de New York vivent dans Babylone et la confusion. Maintenant, si les églises ne s'organisent pas pour promouvoir l'ordre, elles n'ont rien à espérer du futur, car elles vont se fragmenter. » Elle déplore le « manque de courage moral » et la « lâcheté » des prédicateurs qui croient dans l'organisation mais gardent le silence. Ses mots ne laissent aucun doute : pour elle, le temps est venu de chercher à être unis sur cette question. — *Testimonies for the Church*, vol. 1, p. 270-272.

Le moment de l'action est arrivé.

Lors de l'assemblée générale des croyants en octobre 1861, le premier sujet à l'ordre du jour est « la bonne façon d'organiser les églises ». L'assemblée vote la recommandation aux églises du Michigan de s'unir sous le nom de Fédération des adventistes du septième jour du Michigan.

James White est enchanté, c'est pour lui le signe de « jours meilleurs ». L'année suivante, plusieurs fédérations s'organisent à leur tour.

Le diable ne se réjouit jamais autant que lorsqu'il sème la confusion, ce qui lui est plus facile avec les groupes non organisés. Malheureusement, on ne comprend souvent la valeur de l'organisation que quand elle manque.

Merci, Seigneur, pour ce que tu nous as donné.

La Conférence générale

Il y a un seul corps et un seul esprit, comme vous aussi vous avez été appelés à une seule espérance, celle de votre vocation. Éphésiens 4.4

La formation de fédérations dans les États ne résout pas tous les problèmes administratifs. Qui, par exemple, doit coordonner le travail des pasteurs et leur affecter un district ? J.H. Waggoner soulève cette question sans équivoque en juin 1862 : « Je ne crois pas que nous bénéficierons des avantages de l'organisation tant qu'une Conférence générale n'est pas instituée. » Plusieurs lecteurs de la *Review* répondent positivement à cette proposition pendant l'été 1862.

J.N. Andrews ajoute que sans une structure qui représente l'ensemble des croyants, « nous serons dans la confusion chaque fois qu'une action collective devra être organisée. Le travail de l'organisation, chaque fois qu'il a été mis en œuvre correctement, a porté de bons fruits, c'est pourquoi je désire qu'elle soit complétée de façon à être pleinement efficace, non seulement au profit des églises, mais également pour le corps des croyants et la cause de la vérité ».

B.F. Snook remarque que certains sentiments de discorde se sont déjà manifestés dans la jeune église et que le seul moyen de générer l'unité c'est d'avoir une « Conférence générale ».

James White, comme on peut s'en douter, approuve cette vision. Pour lui, la Conférence générale doit être la coordinatrice des fédérations d'États, pour assurer l'action unie et systématique de tout le corps des croyants. Le devoir de la Conférence générale est de déterminer la ligne de conduite commune des fédérations d'États. Elle n'a pas une autorité supérieure aux fédérations d'États, mais doit coordonner le travail de l'Église sur tout son secteur géographique.

La Conférence générale des adventistes du septième jour est instituée lors d'une assemblée convoquée à cet effet à Battle Creek du 20 au 23 mai 1863. Cette étape importante ouvre la voie à l'Église unifiée pour porter le message des trois anges d'Apocalypse 14 aux quatre coins de la terre. L'extension du programme missionnaire adventiste n'aurait jamais pu être accomplie par plusieurs communautés ou fédérations ayant chacune leurs propres objectifs.

Merci, Seigneur, pour la force et l'unité générées par l'organisation.

RÉTROSPECTIVE SUR L'ORGANISATION — 1RE PARTIE

Nous croîtrons à tous égard en celui qui est le chef, le Christ. De lui, le corps tout entier bien coordonné et cohérent, grâce à toutes les jointures qui le soutiennent fortement, tire son accroissement dans la mesure qui convient à chaque partie, et s'édifie lui-même dans l'amour. Éphésiens 4.15,16

L'organisation de la Conférence générale marque la fin d'une période dans l'histoire de l'adventisme. Il passe d'une Église en formation, non structurée, à une forme qui se hiérarchise progressivement.

En tant que leaders non officiels de l'Église, les White se réjouissent de cette nouvelle organisation. Ils ont connu la situation chaotique de l'adventisme à la fin des années 1840 et au début des années 1850, et ne cesseront jamais de vanter les avantages d'une autorité d'Église *exercée de façon adéquate*.

Ellen White s'exprime avec force en 1892 sur la valeur de l'organisation. Se souvenant du passé, elle écrit : « Nous avons eu beaucoup de mal à instituer l'organisation. Bien que le Seigneur se soit manifesté en faveur à plusieurs reprises, nous avons rencontré de façon répétée une forte opposition. Nous savions cependant que Dieu nous guidait et nous bénissait. Nous nous sommes engagés dans l'œuvre de l'organisation et cette avancée a été marquée par la prospérité. [...]

L'organisation s'est révélée une grande réussite. [...] *Que personne ne croie* [...] *qu'il est possible de se passer de l'organisation.* [...] Nous avons passé énormément de temps dans l'étude et la prière pour être éclairés à ce sujet, et nous savons que Dieu nous a répondu pour nous encourager à édifier cette structure. Elle a été établie selon ses indications. [...] *Qu'aucun des frères ne se laisse piéger par la tentation de la détruire*, car les conséquences d'un tel acte seraient inimaginables. Au nom du Seigneur, je déclare que l'organisation doit être établie, soutenue, fortifiée. [...] *Que chacun soit très attentif à ne pas déstabiliser les esprits au sujet de ce que Dieu a ordonné, pour l'avancement et le succès de sa cause. »* — Lettre n° 32a, 1892, c'est nous qui soulignons.

Dieu croit en l'organisation. Moi aussi. L'Évangile éternel et les autres enseignements d'Apocalypse 14 n'ont pas été donnés par hasard. Les adventistes ont institué l'organisation pour accomplir la mission de l'Église, et cela s'est révélé utile et efficace. Ceux qui ont voté d'établir la Conférence générale comme entité de coordination en mai 1863 seraient aujourd'hui stupéfaits du succès de leur décision.

RÉTROSPECTIVE SUR L'ORGANISATION — 2E PARTIE

Prenez donc garde à vous-mêmes et à tout le troupeau au sein duquel le Saint-Esprit vous a établis. Actes 20.28

Les dynamiques qui ont amené à instituer l'organisation résultaient d'un complexe de corrélations d'idées. L'une des plus importantes était la progression de la compréhension biblique de la mission de l'Église. En 1861, certains dirigeants ont compris qu'il faut évangéliser le monde et en 1863, le comité exécutif de la toute nouvelle Conférence générale commence à envisager d'envoyer des missionnaires outre-mer. Cette vision élargie de la mission fait émerger la nécessité de développer une organisation adéquate pour soutenir cette mission. En bref, James White et d'autres collaborateurs comprennent qu'aucun effort missionnaire efficace ne peut être entrepris sans un système de soutien rationnel et efficace.

Une autre réalité qui les oblige à élargir leur concept de structure d'Église est le besoin de maintenir une unité doctrinale. En 1864, James White met en opposition les bons fruits de l'organisation adventiste avec « la situation misérable et confuse de ceux qui la rejettent. »

G.I. Butler pousse un peu plus loin cette ligne de pensée en 1873, lorsqu'il écrit : « Nous sommes un peuple soigneusement organisé et cette organisation ne se base pas sur de simples apparences, mais sur des fondements solides. Nous avons lutté contre toutes sortes d'influences provenant du dedans et du dehors, et formons désormais un corps qui tient le même langage d'un océan à l'autre. Il n'est donc pas facile de nous diviser. »

La question de la doctrine est évidemment étroitement liée à celle de la mission. C'est parce qu'ils sont unis sur la doctrine que les adventistes sont disposés à s'unir dans la mission, pour porter l'Évangile dans tous les États-Unis et ensuite dans le monde entier.

Enfin, c'est la mission de l'Église qui requiert une structure adéquate. Comme le répète James White : « Ce n'est pas l'ambition de créer une dénomination qui a suggéré l'organisation, mais les incontournables nécessités de la situation. » James White souhaite en particulier que les rouages fonctionnent bien, mais les premiers adventistes se préoccupent également que leur structure soit en harmonie avec les enseignements bibliques qui doivent caractériser la nature et la mission de l'Église. À long terme, l'organisation résulte de la compréhension biblique de l'Église, et de son rôle, à la fin des temps, d'avertir le monde du retour du Christ.

La santé au XIXe siècle : le « bon vieux temps » ? — 1re partie

N'y a-t-il plus de baume en Galaad ? N'y a-t-il plus de médecin là-bas ?
Jérémie 8.22

C.P. Snow a écrit : « Aucune personne intelligente ne souhaiterait avoir vécu dans les siècles passés, sauf si elle pouvait être certaine de naître dans une famille riche, de jouir d'une bonne santé et d'être capable de supporter courageusement la mort de la plupart de ses enfants. »

En clair, le « bon vieux temps » n'était pas aussi idéal que ce que la nostalgie pourrait faire croire. L'espérance de vie moyenne était de 32 ans en 1800, de 41 ans en 1850, de 50 ans en 1900 et de 67 ans en 1950. Actuellement, elle est de 80 ans pour les femmes aux États-Unis, et légèrement inférieure pour les hommes.

La raison de cette amélioration est simple : meilleures habitudes d'hygiène et d'alimentation et meilleure qualité des soins médicaux.

Au XIXe siècle, les habitudes sanitaires de la plupart des gens laissaient grandement à désirer. Les classes aisées mangeaient de grandes quantités d'aliments peu sains. Ils évitaient en particulier les fruits et légumes, persuadés que l'épidémie de choléra de 1838 avaient été provoquées par les fruits. Beaucoup pensaient aussi que les fruits et légumes étaient nocifs pour les enfants. Les éléments de base de diététique étaient inconnus. De plus, même les bons aliments étaient souvent mal conservés et non réfrigérés.

L'alimentation était la cause de nombreux problèmes, mais l'hygiène était aussi très insuffisante. La plupart des gens prenaient rarement un bain et selon une étude nationale, l'Américain moyen des années 1830 n'avait jamais pris un bain de sa vie. En 1855, à New York, on comptait 1 361 baignoires pour 629 904 habitants. En 1882, on estime que seuls 2 % des logements de New York avaient l'eau courante.

En 1872, quand Ellen White recommande aux personnes en bonne santé de prendre un bain deux fois par semaine, elle fait une avancée fulgurante dans le domaine sanitaire.

On n'imagine pas, aujourd'hui, comme la santé était précaire au milieu du XIXe siècle. En lisant les écrits d'Ellen White et d'autres réformateurs sanitaires de l'époque, il faut les resituer dans le contexte d'ignorance, de mortalité et de morbidité de l'époque.

En ce qui concerne la santé, nous pouvons être reconnaissants au Seigneur de vivre dans une époque favorisée.

La santé au XIXe siècle : le « bon vieux temps » ? — 2e partie

Tu auras un endroit à l'écart hors du camp, et c'est là dehors que tu sortiras. Tu auras parmi ton bagage un outil et quand tu t'accroupiras au dehors, tu feras un creux, puis tu reviendras après avoir couvert tes excréments.
Deutéronome 23.13,14

C'est un texte un peu inhabituel pour une méditation, mais Dieu se préoccupe de tous les aspects de notre vie. Si l'on avait suivi les directives bibliques au cours des âges, on aurait sauvé plusieurs millions de personnes des maladies et épidémies. Et s'il s'agissait de la vie de notre conjoint ou de nos enfants, nous bondirions de joie pour louer le Seigneur d'avoir donné ces directives.

Les sanitaires étaient l'une des causes des problèmes de santé aux États-Unis au milieu du XIXe siècle. Dans la ville de New York, on ne comptait par exemple que 10 388 toilettes à l'intérieur en 1855, et les écoulements des WC extérieurs contaminaient souvent l'eau des fontaines.

Il n'existait pas non plus de système de traitement des ordures. La plupart des déchets étaient jetés dans la rue et les cochons errants y fouillaient. Dans les années 1840, des milliers de cochons vagabondaient librement dans les rues de la ville, ce qui n'arrangeait pas la situation.

Les excréments des chevaux formaient une boue dans les rues non pavées par temps pluvieux, et volaient en poussière odorante par temps sec. Dans les rues de New York, en 1900, on estime que les chevaux déposaient chaque jour environ 1 000 tonnes de fumier et 227 000 litres d'urine. La vie rurale n'était pas beaucoup plus saine, la plupart des maisons étant environnées de fumier et de saletés.

N'oublions pas les crachats. Les hommes mastiquaient le tabac et le crachaient partout, dans les maisons et dehors, même si les plus raffinés évitaient de cracher sur la table.

Le « bon vieux temps » était une époque d'ignorance dont le coût en vies humaines était bien lourd. En 1878, l'épidémie de fièvre jaune de Memphis, au Tennessee tua 5 150 des 38 500 habitants. La même année, on compta 3 977 morts à la Nouvelle-Orléans, la moitié seulement des 7 848 morts dus à l'épidémie de 1853. Les gens attribuaient les épidémies et maladies au « mauvais air », que les autorités appelaient « miasme ». Les gens dormaient donc dans des pièces non aérées pour préserver leur santé.

Merci, Seigneur, pour les choses simples de la vie, comme l'air et l'eau purs.

La santé au XIXe siècle : le « bon vieux temps » ? – 3e partie

Il y avait une femme atteinte de perte de sang depuis douze ans,
qui avait dépensé tout son bien chez les médecins
et qui n'avait pu être guérie par personne.
Luc 8.43

Si vous aviez été malade au XIXe siècle, vous n'auriez surement pas voulu aller à l'hôpital. L'hospitalisation était généralement une sentence de mort, à une époque où l'existence des bactéries était inconnue. Les épidémies ravageaient régulièrement ces institutions insalubres, à l'origine destinées aux pauvres. Dans les années 1840, les hôpitaux étaient le lieu où l'on allait mourir. Les gens riches étaient généralement soignés chez eux par des médecins.

Malheureusement, l'hospitalisation à domicile n'était pas très perfectionnée non plus. Pour la sagesse populaire, la maladie était due à un déséquilibre des « humeurs », et le traitement consistait à les rééquilibrer. Pour cela, on commençait souvent par une saignée, d'un demi à un litre. On poursuivait avec une purge que les médecins provoquaient par l'administration de drogues généralement composées de mercure et de strychnine, substances extrêmement toxiques.

À l'âge où l'on croyait que la fièvre, la diarrhée et les vomissements étaient signes de guérison, ces substances avaient l'effet désiré et vidaient rapidement et violemment l'organisme de ses fluides. Il n'est pas étonnant qu'on appelle cette époque « l'âge de la médecine héroïque ».

La chirurgie n'était pas moins héroïque puisque l'anesthésie n'existait pas. Il suffit de se rappeler le jeune Uriah Smith, amputé de la jambe sur la table de sa cuisine, sans autre calmant que la main de sa mère. Après l'intervention, le pronostic restait mauvais, en raison des mauvaises conditions d'hygiène dues à la méconnaissance des germes.

Combien de temps fallait-il étudier pour devenir médecin ? Pas beaucoup. Quatre à huit mois suffisaient pour obtenir un diplôme de médecine, même sans avoir fréquenté l'école secondaire.

Il n'est pas étonnant qu'Oliver Wendell Homes ait déclaré : « Si toute la connaissance médicale pouvait être jetée au fond de la mer, ce serait tant mieux pour l'humanité, mais tant pis pour les poissons. »

Edson, le fils d'Ellen White, possédait un tel diplôme de médecine. Il disait en plaisantant : « Les médecins de la clinique Hygieo-Therapeutic sont des charlatans et le vieux docteur Mills est juste bon à être jeté dans la rivière Delaware. »

L'erreur tue.

La vérité nous libère – même sur le plan physique.

La réforme sanitaire

Vous connaîtrez la vérité et la vérité vous rendra libres. Jean 8.32

C'est dans ce contexte que démarre le mouvement américain de réforme sanitaire pendant les années 1830. L'un de ses représentants les plus influents est Sylvester Graham. Il présente ses idées dans un article du *Graham Journal* en 1837. Pour lui, « l'alimentation devrait être principalement constituée de fruits et légumes ; le pain devrait être fait à partir de farine non raffinée ; il faudrait employer de la bonne crème plutôt que du beurre ; les aliments devraient être correctement mastiqués ; il faudrait exclure la viande et le poisson ; il faudrait éviter les graisses, jus de viande et condiments épicés ; tous les stimulants tels que le thé, le café, le vin, le tabac (sous toutes ses formes), la bière, le cidre, etc. doivent être prohibés ; l'eau pure est la meilleure des boissons ; le repas du soir devrait être léger et pris au moins trois heures avant le coucher ; il ne faut prendre aucun aliment en dehors des repas ; il faut éviter de manger trop ; il faudrait éviter, si possible, de prendre des médicaments ; il faut dormir au moins sept heures dans une chambre bien aérée ; il faudrait toujours éviter les vêtements trop serrés ; il est conseillé se laver, même quotidiennement, avec de l'eau chaude ou froide ; il est nécessaire de faire de l'exercice au grand air ; le pain ne doit être consommé que 12 à 24 heures après sa cuisson. »

Pour les réformateurs sanitaires religieux, les lois de la santé viennent de Dieu. Theodore Dwight Weld déclare ainsi : « Ce sont des lois divines, tout comme "aime le Seigneur de tout ton cœur" ou "aime ton prochain comme toi-même". » Y obéir signifie être en bonne santé, alors que les transgresser cause la maladie. Pour Weld, il faut choisir « entre obéir à Dieu ou lui résister, préserver la vie ou la détruire, observer le sixième commandement ou se suicider. »

En parallèle avec ce mouvement apparaissent des formes de pratique médicale excluant les saignées et les purges, et s'opposant aux techniques de l'époque. L'hydrothérapie, par exemple, recommande l'application interne et externe d'eau comme thérapie. Les médecins qui la pratiquent adoptent généralement les principes de Graham.

En tant qu'adventistes, nous croyons parfois que la réforme sanitaire a démarré chez nous. Ce n'est pas le cas. Dieu aime tous les hommes et il inspire le cœur de beaucoup pour soulager les maux de cette terre. Qu'il soit loué pour son immense bonté !

ELLEN WHITE ET LES RÉFORMATEURS SANITAIRES

Que Dieu nous accorde sa grâce et qu'il nous bénisse,
qu'il fasse briller sur nous sa face, afin que l'on connaisse sur la terre ta voie
et parmi toutes les nations ton salut. Psaume 67.2,3

Ceux qui connaissent les conseils d'Ellen White sur la santé constateront qu'ils sont en accord avec ceux de la plupart des réformateurs sanitaires. Elle n'est donc pas la seule à rejeter l'utilisation de « poisons » qui, « au lieu d'aider la nature, paralysent sa force » — *Medical Ministry*, p. 224.

De façon plus positive, elle confirme leurs conseils de remèdes naturels : « L'air pur, le soleil, l'abstinence d'alcool, l'eau, le repos, l'exercice, une alimentation correcte, la confiance en Dieu » — *Le ministère de la guérison*, p. 102.

Les premiers adventistes savaient qu'Ellen White approuvait les réformateurs sanitaires de l'époque et connaissaient ses contributions spécifiquement adventistes. Ainsi, J.H. Waggoner écrit en 1866 : « Nous ne prétendons pas être les pionniers des principes généraux de la réforme sanitaire. Les faits sur lesquels ce mouvement se base a été principalement élaboré par les réformateurs, médecins et auteurs qui ont écrit sur la physiologie et l'hygiène, et qui proviennent de tout le pays. Nous déclarons que par le moyen que Dieu a choisi [le conseil d'Ellen White], ces principes ont été plus clairement révélés, et produisent donc un effet que l'on n'aurait pas pu attendre des autres sources. Si on les considère comme de simples vérités physiologiques et hygiéniques, on les étudiera si on en a envie, ou on les négligera. Si, au contraire, on les intègre dans les grandes vérités du message du troisième ange, inspirées par l'Esprit de Dieu, ils seront le moyen par lequel un peuple faible sera fortifié pour être vainqueur, notre corps affaibli sera purifié pour être apte à être translaté. Nous les considérerons alors comme faisant partie de la vérité présente. »

Ellen White adhère aux principes de réforme sanitaire, mais sa contribution consiste à intégrer le message de santé dans la théologie adventiste.

Depuis qu'elle a commencé à écrire sur le sujet, en 1863, et jusqu'à aujourd'hui, les adventistes ont adopté un style de vie distinctif, qui leur donne une meilleure santé et une plus grande longévité. Cela a été illustré il y a quelques années dans le magazine *National Geographic*. L'Église devrait témoigner d'une meilleure santé dans tous les domaines de la vie.

LES ADVENTISTES N'ONT PAS TOUJOURS ÉTÉ DES RÉFORMATEURS SANITAIRES...

J'ai encore beaucoup de choses à vous dire mais vous ne pouvez pas les comprendre maintenant. Jean 16.12

Prenons par exemple les viandes impures. En novembre 1850, James White remarque que quelques sabbatistes sont « troublés concernant la consommation de viande de porc », et que certains s'en abstiennent. Il ne fait aucune objection mais déclare qu'il ne « croit absolument pas que la Bible, dans l'Évangile, la considère comme péché ». Il réprouve en revanche le fait que certains détournent les autres du message central de l'Évangile, à savoir le sabbat dans la perspective de la fin des temps.

Quelques années plus tard, quand sa femme écrit à une femme que la consommation du porc n'est pas un critère religieux, il ajoute en PS : « Si vous voulez connaître notre opinion sur la question, sachez que nous venons de tuer un cochon de cent kilos ».

En 1855, Ellen White conseille à S.N. Haskell et à d'autres : «Votre opinion sur la viande de porc n'est pas mauvaise dans la mesure où vous la gardez pour vous-même. Si en votre conscience, vous en avez fait un critère, vos actions démontrent votre foi sur cette question. » — *Testimonies for the Church*, vol. 1, p. 206, 207.

Elle ajoute : « Si Dieu désire que son Église s'abstienne de viande de porc, il la convaincra à ce sujet. [...] Si l'église ne doit pas consommer de porc, Dieu le révélera à plus de deux ou trois personnes et enseignera à l'Église son devoir.

Dieu conduit son Église et non pas une personne isolée ici ou là, l'une croyant ceci et l'autre cela. [...] Le troisième ange appelle un peuple à se purifier et celui-ci doit le faire dans l'unité. Certains veulent courir devant les anges qui conduisent ce peuple...

J'ai vu que les anges de Dieu ne guideront pas le peuple plus vite que celui-ci ne peut aller, afin qu'il puisse mettre en pratique les importantes vérités qui lui sont communiquées. Certains esprits hâtifs [...] courent après des nouveautés, [...] semant la confusion et la discorde dans nos rangs. Ils ne parlent et n'agissent pas en harmonie avec le corps. » — *Ibid.*, p. 207.

Durant tout son ministère, Ellen White a la conviction que Dieu forme un peuple et que lorsque celui-ci est uni sur une question, et pas avant, il le guide vers l'étape suivante. Jusqu'en 1863, le progrès a été clair : d'abord la doctrine, puis l'organisation. Alors seulement, le peuple est prêt à comprendre la réforme sanitaire et les questions de mode de vie.

Dieu nous conduit toujours selon sa logique.

... L'UN D'EUX L'ÉTAIT POURTANT DÉJÀ

L'Éternel écartera de toi toute maladie. Deutéronome 7.15

Joseph Bates, comme dans beaucoup d'autres domaines de l'adventisme, est un pionnier de la réforme sanitaire. En 1821, en tant que capitaine de bateau, il arrête de boire des alcools forts quand il se rend compte qu'il attend son verre plus que sa nourriture. En 1822, il abandonne le vin, en 1823, le tabac, et en 1824 tout alcool. En 1831, il déclare que le thé et le café sont des poisons. « Ils ont un tel effet sur mon organisme que je ne parviens pas à me reposer ni dormir jusqu'à plus de minuit. »

L'étape suivante concerne la viande. « En février 1843, écrit-il, j'ai résolu de ne plus manger de viande, puis, quelques mois plus tard, de beurre, graisses, fromage et pâtisseries lourdes. »

Il a déjà été sensibilisé au régime végétarien en 1820, quand il constate que les Irlandais qui se nourrissent de pommes de terre sont plus résistants que des hommes qui mangent de la viande. Plus tard, les écrits de Graham le mènent vers un régime totalement végétarien.

Sa vie est une bonne publicité pour les bienfaits de la réforme sanitaire. Contrairement à la plupart des leaders sabbatistes, il jouit d'une excellente santé. Dès 1820, quand il cesse de naviguer, on ne lui connaît que deux épisodes de maladie, apparemment la malaria.

À soixante-dix-neuf ans, il témoigne de son excellente santé qui résulte, selon lui, de l'application de la réforme sanitaire. « Contrairement à ma conviction selon laquelle, si je vivais jusqu'à l'âge que j'ai aujourd'hui, je souffrirais de problèmes articulaires à cause de mes voyages en mer, grâce à Dieu [...] qui bénit abondamment ceux qui s'efforcent de se réformer, je ne souffre d'aucune douleur et me réjouis, si je persévère dans cette voie, de me tenir sans défaut devant le trône de l'Agneau, avec tous ceux qui l'auront suivi. »

Cependant, jusqu'au début des années 1860, Joseph Bates est un réformateur silencieux. Quand on lui demande pourquoi il ne consomme pas certains aliments, il répond : « J'en ai déjà eu ma ration. » James White rapporte : « À l'époque, il ne mentionnait pas ses convictions sur l'alimentation saine en public, ni en privé, à moins qu'on le questionne. »

Cela change en 1863.

Avant de poursuivre, réfléchissons sur le lien existant entre un mode de vie sain et une bonne santé. Ce n'était pas un hasard dans la vie de Bates, ni dans la nôtre, d'ailleurs.

LA VISION DE LA RÉFORME SANITAIRE

Ne savez-vous pas ceci : votre corps est le temple du Saint-Esprit qui est en vous et que vous avez reçu de Dieu.
1 Corinthiens 6.19

Il y a quelques jours, nous avons remarqué que la vérité est progressive et que Dieu guide son peuple pas à pas. Il en est ainsi pour la réforme sanitaire. Une fois que les étapes doctrinale et organisationnelle sont franchies, les questions de pement de l'adventisme et de la vérité présente.

Le 6 juin 1863, seulement quinze jours après la formation de la Conférence générale des adventistes, Ellen White reçoit une des plus importantes visions de son ministère. Elle écrit : « J'ai vu que désormais, nous [elle et James] devrions prendre particulièrement soin de la santé que Dieu nous a donnée, car notre œuvre n'est pas achevée. [...] J'ai vu que nous devons cultiver un état d'esprit paisible, confiant et optimiste, car notre santé en dépend. [...] *Meilleure sera notre santé, meilleur sera notre travail.*

Nous ne devons pas laisser Dieu s'occuper de ce qu'il nous demande de faire nous-mêmes. Il est malsain et déplaisant à Dieu que nous violions les lois de la santé, et que nous lui demandions ensuite de prendre soin de notre santé et de nous préserver des maladies, alors que nous vivons en désaccord complet avec nos prières.

J'ai vu que nous avons le devoir sacré de prendre soin de notre santé, et d'inviter les autres à faire de même. [...] Nous sommes appelés à parler, à nous élever contre toute sorte d'intempérance – dans le travail, l'alimentation, la boisson, les drogues – et à faire connaître le grand remède divin : l'eau, l'eau pure pour traiter certaines maladies, pour conserver la santé, pour l'hygiène et pour le plaisir. » — Manuscrit 1, 1863.

Ce conseil adressé à James et Ellen White est valable pour l'Église. « J'ai vu, écrit-elle, que nous devions faire connaître ce sujet et sensibiliser les gens. » —*Ibid.*

C'est ce qu'elle a fait. À partir de là, ses écrits abordent souvent la nécessité et le devoir de préserver sa santé, et les moyens d'y parvenir.

Ce n'est pas trop tôt. Son mari est sur le point d'avoir une attaque qui l'empêchera de poursuivre son ministère, ils viennent de perdre deux de leurs quatre enfants suite à une maladie, et plusieurs dirigeants de l'Église souffrent de maladies chroniques.

Rien n'était plus nécessaire, à l'époque, que la bénédiction d'une bonne santé. Il en est de même aujourd'hui.

DEUXIÈME VISION SUR LA RÉFORME SANITAIRE

Vous n'êtes pas à vous-mêmes, car vous avez été rachetés à grand prix. Glorifiez donc Dieu dans votre corps. 1 Corinthiens 6.19,20

« Dans la vision que j'ai reçue à Rochester, dans l'État de New York, le 25 décembre 1865, il m'a été montré que le peuple qui garde le sabbat a été négligent dans la mise en pratique de la lumière donnée par le Seigneur concernant la réforme sanitaire, que nous avons encore une grande œuvre à accomplir et qu'en tant que peuple ; nous avons été trop lents à entrer dans la bienveillance de Dieu, alors qu'il nous guidait. » — *Testimonies for the Church*, vol. 1, p. 485.

Sa vision de 1865 indique que la réforme sanitaire n'est pas une option personnelle, mais qu'elle a des implications sociales et missiologiques. Elle invite les adventistes à créer leur propre institution de santé.

Cette institution, selon Ellen White, aura un double impact. Tout d'abord son effet sur la vie physique des adventistes les préparera au « grand cri du troisième ange. » — *Ibid.*, 486. et à leur enlèvement au ciel. Bien entendu, s'ils sont en bonne santé, les croyants communiqueront mieux leur message.

Le second aspect missiologique de cette institution s'adressera aux non adventistes. « Quand les incroyants, écrit Ellen White, auront recours à une structure où ils seront efficacement soignés par des médecins adventistes, ils seront placés sous l'influence de la vérité. S'ils connaissent notre peuple et notre foi, leurs préjugés disparaîtront et ils seront favorablement impressionnés. Ainsi, ils ne trouveront pas seulement la guérison physique, mais leur âme souffrant dans le péché sera soignée également. [...] Une âme sauvée vaut bien tous les moyens que nous mettrons en œuvre pour établir cette institution. » — *Ibid.*, p. 493.

Voici donc en résumé l'avis d'Ellen White sur la création d'institutions de santé. Leur fonction missionnaire est au centre de sa pensée. L'Église doit créer des structures de santé non seulement pour servir ses membres, mais pour transmettre le message du troisième ange aux autres. Il s'agit de soigner les maladies physiques des patients, mais aussi de répondre à leurs besoins moraux et spirituels.

Nous vivons dans un monde souffrant et Dieu veut nous donner la vie en abondance, dans tous les domaines. En tant qu'adventistes, nous avons le privilège d'expérimenter les bienfaits d'une vie saine et de les faire connaître à ceux qui nous entourent.

DÉSÉQUILIBRES

Le Seigneur protège ma vie avec puissance. Psaume 27.1, PDV

La vision d'Ellen White du 25 décembre 1865, sur la réforme sanitaire, ne donne pas seulement l'objectif missionnaire des institutions de santé, elle intègre également la réforme sanitaire dans la théologie adventiste, indiquant qu'elle « fait partie du message du troisième ange et qu'elle lui est liée comme le bras et la main le sont au corps humain. » — *Testimonies for the Church*, vol 1, p. 486.

Cette compréhension est utile aux adventistes individuellement, mais elle est aussi cruciale pour mettre en évidence le lien entre le mode de vie et la santé, et la théologie de l'Église sur la fin des temps. Elle indique que, comme la personne est une unité physique, mentale et spirituelle, ainsi le système de croyances adventiste est un tout, et non pas une série de notions déconnectées.

Rapidement, les adventistes considèrent la réforme sanitaire comme le bras droit du message. C'est bien, mais certains prédicateurs et croyants se laissent emporter par leur enthousiasme.

Ainsi, quelques mois plus tard, Ellen White rectifie une mauvaise impression qu'elle aurait pu donner : « La réforme sanitaire est intimement liée au message du troisième ange, mais elle n'est pas le message. Nos pasteurs devraient prêcher la réforme sanitaire, mais sans lui faire prendre la place du message. Elle fait partie des sujets qui préparent aux évènements annoncés par le message, et parmi ces sujets, elle tient une place prépondérante. Nous devons appliquer la réforme avec zèle, mais sans donner l'impression que nous sommes vacillants ou fanatiques. » — *Ibid.*, p. 559.

Malheureusement, pour beaucoup, dans ce domaine l'équilibre est difficile à atteindre. Selon James White, certains vont trop vite, tombent dans le fanatisme et portent préjudice à l'Église et à la réforme sanitaire elle-même. D'autres, au contraire, ne l'adoptent pas.

De son côté, au cours des années, Ellen White doit lutter contre ceux qui « choisissent certains conseils spécifiques qui leurs paraissent contestables – alors qu'ils s'adressent spécialement à certaines personnes qui prennent une mauvaise voie. Ils se bloquent sur ces déclarations et les exagèrent, pour faire oublier leurs propres traits de caractère discutables. [...] Cela ne sert qu'à faire du mal. » — *Selected Messages*, vol. 3, p. 285.

Seigneur, aide-nous à rester équilibrés, dans tous les domaines de notre vie. Amen.

LE MESSAGE DE LA SANTÉ — 1RE PARTIE

Jésus-Christ te guérit. Actes 9.34

Quatre mois après avoir reçu sa seconde importante vision sur la réforme sanitaire, Ellen White présente son point de vue devant la jeune Église, lors de la quatrième session de la Conférence générale en 1866. Elle présente vigoureusement aux dirigeants les principes de la réforme sanitaire et l'importance de les accepter et les promouvoir.

Elle explique que cette réforme n'a pas encore été assez suivie et que l'Église a plus de travail à accomplir dans ce domaine que ce qu'elle pense. Elle conclut en invitant l'Église adventiste à créer ses propres institutions de santé. — *Testimonies for the Church*, vol. 1, p. 486, 487, 492.

En réponse, la Conférence générale prend plusieurs résolutions. Dans la première, elle reconnaît « l'importance de la réforme sanitaire dans l'œuvre que Dieu nous confie aujourd'hui, et nous nous engageons à vivre selon ses principes et à nous efforcer de sensibiliser les autres à son utilité ».

Par le second vote, elle demande au Dr Horatio S. Lay (probablement le seul médecin adventiste de l'époque) de transmettre à la *Review* une série d'articles sur la réforme sanitaire.

C'est une nouvelle étape. Ces résolutions témoignent de la profonde conviction que ce nouvel enseignement de la réforme sanitaire revêt une grande importance.

Il arrive souvent que l'on prenne facilement des résolutions, mais qu'on ait plus de mal à les tenir. Cette fois, on observe le contraire. Le Dr Lay n'écrit aucun des articles demandés, mais il fait mieux en éditant un mensuel de seize pages, *The Health Reformer* [Réforme de santé].

Son objectif en publiant ce périodique, est de « contribuer autant que possible à la grande œuvre de réforme des mauvaises habitudes de vie qui prévalent » à l'époque. Il prône le traitement des maladies par « l'emploi de remèdes naturels – air, soleil, chaleur, exercice, alimentation, repos, détente » et autres.

Ces premiers adventistes prennent très au sérieux le partage de leur nouvelle vision. Ils sont d'autant plus sensibilisés qu'ils souffrent d'une mauvaise santé et se réjouissent donc que Dieu les mène vers un meilleur chemin.

LE MESSAGE DE LA SANTÉ — 2E PARTIE

Je le célébrerai encore ; il est mon salut et mon Dieu. Psaume 42.12

L'Église ne perd pas de temps pour publier *The Health Reformer*. Le premier numéro sort en août 1866, trois mois après la session de la Conférence générale. Il contient des articles rédigés par plusieurs pasteurs, le Dr Lay, et un d'Ellen White. Elle recommande à ses lecteurs de « s'informer sur la philosophie de la santé » et conclut en déclarant que « l'ignorance sur cet important sujet est un péché ; la lumière rayonne maintenant sur nous et nous sommes sans excuse si nous refusons d'acquérir l'intelligence dans ce domaine. Nous avons tout intérêt à le comprendre ».

Puisque de nombreux pasteurs écrivent pour cette revue, dans le deuxième numéro, le Dr Lay ajoute une note à l'intention de ceux qui pensent que « seul un médecin peut parler de santé et seul un théologien peut traiter de théologie ». Il précise que les rédacteurs non médicaux ont expérimenté la réforme sanitaire, et que tous les articles ont été « validés par un professionnel avant leur publication ».

Beaucoup de gens témoignent d'une amélioration de leur santé. G. W. Amadon, par exemple, rapporte : « *Mon cœur est plein de joie quand je constate les bienfaits de la réforme de santé* mise en pratique par les véritables convertis. [...] Personnellement, je peux affirmer que je me sens cent fois mieux que quand j'enfreignais ouvertement les lois de la santé. Je suis totalement libéré de mes douleurs, rhumatismes, et maladies mentales et physiques. Béni soit Dieu ! »

Isaac Sanborn observe que grâce à la réforme sanitaire, il est « totalement débarrassé des rhumatismes qui m'empêchaient de faire le moindre pas pendant plusieurs jours ». Il ajoute que, bien qu'exposé aux intempéries et aux salles de réunions mal aérées, il n'a pas eu de rhume depuis deux ans.

Et voici le trait d'humour de cette personne qui lance : « Si je devais offrir un holocauste au diable, je brûlerais sans aucun doute un cochon farci de tabac ! »

Nous devrions nous réjouir en considérant les facteurs de bonne santé. Nous oublions facilement le temps de l'ignorance ; la santé est une bénédiction.

Rétrospective sur la réforme sanitaire

Que le Dieu de l'espérance vous remplisse de toute joie. Romains 15.13

Le témoignage que nous avons lu hier, de cet adventiste qui « a le cœur plein de joie en constatant les bienfaits de la réforme sanitaire » me réchauffe le cœur.

Cela me rappelle les premières conférences d'évangélisation que j'ai tenues en 1968 à Corsicana, au Texas, une ville d'environ 26 000 habitants. L'Église adventiste comptait douze membres, d'âge moyen de 70 ans, dont un seul homme.

Remarquez que je n'ai rien contre les personnes âgées, d'ailleurs, je vais bientôt le devenir. Je n'ai rien non plus contre les femmes, d'ailleurs ma mère en est une. Cependant, un jeune prédicateur préfère quand même voir une assemblée composée de tous âges et sexes. Heureusement, tous les soirs la salle était pleine et une femme non adventiste amena même cinq de ses collègues à chaque réunion. Un soir, pourtant, elle me dit en sortant : « M. Knight, demain soir, je ne viendrai pas et je n'amènerai pas mes amis. »

Je lui demandai pourquoi.

« Je n'aime pas le titre de votre sermon. Vous allez me dire tout ce que je ne dois pas faire. »

Même s'il n'était pas extrêmement brillant, je trouvai mon titre assez accrocheur : « Pourquoi je ne mange ni rats, ni serpents ni limaces. »

Je restai un instant sans voix, puis je lui assurai que si elle revenait le lendemain soir avec ses amis, ils me diraient en sortant que c'était la meilleure de mes prédications. Le seul problème était que ma conférence n'était pas encore prête, et je me demandais bien comment j'allais pouvoir tenir ma promesse.

Nuit blanche ! Mais vers quatre ou cinq heures du matin, tout se mit en place dans ma tête.

Dieu nous aime. Parce qu'il nous aime, il veut que nous soyons heureux. Il sait que nous ne sommes pas heureux quand nous sommes malades. Il nous a donc donné quelques idées pour être plus heureux.

En quittant la salle le lendemain soir avec ses amis, elle s'arrêta pour me dire : « M. Knight, c'était le meilleur de vos sermons. »

C'était tant mieux pour elle, et encore mieux pour moi ! J'avais appris à remplacer un sermon négatif par un message positif. Et qu'est-ce qui est plus positif et heureux qu'une bonne santé ?

Merci, Père pour cette grande bénédiction. Nos cœurs aussi sont pleins de joie !

UNE STRUCTURE DE SANTÉ ADVENTISTE

Quand t'avons-nous vu malade ?... Le roi leur répondra :
En vérité, je vous le dis, dans la mesure où vous avez fait cela
à l'un de ces plus petits de mes frères, c'est à moi que vous l'avez fait.
Matthieu 25.39,40

La guérison occupe une place importante dans le ministère du Christ. Il en est de même pour l'adventisme. L'Église finance aujourd'hui environ huit cents institutions liées à la santé dans le monde.

Les visions d'Ellen White de décembre 1865, sur la réforme sanitaire, et de mai 1866, sur la création d'instituts de santé, sont à l'origine de cette extension massive. Avec le *Health Reformer*, l'Église a répondu rapidement et efficacement aux résolutions prises. Le 5 septembre, cinq mois seulement après la session de la Conférence générale, les adventistes ouvrent le *Health Reform Institute* [Institut de réforme sanitaire] à Battle Creek, au Michigan.

Bien sûr, l'inauguration n'a rien d'impressionnant : il n'y a que deux médecins, deux assistants pour les bains, une infirmière débutante, trois ou quatre aides, quelques difficultés et une bonne dose de foi dans le futur de l'institution et les principes sur lesquels elle est fondée.

Dans une note publiée dans la *Review* du 11 septembre, James White se félicite de la réponse rapide des membres : « Cette question a commencé à se concrétiser il y a seulement quatre mois, lors de notre session de la Conférence générale. Nous voyons aujourd'hui un bâtiment élégant, sécurisé, bien situé, opérationnel avec une équipe compétente sur le terrain. Seuls deux numéros de notre journal de santé ont été publiés et la liste de souscriptions a déjà doublé. Ces souscriptions s'élèvent à presque onze mille dollars. L'institut a ouvert et les interventions ont déjà commencé. La main du Seigneur ne s'est jamais manifestée de façon aussi évidente qu'en faveur de cette institution. »

Les débuts de cette petite structure sont plutôt humbles, mais pendant les trente-cinq années suivantes, elle deviendra l'une des premières institutions de santé du monde, quand le Dr J.H. Kellogg le fera devenir le Battle Creek Sanitarium.

Pendant ce temps, son existence donne aux adventistes un sens élargi de la mission et il doit en être ainsi. D'après la parabole de Matthieu 25.31-46, Dieu désire que son peuple se sente concerné par les besoin d'autrui.

JOHN HARVEY KELLOGG

Je te rétablirai, je te guérirai de tes plaies. Jérémie 30.19

Dynamique, vigoureux et visionnaire, voici trois adjectifs qui décrivent parfaitement le jeune John Harvey Kellogg. En 1876, à vingt-trois ans, il prend la direction de Battle Creek Sanitarium. Il ne mesure qu'un mètre soixante, mais son optimisme exubérant dans tout ce qu'il entreprend compense largement sa petite taille.

Au départ, il souhaitait devenir enseignant, mais James White lui paie six mois d'études, en même temps qu'à ses fils, au Hygieo-Therapeutic College du Dr Tralls, en 1872. Il obtient son diplôme de médecin et souhaite alors poursuivre ses études.

Grâce à l'aide financière des White, il étudie la médecine pendant encore un an à l'Université du Michigan, et un an supplémentaire à Bellevue Hospital Medical School à New York, l'une des meilleures écoles de médecine du pays. À la fin de son programme d'études, en 1875, il confie à Willie White : « J'ai pris du poids depuis que j'ai reçu ce parchemin de 60 cm sur 60. C'est un diplôme sérieux, pas un de ces papiers au rabais délivrés par Hygieo-Therapeutic College. »

Pendant l'été 1875, il revient à Battle Creek et travaille au Health Reform Institute. Il accepte l'année suivante d'en prendre la direction, à condition que son mandat ne dure qu'un an. Il n'imagine pas qu'il en sera directeur pendant soixante-sept ans.

Quand il devient directeur en 1876, l'institut compte vingt patients mais six le quittent en même temps que l'administrateur précédent, et les autres partent quand ils découvrent le jeune âge du médecin. Kellogg ne s'en inquiète pas.

En quelques mois, l'institut accueille le double de patients et en 1877, il faut construire un nouveau bâtiment. C'est le début d'un programme de construction qui, au changement de siècle, fera du Battle Creek Sanitarium l'un des hôpitaux les plus grands et connus des États-Unis.

Pendant ce temps, Kellogg écrit cinquante livres, invente les corn flakes et les céréales pour le petit déjeuner, développe des techniques médicales de pointe et devient un chirurgien mondialement réputé.

Dieu a béni le petit géant bien plus que celui-ci ne s'y attendait. Il bénit toujours ceux qui veulent grandir avec lui.

L'ADVENTISME EN TEMPS DE GUERRE — 1RE PARTIE

Tu ne commettras pas de meurtre. Exode 20.13

L'adventisme est en pleine formation en tant qu'Église organisée, lorsqu'une guerre civile ravage les États-Unis entre 1861 et 1865. Elle coûtera plus de vies à la population relativement peu nombreuse que la guerre d'Indépendance, la guerre de 1812, la guerre hispano-américaine, la guerre américano-mexicaine, les deux guerres mondiales, la guerre de Corée et la guerre du Vietnam réunies. L'adventisme n'envoie pourtant aucun soldat dans ce conflit d'importance cruciale, puisqu'il déterminera si la nation restera unie et si elle abolira l'esclavage.

Quel est le problème ? Pourquoi les adventistes restent-ils en retrait ? Ce sont les questions auxquelles James White tente de répondre dans la *Review and Herald* du 12 août 1861. Il souligne tout d'abord que les adventistes sont de bons citoyens américains. Il fait ensuite remarquer que « dans la parole prophétique, l'esclavage est dénoncé comme un péché abominable », et que beaucoup de publications adventistes « ont été absolument interdites dans les États esclavagistes » à cause de leurs enseignements anti-esclavagistes. « Ceux de notre peuple qui ont participé aux dernières élections présidentielles ont voté pour Abraham Lincoln, conclut-il, et nous savons qu'aucun adventiste ne sympathise avec la sécession. »

Ayant confirmé que les adventistes sont des citoyens loyaux, il explique qu'en tant qu'Église, ils n'envoient pas de soldats. Se basant sur les dix commandements, il écrit : « Notre position par rapport au caractère perpétuel et sacré de la loi de Dieu contenue dans les dix commandements est incompatible avec les exigences de la guerre. Le quatrième commandement demande “Souviens-toi du jour du sabbat pour le sanctifier », et le sixième, « tu ne commettras pas de meurtre”. » Sa position est claire. Les adventistes ne peuvent pas s'engager volontairement dans l'armée car ils seraient dans une situation où ils devraient transgresser deux commandements de Dieu.

James White a seulement commencé à répondre à cette question, mais il a soulevé un problème qui affectera la vie de milliers de jeunes adventistes. Toutes les questions morales n'ont pas toujours une réponse claire dans notre monde de péché. Dans de telles situations, l'Église a besoin d'être guidée par Dieu.

Donne-nous ta sagesse, Seigneur, quand en tant qu'Église, nous affrontons des situations difficiles qui mettent en jeu l'obéissance à ta loi et au gouvernement.

L'ADVENTISME EN TEMPS DE GUERRE – 2E PARTIE

Rendez donc à César ce qui est à César, et à Dieu ce qui est à Dieu.
Matthieu 22.21

Comment un chrétien doit-il se positionner face au service militaire ? C'est la question soulevée par James White le 12 août 1861. Sa première réponse est catégorique : les adventistes ne peuvent pas s'engager volontairement dans l'armée sans se mettre dans une situation où ils doivent transgresser au moins deux des dix commandements.

Mais que faire quand le gouvernement appelle un homme sous les drapeaux ? Que faire si on n'a plus le choix, quand il faut simplement obéir aux lois du pays ? James White propose une réponse inattendue et controversée à ces questions. « Dans le cas de l'appel obligatoire, écrit-il, le gouvernement prend la responsabilité de la violation de la loi de Dieu et il serait folie de lui résister. Celui qui refuserait jusqu'à être fusillé, selon la loi militaire, va trop loin, à notre avis, et serait responsable de son suicide. [...] Pour nous, résister aux lois du meilleur gouvernement qui soit sur terre, et qui actuellement lutte contre la pire rébellion depuis celle de Satan et ses anges, serait folie, nous le répétons. »

Voici la position de James White face au délicat problème des adventistes désirant obéir à Dieu et au gouvernement. En bref :

1. Les adventistes sont des citoyens loyaux.
2. Ils ne peuvent pas s'engager volontairement car ils seraient contraints d'enfreindre la loi de Dieu.
3. S'ils sont appelés, le gouvernement devient responsable de la violation de la loi divine, et les adventistes doivent obéir, prendre les armes, tuer s'il le faut, et même le jour du sabbat.

Que pensez-vous de ses arguments ? Quelles preuves bibliques pouvez-vous avancer pour ou contre sa logique ? Comment devons-nous agir quand les exigences du pays vont à l'encontre de la loi de Dieu ?

Il faut toutefois savoir qu'à l'époque, les États-Unis n'avaient pas voté de loi pour l'appel obligatoire. Ce n'était qu'une éventualité, mais en 1862, la jeune Église qui n'était pas encore légalement représentée par la Conférence générale devait l'envisager sérieusement, car le terrible conflit continuait à prendre des vies.

En tant que chrétiens, nous sommes citoyens de deux royaumes et nous sommes parfois en situation délicate pour obéir aux deux.

L'ADVENTISME EN TEMPS DE GUERRE — 3E PARTIE

Que toute personne soit soumise aux autorités supérieures, car il n'y a pas d'autorité qui ne vienne de Dieu et les autorités qui existent ont été instituées par Dieu. C'est pourquoi celui qui s'oppose à l'autorité résiste à l'ordre de Dieu et ceux qui résistent attireront une condamnation sur eux-mêmes.
Romains 13.1,2

C'était le texte favori d'Adolf Hitler. Il exigeait que ce passage biblique ou son parallèle de 1 Pierre 2.13 soit lu au moins une fois par an dans toutes les églises du troisième Reich.

Romains 13 ne laisse aucun doute sur le devoir d'obéir au gouvernement. Mais, nous reposons la question, que faire quand les autorités instituées par Dieu, comme le gouvernement, donnent des ordres qui nous obligent à désobéir aux enseignements divins ? C'est la question qui perturbe les adventistes pendant la guerre de Sécession, la première qu'ils connaissent en tant qu'Église.

L'article de James White dans la *Review* du 12 août 1863 suscite pas mal d'effervescence sur le sujet. Il écrit le 26 août : « Depuis deux semaines, certains frères [...] commentent nos réflexions avec agitation. [...] Ce n'est pas le moment que les chrétiens laissent libre cours à leurs préjugés et nous accusent d'enseigner virtuellement à transgresser le sabbat et tuer. [...] Si certains d'entre vous sont appelés et préfèrent s'opposer à l'Oncle Sam, ils sont libres. Nous ne lutterons pas contre vous, sinon vous seriez obligés de nous combattre alors que vous refusez de combattre pour votre pays. »

Il ajoute : « Tout article rédigé dans l'objectif d'éclaircir la question de notre devoir en tant que peuple face à la guerre sera attentivement considéré. »

Ce défi suscite une vague de réponses pendant les trois mois qui suivent et les adventistes argumentent publiquement dans les pages de la *Review*, sur leur opinion à propos du devoir des chrétiens, citoyens de deux royaumes, dans le cas où les lois du pays entrent en conflit avec celles de Dieu.

Il ressort de ces discussions que de telles questions, essentielles mais sources de controverse, devraient être débattues en temps de paix, quand on a le temps d'y réfléchir calmement. Ce n'était pas le cas à ce moment-là. Ils luttaient pour trouver une réponse au cœur d'une crise désolante. L'idée de réfléchir avant le temps de crise est néanmoins très pertinente.

Aide-nous, Père, à profiter du temps de paix, dans notre vie individuelle et collective, pour venir vers toi dans l'étude et la prière, afin de mieux discerner ta volonté.

L'ADVENTISME EN TEMPS DE GUERRE — 4E PARTIE

Pierre et les autres apôtres répondent : Il faut obéir à Dieu plutôt qu'aux hommes.
Actes 5.29, PDV

Voici la conclusion des apôtres quand ils se trouvent dans une situation où les lois de Dieu et celles du gouvernement entrent en conflit. Les implications de cette vérité pour les adventistes face au service militaire ne sont pourtant pas claires pour les membres d'Église.

L'invitation de James White à envoyer des articles sur le sujet de la position de l'Église face au service militaire suscite non seulement un grand nombre de réponses, mais aussi une complète variété de toutes les options possibles.

D'un côté, on a les pacifistes qui pensent que les chrétiens devraient s'abstenir de faire leur service militaire. C'est probablement à cause de la position extrême de certains membres de l'Iowa qui revendiquaient leur pacifisme de façon très marquée que les adventistes ont été accusés d'antipatriotisme, et que James White a exprimé dans ses publications son avis initial sur le sujet.

De l'autre, il y a les croisés qui pensent qu'il faut s'engager sans réserve dans la guerre. Parmi eux, Joseph Clarke écrit : « Je suis très désireux de connaître notre devoir face à la guerre, non pas par crainte de la mobilisation, mais surtout parce que je veux que la trahison soit justement sanctionnée. C'est la raison pour laquelle j'ai écrit à frère White, pour savoir s'il nous est permis de nous engager dans l'armée. Je pense à Gédéon, Jephté, David et autres combattants. [...]

Parfois, je voudrais vivre ce que Joab a vécu avec Absalom. Je rêve qu'un régiment d'adventistes frappe d'un coup de massue cette rébellion, au nom de celui qui a toujours soutenu son vaillant peuple quand il suivait ses lois, et avec sa force. L'hiver dernier, j'étais animé d'une véritable fièvre de guerre. »

Dans un autre article, il écrit : « N'y a-t-il pas eu guerre dans le ciel ? Est-ce un meurtre de pendre ou fusiller un traître ? Non, non ! [...] David et Josué étaient-ils des meurtriers ? Laissons de côté le fanatisme et comportons-nous en hommes. »

Ainsi, le débat se poursuit jusqu'à ce que James White fasse savoir qu'il n'a plus besoin d'articles pour la *Review*, puisque toutes les opinions ont déjà été présentées de façon satisfaisante.

Ce débat témoigne d'une belle ouverture d'esprit dans le jeune adventisme, qui lui permettra, avec le temps, d'évoluer vers un consensus sur des questions controversées telles que celle-ci.

L'ADVENTISME EN TEMPS DE GUERRE – 5E PARTIE

Il est permis de faire du bien le jour du sabbat. Matthieu 12.12

Voilà ce que dit Jésus sur les actes de bonté accomplis le jour du sabbat. Ce principe aide les adventistes à sortir de l'impasse face au problème de l'obéissance à Dieu et au gouvernement, en temps de guerre.

Il faut se rappeler qu'il n'existe pas de mobilisation aux États-Unis jusqu'en mars 1863, et qu'à l'époque, aucune nation ne propose d'option non combattante au service militaire. Une personne engagée dans l'armée doit obligatoirement porter les armes et tuer si on lui en donne l'ordre.

La loi de la conscription, votée le 3 mars 1863, permet aux appelés de se faire remplacer, en payant une taxe de substitution. L'Église adventiste aide ses membres à payer cette somme. Le 4 juillet 1864, cette loi est révisée et précise que « seuls ceux qui refusent de porter les armes pour raison de conscience sont autorisés à être exemptés », toujours en payant la taxe.

La nouvelle Conférence générale se fait alors enregistrer comme Église non combattante. Le 3 août, l'État du Michigan donne à l'Église le statut de non combattante, bientôt suivi par d'autres États. L'Église envoie alors J. N. Andrews avec des lettres des gouverneurs de ces États à Washington, pour que le statut de non-combattante soit lui conféré au niveau national. Ainsi, en septembre 1864, le gouvernement des États-Unis reconnaît officiellement l'adventisme comme Église non-combattante.

Cela signifie que si ses membres sont mobilisés, ils ne seront pas contraints à porter les armes ni à tuer, mais en pratique, les appelés non combattants rencontrent souvent l'opposition et les menaces. Pourtant, à la fin de la guerre, les non-combattants servent souvent comme médecins ou infirmiers sur le front ou dans les hôpitaux.

Cet arrangement convient tout à fait aux adventistes, puisqu'il leur permet de ne plus porter les armes et de faire du bien le jour du sabbat.

À partir de là, le rôle de non-combattant médical devient la norme pour les appelés adventistes, mais l'Église n'approuve pas tellement l'engagement volontaire. En effet, à la fin de la guerre de Sécession, plusieurs volontaires sont radiés de l'Église, même si certains (dont Ellen White, probablement) ne sont pas sûrs que ce soit la bonne attitude à adopter.

Dieu ne guide pas son peuple uniquement sur les aspects strictement spirituels, mais aussi dans son approche des problèmes de la vie dans ce monde. Réjouissons-nous qu'il nous dirige en toutes choses.

Rétrospective sur l'adventisme en temps de guerre

Aimez vos ennemis. Matthieu 5.44

Je pense personnellement qu'il est impossible d'aimer ses ennemis et en même temps d'aller les tuer. C'est ainsi que pendant l'été 1961, au cœur de la crise du mur de Berlin, j'ai risqué la cour martiale.

À ce moment-là, j'étais soldat dans l'infanterie. J'étais jusque-là un agnostique confirmé, mais pendant la première moitié de l'année, je m'étais intéressé à l'adventisme et j'avais acquis la conviction que je ne devais plus porter les armes ni accomplir mon devoir militaire le sabbat. Je commençais à apprécier les principes bibliques sur lesquels se basait la position de l'adventisme, même si je n'étais pas encore membre de l'Église.

Vous vous demandez peut-être comment un jeune qui connaissait encore peu l'adventisme était déjà au courant de sa position sur le service militaire. La réponse est simple : l'Église avait communiqué ouvertement et fortement sa position, et donné des recommandations aux pasteurs et aux jeunes à ce sujet.

La Conférence générale avait envoyé certains pasteurs dans les différentes fédérations pour aider les appelés à faire valoir leur droit à ne pas porter les armes, et elle avait édité de nombreuses publications sur ce sujet, destinées aux jeunes. Le *Medical Cadet Corps*, financé par les écoles et universités adventistes, préparait spécifiquement les jeunes à occuper des rôles non combattants lorsqu'ils étaient mobilisés.

Par ailleurs, des histoires circulaient sur de nombreux jeunes adventistes dans le monde qui avaient été emprisonnés et même torturés parce qu'ils refusaient de porter les armes et de travailler le sabbat. Tout le monde parlait aussi du Dr Desmond T. Doss, qui avait reçu la médaille d'honneur pour avoir sauvé la vie de 75 blessés lors d'une bataille à Okinawa.

Malheureusement, avec la fin de la mobilisation, l'adventisme cessa de faire connaître sa position, négligea le sujet et finit même par oublier son histoire. En 2007, l'armée américaine comptait environ 7 500 volontaires adventistes, tous virtuellement combattants, à l'exception des aumôniers.

Il arrive qu'une Église oublie son histoire et ait besoin de se souvenir de ses principes. Cela arrive aussi dans notre vie personnelle. Que Dieu nous donne le désir de le faire honnêtement.

L'ÉDUCATION « AU BON VIEUX TEMPS »

Tu sais le grec ? Actes 21.37

Si cela ne semble pas un texte idéal pour une méditation, il soulève cependant un important problème.

Le « bon vieux temps » n'était pas l'époque idéale pour l'éducation. La société considérait qu'une personne était instruite si elle connaissait le grec, le latin et la littérature de ces langues. L'instruction traditionnelle se basait surtout sur les lettres classiques.

Cela ne servait évidemment à rien pour la population qui devait travailler pour vivre, mais c'était sans importance, puisque la plupart des gens n'avaient pas les moyens d'accéder à l'école secondaire et souvent même primaire. En bref, pendant la plus grande partie de l'histoire, l'éducation scolaire n'était pas ouverte à la majorité de la population, même dans sa forme la plus rudimentaire. La scolarité était réservée aux classes privilégiées et aux personnes qui n'avaient pas besoin de gagner leur vie.

Le « bon vieux temps » n'était donc pas meilleur pour l'instruction que pour la médecine. Pendant plus de 2 000 ans, en Occident, elle se concentrait surtout sur les langues anciennes et les grands livres de leur héritage. Le prestige de cette tradition rendait une approche alternative difficile aux éducateurs.

La réforme vint pourtant, avec un apogée au XIXe siècle, en même temps que la naissance de l'adventisme. En première ligne de la réforme éducative des années 1830 figure Horace Mann, qui se battit pour assurer à chaque enfant une scolarité élémentaire publique de qualité. Mann et ses amis ne cherchaient pas seulement à rendre l'éducation accessible, mais aussi à ce qu'elle soit pratique et saine. Ils savaient qu'il était inutile d'instruire des enfants physiquement faibles.

Oberlin College, l'une des meilleures écoles, supprima le latin et le grec du cursus, proposa une vision du monde selon la Bible et élabora un programme de travail manuel permettant d'acquérir des compétences utiles, en plus des études, assurant ainsi un équilibre entre le mental et le physique.

« Le système éducatif de notre institution, pouvait-on lire sur le prospectus d'Oberlin, prend en compte le *corps* et le *cœur* autant que *l'intellect*, car nous visons la meilleure éducation globale pour l'homme. »

La compréhension adventiste de l'éducation n'a pas surgi du néant. Nous avons toujours à apprendre, encore aujourd'hui, de notre culture, si nous évaluons ses traditions et pratiques à la lumière de la perspective biblique.

À LA RECHERCHE D'UNE ÉDUCATION DE QUALITÉ — 1RE PARTIE

Oui, je viens bientôt. Amen. Viens, Seigneur Jésus. Apocalypse 22.20

Les adventistes du XXIe siècle croient souvent que l'éducation chrétienne est un thème central de l'Église depuis sa naissance. C'est loin de la vérité. En réalité, l'éducation scolaire est le dernier des développements de l'Église. La création d'un programme de publications en 1849, l'organisation générale de l'Église en 1863 et l'établissement des structures de santé en 1866 l'ont tous précédée. L'Église adventiste a ouvert sa première école en 1872, vingt-huit ans après la grande déception millérite, et son réseau d'écoles ne s'est pas étendu avant 1900.

Si ce développement tardif du système éducatif de l'Église peut surprendre les adventistes d'aujourd'hui, il s'enracine pourtant dans la logique même de ses pionniers qui croyaient avant tout au *retour immédiat de Jésus*. Les groupes religieux qui se concentraient sur la proximité de la fin ne voyaient pas l'utilité de donner à leurs enfants une éducation plus poussée que les concepts religieux et les compétences nécessaires pour gagner leur vie à court terme.

C'était le cas de l'Église primitive comme des débuts de l'adventisme. Pourquoi, en toute logique, envoyer les enfants à l'école si, la fin du monde étant proche, ils ne grandiront jamais pour tirer profit de ce qu'ils apprennent ? Certains considéraient le fait d'instruire les enfants comme un manque de foi dans le prochain retour du Christ, et cette mentalité était très répandue parmi les adventistes.

En 1862, un membre d'Église écrit à James White et lui demande s'il est « juste et cohérent, pour nous qui croyons de tout notre cœur que le retour du Seigneur est imminent, de vouloir donner une instruction à nos enfants ? Si oui, devons-nous les envoyer à l'école publique où ils apprennent autant de mal que de bien ? »

James White répond que « le retour proche du Christ n'est pas une raison pour ne pas s'instruire. Un esprit discipliné et informé sera plus en mesure de recevoir et de chérir les sublimes vérités du second Avent ».

Cette déclaration marque le début du développement du système éducatif adventiste.

Dieu désire que nous exploitions nos talents en attendant le retour du Christ.

RENCONTRE AVEC GOODLOE HARPER BELL

Oriente le jeune garçon sur la voie qu'il doit suivre, même quand il sera vieux, il ne s'en écartera pas. Proverbes 22.6

Pendant les années 1850, on observe un regain d'intérêt pour l'éducation adventiste. James White écrit qu'il n'est « pas possible d'enlever les enfants des écoles pour les laisser courir dans les rues avec les autres. Un cerveau vide est très accueillant pour le diable. »

Des écoles sont créées à Buck's Bridge, dans l'État de New York, et à Battle Creek, au Michigan, mais c'est un échec. Complètement découragé dans ce domaine, James White écrit en 1861 : « Nous avons traversé une rude épreuve avec l'école de Battle Creek et avons abandonné le projet. »

Pendant sept ans, il semble que l'on n'envisage plus de créer des écoles adventistes. C'est alors qu'apparaît Goodloe Harper Bell.

Bell, éducateur, arrive pour la première fois à Battle Creek pendant l'hiver 1866-1867, à l'âge de trente-quatre ans, quand il accompagne un ami au Health Reform Institute. Il est vraisemblablement favorablement impressionné car il revient l'année suivante, lorsqu'il a lui-même besoin de soins. Il partage alors sa chambre avec un adventiste nommé Osborne. Nuit après nuit, il entend Osborne, qui le croit endormi, prier à voix haute pour lui. La sincérité de cet homme le touche à tel point qu'il se joint à l'Église.

Une partie de son traitement consiste à travailler au grand air. Selon Willie White, quelqu'un lui donne une scie et lui demande de couper du bois et de l'apporter à la maison d'édition qui se trouve à proximité. C'est là qu'il rencontre Edson White, le fils aîné de James et Ellen. Quand il apprend que Bell est enseignant, Edson lui confie qu'il détestait la grammaire. Bell lui répond que bien enseignée, c'est une matière très intéressante.

Ce contact fortuit permet à Bell d'être employé quelques mois plus tard à l'église de Battle Creek. En 1872, la Conférence générale prend la direction de l'école. Cette petite structure est la première d'un système éducatif mondial qui comptait en 2006 : 5 362 écoles primaires, 1 462 écoles secondaires et 106 universités.

Dieu utilise parfois des personnes originales comme Osborne pour collaborer à son œuvre. Il peut également nous employer si nous le laissons guider notre cœur et notre esprit.

À LA RECHERCHE D'UNE ÉDUCATION DE QUALITÉ — 2E PARTIE

Ces paroles que je te donne aujourd'hui seront dans ton cœur. Tu les inculqueras à tes fils. Deutéronome 6.6,7

Pendant les vingt-huit premières années de son ministère prophétique, Ellen White n'écrit rien sur l'éducation scolaire, bien qu'elle ait écrit sur l'éducation au foyer et la responsabilité des parents en 1854.

Cela change radicalement en 1872, quand l'école privée de Bell devient la première institution scolaire financée par l'Église. Elle écrit alors *Proper Education* (L'éducation de qualité), l'un de ses ouvrages les plus complets et importants sur l'éducation. Cet ouvrage a profondément influencé les éducateurs adventistes, parce qu'ils l'ont compris comme un mandat vers l'idéal de l'éducation chrétienne. « Les adventistes doivent sans aucun doute être des réformateurs de l'éducation. » — *Fondamentals of Education*, p. 44.

L'idéal de réforme consiste en partie à remplacer l'exclusivité de l'étude par une éducation équilibrée qui englobe « l'éducation physique, mentale, morale et religieuse des enfants. » — *Ibid.*, p. 15. Le concept d'éducation équilibrée qui prend en compte la globalité de la personne devient caractéristique des écrits d'Ellen White pendant les quarante années suivantes.

Proper Education se divise en trois parties principales. La première présente la véritable éducation comme le développement de la maîtrise de soi. On dresse les animaux, mais les êtres humains doivent être éduqués pour prendre des décisions morales responsables. Il faut donc orienter leur volonté vers le bien.

La deuxième partie (pages 25 à 31 du document) traite de la santé physique et de l'utilité du travail manuel dans l'éducation, à la maison comme à l'école. Elle met à plusieurs reprises l'accent sur les aspects pratique et physique de l'éducation, et souligne que les adventistes sont des réformateurs en matière d'éducation.

La troisième partie aborde brièvement les enseignements bibliques et le « tronc commun » de la connaissance pour ceux qui se préparent au ministère.

Elle n'a aucun doute sur l'importance de l'éducation. En effet, « l'ignorance ne fera progresser ni l'humilité ni la spiritualité » des chrétiens et « le Christ sera mieux glorifié par ceux qui le servent intelligemment. Le grand objectif de l'éducation est de nous rendre aptes à utiliser les talents que Dieu nous a donnés, de façon à témoigner au mieux de la religion de la Bible et à rendre gloire à Dieu. » — *Ibid.*, p. 45.

À LA RECHERCHE D'UNE ÉDUCATION DE QUALITÉ — 3E PARTIE

Je t'instruirai et je te montrerai la voie que tu dois suivre. Psaume 32.8

Les adventistes du septième jour font un grand pas en avant lorsque, en 1872, ils font de l'école de Bell la première école de l'Église, mais les dirigeants savent qu'ils doivent aller plus loin, en particulier pour préparer leurs pasteurs. Jusqu'au début des années 1870, un jeune qui désirait devenir pasteur se contentait d'observer les prédicateurs plus expérimentés et de les imiter.

En 1873, James White, initiateur de toutes les avancées de l'Église, comprend qu'il faut organiser une structure pour la formation des pasteurs.

« Aucune branche de notre œuvre, déclare-t-il à la session de la Conférence générale de 1873, ne souffre probablement autant que le domaine de la formation de ceux qui proclament le message du troisième ange. » La situation requiert « une éducation plus sanctifiée dans le ministère. Je me réjouis que le Seigneur suscite parmi nous des enseignants pour prendre en charge l'œuvre d'éducation. »

Cette vision élargie de l'éducation ne concerne pas seulement la formation des pasteurs. L'Église se prépare aussi à envoyer des missionnaires à l'étranger. J.N. Andrews écrit en 1873 : « Nous devons répondre à l'appel des hommes des extrémités de la terre, qui parlent d'autres langues. Nous n'en sommes pas capables actuellement, mais nous le pourrons si le Seigneur bénit notre effort. » Pour élever le niveau de l'école de Battle Creek. « Nous avons trop attendu pour cela. Nous ne pouvons pas revenir sur le passé, mais nous pouvons faire mieux dans l'avenir. [...] Des gens d'autres nationalités désirent entendre parler du retour du Christ. »

Les dirigeants comprennent qu'ils doivent créer une université, et cela devient réalité en 1874. Juste avant l'inauguration de cette institution, G. I. Butler, président de la Conférence générale, écrit : « Nous voyons une grande œuvre devant nous. [...] Nous voyons arriver le temps où des centaines de missionnaires partiront dans d'autres pays pour lancer le message d'avertissement. » Pour cette raison, l'université doit former non seulement des pasteurs, mais aussi des traducteurs, rédacteurs et autres personnes pour transmettre le message du troisième ange.

La vision n'est jamais statique. Dieu guide son peuple un pas à la fois. Lorsque nous atteignons un niveau, il nous pousse vers le suivant, et cela dans tous les domaines de notre vie, si nous vivons pour lui.

À LA RECHERCHE D'UNE ÉDUCATION DE QUALITÉ – 4E PARTIE

Le Seigneur dit : Venez, nous allons discuter. Ésaïe 1.18

En 1874, les fondateurs de Battle Creek College savent très clairement ce qu'ils veulent pour leur nouvelle école. Ils désirent que ce soit une institution où l'on enseigne la Bible, on forme des pasteurs et missionnaires, on développe chez les étudiants la capacité à communiquer avec Dieu. Ils savent pourquoi ils créent une université.

Mais pour cela, il faut des professeurs. Le problème se pose pour la jeune Église : où trouver le personnel et les enseignants ?

Heureusement, ils comptent parmi leurs membres un diplômé universitaire. Sidney Brownsberger a terminé le programme d'études classiques de l'Université du Michigan en 1869 et il obtiendra en 1875 son MA (Master of Arts, diplôme équivalent à la maîtrise, ndt) dans la même université. Les besoins de l'Église, les compétences de Brownsberger et son engagement dans l'adventisme font de lui le candidat idéal pour diriger la nouvelle université.

Sa nomination n'a qu'un inconvénient. C'est un excellent universitaire, mais il ne sait pas comment réaliser pratiquement les objectifs des fondateurs.

Lors d'une des premières réunions du comité de l'université, raconte Willie White, sa mère « lut le témoignage de l'éducation chrétienne de qualité. Tous écoutèrent attentivement et reconnurent sa pertinence. Ils reconnurent également que cela impliquait un travail plus vaste que ce qu'ils avaient prévu, et que leur magnifique site » au bord de la rivière, « bien que pratique et proche, ne remplissait pas bien sa fonction ».

Quelqu'un demande à Brownsberger ce qu'il est possible de faire et il répond qu'il ne sait pas du tout comment diriger une telle école.

Il est alors décidé de garder pour l'école une organisation ordinaire et d'étudier comment mettre en place, plus tard, les matières souhaitées. Cependant, « aucun progrès significatif ne fut accompli dans ce sens avant plusieurs années ».

Le jeune enseignant universitaire a fait de son mieux. Au milieu des années 1870, son école propose un cours traditionnel centré surtout sur le latin, le grec classique et la littérature de ces langues. Ce n'est donc pas une grande « réforme ».

Dieu l'a pourtant utilisé, et c'est la bonne nouvelle : Dieu nous emploie, en dépit de ce que nous sommes et de nos lacunes. *Merci, Seigneur !*

À LA RECHERCHE D'UNE ÉDUCATION DE QUALITÉ – 5E PARTIE

Il vaut mieux posséder la sagesse que de l'or. Proverbes 16.16, PDV

Nous avons vu hier que Battle Creek College n'atteint pas les objectifs fixés par ses fondateurs. On y enseigne le latin et le grec classique, et l'enseignement biblique et religieux a peu de place dans le programme. En réalité, il n'y a pas de cours réguliers de religion, en dehors des cours requis. Il est vrai qu'Uriah Smith se déplace, malgré son handicap, pour donner quelques cours facultatifs sur les prophéties, mais il attire peu d'étudiants.

La plaquette de l'école indique : « Rien, dans les cursus d'études ou dans les pratiques et la discipline, ne peut être qualifié de spécifiquement adventiste ou sectaire. Ceux qui assistent aux cours de Bible en font eux-mêmes le choix. Les dirigeants de l'école ne forcent en aucun cas les étudiants à adopter des opinions sectaires, ni à favoriser ces opinions dans leur travail scolaire. » Voici comment se développe l'enseignement supérieur adventiste.

Mais les choses se compliquent. En 1881, Brownsberger démissionne et il est remplacé par Alexander McLearn qui arrive à Battle Creek avec l'avantage d'un doctorat en théologie, mais l'inconvénient de ne pas être adventiste.

Brownsberger ne comprenait peut-être pas les exigences d'un enseignement spécifiquement adventiste, mais McLearn ne comprend pas l'adventisme du tout. C'est un excellent universitaire, mais sous sa direction, la situation se dégrade.

L'institution ferme ses portes pour l'année scolaire 1882-1883, sans certitude de réouverture. Ainsi se termine la première tentative d'école supérieure adventiste. L'un des journaux de Battle Creek commente âprement cet échec.

C'est au cœur de la débâcle, sous la direction de McLearn, qu'Ellen White intervient. En décembre 1881, elle lit devant les dirigeants de l'Église et les enseignants un témoignage intitulé « Notre université ». Elle ne mâche pas ses mots : « Nous courons le danger que notre école se détourne de son objectif d'origine. » — *Testimonies for the Church*, vol. 5, p. 21.

Cette triste histoire nous enseigne une importante leçon. Il est trop facile de croire qu'avec le temps, l'Église va toujours plus mal. C'est faux. Les problèmes ont toujours existé, et il y en aura toujours, mais Dieu ne nous abandonne pas pour autant. C'est sa façon d'être. Il travaille avec des hommes loin d'être parfaits, et dans des institutions loin d'être idéales, et il persévère, même quand nous voulons abandonner.

À LA RECHERCHE D'UNE ÉDUCATION DE QUALITÉ — 6E PARTIE

Je vous donnerai un cœur nouveau et je mettrai en vous un esprit nouveau.
Ézéchiel 36.26

Les personnes ont besoin de recevoir un cœur nouveau, mais parfois, les institutions aussi. C'est le cas de l'éducation adventiste dans les années 1870 et 1880, alors qu'elle cherche son rôle dans l'Église.

Nous avons conclu la lecture d'hier avec le puissant appel d'Ellen White à la réforme pour *Battle Creek College* en 1881. Elle craignait que « l'école se détourne de son objectif d'origine. [...] Pendant les deux dernières années, nous avons tenté de calquer notre établissement sur d'autres écoles. [...] L'influence morale et religieuse ne devrait pas être reléguée à l'arrière-plan. » — *Testimonies for the Church*, vol. 5, p. 21.

« Si l'influence du monde doit prendre le pas dans notre école, alors il vaudrait mieux la vendre aux gens du monde et les laisser en prendre la direction. Ceux qui ont investi leurs moyens dans cette institution en créeront une autre, qui sera dirigée non pas sur le modèle des écoles publiques, ni selon le désir du directeur ou des enseignants, mais suivant le plan indiqué par Dieu. [...]

Dieu désire qu'il y ait dans le pays une école où la Bible ait la place qui lui revient dans l'éducation des jeunes. » — *Ibid.*, p. 25, 26.

Dans sa présentation percutante, Ellen White réaffirme spécialement le rôle de la Bible et la nécessité de se remettre en phase avec les objectifs des fondateurs.

« On a accordé trop peu d'attention à la formation des jeunes qui se destinent au ministère, écrit-elle, alors que c'était l'objectif premier de notre école. » — *Ibid.*, p. 22.

Elle n'a rien contre les arts et les sciences, au contraire, elle est en faveur d'un élargissement des connaissances, « sans négliger l'étude de la Parole. » — *Ibid.*, p. 21. Ce qu'elle conteste, c'est la scolarité qui ne se base que sur les livres, puisque c'est ce que proposent toutes les écoles du pays. Ellen White prône un apprentissage global, qui envisage les choses sous la perspective biblique. « La Bible est incomparable en tant que modèle d'éducation, car elle pousse les étudiants à affronter les problèmes difficiles, et stimule leur esprit. » — *Ibid.*, p. 24. Elle lance donc un appel à relancer l'éducation adventiste.

Merci, Père, pour la voix prophétique de notre passé. Aide-nous à entendre cette même voix aujourd'hui.

À LA RECHERCHE D'UNE ÉDUCATION DE QUALITÉ – 7E PARTIE

Pour un arbre il y a une espérance, si on le coupe il repousse, ses rejetons ne manquent pas. Job 14.7

Au printemps 1882, le jeune arbre de l'éducation adventiste n'a pas été seulement élagué, il a été coupé, mais cette intervention drastique n'a pas été inutile.

De la souche pousseront quelques branches dans plusieurs directions, elles vitaliseront le système et l'aideront énormément dans sa recherche d'un enseignement de qualité. Battle Creek College rouvrira en automne 1882, avec la résolution d'être plus fidèle à sa mission, et on observera de grands progrès pendant les années 1880.

Les deux anciens directeurs ont quitté la région. Tous deux ont appris des leçons qui les aideront, dans l'avenir, à contribuer à l'éducation adventiste.

Goodloe Harper Bell part dans le Massachusetts où il établit, au printemps 1882, South Lancaster Academy, qui deviendra plus tard Atlantic Union College.

De son côté, Sidney Brownsberger se rend dans l'ouest où, en avril 1882, il fonde Healdsburg Academy qui deviendra Healdsburg College et enfin Pacific Union College. Il s'est promis de ne pas commettre deux fois les mêmes erreurs. Il démarre à Healdsburg avec une tout autre optique de l'éducation que celle qu'il avait à Battle Creek. Après son expérience dans le Michigan, il a résolu de « ne travailler pour l'Église qu'en se fondant sur les *Témoignages* ».

Pendant les années où Brownsberger la dirige, l'école a bonne réputation à Healdsburg, principalement parce qu'il est reconnu qu'elle offre un enseignement équilibré, entre théorie et pratique, entre mental et physique. Elle ne se limite pas aux études intellectuelles mais prépare les étudiants pour le monde du travail. De plus, l'école a pour objectif de « proposer une formation spécifique pour les jeunes hommes et femmes se destinant à entrer dans le ministère ». C'est une véritable institution de réforme éducative, et elle exercera une excellente influence sur l'école de Battle Creek.

Contrairement au dicton, les vieux singes peuvent apprendre à faire des grimaces. Avec l'aide de Dieu, les personnes, comme les institutions, peuvent se réformer pour se rapprocher des idéaux divins. Ce n'est qu'un début, la véritable révolution de l'éducation aura lieu durant les années 1890.

Réflexions sur le mode de vie et la doctrine — 1re partie

Éternel, fais-moi connaître tes sentiers, enseigne-moi tes voies. Psaume 25.4

Nous avons remarqué dans nos lectures qu'Ellen White a bien plus contribué dans le domaine du mode de vie adventiste que dans le développement de la doctrine. Dans la formation doctrinale, le processus consistait à étudier la Bible jusqu'à ce qu'un consensus général se fasse. À ce stade, elle recevait généralement une vision qui confirmait les découvertes et aidait ceux qui avaient encore des réticences à accepter les conclusions bibliques du groupe. On peut donc dire que la contribution d'Ellen White au plan doctrinal concerne la confirmation plus que l'initiation.

Ce n'est pas la même chose pour sa participation en ce qui concerne le mode de vie, mais avant de développer cette notion, il importe de reconnaître certaines différences entre le domaine du mode de vie et celui de la doctrine.

Les adventistes d'aujourd'hui tendent à mettre le style de vie et la doctrine sur pied d'égalité, mais ce n'est pas la position des fondateurs de l'Église. Ils ont établi leurs doctrines grâce à l'étude intensive de la Bible et organisé des réunions pour parvenir à un consensus. En ce qui concerne le développement du mode de vie, le modèle est différent.

Cette différence vient peut-être du fait que la doctrine caractérise une dénomination. Parmi les premiers adventistes sabbatistes, la doctrine jouait un rôle essentiel et suscitait beaucoup d'attention. Le thème du mode de vie, au contraire, semblait être une préoccupation de second ordre. Les questions de mode de vie ne déterminent pas l'identité d'une dénomination, mais un mode de vie correct facilite la mission de l'Église dans la diffusion du message doctrinal.

Sous cette perspective, la réforme sanitaire aide les croyants à devenir de meilleurs témoins et missionnaires, et permet à ceux qui recouvrent la santé de parvenir à une compréhension plus juste de l'Évangile. De la même façon, l'éducation chrétienne favorise le développement personnel des membres et celui des prédicateurs. La dîme et les offrandes permettent, elles aussi, de refléter le caractère de celui qui nous a aimés au point de donner son Fils unique, mais également de financer la mission de Dieu sur terre.

Seigneur, nous apprécions le système doctrinal et l'idéal de mode de vie qui ont fait des adventistes un peuple unique. Aide-nous à mieux comprendre leur rôle respectif dans notre vie individuelle et collective.

Réflexions sur le mode de vie et la doctrine – 2e partie

Marchez comme des enfants de lumière. Éphésiens 5.8

Il n'existe que deux façons de marcher : dans la lumière ou dans l'obscurité. La Bible est claire sur ce point.

Mais qu'est-ce que la lumière ?

Beaucoup pensent qu'une doctrine correcte et un mode de vie biblique sont la lumière. C'est faux ! Le Christ est la lumière, et la religion est centrée sur notre relation avec lui. Elle implique aussi le problème du péché et la solution donnée par Dieu avec la croix du Christ.

La doctrine et le mode de vie sont des questions de second ordre. On peut adhérer aux bonnes doctrines, mener un mode de vie correct et être perdu quand même. Le salut résulte de notre relation avec Dieu, grâce à Jésus. La doctrine n'est pas une fin en soi, mais un moyen de mieux connaître Dieu pour l'aimer plus. Le mode de vie est un autre moyen, un degré plus éloigné du centre de la foi. La réforme sanitaire, par exemple, nous permet d'avoir l'esprit plus clair pour mieux comprendre la doctrine, donc Dieu, et un meilleur caractère, pour mieux aimer Dieu et notre prochain.

Pour les pionniers de l'adventisme, le mode de vie et la doctrine n'ont pas la même valeur. C'est la raison pour laquelle ils font d'énormes efforts pour établir leurs doctrines, laissant de côté la plupart des questions de mode de vie, jusqu'à ce que la nécessité ou la crise les contraigne à prendre position.

Les adventistes répondent aux questions de mode de vie de différentes façons. Soit ils construisent une position sur l'étude de la Bible quand une crise survient, soit Ellen White prend les devants en soulevant une question, propose une solution et indique comment celle-ci s'insère dans la perspective du message des trois anges. La question de la réforme sanitaire entre dans ce deuxième cas de figure, alors que pour la dîme et le service militaire, on se trouve dans le premier.

Ellen White appliquait souvent les principes bibliques à la vie quotidienne de l'Église et des membres. C'est pourquoi, au fil du temps, ses conseils sont devenus le centre des discussions sur le mode de vie adventiste.

Si l'on considère l'évolution de l'adventisme, on constate qu'Ellen White joue un double rôle, avec moins de participation dans le développement doctrinal que dans les questions de mode de vie.

Guide-nous, Père, et aide-nous à comprendre comment les différents domaines de notre foi sont liés entre eux et doivent être mis en pratique dans notre vie.

LES PREMIERS CAMPS-MEETINGS — 1RE PARTIE

Tu célébreras la fête pendant sept jours en l'honneur de l'Éternel, ton Dieu, dans le lieu que choisira l'Éternel. Deutéronome 16.15

L'année religieuse israélite, aux temps bibliques, se ponctuait de plusieurs festivités lors desquelles le peuple quittait sa maison, voyageait et se retrouvait pour plusieurs jours d'édification religieuse.

Il n'existe pas de parallèle aux fêtes juives dans l'ère chrétienne, mais le camp-meeting leur ressemble beaucoup. Les camps-meetings ont joué un rôle important dans le renouveau religieux du XIXe siècle aux États-Unis et dans les mouvements méthodiste et millérite. Le premier camp-meeting organisé par l'Église adventiste a lieu à Wright, au Michigan, en septembre 1868.

La *Review* l'annonce le 18 août : « Cette rencontre n'a pas été organisée pour passer quelques jours de vacances ou de récréation. Ce n'est pas une nouveauté inventée pour attirer les curieux ou les paresseux qui n'auraient pas été intéressés autrement. Nous ne cherchons pas non plus à organiser une grande manifestation pour étaler notre force. Nous visons un tout autre objectif.

Nous désirons inviter autant de frères que possible, membres et pasteurs, ainsi que toutes les personnes non converties que nous pourrons intéresser, pour leur faire du bien.

Nous souhaitons que tous les participants viennent dans l'objectif de rechercher Dieu, et de se reconvertir, et que les pasteurs donnent ainsi un exemple digne d'être imité.

Nous espérons également voir beaucoup de personnes qui ne connaissent pas le Christ ni la vérité présente se convertir au Seigneur et se réjouir dans sa lumière. »

Nous y sommes : le but du camp-meeting est l'édification et l'instruction des croyants, la conversion de ceux qui en ont besoin, et la présentation du message du troisième ange à ceux qui ne l'ont pas encore accepté ou entendu.

C'est donc une fête spirituelle de premier ordre, organisée par les adventistes et destinée à tous.

LES PREMIERS CAMPS-MEETINGS – 2E PARTIE

Ses parents [de Jésus] allaient chaque année à Jérusalem pour la fête de Pâque.
Luc 2.41

Le camp-meeting des débuts de l'adventisme est un événement très joyeux. Les gens entendent de bonnes prédications, retrouvent des amis de longue date, sortent de leur routine quotidienne, achètent des publications adventistes et reçoivent une grande bénédiction spirituelle. Le camp-meeting annuel est une expérience exceptionnelle pour tous les participants.

Le premier camp-meeting de Wright au Michigan, du 1er au 7 septembre 1868, est le modèle de tous ceux qui suivront ensuite. Deux tentes rondes de 18 mètres accueillent les rencontres générales, et les participants logent dans de petites tentes. Il n'y a pas de magasin spécialisé où acheter des tentes bon marché, et les rédacteurs de la *Review* donnent des instructions pour construire des tentes pour les familles et les églises.

On installe vingt-deux tentes, avec des zones séparées par des couvertures suspendues à des cordes, pour préserver l'intimité des familles, ou différencier les chambres des hommes et celles des femmes.

Familles et amis préparent leurs repas sur des feux à ciel ouvert, et ils s'asseyent sur des troncs ou bûches, installés en cercle autour du feu. Cela favorise les contacts et une belle convivialité. C'est un moment fantastique pour les enfants, mais c'est aussi l'événement le plus festif de l'année pour les adultes.

Pourtant, on ne dispose pas du même confort qu'à la maison, on souhaiterait jouir d'un peu plus d'intimité, et surtout, le camp exige un important sacrifice financier, si l'on considère le coût du voyage et les jours de congés non rémunérés. Néanmoins, les premiers adventistes sont convaincus que les bienfaits de ces réunions compensent largement les inconvénients et les sacrifices.

Ce camp-meeting de Wright est le premier, sept États en organisent l'année suivante, puis ils se répandent dans le monde entier.

Il y en a encore aujourd'hui. Certains sont très dynamiques, d'autres plus tranquilles. Si vous n'avez pas participé à un camp-meeting depuis longtemps, faites cet effort. Vous aurez le plaisir de passer quelques jours dans la nature, et serez abondamment bénis. L'adventisme se porterait beaucoup mieux si tous étaient motivés pour vivre cette occasion annuelle de renouveau et de bénédiction.

Aide-nous, Seigneur, à mieux apprécier toutes les occasions où tu veux nous bénir, chaque jour, chaque semaine, chaque année.

LES PREMIERS CAMPS-MEETINGS — 3E PARTIE

L'Éternel des armées fera pour tous les peuples sur cette montagne un festin de mets succulents. Ésaïe 25.6

Dans la Bible, les « mets succulents » représentent les bienfaits de Dieu, ses bénédictions spirituelles, l'accomplissement de ses promesses. Dieu propose des « festins de mets succulents » dans l'Ancien Testament, mais aussi une grande fête pour les rachetés, à la fin des temps. Dans l'intervalle, pour les premiers adventistes, le camp-meeting est un « festin de mets succulents ».

Lors du camp de 1868, Ellen White donne ce que l'on peut appeler le mot d'ordre. Elle évoque les besoins de l'adventisme et prépare mentalement les participants à la fête spirituelle à venir. Selon Uriah Smith : « Elle mit les frères dans le bon état d'esprit dès le début. [...] Ceux qui, auparavant, ne voyaient pas l'intérêt de telles rencontres l'ont compris car les objectifs leur ont été clairement présentés. »

Joseph Clarke rapporte : « Le témoignage de sœur White a été tel que nous nous sommes sentis un peu comme les disciples quand ils demandaient : "Seigneur, est-ce moi ?" Elle a motivé les participants à profiter de toutes les possibilités des rencontres et à parler des choses célestes » plus que terrestres.

Les prédications sont centrales à Wright : James White prêche six fois, Ellen White cinq fois, J.N. Andrews quatre fois et Nathan Fuller une fois. Selon Uriah Smith, les messages « rayonnaient du feu de la vérité présente ».

Après cette expérience, tous les États réclament James et Ellen White chaque année. Ils font de leur mieux pour répondre, consacrant les mois d'août à octobre pour les camps pendant plusieurs années.

Pendant le camp de Wright, on compte environ trois cents personnes sous tente, plusieurs centaines logeant dans les maisons des alentours, pour un total d'environ mille participants pendant la semaine. Le week-end, on atteint des pics de fréquentation avec deux mille personnes et même plus, sauf par temps de pluie.

Les camps-meetings des années suivantes sont souvent organisés à une distance raisonnable des villes, pour permettre à un plus grand nombre de non-adventistes de participer, et d'entendre le message des trois anges et les vérités qui y sont liées. Le camp le plus fréquenté a certainement été celui de Groveland, au Massachusetts, où on estime à 20 000 le nombre de personnes venues le dimanche écouter Ellen White parler de la tempérance.

Quelle occasion ! Quelle bénédiction !

L'ÉGLISE ENVISAGE LES MISSIONS

Sachez donc que ce salut de Dieu a été envoyé aux païens : eux, ils l'écouteront. Actes 28.28

Il faut reconnaître que les premiers adventistes ne pensent pas tellement aux missions. Ils croient que le mandat de Matthieu 24.14, Apocalypse 10.11 et 14.6 de porter l'Évangile au monde a été rempli par les protestants au début du XIXe siècle et par les millérites au début des années 1840, et ont une mentalité de « porte fermée » en ce qui concerne les missions, aux États-Unis et en dehors. Pour eux, la mission se limite aux autres millérites déçus, pour les réconforter et les aider à passer des messages des premier et deuxième anges à celui du troisième.

Ellen White a reçu en 1848 une vision lui montrant l'œuvre adventiste rayonnant tout autour du monde, et quelques autres indiquant une mission qui s'étend, mais la conception de la « porte fermée » ne semble pas en saisir les implications.

Cette phase de la « porte fermée » se termine en 1852, quand les adventistes comprennent qu'ils se sont trompés sur la notion de fin du temps de grâce. À partir de là, James White prêche « la porte ouverte » et annonce le sabbat et le message du troisième ange à tous, qu'ils aient fait partie ou non du mouvement millérite.

La porte de la mission s'est seulement entrouverte. Il faudra attendre presque un quart de siècle (1874) pour que les premiers missionnaires partent au-delà des États-Unis. Jusque-là, l'approche de la mission progresse à la vitesse de l'évolution plus qu'à celle de la révolution.

Pendant les années 1850, on entend quelques appels à s'engager dans la mission, mais tout autant d'arguments soutenant que l'Église ne doit pas envoyer de missionnaires hors du pays.

L'une des solutions les plus étonnantes à la question de la mission est donnée par Uriah Smith en 1859. Le délai du retour du Christ pose certaines questions missiologiques, et un lecteur de la *Review* demande si l'Église devrait envoyer des missionnaires en dehors des États-Unis. Le rédacteur Smith répond que ce n'est pas nécessaire, puisque les États-Unis sont composés de personnes provenant de toutes les nations. Ainsi, si le message atteint un représentant de chaque nation, on peut considérer que c'est suffisant et qu'il est parvenu à « toute langue et tout peuple ».

Seigneur, comme tu es patient quand tu nous conduis pas à pas dans la vie, malgré notre vision si limitée.

RENCONTRE AVEC MICHAEL BELINA CZECHOWSKI

Jésus lui dit : […] toi, va annoncer le royaume de Dieu. Luc 9.60

La mission adventiste à l'étranger s'est réalisée malgré les adventistes. Elle commence avec les publications adventistes que les immigrés ramènent chez eux ou envoient à leurs parents et amis vivant dans leur pays d'origine.

Ainsi, les adventistes américains apprennent qu'il y a des convertis en Irlande au début des années 1860. En 1864, au moins deux personnes en Afrique ont entendu le message du troisième ange et l'un d'entre aux le porte bientôt en Australie.

Qu'elle le veuille ou non, l'Église adventiste nouvellement organisée doit relever le défi de la mission mondiale. Les convertis demandent que des missionnaires aillent visiter leurs pays d'origine.

Comme c'est souvent le cas, James White est l'un des premiers à envisager une mission plus vaste. Un mois avant l'organisation de la Conférence générale en mai 1863, il écrit dans la *Review* : « Notre message est un message mondial ». Quelques mois auparavant, il avait souligné le besoin d'envoyer un missionnaire en Europe. Puis, en juin, la *Review* annonce que « le comité exécutif de la Conférence générale devrait envoyer un missionnaire [B.F. Snooke] en Europe avant la fin de l'année ».

L'organisation est tellement à court de personnel qu'elle ne parvient pas à libérer Snooke de ses fonctions, mais un pasteur se propose pour faire le voyage.

En 1858, Michael Belina Czechowski (ex-prêtre catholique romain polonais converti à l'adventisme aux États-Unis en 1857) écrit : « Comme j'aimerais traverser l'océan pour retourner dans mon pays natal, annoncer à ses habitants le retour du Christ, et les appeler à observer les commandements de Dieu et la foi de Jésus. »

Cependant, Czechowski est jeune dans la foi et certains le trouvent instable. Par conséquent, les adventistes du septième jour refusent de l'envoyer. Déçu, le Polonais imaginatif demande aux adventistes du premier jour de le sponsoriser et ils acceptent. Il part en Europe et prêche le message du septième jour.

L'Église est pleine de gens intéressants, mais Dieu nous utilise tous, malgré nos lacunes apparentes. Grâces soient rendues au Père qui nous qualifie par sa grâce.

La mission de Czechowski en Europe

Comme le Père m'a envoyé, moi aussi je vous envoie. Jean 20.21

Le moins qu'on puisse dire, c'est que Czechowski est un adventiste intéressant. Après avoir fait sponsoriser son voyage en Europe par les Adventistes du premier jour, il part en bateau en Italie où il prêche les doctrines sabbatistes. Son bateau lève l'ancre le 14 mai 1864, dix ans avant que les adventistes du septième jour envoient leur premier missionnaire.

Pendant quatorze mois, il travaille dans les villages vaudois des Alpes italiennes. Il y baptise plusieurs croyants et instaure la première communauté adventiste du septième jour hors des États-Unis.

Une violente opposition le contraint à partir en Suisse en 1865, où il fait du porte à porte, prêche sur les places publiques, imprime et vend des brochures et publie un périodique intitulé « *L'Évangile éternel* ». Quand il quitte la Suisse en 1868, il laisse quarante croyants baptisés, répartis en plusieurs groupes.

Ne sachant pas exactement ce qu'il prêche et considérant qu'il a été écarté par les adventistes du septième jour, ses sponsors du premier jour ne tarissent pas d'éloges sur lui, continuent à recueillir des fonds pour sa mission et les lui envoient avec ces mots : « Va et que l'Éternel soit avec toi. »

C'est ce qu'il fait, prêchant le message sabbatiste en Roumanie, en Hongrie et d'autres pays d'Europe. Lorsqu'il meurt en Autriche, en 1876, il a posé les bases de la future activité adventiste dans une grande partie de l'Europe de l'Est et du Sud.

Fin 1869, les adventistes du septième jour découvrent la nature de sa mission en Europe et voient la providence divine dans son œuvre. Lors de la session de la Conférence générale de 1870, les responsables reconnaissent officiellement la bénédiction de Dieu sur sa mission. « En raison de nos craintes à confier de l'argent à frère Czechowski, et de notre manquement à l'instruire patiemment pour sa mission, Dieu a utilisé nos détracteurs pour poursuivre son œuvre. [...] Nous reconnaissons en cela la main de Dieu. »

Comme nous le verrons, la mission de Czechowski est à l'origine de l'envoi de J.N. Andrews, premier missionnaire adventiste du septième jour « officiel », en 1874.

Petit à petit et avec réticence, le peuple du septième jour se lance enfin dans sa mission, mais sans trop de hâte.

La mission en Californie

Priez donc le Seigneur de la moisson d'envoyer des serviteurs dans sa moisson.
Matthieu 9.38

La première mission adventiste hors du Nord-Est des États-Unis s'implante en Californie, séparée par près de 2500 km de déserts, forêts et montagnes. La distance est longue, et ce désert rend le voyage difficile et même dangereux.

Au XIXe siècle, les individus ou les publications adventistes atteignent des lieux avant que l'adventisme y soit implanté. C'est le cas en Californie. En 1859, Meritt G. Kellogg (demi-frère aîné de J. H. Kellogg), croyant laïque, arrive à San Francisco après un difficile voyage de six mois à travers le pays, en train chariot ou char à bœufs. Il est probablement le premier adventiste de l'État.

Deux ans plus tard, il prêche lors d'une série de conférences à San Francisco et baptise quatorze personnes. Quatre ans après, le groupe de croyants envoie 133 dollars or à Battle Creek pour payer les frais de voyage d'un pasteur, mais l'Église n'a personne à envoyer.

En 1867, Kellogg retourne dans l'Est pour obtenir un diplôme de médecine. Pendant son séjour, il participe à l'assemblée de la Conférence générale de 1868, où il lance un appel pour un missionnaire en Californie. Qui peut partir ?

J.N. Loughborough explique qu'il a rêvé de réunions sous tente en Californie et se sent fortement poussé à y aller. Doit-il partir seul ? James White rappelle que le Christ a envoyé ses disciples deux par deux. D.T. Bourdeau se lève alors et déclare qu'il est fermement convaincu qu'il doit partir, et qu'il est venu avec sa femme à la Conférence générale avec toutes leurs affaires déjà emballées. Ils sont prêts à aller là où l'Église les enverra.

Deux prédicateurs adventistes arrivent ainsi à San Francisco en juillet 1869. Ils y trouvent une lettre d'Ellen White leur recommandant de ne pas lésiner pour leur travail. « Vous ne pouvez pas travailler en Californie comme vous l'avez fait en Nouvelle-Angleterre, écrit-elle. Une aussi stricte économie serait considérée comme pingrerie par les Californiens. » C'est un bon conseil. Mais où doivent-ils dresser leur tente ? La location d'un terrain à San Francisco coûte plus que ce qu'ils peuvent imaginer. Ils prient, et Dieu répond.

La consécration de ces croyants me stupéfie. Combien d'entre nous iraient à la session de la Conférence générale avec tous leurs biens emballés, prêts à aller là où le Seigneur les appellera ? Quel est notre « quotient de consécration » aujourd'hui ?

LE RÊVE CALIFORNIEN

Lui-même enverra son ange devant toi. Genèse 24.7

Dieu agit de façon mystérieuse. Quelques semaines avant l'arrivée de Loughborough et Bourdeau à San Francisco, un journal new-yorkais parvient en Californie, dans lequel un article annonce l'arrivée de deux évangélistes qui tiendront des conférences dans une grande tente.

Cet entrefilet attire l'attention d'un groupe de croyants de Petaluma, un village situé à environ 65 km au nord de San Francisco, et ils prient pour que le Seigneur bénisse les prédicateurs.

Parmi eux se trouve M. Wolf. Il a rêvé que deux hommes allumaient un feu qui répandait une grande lumière, mais que les pasteurs locaux cherchaient à éteindre les flammes. Leurs tentatives ne servaient pourtant qu'à attiser le feu et le rendre plus brillant. Dans son rêve, il lui est indiqué que ces hommes sont ceux dont parle le journal et que les croyants de Petaluma doivent les aider. Ils envoient donc un homme pour accueillir les deux prédicateurs à San Francisco, mais il ne sait où chercher dans la fourmillante ville de 150 000 habitants. Il se rend donc au port, demande si une grande tente a été livrée, et à quelle adresse. Une heure plus tard, il a trouvé les deux évangélistes.

Sans leur parler du rêve, il les invite à Petaluma pour dîner chez M. Wolf, afin que celui-ci confirme au groupe si ce sont bien les hommes dont il a rêvé. C'est ce qu'il fait et le groupe de Petaluma organise donc les conférences sous tente. Au début on compte 40 auditeurs, mais le nombre passe rapidement à 200, puis 400. Il faut bientôt remonter les parois des tentes pour que les personnes assises à l'extérieur puissent entendre les prédications.

Cependant, l'opposition annoncée dans le rêve survient. Les pasteurs de la région, et même les dirigeants du groupe qui a invité les deux prédicateurs à Petaluma, se mettent à travailler contre eux, surtout quand ils commencent à présenter le sabbat.

À la fin des conférences, vingt personnes acceptent néanmoins l'enseignement et une petite communauté se constitue. En peu de temps, huit ou neuf groupes s'organisent à Santa Rosa et d'autres parties du comté de Sonoma.

Dieu a agi de façon mystérieuse, et il le fait encore, sans parfois que nous le sachions. Il ne nous laisse pas seuls dans notre œuvre pour lui. Le Seigneur envoie encore son ange devant nous.

LES DISCIPLES DE CZECHOWSKI DÉCOUVRENT LA REVIEW

Passe en Macédoine, viens à notre secours ! Actes 16.9

L'expérience de Paul, rêvant que la Macédoine appelle des missionnaires, se répète de nombreuses fois dans l'histoire de l'adventisme. C'est le cas pour les convertis européens de Czechowski.

Cet homme, qui a tant fait pour établir la présence adventiste en Europe, n'a jamais parlé à ses convertis de l'existence de l'Église adventiste du septième jour aux États-Unis. Quand on lui demande où il a appris ce qu'il enseigne, il répond : « Dans la Bible ». Ses convertis pensent être les seuls à croire ainsi aux enseignements de la Bible, mais leur ignorance ne dure pas longtemps. Finalement, Albert Vuilleumier, un croyant suisse, trouve un exemplaire de la *Review and Herald* dans une chambre que Czechowski a occupée lors d'une récente visite. Son anglais n'est pas parfait, mais suffisant pour qu'il comprenne qu'il existe aux États-Unis un groupe de croyants qui enseigne les mêmes doctrines que Czechowski.

Suite à cette découverte, il envoie une lettre à Uriah Smith, rédacteur de la *Review*. Surpris, les dirigeants de Battle Creek répondent en invitant les croyants suisses à envoyer un de leurs représentants à la session de la Conférence générale de 1869. C'est ainsi que Jacques Erzberger vient aux États-Unis.

Erzberger est lui-même un nouveau converti. Il a étudié la théologie pour devenir pasteur quand il a rencontré les observateurs du sabbat suisses. Il a étudié leurs croyances pour déterminer si elles étaient fondées et a été convaincu.

Erzberger arrive à Battle Creek trop tard pour la session de la Conférence générale, mais il y reste quinze mois pendant lesquels il loge principalement chez James et Ellen White. C'est un séjour d'étude pendant lequel il perfectionne son anglais et approfondit le message adventiste. Quand il retourne en Suisse, il est le premier pasteur adventiste du septième jour officiellement consacré en Europe.

Pendant ce temps Czechowski, contrarié par ce contact entre les convertis suisses et l'Église américaine, quitte la Suisse pour aller en Roumanie, où il fonde les premiers groupes d'observateurs du sabbat.

L'expérience suisse a deux résultats : tout d'abord, elle suscite une prise de conscience de la mission parmi les adventistes américains. Ensuite, elle fait comprendre la nécessité d'envoyer un missionnaire permanent en Europe.

L'appel de Macédoine résonne encore, et Dieu a toujours besoin de volontaires qui répondent.

MISSIONNAIRES — 1RE PARTIE

Toutes les extrémités de la terre se souviendront de l'Éternel et se tourneront vers lui. Psaume 22.28

Le contact avec la Suisse transforme à jamais l'adventisme. Le peuple, qui auparavant, ne croyait pas à la mission à l'étranger se trouve sur un chemin qui le mènera au bout du monde.

Même si Erzberger arrive trop tard pour la session de la Conférence générale de 1869, les implications de sa visite sont chargées de sens. Cette session voit la création d'une Société missionnaire adventiste du septième jour. « L'objet de cette société est de transmettre le message du troisième ange dans les pays étrangers, les terres lointaines, grâce aux missionnaires, aux livres, publications, etc. » En présentant cette résolution, James White fait remarquer qu'il reçoit presque quotidiennement des demandes pour envoyer des publications dans d'autres pays.

Quelques mois plus tard, Andrews voit la bénédiction de Dieu dans le travail de Czechowski et en 1871, la Conférence générale vote de « faire tout ce qui est en [son] pouvoir pour soutenir la diffusion de la vérité » dans les pays d'Europe.

De son côté, Ellen White encourage aussi l'effort missionnaire. En décembre 1871, elle reçoit une vision dans laquelle elle voit que « les adventistes ont des vérités d'importance vitale à communiquer au monde ». Pour cette raison, elle suggère que les jeunes adventistes « apprennent des langues étrangères afin que Dieu puisse les employer pour transmettre la vérité du salut à d'autres nations. » —*Life Sketches of Ellen White*, p. 203, 204.

L'Église ne doit pas se contenter d'expédier des publications, elle doit aussi envoyer des « prédicateurs vivants ». « Nous avons besoin de missionnaires pour aller prêcher la vérité dans d'autres pays », insiste-t-elle. « Le message d'avertissement adventiste doit parvenir dans tous les pays pour qu'ils reçoivent la lumière de la vérité. Nous n'avons pas un instant à perdre. Nous avons été négligents sur cette question, il est nécessaire que nous rattrapions le temps perdu pour que le sang des âmes ne retombe pas sur nous. Cela aura un coût considérable, mais le prix ne doit pas nous freiner dans notre effort pour cette œuvre. » — *Ibid.* p. 205, 206.

L'adventisme est encore transformé. Cette fois, ce sont ses yeux missiologiques qui sont ouverts. Le Dieu qui conduit son peuple le guide une fois de plus, pas à pas.

Missionnaires — 2e partie

La connaissance de l'Éternel remplira la terre comme les eaux recouvrent le fond de la mer. Ésaïe 11.9

Même si, en 1872, certains pasteurs adventistes enseignent encore que le mandat de Matthieu 24.14 demandant de porter l'Évangile à toutes les nations a été accompli, l'élan missionnaire continue à se développer dans l'adventisme. Le problème reste la formation du personnel missionnaire, et cela amène, en 1873 et 1874, à créer la première université adventiste.

Pendant l'été 1873, James White réclame une université, et il insiste pour qu'Andrews aille en Suisse en automne, pour répondre à la demande des adventistes suisses. En novembre, il convoque une assemblée extraordinaire de la Conférence générale pour discuter du problème du missionnaire, mais rien ne se passe.

Fait significatif : lors de cette session de la Conférence générale le sermon de James White traite d'Apocalypse 10, en lien avec la mission à l'étranger. Plus tôt dans la même année, il a appliqué l'impératif d'Apocalypse 14.6 de prêcher l'Évangile dans le monde entier et celui d'Apocalypse 10.11 de « prophétiser sur beaucoup de peuples, de nations, de langues, de rois », au mandat mondial de l'Église adventiste reçu après la grande déception millérite. Ces deux textes, ainsi que celui de Matthieu 24.14, finiront par donner l'impulsion à la mission adventiste, afin d'accomplir ce que l'Église comprend enfin comme son rôle prophétique dans l'histoire.

En janvier 1874, James White publie *True Missionary* [Le vrai missionnaire]. Le premier périodique missionnaire adventiste insiste sur le besoin d'envoyer des missionnaires. Ellen White partage l'avis de son mari. En avril 1874, elle fait un rêve qui contribue à vaincre les dernières résistances à la mission. « Vous entretenez une vision trop limitée du travail à accomplir, lui dit l'ange. Votre maison est le monde. [...] Le message doit être prêché avec puissance dans toutes les régions du monde, en Oregon, en Europe, en Australie, dans les îles, à toutes les nations, langues et peuples. » Il lui est montré que le travail missionnaire est « bien plus vaste que ce que notre peuple a imaginé, envisagé et prévu ». Suite à ce rêve, elle appelle à une plus grande foi qui s'exprimera par l'action. — *Life Sketches of Ellen White*, p. 208-210.

Une plus grande foi. C'était le besoin de l'époque, c'est encore le nôtre aujourd'hui.

Augmente notre foi, Seigneur, pour que nous discernions ta volonté, y compris dans notre vie.

J.N. ANDREWS PART EN EUROPE

Après avoir jeûné et prié, ils leur imposèrent les mains et les laissèrent partir.
Actes 13.3

Quand les choses se mettent enfin en marche, tout peut aller très vite. C'est le cas pour la mission adventiste. En août 1874, la Conférence générale décide par vote que J.N. Andrews doit aller en Europe dès que possible. Un mois plus tard, il part pour la Suisse en tant que premier missionnaire « officiel ». Il arrive à destination le 16 octobre.

En Suisse, Andrews trouve plusieurs communautés existantes d'observateurs du sabbat, grâce au travail de Czechowski et Erzberger. Andrews leur donne un enseignement plus approfondi de la doctrine. Deux mois après son arrivée, il entend dire qu'il existe des communautés de croyants en Prusse et en Russie, et comprend qu'il y a « des groupes de chrétiens observant le sabbat dans la plupart des pays d'Europe ». Il est décidé à développer ces communautés existantes.

Mais comment les atteindre ? Il utilise ce qui me semble un plan très original. Il espère les joindre en publiant des communiqués « dans les journaux les plus lus d'Europe ». Et, surprise, le plan « wanted » fonctionne magnifiquement ! En peu de temps, il existe des missions adventistes en Angleterre, en Scandinavie et en Allemagne, tout comme en Suisse. Depuis ces bases, le message se répand dans les autres pays d'Europe.

Les missionnaires envoyés dans ces communautés sont souvent des immigrés de première génération qui se sont convertis à l'adventisme aux États-Unis et ont été encouragés à retourner dans leur pays natal. Ils ont donc l'avantage de connaître la langue et la culture, mais également d'avoir un cercle de connaissances parmi lesquelles commencer leur ministère.

Nous l'avons répété souvent : Dieu dirige son peuple pas à pas. La première étape de la mission adventiste (1844-1850) est la fondation d'une base doctrinale. La seconde (1850-1874) crée une structure de départ aux États-Unis capable de soutenir le programme missionnaire. Enfin, la troisième (1874-1889) voit le développement de l'adventisme en Europe et d'autres parties du monde occidental, avant de porter le message « dans le monde entier » à partir de 1890.

UNE MISSION EN MATURATION

À quoi le royaume de Dieu est-il semblable et à quoi le comparerai-je ?
Il est semblable à un grain de moutarde qu'un homme a pris
et jeté dans son jardin ; il pousse, devient un arbre.
Luc 13.18,19

Au début des années 1880, la mission européenne a grandi, et plusieurs facteurs indiquent son importance croissante pour l'Église.

Le premier est une série de visites de dirigeants adventistes envoyés par la Conférence générale pour faire le tour des différentes missions européennes entre 1882 et 1887. Stephen N. Haskell part le premier en 1882. Il encourage la diffusion des publications dans d'autres langues et aide les Européens à développer une structure plus fonctionnelle.

G.I. Butler, alors président de la Conférence générale, visite l'Europe en 1884, et Ellen White et son fils Willie partent à leur tour de 1885 à 1887. Ces visites fortifient l'Église adventiste en Europe et témoignent de l'intérêt porté au programme missionnaire. Lentement mais sûrement, l'adventisme devient une Église mondiale.

Les développements de l'organisation sont d'autres facteurs indiquant la maturation de la mission européenne. Tout d'abord, les différents ouvriers des missions européennes se rencontrent pour la première fois en 1882, pour « se consulter sur les besoins généraux de la cause ». Peu après l'institution du « Conseil européen des adventistes du septième jour », l'Allemagne, l'Italie et la Roumanie commencent, en 1884, à publier des périodiques. La France en édite déjà depuis 1879.

Indépendamment de la mission européenne, la Conférence générale finance un programme missionnaire parmi les Protestants d'Australie et de Nouvelle-Zélande en 1885, et d'Afrique du Sud en 1887. Il est intéressant de remarquer que des laïcs sont déjà établis dans ces pays avant l'arrivée des missionnaires « officiels ».

Ces missions se joignent bientôt aux États-Unis et à l'Europe pour servir de base à la phase suivante du développement missionnaire dans d'autres pays, pour porter le message des trois anges à *tous* les pays du monde. Cette phase, qui débute en 1889, est la conséquence logique de l'interprétation de « tous les peuples, nations et langues » d'Apocalypse 14.6, 10.11 et Matthieu 24.14.

Les adventistes espèrent achever la mission. *Viens Seigneur Jésus*, prient les premiers adventistes. *Viens Seigneur Jésus, viens rapidement*, c'est encore notre prière aujourd'hui.

POURQUOI L'EUROPE ?

Tels sont les douze que Jésus envoya après leur avoir donné les recommandations suivantes : N'allez pas vers les païens. Matthieu 10.5

« On a souvent demandé pourquoi les adventistes avaient choisi l'Europe centrale comme premier terrain missionnaire » écrit B.L. Whitney en 1886, dans le premier paragraphe de *Historical Sketches of the Foreign Mission of Seventh-day Adventists* (Anecdotes historiques de la mission adventiste). Le travail préparatoire de Czechowski répond partiellement à cette question, mais d'autres facteurs entrent en jeu.

J.N. Andrews fournit un éclaircissement important à la question de Whitney dans la première lettre qu'il envoie chez lui après son arrivée en Europe. Il écrit : « Je crois que Dieu a en Europe un grand peuple prêt à obéir à sa sainte loi, à observer le sabbat et à attendre le retour du Christ. Je suis venu ici pour consacrer ma vie à la proclamation de ces vérités sacrées du proche retour du Christ et du caractère sacré du sabbat. »

En d'autres termes, Andrews croit que sa mission consiste à présenter la doctrine adventiste à ceux qui sont déjà chrétiens. Ce n'est pas une mission du christianisme vers les incroyants. Les adventistes ne comprendront cette responsabilité missionnaire qu'à partir de 1890.

Borge Schantz résume justement la position adventiste entre 1874 et 1890 quand il observe : « La mission envers les non-chrétiens était approuvée et louée » par les adventistes, « mais ils la considéraient comme la tâche que les autres sociétés missionnaires évangéliques devaient prendre en charge. Lorsqu'elles avaient amené les gens au Christ, les adventistes prenaient le relais en leur transmettant le dernier avertissement » et les doctrines adventistes spécifiques.

Cette approche provenait de la compréhension adventiste selon laquelle l'Église devait inviter les gens à « sortir de Babylone ». James White avait déjà exprimé ce point de vue quand il écrivait que les adventistes devaient avoir l'esprit missionnaire « non pas pour porter l'Évangile aux incroyants, mais pour le répandre dans le christianisme corrompu ».

Dans cette perspective, il n'est pas étonnant que l'Église débute sa mission au cœur de l'Europe chrétienne. Elle prend modèle sur la mission de Paul qui prêche d'abord aux Juifs, puis aux Gentils.

Merci, notre Dieu, pour la lumière. Tu as élargi la vision de l'Église au fil du temps, nous prions pour que de la même façon, tu élargisses notre propre vision personnelle.

QUAND LES CHOSES VONT BIEN : J. G. MATTESON

Puisque chacun a reçu un don, mettez-le au service des autres en bons intendants de la grâce si diverse de Dieu. 1 Pierre 4.10

Parfois, les choses semblent fonctionner selon la volonté de Dieu. C'est le cas pour John Gottlieb Matteson. Né au Danemark en 1835, il émigre au Wisconsin avec ses parents en 1854, avec sa bonne éducation, mais aussi son scepticisme, caractéristique de son pays natal. Il se considère comme libre-penseur et son jeu favori consiste à tourmenter les pasteurs en leur posant des questions auxquelles ils ne peuvent pas répondre.

Il entend un jour un pasteur prêcher avec enthousiasme sur la beauté du ciel. Habitué à l'ambiance triste et apathique des Églises d'Europe, il ne connaît pas la religion vivante. Cette expérience, suivie d'une série d'évènements, l'amène à accepter Jésus comme son Sauveur personnel en 1859. Peu après sa conversion, il se sent appelé à prêcher. C'est ce qu'il fait, même s'il ne connaît pas encore bien sa Bible. Dieu le bénit et les auditeurs sont sensibles à son authenticité. En 1860, il entre au Séminaire de théologie baptiste de Chicago et est consacré pasteur baptiste en 1862.

En 1863, il accepte le message adventiste. Ses paroissiens lui demandent de leur exposer sa nouvelle foi, ce qu'il fait avec joie. Pendant six mois, il présente une série de sermons sur les croyances adventistes, et tous se joignent à l'Église adventiste, à l'exception d'une famille.

Matteson est un pasteur compétent. Il développe les Églises danoises et norvégiennes des États du Midwest. En 1872, il a l'idée de publier un périodique dans la langue de ses convertis. *Advent Tidende* (*La revue adventiste*, en norvégien) est le premier périodique adventiste publié dans une autre langue que l'anglais.

Des exemplaires en sont expédiés en Scandinavie et, selon un modèle qui se reproduit dans plusieurs pays, les nouveaux croyants écrivent aux États-Unis pour demander la visite de missionnaires. Matteson accepte l'appel en 1877 et pendant les onze années suivantes, il fonde des Églises au Danemark, en Norvège et en Suède. Il crée la première fédération (Danemark, 1880) et la première maison d'édition en dehors des États-Unis. Pendant son ministère, il amène environ deux mille personnes à la foi qu'il aime.

La vie de Matteson illustre la façon dont les choses devraient fonctionner.

Merci, Père, pour ces bénédictions que tu as accordées dans le passé ; nous prions pour les recevoir encore aujourd'hui.

QUAND LES CHOSES VONT MAL : HANNAH MORE

J'étais un étranger et vous ne m'avez pas accueilli. Matthieu 25.43, PDV

Si tout se passe idéalement pour John Matteson, c'est le contraire pour Hannah More.

Hannah More a aussi une excellente éducation pour l'époque, et un formidable potentiel pour collaborer dans l'adventisme.

Étudiante passionnée de la Bible, elle a appris le Nouveau Testament par cœur. Elle a une grande expérience de travail dans le milieu chrétien, en tant qu'enseignante, administratrice d'école, missionnaire envoyée par le Bureau américain des missions à l'étranger vers les tribus Cherokee et Choctaw en Oklahoma, puis par l'Association missionnaire américaine en Afrique de l'Ouest.

En 1862, elle rencontre S. N. Haskell, qui lui donne plusieurs livres adventistes, dont *Histoire du sabbat* de J. N. Andrews. De retour en Afrique, elle devient adventiste grâce à ces lectures. C'est la belle partie de son histoire.

Rejetée par son Église suite à sa conversion à l'adventisme, elle se rend à Battle Creek au printemps 1867, espérant trouver du réconfort et un emploi parmi ses frères et sœurs. C'est là que l'histoire devient triste.

Elle arrive à Battle Creek alors que les White sont en voyage, et personne ne l'aide à trouver un travail et un logement. Rejetée par les adventistes, elle est finalement hébergée par une ancienne collègue missionnaire dans le Nord du Michigan.

Vu la façon dont elle est traitée par la communauté adventiste, il est remarquable qu'elle n'abandonne pas sa foi. Les White, comprenant le drame, lui écrivent et lui demandent de revenir à Battle Creek au printemps, mais les choses ne se passent pas ainsi.

Hannah tombe malade en février et décède le 2 mars 1868. Ellen White commente sévèrement : « Elle est morte en martyre de l'égoïsme de ceux qui prétendent observer la loi de Dieu. » — *Testimonies for the Church*, vol. 1, p. 674.

Plusieurs années plus tard, quand les adventistes essaient de faire démarrer les missions à l'étranger, elle écrit : « Combien notre Hannah More nous manque. [...] Sa grande connaissance des champs missionnaires nous aurait permis d'entrer dans des pays que nous ne pouvons approcher aujourd'hui parce que nous n'en connaissons pas la langue. Dieu l'avait amenée parmi nous, [...] mais nous n'avons pas apprécié ce don, et il nous l'a enlevée. » — *Témoignages pour l'Église*, vol. 1, p. 446. Hannah aurait pu apporter une aide considérable à la mission adventiste.

Pardonne-nous, notre Père, et donne-nous un cœur aimant comme le tien.

FAMILLE ET MISSION

Toutes les familles de la terre seront bénies en toi. Genèse 12.3

Ce texte me rappelle un peu le « vrai » James Bond. En 1872, son frère Seth devient l'un des premiers adventistes de Californie grâce au ministère de John Loughborough. Seth remplit ses poches de brochures et sa première cible missionnaire est son frère James, fermier dans la vallée centrale de Californie.

Il le trouve dans les champs en train de labourer avec ses mules, mais ne perd pas de temps. Il commence à parler de sa nouvelle foi dans le champ, suit son frère dans la grange et jusque dans la maison. Sarah, l'épouse de James, pieuse baptiste, supporte cela pendant quelques jours puis elle perd patience et dit à son beau-frère qu'elle apprécie ses visites, mais que s'il n'arrête pas de parler de son histoire de sabbat, il vaut mieux qu'il parte.

— Sarah, répond Seth, si tu peux me montrer un seul texte dans le Nouveau Testament qui demande que l'on observe le premier jour de la semaine, je n'insisterai pas.

— C'est facile, répond-elle.

Elle demande à James d'arrêter de labourer jusqu'à ce qu'ils trouvent le texte, et ils se mettent à lire ensemble le Nouveau Testament. Au bout de quatre jours, ils arrivent à la fin de l'Apocalypse sans avoir trouvé.

Le samedi matin, James se lève, va nourrir ses mules et les harnacher pour se préparer à labourer. Il revient à la maison, prend son petit déjeuner, dirige le culte familial et retourne au travail. Vers neuf heures, sa femme voit la charrue arrêtée au milieu du champ. Pensant qu'il a été victime d'un accident, elle se précipite et le trouve assis, en train de lire une brochure sur le sabbat. Tous deux deviennent alors sabbatistes.

Plus tard, encouragé par Ellen White, ce père de onze enfants devient médecin. Cinq de ses fils deviennent pasteurs et sept de ses enfants partent en mission à l'étranger.

Deux d'entre eux, Frank Starr Bond et Walter Guy Bond deviennent pionniers de la mission en Espagne en 1903. Walter y meurt onze ans plus tard, à l'âge de trente-cinq ans, apparemment victime d'un empoisonnement. Tous deux affrontent les mêmes difficultés que Paul, car on les chasse des villages à coups de pierres.

Cette histoire m'intéresse personnellement parce que ma femme, Elizabeth Bond, est la petite-fille de Franck, et l'arrière-petite-fille de James.

La famille a une importance essentielle ! L'influence de la foi des parents détermine en grande partie la relation des enfants avec le Seigneur, l'Église, le service.

GEORGE KING : UN MISSIONNAIRE DIFFÉRENT

Comme la pluie et la neige descendent des cieux et n'y retournent pas sans avoir arrosé, fécondé la terre, [...] ainsi en est-il de ma parole qui sort de ma bouche : elle ne retourne pas à moi sans effet, sans avoir exécuté ma volonté et accompli avec succès ce pour quoi je l'ai envoyée. Ésaïe 55.10,11

George King veut être pasteur mais il a un problème : son élocution désastreuse et son manque d'instruction convainquent James White qu'il n'a pas le don de la prédication. Pourtant, Ellen White demande à Richard Godsmark, fermier près de Battle Creek, de le prendre chez lui pendant l'hiver, pour le préparer à faire un essai au printemps.

Encouragé par Godsmark, George passe son temps libre à prêcher au salon devant des chaises vides. Le jour du sermon d'essai en public, c'est un désastre. Godsmark suggère alors à King de prêcher en vendant des livres de porte en porte. Il commence donc à faire du colportage, vendant des livres et abonnements à *Signs of the Times*. Pendant la première semaine, le total de ses ventes s'élève à 62 centimes, ce qui n'est pas fantastique, mais le travail lui plaît.

Ce colporteur veut quand même présenter le message des trois anges, et à l'automne 1880, il persuade les responsables de la maison d'édition de Battle Creek de réunir les livres d'Uriah Smith sur Daniel et Apocalypse en un seul volume, avec des illustrations des différentes bêtes et symboles évoqués dans ces livres, certain de le vendre facilement.

Les responsables sont moins convaincus, mais ils éditent quelques exemplaires. Le succès de King stupéfie tout le monde, et l'année suivante, la maison d'édition publie une très belle édition illustrée de *Daniel et Apocalypse*.

Grâce à la réussite de King et à ses capacités de recrutement, d'autres s'engagent alors dans le colportage. C'est la naissance d'une nouvelle profession adventiste.

Le colportage devient un moyen supplémentaire de faire connaître le message de Dieu pour les derniers jours aux gens du monde entier qui achètent les livres, les lisent et se joignent à l'Église. La promesse de Dieu faite à Ésaïe se réalise vraiment. Comme Dieu envoie la pluie pour arroser les cultures et nourrir les peuples, ainsi la page imprimée se répand et convertit les gens à travers le monde. Avant de conclure, je précise que c'est à un colporteur que j'ai acheté mon premier livre chrétien.

La morale de cette histoire ? Ce n'est pas parce que nous ne savons pas prêcher que Dieu ne peut pas nous utiliser.

Le quadrilatère missiologique adventiste

Que le Dieu de paix vous sanctifie lui-même tout entiers ;
que tout votre être, l'esprit, l'âme et le corps, soit conservé sans reproche à l'avènement de notre Seigneur Jésus-Christ. 1 Thessaloniciens 5.23

La vision biblique de l'être humain s'intéresse à sa santé totale. L'Écriture ne se préoccupe pas uniquement de la vie spirituelle des gens, mais aussi de leur vie physique et mentale, c'est ce que démontre le ministère de Jésus qui guérit et enseigne.

Le corollaire missiologique de cette théologie mène à un programme qui ne concerne pas uniquement la spiritualité de la population, mais cherche aussi à répondre à ses besoins physiques et mentaux. Ainsi se développe ce que j'appelle le « quadrilatère » missiologique adventiste.

Ce quadrilatère naît à Battle Creek, où l'Église établit son ministère des publications au début des années 1850, sa structure avec les fédérations en 1861, crée son premier centre médical en 1866 et sa première institution d'éducation en 1872. Les dirigeants adventistes n'ont peut-être pas tout à fait conscience de ce qu'ils mettent en place sur le moment, mais toutes ces institutions préparent l'approche d'une mission qui s'adresse aux besoins de la personne dans son ensemble. C'est un modèle de mission.

Ce n'est pas un hasard si les adventistes exportent leur quadrilatère en Californie, premier terrain missionnaire de l'Église. Les choses évoluent de façon plus formelle quand les 238 croyants de sept Églises organisent, en 1873, la Fédération de Californie.

L'étape suivante a lieu en 1874 et 1875, avec la publication de *Signs of the Times* et la création, à Oakland, de la maison d'édition Pacific Seventh-day Adventist Publishing Association, appelée aujourd'hui Pacific Press. En 1878, dans le Nord de l'État, est fondé Rural Health Retreat, qui est aujourd'hui St. Helena Hospital. Enfin, ils établissent en 1882 l'école qui deviendra Healdsburg College, aujourd'hui Pacific Union College.

La mission européenne suit le même modèle dans les années 1870 et 1880. Dès 1890, le quadrilatère se répand dans le monde entier, et l'adventisme cherche à améliorer la qualité de vie des gens dans toutes ses dimensions.

Le message de Dieu pour les hommes n'est pas seulement théologique : il s'agit de vivre de façon plus saine, de penser mieux et d'assumer sa responsabilité sociale.

Nous te remercions, Seigneur, pour l'équilibre de ton message et de la mission que tu nous confie. Aide-moi aujourd'hui à mener une vie équilibrée.

L'AUTORITÉ DE LA CONFÉRENCE GÉNÉRALE — 1RE PARTIE

Par quelle autorité fais-tu cela et qui t'a donné l'autorité pour le faire ?
Marc 11.28

Quelle autorité ? C'est une bonne question sur laquelle il faut réfléchir pour y répondre, non seulement concernant l'autorité du Christ, mais aussi concernant les dirigeants de son Église sur terre.

Tous ne sont pas satisfaits de la Conférence générale nouvellement formée dans les années 1860. Les opposants les plus actifs sont les premiers président et secrétaire de la nouvelle Fédération de l'Iowa, B. F. Snook et W. H Brinkerhoff.

Ils s'opposent à une organisation forte et mènent une campagne de critique et de mécontentement contre la direction générale de l'Église, et en particulier contre James et Ellen White. En 1865, l'assemblée de l'Iowa remplace Snook par George I. Butler. En conséquence, Snook et Brinkerhoff quittent l'Église, entraînant certains membres avec eux pour former Marion Party. À la différence des autres groupes issus de l'adventisme, Marion Party n'a pas disparu, et s'appelle aujourd'hui Église de Dieu et observe le sabbat.

Si tous ne sont pas satisfaits de l'organisation de 1861 à 1863, elle semble avoir rempli ses objectifs pendant les années qui suivent la création du système. La rébellion « Marion » sera le dernier schisme significatif avant le début du XXe siècle.

Dix ans après l'établissement de la Conférence générale, James White continue à louer les résultats de l'organisation : « Quand on considère les débuts modestes et parfois obscurs, on peut s'étonner de notre croissance rapide et sûre, de la perfection et l'efficacité de notre organisation et du grand travail qui a été accompli. [...] Quand nous considérons cela et voyons combien Dieu nous a bénis, nous qui travaillons dans cette œuvre pouvons dire : Voici ce que Dieu a accompli ! »

Pourtant, la situation n'est pas idéale. Il existe des tensions dans l'adventisme au sujet de la nature et la portée de l'autorité de la Conférence générale, en particulier en relation avec les fédérations des différents États. Ces désaccords atteignent leur comble en 1873, et ils n'ont pas disparu plus de 130 ans plus tard. Il nous appartient donc d'étudier ce sujet dans l'histoire de l'adventisme.

Merci, Seigneur, pour les volontés qui te servent, les esprits qui réfléchissent, les cœurs qui prennent soin d'autrui. Aide-nous à profiter de toutes ces capacités, dans notre relation avec toi et avec l'Église.

L'AUTORITÉ DE LA CONFÉRENCE GÉNÉRALE — 2E PARTIE

Il appela les douze et leur donna la puissance et l'autorité. Luc 9.1

Aucun chrétien croyant en la Bible ne doute de l'autorité conférée par Jésus à ses douze disciples. Nous avons un peu plus de difficulté aujourd'hui avec les questions d'autorité.

Les tensions à ce sujet dans l'adventisme deviennent évidentes en 1873 quand James White affronte directement le problème. Il affirme sa certitude : « Nous exprimons sans hésiter notre conviction que l'organisation a été inspirée et bénie par Dieu, et que la main de Dieu nous a guidés pour l'instituer. Dix ans après, nous n'avons pas décelé de défaut réclamant un changement. » Il semble prendre un ton défensif vis-à-vis du rôle de la Conférence générale.

Il qualifie en particulier « d'insulte à notre système d'organisation » de laisser le président (Butler) et les autres membres du comité exécutif de la Conférence générale prendre en charge tout le travail du camp-meeting et de « ne pas témoigner le respect dû à leur position et leur jugement dans l'importante gestion des fédérations des différents États ».

James White observe : « Notre Conférence générale est la plus haute autorité terrestre sur notre peuple, et a pour fonction de coordonner toute l'œuvre, dans tous les pays. Les responsables élus des fédérations des différents États et ceux de nos institutions. [...] doivent les respecter, en tant qu'hommes désignés pour superviser la cause, dans toutes ses branches et intérêts. »

Il poursuit en déclarant que des représentants de la Conférence générale devraient assister à tous les comités administratifs des fédérations. Sous-estimer le rôle des dirigeants de la Conférence générale, dit-il à ses lecteurs, « est une insulte à la bienveillance de Dieu à notre égard et c'est un péché non négligeable ».

Il faut se souvenir de cette affirmation forte de James White qui déclare que « la Conférence générale est la plus haute autorité terrestre » dans l'adventisme, reflétant l'avis déjà exprimé par sa femme.

Nous savons que le contexte immédiat de cette déclaration est lié aux fédérations locales, mais quelles en sont les implications pour la vie de l'Église et notre vie personnelle ? La question qui en dérive pour chacun est : quelle est ma relation avec mon Église ? C'est une question importante, puisque Dieu est un Dieu d'ordre et non de confusion.

L'AUTORITÉ DE LA CONFÉRENCE GÉNÉRALE – 3E PARTIE

Christ est le chef de l'Église. Éphésiens 5.23

Les débats fournissent souvent des éclaircissements, et c'est certainement ce qui se passe quand l'Église se débat avec le problème de l'autorité de la Conférence générale.

C'est peut-être pour faire suite aux déclarations de James White sur le sujet que G. Butler, président de la Conférence générale depuis 1871, décide d'écrire sur le pouvoir du président de la Conférence générale.

« Il n'y a jamais eu dans le monde un grand mouvement sans leader, et en tout état de cause, ce n'est pas possible », dit-il dans son introduction sur le leadership à la session de la Conférence générale de 1873. Si le Christ est le chef de l'Église, argumente-t-il, « il n'est pas anodin » de mettre des obstacles à une personne appelée à diriger sa cause. Butler n'a aucun doute sur le rôle prépondérant de James White, qu'il compare à celui de Moïse, et dans tous ce qui concerne la cause, il considère « juste de donner la préférence au jugement [de James White] ».

S'il est évident que Butler écrit pour soutenir James White en tant que véritable leader de l'adventisme, il cherche sans doute en même temps à légitimer sa position.

En réponse, les délégués de la session de la Conférence générale prennent la résolution suivante : « Nous appuyons pleinement la position de G. I. Butler sur le leadership telle qu'il l'a exprimée. Nous exprimons la ferme conviction que si nous manquons d'apprécier la main de Dieu qui nous guide dans le choix de ses instruments pour conduire son œuvre, nous risquons de causer de graves préjudices au progrès de la cause et à notre spiritualité personnelle. » Cette résolution est conclue par un engagement des délégués à « considérer fidèlement » les principes énoncés par Butler.

La portée des déclarations de Butler concernant le leadership individuel met les White mal à l'aise, non seulement parce qu'il les compare à la figure de Moïse, mais aussi parce qu'ils sont conscients du danger de glorifier les leaders humains.

James se sent poussé à commenter ces déclarations publiquement dans *Signs of the Times* et la *Review*. Il ne laisse aucun doute sur le fait que le Christ est le chef de l'Église et qu'il n'a jamais désigné un disciple en particulier pour diriger les affaires de son Église.

Seigneur, que nous soyons membres ou dirigeants de ton Église, aide-nous à toujours garder à l'esprit que le Christ reste le chef de l'Église.

L'AUTORITÉ DE LA CONFÉRENCE GÉNÉRALE — 4E PARTIE

Il a tout mis sous ses pieds et l'a donné pour chef suprême à l'Église qui est son corps. Éphésiens 1.22,23

Il est facile de surestimer ou au contraire de sous-estimer les dirigeants de l'Église. Nous avons vu hier que Butler s'est déséquilibré vers la surestimation.

Ellen White se joint à son mari pour rectifier la perspective de Butler. Elle affirme que pour défendre son style indépendant et autoritaire de leadership, il a développé une vision du dirigeant qui lui convient, et elle nie la validité de ce principe de « l'homme leader ».

En revanche, si elle conteste l'autorité d'un homme en tant que dirigeant, elle réaffirme celle de la Conférence générale en tant qu'entité. « Vous ne semblez pas avoir une vision exacte de la puissance que le Seigneur a donnée à son Église par la voix de la Conférence générale », écrit-elle à Butler. — *Testimonies for the Church*, vol. 5, p. 492. « Si cette puissance, que le Seigneur a placée dans son Église, était attribuée à un seul homme, et qu'il l'emploie pour se substituer au jugement d'autrui, l'ordre biblique s'en trouverait changé. [...] Accordons à la plus haute autorité dans l'Église ce que nous sommes enclins à accorder à un homme. » — *Témoignages pour l'Église*, vol. 3, p. 486, 487. « Dieu n'a jamais voulu que son œuvre soit influencée par l'esprit et le jugement d'un seul homme. — *Testimonies for the Church*, vol. 5, p. 493.

Elle reconnaît que par nécessité, son mari a dirigé l'Église à ses débuts, mais poursuit en affirmant qu'une fois l'organisation établie, « il était temps que mon mari cesse d'assumer seul cette responsabilité et d'en porter le fardeau. — *Ibid.*, vol. 3, p. 501.

Dans un article contenant sa lettre à Butler, James White inclut un paragraphe sur le leadership dans lequel il précise qu'il n'a « jamais prétendu être un dirigeant dans un sens différent de celui qui fait de toute personne exerçant un ministère pour le Christ un dirigeant ».

James et Ellen White se positionnent donc clairement pour le pouvoir de la Conférence générale en tant qu'organisme, et contre le type de pouvoir individualiste suggéré par Butler.

Aujourd'hui, beaucoup d'adventistes accordent peu d'attention à la question de l'autorité de l'Église. On parle plutôt de ce que l'on aime ou de ce qui nous importe peu chez les dirigeants.

C'est pourtant un sujet d'importance cruciale dans la Bible comme dans notre histoire. Nous ferions bien d'étudier ce qu'est l'autorité de l'Église et quel est son impact sur notre vie.

L'AUTORITÉ DE LA CONFÉRENCE GÉNÉRALE – 5E PARTIE

En disant la vérité avec amour, nous croîtrons à tous égards en celui qui est le chef, le Christ. Éphésiens 4.15

Nous n'apprenons parfois les leçons que face à l'opposition. C'est le cas de G. Butler. Devant la désapprobation des White, qu'il estime beaucoup, sur le sujet du leadership individualiste, il démissionne de la présidence, achète tous les exemplaires disponibles de sa brochure *Leadership* (environ 960) et les brûle. L'assemblée de la Conférence générale de 1875 vote une résolution annulant l'approbation de sa position sur le leadership.

Mais pour ne pas agir sans réfléchir sur une question aussi importante, un comité est nommé pour l'étudier. L'assemblée de 1877 vote d'annuler l'approbation de toutes les parties de la brochure de Butler qui enseignent que « la direction du corps est confiée à un homme ». Elle vote également que « la plus haute autorité de l'Église adventiste, après Dieu, est la volonté de ce peuple exprimée dans les décisions de la Conférence générale en ce qui concerne sa propre juridiction, et que ces décisions sont prises par tous, à l'exception de ceux qui sont en conflit évident avec la Parole de Dieu et la conscience individuelle ».

Ainsi, en 1877, Butler et White qui alternent à la présidence de la Conférence générale entre 1869 et 1888 (White : 1969-1971, 1874-1880 ; Butler : 1871-1874, 1880-1888) sont apparemment en accord sur l'autorité de la Conférence générale en tant qu'entité.

Malheureusement, les délégués des différentes fédérations à la Conférence générale ne se rencontrent que peu de temps chaque année, par conséquent, les membres considèrent inévitablement le président et le comité exécutif de la Conférence générale comme l'autorité. Cela se vérifie surtout quand des personnes de fort caractère comme Butler ou White sont à la présidence. Tous deux ont tendance à prendre trop d'autorité et penchent plus du côté des idées de Butler dans la pratique sinon dans la théorie.

C'est une importante leçon pour nous tous, que nous soyons dirigeants au comité de Fédération, dans l'Église locale ou même dans notre propre famille. Quelle que soit notre théorie sur l'autorité, nous sommes souvent tentés, dans la pratique, d'en abuser.

Père, aide-nous à rectifier nos tendances naturelles et à devenir de bons leaders.

L'AUTORITÉ DE LA CONFÉRENCE GÉNÉRALE — 6E PARTIE

Que celui qui a des oreilles entende ce que l'Esprit dit aux églises.
Apocalypse 2.29

Nous sommes parfois un peu durs d'oreille ; c'était le cas du président Butler. Ellen White le met continuellement en garde, ainsi que son mari, contre les dangers de leur style de leadership individualiste.

Sa frustration vis-à-vis de Butler atteint son comble au moment de la session de la Conférence générale de 1888. Peu après l'assemblée, elle écrit : « Frère Butler [...] est resté à ce poste trois ans de trop, et il a perdu toute esprit d'humilité. Il pense que sa position lui confère un tel pouvoir que sa voix est infaillible. » — Lettre n° 82, 1888.

Trois ans plus tard, réfléchissant sur le passé, elle commente : « J'espère que notre peuple ne se sentira plus jamais encouragé à placer sa totale confiance dans des hommes faillibles et sujets à l'erreur, comme il l'a fait avec frère Butler. Les pasteurs ne sont pas Dieu, et nous nous sommes placés en situation de trop grande dépendance vis-à-vis de frère Butler dans le passé. [...] C'est parce que les pasteurs ont été poussés à laisser un homme être leur conscience et penser pour eux qu'ils sont aujourd'hui si peu compétents et incapables de tenir leur poste de sentinelles pour Dieu. » — Lettre n° 14, 1891.

Il était plus facile pour Butler de revoir sa théorie sur le leadership que de corriger sa pratique. Connaissant la nature humaine, c'est un problème constant chez beaucoup de dirigeants.

Cette regrettable constatation pousse Ellen White à s'exprimer sur l'autorité de la Conférence générale dans les années 1890. Elle soulève le problème à plusieurs reprises durant cette période. En 1891, elle écrit par exemple : « J'ai été obligée de prendre position car les décisions et actions de la Conférence générale ne tenaient pas compte de la voix de Dieu. Les plans et décisions n'étaient pas conformes à la volonté de Dieu, même si frère Olsen (président de 1888 à 1897) a présenté les décisions de la Conférence générale comme la voix de Dieu. Beaucoup de décisions, présentées comme celles de la Conférence générale, ont été en réalité prises par un ou deux hommes qui induisaient l'assemblée en erreur. » — Manuscrit n° 33, 1891.

Il n'y a pas de pire sourd que celui qui ne veut pas entendre. Nous avons peut-être envie de critiquer ces administrateurs autoritaires, mais pensons à tous les domaines dans lesquels nous faisons également la sourde oreille quand l'Esprit s'adresse à nous personnellement.

L'AUTORITÉ DE LA CONFÉRENCE GÉNÉRALE — 7E PARTIE

Obéissez à vos conducteurs et soyez-leur soumis, car ils veillent au bien de vos âmes, dont ils devront rendre compte. Hébreux 13.17

Qu'implique cette soumission ? Nous avons vu hier Ellen White se plaindre de l'autorité de la Conférence générale quand cette autorité se résume à celle d'un seul homme. Cinq ans plus tard, elle commente : « Le caractère sacré de la cause de Dieu n'est plus au centre de l'œuvre. La voix de Battle Creek qui a été considérée comme faisant autorité ne représente plus la voix de Dieu. » — Lettre n° 4, 1896. L'analyse attentive de ces déclarations révèle qu'elles se réfèrent à des situations dans lesquelles la Conférence générale n'agissait pas en tant qu'entité représentative, ne suivait pas de principes droits, ou quand l'organe de décision se limitait à une ou deux personnes.

Cette constatation correspond aux déclarations d'Ellen White au cours des années. Elle aborde la question dans un manuscrit lu aux délégués de la session de la Conférence générale de 1909, dans lequel elle répond à A. T. Jones qui veut revenir à une forme congrégationaliste de gouvernement d'Église.

« Parfois, dit-elle, lorsqu'un petit groupe d'hommes chargés de l'administration de l'œuvre a cherché, au nom de la Conférence générale, à mettre à exécution des plans peu judicieux et nuisibles à l'œuvre de Dieu, j'ai dit que je ne pouvais plus considérer la voix de la Conférence Générale, représentée par ces quelques hommes, comme étant la voix de Dieu. Mais cela ne veut pas dire que les décisions de la Conférence générale, constituée par une assemblée de représentants désignés régulièrement par toutes les parties du champ, ne doivent pas être respectées. Le Seigneur a conféré une autorité aux représentants de son Église universelle, assemblée en Conférence générale. L'erreur que risquent de commettre certains, c'est d'attribuer à l'intelligence et au jugement d'un homme, ou d'un petit groupe d'hommes, l'autorité et l'influence dont Dieu a revêtu son Église, qui s'exprime par la voix de la Conférence générale assemblée pour élaborer des plans en vue de la prospérité et de l'avancement de la cause. » — *Témoignages pour l'Église*, vol. 3, p. 486.

La sagesse se trouve dans le conseil de beaucoup. L'équilibre du conseil de différentes perspectives et régions géographiques permet des décisions avisées. Les décisions d'une Église mondiale ont créé des protections qui ne peuvent exister au niveau individuel ou local.

RÉTROSPECTIVE SUR L'AUTORITÉ DE L'ÉGLISE

Je te donnerai les clés du royaume des cieux : ce que tu lieras sur la terre sera lié dans les cieux et ce que tu délieras sur la terre sera délié dans les cieux.
Matthieu 16.19

Ces paroles du Christ lorsqu'il établit son Église sur terre ont été traduites et interprétées de différentes façons. La version Segond traduit « ce que tu lieras sur la terre sera lié dans les cieux », ce qui indique que le ciel ratifie ce que l'Église décide sur terre. La *New American Bible* va encore plus loin en traduisant « ce que tu déclareras lié sur la terre sera lié dans les cieux et ce que tu déclareras délié sur la terre sera délié dans les cieux ».

Ces traductions ne rendent pas la pensée de Jésus. Le temps utilisé en grec indique clairement qu'il faudrait traduire : « ce que tu lieras sur la terre aura été lié dans le ciel ». Jésus déclare donc que l'Église sur terre accomplit les décisions du ciel, et non pas que le ciel ratifie les choix de l'Église. La différence est énorme et les deux traductions ont suscité deux visions différentes de l'autorité de l'Église dans l'histoire.

Le *Seventh-day Adventist Bible Commentary* lit correctement le texte et commente : « Appliquer le sens de "lier" et "délier" à l'autorité de décider ce que les membres d'Église doivent croire et faire, en matière de foi et de pratique, c'est donner à ces paroles du Christ une signification différente de ce qu'il a dit et de ce que les disciples ont compris. Dieu n'approuve pas cette lecture.

Les représentants du Christ sur terre ont le droit et la responsabilité de "lier" ce qui a été "lié" au ciel et de "délier" ce qui a été "délié" au ciel, c'est-à-dire d'autoriser ou de prohiber ce que l'inspiration révèle clairement. Aller au-delà de cette compréhension, c'est remplacer l'autorité du Christ par l'autorité humaine. [...] Le ciel ne tolérera pas cette tendance chez ceux qui ont été nommés pour veiller sur les citoyens du royaume des cieux sur terre. »

Nous avons médité pendant plusieurs jours sur l'autorité de l'Église parce que c'est un sujet important auquel la plupart d'entre nous pensent peu. Au lieu de nous contenter d'accepter ou de rejeter l'autorité de l'Église, nous devons comprendre ses bases théologiques, ses objectifs et ses limites.

Soyons reconnaissants de ne pas être isolés en tant que chrétiens. Nous appartenons à une Église qui nous guide selon le modèle biblique. Nous pouvons louer Dieu d'avoir voulu une autorité équilibrée pour l'Église.

Le développement de l'adventisme parmi les Noirs

Il a fait que toutes les nations humaines, issues d'un seul homme, habitent sur la terre. Actes 17.26

L'évangélisation des Afro-Américains démarre lentement, en partie parce que l'adventisme est né dans le Nord, dans une nation divisée par l'esclavage. Au milieu du XIXe siècle, presque tous les Noirs vivent dans le Sud, région où même l'évangélisation des Blancs ne débute pas avant la fin des années 1870 et le début des années 1880.

Les premiers adventistes se soucient pourtant de la détresse des Noirs. Dès ses débuts, le mouvement est résolument abolitionniste et affirme que l'esclavage est le plus grand péché de la nation.

Ellen White conseille de désobéir à la loi qui demande de capturer les esclaves fugitifs pour les rendre à leur propriétaire, même si il faut aller en prison. Plusieurs dirigeants font de leur ferme des étapes du réseau de routes clandestines construites par les esclaves pour se réfugier au Canada.

Après la libération des Noirs, en 1865, la Conférence générale décide de s'engager dans le Sud pour évangéliser les gens de couleur, selon ses capacités. Malheureusement, les ressources en termes de finances et de personnel sont très pauvres.

Les premiers adventistes noirs étaient probablement du Nord, mais nous en savons très peu sur eux. C'est seulement quand l'adventisme progresse vers le Sud qu'il rencontre la population noire qui vit encore la ségrégation.

Pendant les années 1870, plusieurs adventistes s'efforcent individuellement d'aider les anciens esclaves à acquérir une instruction de base. On observe un progrès majeur quand R.M. Kilgore arrive au Texas pour aider l'organisation des Églises dans une région enflammée par le racisme. Il reçoit plusieurs menaces de lynchage et sa tente est incendiée.

La prédication dans le Sud divisé est problématique. Une possibilité consiste à parler aux Noirs et aux Blancs depuis un couloir séparant les pièces respectivement réservées aux uns et aux autres. Les sessions de la Conférence générale de 1877 et 1885 débattent de l'opportunité de créer des Églises distinctes pour les deux races, mais la plupart trouvent cette solution antichrétienne. Pourtant, quand les évangélistes tentent de s'adresser à des groupes mixtes, les Blancs et parfois même les Noirs boycottent les réunions.

Seigneur, le problème du racisme n'est pas résolu. Aide-nous, en tant que chrétiens, à comprendre que nous sommes un seul peuple et à dépasser les préjugés liés à nos cultures.

Rencontre avec Charles M. Kinny

Il n'y a plus ni Juif ni Grec, il n'y a plus ni esclave ni libre, il n'y a plus ni homme ni femme, car vous tous, vous êtes un en Christ Jésus.
Galates 3.28

Charles M. Kinny (ou Kinney) deviendra le premier Afro-Américain consacré pasteur adventiste. Né esclave en Virginie en 1855, il part vers l'Ouest après la guerre civile, à l'âge de dix ou onze ans, avec un groupe d'anciens esclaves qui espèrent trouver de meilleures chances dans les nouveaux territoires. C'est le cas pour lui.

Sa vie change en 1878, lorsqu'il assiste à une série de réunions d'évangélisations tenues par J.N. Loughborough à Reno, dans le Nevada. À la fin de cette campagne, Kinny fait partie des sept premiers membres de la nouvelle communauté adventiste de Reno ; il est probablement le seul Noir.

Après les conférences de Loughborough, Ellen White visite l'Église de Reno et le 30 juillet, elle prêche sur les paroles de Jean : « Voyez quel amour le Père nous a témoigné pour que nous soyons appelés fils de Dieu, et nous le sommes. » Ce texte et le sermon qui met en évidence ses implications donnent à Kinny une force et un courage qui lui permettent d'avancer dans sa vie.

La précarité marquait sa vie d'esclave et d'émigrant, mais il trouve dans l'adventisme une famille qui l'entoure et prend soin de lui. Les membres d'Église de Reno, conscients de sa consécration, le nomment premier ancien, mais le plus beau reste à venir. La Fédération de Californie lui propose le poste de secrétaire de la Société missionnaire du Nevada. Kinny donne entière satisfaction dans ce travail et, en 1883, la Fédération de Californie passe un accord avec l'Église de Reno pour financer ses études à la nouvelle Université de Healdsburg.

Après deux ans d'étude, en 1885, les dirigeants l'envoient à Topeka, au Kansas, pour travailler parmi la population noire de plus en plus nombreuse de cette ville. En 1889, la Conférence générale le nomme à Louisville, au Kentucky, et le consacre au pastorat. Pendant plus de vingt ans, Kinny travaille dans les États du haut Sud, implantant des Églises noires. Il devient le premier grand orateur afro-américain.

Dans les années 1890, le travail de l'adventisme parmi les Noirs fait un pas de géant, grâce au travail d'Edson White et à la fondation de l'école d'Oakwood.

Seigneur, nous sommes impressionnés de ton action dans la vie de Charles Kinny. Agis dans notre vie aujourd'hui pour que nous soyons aussi source de bénédiction pour autrui.

LES CROISÉS DE LA TEMPÉRANCE

Qui est malheureux ? Qui vit de regrets ? Qui se dispute et se plaint sans arrêt ? Qui reçoit des coups sans raison ? Qui a les yeux troubles ? C'est l'homme qui passe son temps à boire et qui fait sans arrêt des mélanges d'alcools.
Proverbes 23.29,30, PDV

L'une des grandes croisades de l'Amérique au XIXe siècle est le mouvement pour la tempérance qui vise la prohibition des boissons alcoolisées. Lyman Beecher, l'un des prédicateurs les plus influents du pays, démarre le mouvement en 1825. « L'intempérance, tonne-t-il, est le plus grand péché du pays [...] et si quelque chose doit faire obstacle aux espérances du monde, [...] c'est bien ce fléau. » Beecher prône un remède national : interdire la vente des alcools forts.

Dans les années 1870, après l'organisation de l'adventisme, la campagne de tempérance a abouti à la prohibition de toutes les boissons alcoolisées. La jeune Église adventiste apporte son vif soutien aux candidats prohibitionnistes et Ellen White est tellement motivée qu'elle va même jusqu'à conseiller d'aller voter le sabbat pour ces candidats. C'est sans précédent !

Aux États-Unis et, dans un deuxième temps, dans le monde, l'adventisme participe à la croisade anti-alcool au moyen de ses prédicateurs et de ses locaux. En 1874, par exemple, les adventistes prêtent leurs deux grandes tentes d'évangélisation pour une série de réunions en vue de la fermeture de cent trente-cinq saloons à Oakland, en Californie, berceau de la publication adventiste de la côte ouest. Cette collaboration met les adventistes en relation avec « plusieurs maires, hommes d'Église, journalistes, hommes d'affaires et citoyens éminents. [...] Après une organisation sérieuse, le comité exécutif a programmé une série de réunions publiques sous nos immenses tentes. Ils ont travaillé jour et nuit jusqu'à ce que toute la ville entre en action. »

Le résultat est une « grande victoire » que les journaux locaux attribuent en partie aux adventistes.

Ellen White, à l'avant-garde de la tempérance chez les adventistes, s'adresse fréquemment à de grands auditoires non adventistes aux États-Unis, en Europe et en Australie. En 1879, les adventistes fondent l'Association américaine de la tempérance et la santé, dirigée par John Harvey Kellogg.

La tempérance est un moyen utilisé par Dieu pour permettre à l'Église d'avoir un impact plus important sur la culture de l'époque. Dans quel mouvement de réforme devrions-nous (devrais-je) m'engager aujourd'hui ?

LA FIN D'UNE ÈRE

Toute chair est comme l'herbe et toute sa gloire comme la fleur de l'herbe. L'herbe sèche et la fleur tombe, mais la parole du Seigneur demeure éternellement. 1 Pierre 1.24,25

Entre 1872 et 1881, l'Église adventiste perd deux de ses fondateurs. Le premier est Joseph Bates, qui meurt au Health Reform Institute le 19 mars 1872, peu avant son quatre-vingtième anniversaire. Le vieux réformateur de santé a gardé un rythme soutenu jusqu'à la fin. Durant l'année précédant sa mort, il tient une centaine de conférences, en plus des réunions qu'il dirige dans son église et celles auxquelles il assiste.

Un an avant sa mort, le vieux pionnier se rend à son avant-dernière session de la Conférence générale. Il raconte avec enthousiasme : « Cette rencontre annuelle était empreinte d'un profond et émouvant intérêt pour la cause. C'était encourageant d'apprendre tout ce qui avait été accompli durant l'année écoulée, d'entendre parler des grands progrès missionnaires et des appels urgents pour des vocations pastorales dans le grand champ. » Il voudrait répondre à l'appel, mais ne le peut plus.

Deux mois avant son décès, il va pour la dernière fois à la session et conclut avec cette prière : « Seigneur, dans le cher nom de Jésus, aide-nous, avec ce peuple que tu aimes, à accomplir notre promesse sacrée, et que tout le peuple du reste qui t'attend établisse une alliance avec toi. »

Bates reste en bonne santé jusqu'à la fin, mais ce n'est pas le cas de James White. Surchargé de travail, il est victime dès le milieu des années 1860 de plusieurs accidents vasculaires cérébraux qui le laissent toujours plus diminué. Étant donné son état de santé, la quantité de travail qu'il a accompli est impressionnante. Il décède deux jours après son soixantième anniversaire, le 6 août 1881.

Ellen est effondrée. « Je crois vraiment, écrit-elle à son fils Willie, que ma vie était tellement liée à celle de mon mari qu'il me semble presque impossible d'être d'une grande utilité sans lui. » — Lettre n° 17, 1881.

Seize ans plus tard, elle écrit : « Comme il me manque ! Comme j'aimerais entendre ses sages conseils ! J'aimerais qu'il prie encore avec moi pour recevoir la lumière, les directives, la sagesse de savoir comment programmer et réaliser l'œuvre. » — *Selected Messages* vol. 2, p. 259.

C'est là que l'espérance du retour du Christ prend tout son sens. Avec Ellen, nous attendons aussi le matin de la résurrection où nous retrouverons James White, Joseph Bates et tous nos bien-aimés.

NOUVEAUX DÉBUTS

Examinons à fond notre conduite et revenons au Seigneur. Lamentations 3.40

La période de 1885 à 1900 marque un tournant dans l'histoire de l'adventisme. L'Église vit d'importants changements dans différents aspects de son identité, au point qu'au début du nouveau siècle, elle semble différente de ce qu'elle était au commencement.

En tête de liste vient l'importante adaptation de la théologie qui fait suite à la session de la Conférence générale de Minneapolis, au Minnesota, en 1888. Elle suscite un appel à une prédication plus christocentrique. Le Christ doit devenir, plus que jamais auparavant, le sujet central de la prédication adventiste qui doit mettre l'accent sur le salut par grâce, au moyen de la foi. C'est ce que l'Église appelle la justification par la foi. L'accent mis auparavant sur la loi ne doit pas disparaître, mais être réorienté pour trouver sa juste place dans le plan du salut.

Parallèlement à cette insistance sur le Christ et sa justice, on voit de nouvelles personnalités émerger dans l'adventisme, en particulier Alonzo T. Jones, Ellet J. Waggoner et William W. Prescott. Jones et Waggoner deviennent les plus éminents prédicateurs des années 1890. Ils sont très présents sur la chaire aux sessions de la Conférence générale de 1889 à 1899. À la fin de cette décennie, Jones devient rédacteur de *Review and Herald*, l'un des postes les plus influents dans l'Église de l'époque.

Les années 1880 voient également une transformation dans la vision adventiste de la divinité. Si l'on insiste sur le salut en Christ, il faut alors avoir une juste notion du Christ et du Saint- Esprit.

Parallèlement à cette réforme de la théologie adventiste, on observe une explosion du programme missionnaire qui s'étend enfin vers « toutes les nations ».

Le programme éducatif prend aussi son essor. La réforme théologique et la progression missionnaire provoquent une transformation du système éducatif adventiste, dans son orientation comme dans son extension.

Le changement est parfois douloureux, comme certains le constatent, mais il est essentiel.

Donne-nous un esprit ouvert, notre Dieu, alors que nous étudions les transformations qui ont eu lieu dans le passé, et que tu nous conduis vers le futur.

NOUVELLES QUESTIONS — 1RE PARTIE

C'est par la grâce en effet que vous êtes sauvés, par le moyen de la foi. Et cela ne vient pas de vous, c'est le don de Dieu. Éphésiens 2.8

En 1850, les adventistes sabbatistes sont passionnés et enthousiastes pour les nouvelles vérités qu'ils ont découvert. Ils ne cessent de parler, écrire et prêcher sur ces nouvelles doctrines qui les distinguent des autres Églises : le retour du Christ littéral et visible antérieur au millénium, le ministère en deux phases du Christ dans le sanctuaire céleste, le sabbat du septième jour dans le contexte de la fin des temps et l'immortalité conditionnelle. Observées à travers le prisme du message des trois anges d'Apocalypse 14, ces doctrines forment un bloc théologique puissant qui vaut la peine d'être connu.

Nous comprenons ici que la doctrine adventiste se compose de deux groupes de croyances : le premier inclut les doctrines que les adventistes *partagent* avec les autres chrétiens, comme le salut par la grâce au moyen de la foi, l'importance de la Bible comme critère de vérité doctrinale, le rôle historique de Jésus comme Sauveur du monde, la force de la prière d'intercession et ainsi de suite.

La deuxième catégorie de doctrines comprend les croyances qui les distinguent, celles qui les séparent des autres chrétiens, comme le sabbat et le sanctuaire céleste.

Les adventistes du XIXe siècle vivent dans une culture majoritairement chrétienne, ils insistent donc peu sur ce qu'ils partagent avec les autres. En effet, pourquoi prêcher la grâce qui sauve aux baptistes ou l'importance de la prière d'intercession aux méthodistes, qui sont déjà convaincus de ces enseignements.

Pour eux, l'important consiste à présenter aux autres les vérités spécifiquement adventistes pour qu'ils les entendent et les acceptent. Ainsi, quand ils arrivent dans une ville ou un village, ils proposent au pasteur local un débat public sur le sabbat ou l'état des morts, dans une grande salle communale, le plus souvent une école.

Laissez-moi vous poser une question : Avez-vous déjà réfléchi à la validité biblique et à la cohérence de votre système de croyances ?

Nous devrions tous le faire. Chacun de nous est responsable de savoir pourquoi il est chrétien et adventiste. Je vous encourage aujourd'hui à approfondir votre étude de la Bible.

NOUVELLES QUESTIONS – 2E PARTIE

Simon Pierre répondit : Tu es le Christ, le Fils du Dieu vivant. Matthieu 16.16

Nous avons vu hier que les premiers prédicateurs adventistes se sentaient poussés à insister sur les sujets, tels que le sabbat, qui les distinguaient des autres chrétiens, plutôt que sur les doctrines qu'ils partageaient avec eux.

Leur méthode, consistant à arriver dans un village et à demander un débat public avec le pasteur local, semblait fonctionner. En effet, avant l'arrivée de la télévision, quoi de plus intéressant dans un village qu'un débat entre deux pasteurs sur les souffrances de l'enfer ? En tous cas, les évangélistes adventistes semblent n'avoir jamais eu de difficulté à réunir de grandes foules pour exposer leur message.

Cependant, ces quarante ans passés à mettre l'accent sur les doctrines spécifiquement adventistes au détriment des croyances chrétiennes, dans une ambiance de débat, ont eu deux effets négatifs. Tout d'abord, les adventistes développent un esprit combattif, ce qui causera des problèmes dans l'Église lors des évènements qui auront lieu durant les réunions de 1888.

Cela provoque également une scission entre les adventistes et le reste du christianisme. Au milieu des années 1880, cette tendance prend des proportions problématiques. L'Église a fait un excellent travail en prêchant ce qui est adventiste dans l'adventisme, mais elle a perdu de vue que l'adventisme est inclus plus largement dans le christianisme.

Il faut donc corriger la trajectoire et ce sont deux hommes relativement jeunes, originaires de l'Ouest des États-Unis, qui vont amorcer cette rectification : Alonzo T. Jones et Ellet J. Waggoner. Au début, il semble que Jones et Waggoner ajustent la doctrine en donnant plus d'importance à la place du Christ et à la foi dans la théologie adventiste, et en réduisant celle de la loi.

Les dirigeants, G. I. Butler et Uriah Smith, considèrent cependant cette correction comme une véritable révolution théologique. Ils pensent que ce nouvel enseignement renverse l'adventisme historique qui mettait l'accent sur la loi et les œuvres. Par conséquent, ils le combattent de toutes leurs forces – ce qui n'est pas peu dire, étant donné l'influence directe qu'ils exercent sur les pasteurs de l'Église qui compte environ 25 000 membres dans le monde.

Seigneur, dans notre marche avec toi, enseigne-nous à apprendre des évènements de notre histoire des leçons d'équilibre théologique.

NOUVELLES QUESTIONS – 3E PARTIE

De l'eau fraîche pour une personne fatiguée, telle est une bonne nouvelle.
Proverbes 25.25

En 1886, on distingue nettement les parties en conflit sur la théologie adventiste. D'un côté, on a G. I. Butler et Uriah Smith, respectivement président et secrétaire de la Conférence générale. De l'autre, on a les deux jeunes rédacteurs de l'Ouest, A. T. Jones et E. J. Waggoner.

Il semble que la seule femme dirigeante cherche à rester neutre afin de pouvoir travailler avec les deux parties. Pourtant, début 1887, Ellen White commence à penser non seulement que les jeunes hommes sont mal traités, dans un combat inégal, mais aussi que l'Église adventiste a désespérément besoin d'entendre leur enseignement. Ainsi, en avril 1887, elle fait en sorte que Jones et Waggoner puissent s'exprimer lors de l'assemblée de la Conférence générale de 1888.

En fin de compte, Ellen White comprend clairement le sens du message de Jones et Waggoner en 1888. Le thème principal de cet enseignement est centré sur la réinterprétation d'Apocalypse 14.12 : « C'est ici la persévérance des saints qui gardent les commandements de Dieu et la foi de Jésus. »

Ce passage est le texte central de l'histoire de l'adventisme. Il contient le dernier message de Dieu au monde avant le retour du Christ, décrit dans les versets 14 à 20.

Il est intéressant de remarquer que les deux parties, dans ce débat, se basent sur Apocalypse 14.12, mais chacune insiste sur une partie différente du verset. Les traditionalistes mettent en relief « les commandements de Dieu », alors que les réformateurs soulignent « la foi de Jésus ».

L'assemblée de Minneapolis est à l'origine d'une nouvelle interprétation d'Apocalypse 14.12 qui modifie définitivement le profil de la théologie adventiste.

Ellen White fait les frais de son soutien à Jones et Waggoner. En décembre 1888, faisant référence à la session de la Conférence générale récemment terminée, elle déclare : « Mon témoignage a été ignoré et jamais dans ma vie [...] je n'ai été traitée de la sorte. » — Lettre n° 7, 1888.

Certains d'entre nous pensent qu'au « bon vieux temps », tout se passait bien dans l'Église. C'est faux. Les choses n'allaient pas mieux qu'aujourd'hui. De bonnes personnes sont parfois en désaccord et doivent prier pour le pardon.

De nouveaux visages : rencontre avec Ellet J. Waggoner

Ceci est mon sang de l'alliance, versé pour beaucoup. Marc 14.24

Ellet J. Waggoner est le plus jeune des principaux participants à la Conférence générale de 1888. Né en 1855, il est le fils de frère J. H. Waggoner dont nous avons déjà parlé.

Ellet obtient un diplôme de médecine en 1878 à New York, mais ne trouve pas dans l'exercice de la médecine l'épanouissement qu'il espérait. Il entre donc dans le ministère et reçoit en 1884 une proposition pour le poste de rédacteur adjoint de *Signs of the Times*.

Le camp-meeting de Healdsburg, en octobre 1882, marque un tournant dans la vision théologique du jeune Waggoner. Pendant un sermon, il fait l'expérience d'une « révélation extrabiblique ».

« Soudain, raconte-t-il, une lumière rayonna autour de moi et la tente était pour moi illuminée de façon bien plus claire que par le soleil de midi. Je vis le Christ sur la croix, *crucifié pour moi*. À ce moment, je fus submergé par une révélation positive : Dieu m'aimait et le Christ était mort pour *moi*. »

Waggoner « savait que cette révélation [...] lui était envoyée par le ciel ». Il décide alors d'étudier la Bible à la lumière de cette révélation afin d'aider les autres à comprendre la même vérité. À partir de là, remarque-t-il, « dans toutes les Écritures je voyais la puissance de Dieu manifestée en Christ pour le salut des hommes, et je n'y ai rien trouvé d'autre ».

Cette « vision » de Waggoner le pousse à étudier attentivement l'épître aux Galates, et, ce qui n'est pas étonnant, il y trouve l'Évangile. Cette découverte fait de lui une figure éminente de l'adventisme à la fin des années 1880. Elle le place également en opposition directe avec les dirigeants – G. I. Butler et Uriah Smith – à la session de la Conférence générale de 1888.

Comme nous le verrons, E. J. Waggoner est l'un des plus tempérés parmi hommes impliqués dans les évènements liés au nouvel enseignement de 1888.

L'expérience de Waggoner transforme sa vie. La « vision » de la justice du Christ ne peut que changer notre façon de penser et d'agir. Demandons-nous chaque jour si notre adventisme a été renouvelé à la lumière de la croix.

De nouveaux visages : rencontre avec Alonzo T. Jones

Si une armée se campait contre moi, mon cœur n'aurait aucune crainte.
Psaume 27.3

« Mort pour le monde et vivant pour toi, mon Dieu. » C'est avec ces mots que les mains levées vers le ciel, le sergent Alonzo T. Jones sort des eaux du baptême à Walla Walla, territoire de Washington, le 8 août 1874. Pendant plusieurs semaines, il a « ardemment cherché le Seigneur » et quelques jours plus tôt, il a reçu la « conviction que ses péchés étaient pardonnés ». Charismatique, dynamique, bel homme, tendant aux extrêmes, Jones devient une figure éminente de l'adventisme des années 1890.

Jones est fier de son passé militaire. Il a reçu les honneurs pour sa participation à la guerre des Modocs, dans le Nord de la Californie en 1873, pendant laquelle il déclare qu'avec son bataillon, il a déversé une pluie de balles sur l'ennemi, afin de protéger un officier blessé.

Jones, combattant sans crainte, passe le reste de sa vie à « déverser des pluies de balles » contre tout ce qu'il perçoit comme un ennemi.

Sa personnalité et son goût pour la confrontation braquent souvent ses opposants. Ellen White le met parfois en garde contre ses commentaires rudes, mais Jones trouve presque impossible de faire la distinction entre franchise et dureté. Il le reconnaît honnêtement en 1901 lorsque quelqu'un conteste sa candidature à la présidence de la Fédération de Californie, parce que « ses propos directs et rudes [...] heurtent parfois les gens ». Jones l'admet mais il ajoute : « Je ne peux pas me repentir, parce que c'est le simple christianisme. »

Ses termes abrupts donnent le ton des réunions de Minneapolis, quand il lance devant la délégation qu'il n'est pas responsable de l'ignorance d'Uriah Smith sur certains points historiques de Daniel 7. Jones est certain d'avoir raison et il enfonce le clou.

Cette fermeté face à un patriarche de l'Église le dessert, mais ce courage et ce dynamisme lui sont d'une grande utilité au Congrès des États-Unis et dans tous les autres endroits où il ira combattre le vote imminent de la loi du dimanche. Jones est un battant, toujours prêt à monter au créneau.

Dieu l'emploie avec puissance, malgré ses limites.

Voilà une leçon importante pour moi. Malgré mes fautes, Dieu peut toujours m'utiliser (vous utiliser). Il est vrai qu'il désire nous transformer si nous le laissons faire, mais il commence en nous prenant là où nous en sommes.

UN VISAGE CONNU : DEUXIÈME RENCONTRE AVEC G.I. BUTLER

À sept reprises, le juste peut tomber et il se relève mais les méchants sont précipités dans le malheur. Proverbes 24.16

Certaines personnes sont plus dures que d'autres. C'est le cas de G. I. Butler, président de la Conférence générale en 1888. Dans ses meilleurs moments, il sait se montrer honnête envers lui-même. Il fait peut-être son autoévaluation la plus juste et précise en 1886, quand il écrit : « J'ai certainement une nature de fer [...] qui laisse peu de place à l'amour de Jésus. [...] L'école où j'ai été formé m'a habitué à rencontrer toutes sortes d'influences, et a beaucoup contribué à favoriser cette nature de fer et à me rendre très rigide. »

Cette dernière remarque peut nous aider à comprendre la « rudesse » de beaucoup de dirigeants adventistes du XIXe siècle. Il n'est pas facile de diriger un petit mouvement, méprisé, qui ne donne aucune sécurité terrestre et ne possède presque aucune institution de prestige, à l'heure où la grande déception millérite est encore un souvenir cuisant dans la population. Seules des personnes au caractère bien trempé peuvent réussir quand Butler est nommé aux postes administratifs. Une volonté de fer était nécessaire aux pionniers avant que l'adventisme devienne une religion plus confortable et respectable.

Butler a les qualités requises pour survivre à une telle époque, mais sa « nature de fer » est le revers de la médaille. Il se décrit lui-même en 1886 comme plutôt combattif. Il sent très tôt, lors de son désaccord sur l'épître aux Galates avec Waggoner, qu'il devient trop conflictuel, et écrit à Ellen White qu'il désire « ressembler plus à Jésus, sage, patient, bon, tendre et franc, aimant la justice et l'équité envers tous les hommes ». Il déplore « la persistance d'une nature tellement humaine » en lui. « Je livre de rudes batailles à mon vieil homme, conclut-il, mais je désire que ma vieille nature MEURE TOTALEMENT. »

Un tel vœu se réalise évidemment très lentement. Pour lui comme pour nous, le processus de la sanctification est véritablement le travail de toute une vie. Écrivant à J.H. Kellogg en 1905, Butler, âgé, admet : « Je pense que je suis un vieil obstiné. Vous aviez bien raison quand vous disiez qu'il valait mieux raisonner avec un poteau qu'avec frère Butler quand il s'était mis quelque chose en tête. »

Bon Père, je crains de ressembler parfois à Butler. Aide ma vieille nature à mourir aujourd'hui.

AUTRE VISAGE CONNU : DEUXIÈME RENCONTRE AVEC URIAH SMITH

Prenez mon joug et recevez mes instructions, car je suis doux et humble de cœur, et vous trouverez du repos pour vos âmes. Matthieu 11.29

En 1888, Uriah Smith, compagnon de travail de Butler, a été secrétaire de la Conférence générale depuis 1863, à l'exception d'une pause de trois ans. Depuis les années 1850, il collabore au périodique semi-officiel de l'Église (*Review and Herald*), dont il est le rédacteur en chef depuis près de vingt-cinq ans.

Il est de plus l'autorité incontestée de l'adventisme en matière de prophétie. Son livre *Pensées sur Daniel et Apocalypse* est un best-seller, autant parmi les membres d'Église que chez les non-adventistes. Un des journaux de Minneapolis-St. Paul annonce son arrivée pour la session de 1888 : « Le pasteur Uriah Smith [...] est connu pour être l'un des meilleurs auteurs et orateurs de la fédération. Il est d'ailleurs un grand érudit. »

Comme Butler, Smith se considère comme le gardien et garant de l'orthodoxie adventiste. Il résume succinctement sa politique éditoriale face aux nouvelles idées émises par A. T. Jones en 1892 : « Après de longues années d'étude et d'observation dans l'œuvre, j'ai établi ma ferme position sur certains principes, et je ne suis pas prêt à changer d'opinion, sur la suggestion de n'importe quel novice. » Telle est certainement son attitude face à la « nouvelle théologie » de Jones et Waggoner en 1888. Ni Smith ni Butler n'a la moindre intention de baisser pavillon devant les enseignements des jeunes Californiens. En réalité, c'est exactement le contraire qui se produira.

Comme nous l'avons remarqué, certains traits de caractère de Jones et Waggoner ne facilitent pas les choses. Ellen White leur écrit une lettre début 1887, pour tenter de tempérer leur pugnacité. « Frère J. H. Waggoner aimait les débats et confrontations. Je crains que son fils, E. J. Waggoner, ne cultive les mêmes inclinations. Nous devons vivre une religion humble. E. J. Waggoner a besoin d'humilité et de douceur, et frère Jones sera un excellent instrument pour le bien, s'il cultive constamment la bonté dans son attitude. » — Lettre n° 37, 1887.

N'avons-nous pas tous besoin d'humilité ? C'est une chose de chanter et prier au Seigneur pour qu'il nous donne un cœur humble ; c'en est une autre d'accepter ce don. *Seigneur, aide-nous !*

Début d'année 1888...

Puis je vis monter de la terre une autre bête. Elle avait deux cornes semblables à celles d'un agneau, et elle parlait comme un dragon.
Apocalypse 13.11

« Nous regardons vers le futur », écrit Uriah Smith dans son premier éditorial de l'année 1888. « Chaque année, la perspective se fait plus claire et les preuves plus évidentes, que nous n'avons pas suivi des fables habilement conçues en annonçant le proche retour du Christ. Les prophéties convergent vers leur accomplissement et les évènements s'accélèrent. La Parole de Dieu se révèle authentique, elle réconforte tous les croyants qui, dans l'humilité, ont la certitude du bien-fondé de leur espérance. »

G. I. Butler, président de la Conférence générale, partage les perspectives de Smith. « Nous avons de grandes raisons de remercier Dieu et de prendre courage, en ce début d'année 1888 », écrit-il en janvier. Faisant remarquer que les adventistes n'ont « jamais dû abandonner une position qu'ils avaient acquise sur l'exégèse biblique, chaque année nous apporte plus de preuves que notre interprétation des grands thèmes prophétiques qui nous distinguent en tant que peuple, est exacte ».

En janvier 1888, A. T. Jones, corédacteur de *Signs of the Times*, prend aussi position en déclarant que « les évènements qui conduisent à l'unité de l'Église et de l'État aux États-Unis sont en lien direct avec l'accomplissement d'Apocalypse 13.11-17 » avec son enseignement sur la formation de l'image de la bête.

Début 1888, alors que la loi nationale sur le dimanche attendue depuis si longtemps semble se préciser, les adventistes sont en effervescence à la perspective du retour proche du Christ.

L'interprétation adventiste d'Apocalypse 13 prévoit pour les deniers jours une épreuve de force entre ceux qui honorent le vrai sabbat et ceux qui suivent symboliquement la bête. Ainsi, dès la fin des années 1840, les adventistes prédisaient qu'à la fin des temps, ils endureraient la persécution pour leur fidélité au sabbat biblique.

Dans ce contexte historique et théologique, il n'est pas difficile de comprendre pourquoi Apocalypse 14.12 (« C'est ici la persévérance des saints qui gardent les commandements de Dieu et la foi de Jésus ») est leur mot d'ordre, imprimé entièrement en sous-titre de la *Review* pendant près d'un siècle. On comprend aussi facilement pourquoi ils sont si sensibles à la loi du dimanche.

Merci, Seigneur pour les prophéties de Daniel et Apocalypse. Aide-moi à les étudier plus attentivement.

LE DIMANCHE SUSCITE LA PERSÉCUTION

Heureux ceux qui sont persécutés à cause de la justice, car le royaume des cieux est à eux. Matthieu 5.10

Pendant les années 1880, la persécution due à la loi du dimanche s'intensifie en force et en portée. Le problème éclate de façon visible en Californie en 1882, quand la question du dimanche devient un enjeu majeur dans les élections d'État. Les conséquences frappent les adventistes lorsque les autorités locales arrêtent W. C. White pour avoir travaillé à la *Pacific Press* le dimanche.

La Californie abroge rapidement la loi du dimanche, mais la menace d'une telle législation dans tout le pays pousse les adventistes à l'action. L'initiative la plus importante est l'institution, en 1884, de *American Sentinel of Religious Liberty* [Sentinelle américaine pour la liberté religieuse], précurseur de notre *Conscience et liberté*, pour combattre activement la loi du dimanche.

Le problème se déplace en Arkansas en 1885. Entre 1885 et 1887, l'État recense vingt et un cas de non-respect du caractère sacré du dimanche, dont dix-neuf par des observateurs du sabbat. Les autorités relâchent les deux autres personnes sans leur faire payer d'amende et classent l'affaire. Pour les adventistes, au contraire, elles imposent une amende allant de 110 à 500 dollars par personne, une somme astronomique si l'on considère qu'un homme gagne environ 1 dollar par jour.

A.T. Jones conclut : « On ne peut démontrer plus clairement que la loi est un moyen utilisé pour discriminer et léser une classe de citoyens, innocents de tout crime, pour la seule raison qu'ils professent une religion différente de celle de la majorité. »

Fin 1885, la persécution pour la loi du dimanche arrive au Tennessee, où les autorités arrêtent de nombreux adventistes jusqu'en 1890. Certains, y compris des pasteurs, sont enchaînés comme de dangereux criminels.

L'enthousiasme eschatologique adventiste s'intensifie en 1888 quand le cardinal catholique romain James Gibbons se joint aux protestants et approuve une pétition en faveur d'une loi nationale du dimanche. Les protestants apprécient vivement ce soutien : « Chaque fois qu'ils [les catholiques romains] voudront coopérer pour résister au progrès de l'athéisme politique, écrit le *Christian Statesman*, nous nous joindrons volontiers à eux. »

La liberté religieuse est un don précieux. Apprécions-le et profitons-en pendant que nous en disposons.

LA LOI DU DIMANCHE

Elle [la bête qui monte de la terre] exerce tout le pouvoir de la première bête en sa présence, et elle fait que la terre et ses habitants se prosternent devant la première bête dont la blessure mortelle a été guérie. Apocalypse 13.12

Le 21 mai 1888 est un jour marquant. Le sénateur Blair, du New Hampshire, propose au Sénat des États-Unis un projet de loi pour promouvoir le « jour du Seigneur » comme « jour du culte religieux ».

Ce projet de loi proposant le dimanche comme jour religieux national est le premier de ce genre à être proposé au Congrès depuis le début du mouvement adventiste dans les années 1840. Quatre jours plus tard, Blair propose un amendement à la Constitution des États-Unis pour christianiser le système scolaire public national.

Les adventistes saisissent parfaitement l'implication prophétique des projets de loi de Blair. L'enthousiasme eschatologique lié à la loi du dimanche contribue à faire monter la tension dans la période qui précède la session de la Conférence générale de 1888.

Cette crise crée une atmosphère d'émotivité directement liée aux deux autres questions soulevées lors de la session de Minneapolis. La première concerne l'interprétation de la prophétie, en particulier dans le livre de Daniel. La deuxième concerne le type de justice requise pour le salut, et la fonction de la loi de Dieu dans le plan du salut, alors que les adventistes débattent sur son rôle dans l'épître aux Galates.

On ne peut évaluer le degré d'émotion chez les participants à la session de 1888, que si on comprend que les adventistes sont certains, en raison de la loi du dimanche, d'être arrivés à la fin des temps.

Peu avant le début de l'assemblée de Minneapolis, S. N. Haskell écrit que bientôt, la liberté d'observer le sabbat sera enlevée et qu'ils devront témoigner dans les tribunaux et les prisons.

Dans ce contexte, il n'est pas étonnant que les dirigeants adventistes réagissent violemment et émotionnellement quand Jones et Waggoner remettent en question la validité de certains aspects de l'interprétation prophétique et de la théologie de la loi. Pour eux, ces débats menacent le cœur même de l'identité adventiste à une époque de crise extrême.

Il est difficile de trouver la juste mesure et de ne pas réagir de façon disproportionnée face à un problème. Que le Seigneur nous aide non seulement à connaître la différence, mais à la mettre en pratique et à agir de façon saine, dans notre vie personnelle comme dans notre vie d'Église.

DIX CORNES

Et voici une quatrième bête, [...] elle était différente de toutes les bêtes précédentes et avait dix cornes. Daniel 7.7

Vous vous demandez peut-être comment méditer un texte pareil ! Vous avez raison, mais il y a derrière ce texte une histoire qui secoue l'adventisme dans les années 1880. Tout commence quand la session de la Conférence générale de 1884 demande à A.T. Jones de rassembler des éléments historiques sur l'accomplissement de la prophétie, y compris les dix cornes de Daniel 7.

Uriah Smith se réjouit que Jones s'en charge, mais il déchante quand Jones donne une interprétation différente de la sienne sur les dix cornes, suggérant ainsi que la liste traditionnelle est erronée. La situation s'aggrave quand Jones publie ses découvertes dans *Signs of the Times*. Smith réfute dans la *Review* et le débat s'envenime.

Pourquoi autant de préoccupation autour d'un sujet aussi anodin ?

Selon Smith, si les adventistes modifient ce qu'ils prêchent depuis quarante ans, les gens s'en rendront compte et diront : « Vous vous rendez compte maintenant que vous vous êtes trompés sur ce qui paraissait être le point le plus clair. Si on vous donne un peu de temps, vous finirez par dire que vous vous êtes trompés sur tout ! » Une telle attaque renverserait toute la compréhension prophétique, y compris sur la loi du dimanche. C'est l'avis de Smith.

Jones répond en se basant aussi sur le problème du dimanche, faisant remarquer que « la véritable bataille de et pour la vérité n'a pas encore commencé ». L'émergence de la loi du dimanche change pourtant cela. Pendant la crise de la fin des temps, les croyances adventistes « deviendront le principal sujet de débat. [...] C'est alors que les dirigeants du pays étudieront nos doctrines, analysant et mettant en question chaque point. [...] Il faudra à ce moment là avoir des arguments de poids et ne pas se contenter de répondre que "c'est ce que nous prêchons depuis quarante ans" ou "c'est ce que frère Untel soutient". »

Cette crise du dimanche rend explosif le sujet apparemment anodin des dix cornes. Pour Smith et Butler, ce n'est vraiment pas le moment de débattre publiquement d'une interprétation de la prophétie acceptée depuis longtemps.

C'est un fait caractéristique de l'histoire adventiste : un problème mineur peut susciter de grandes batailles quand les individus s'échauffent et s'engagent dans un conflit peu édifiant.

Aide-nous, Père, à nous positionner sainement quand nous lisons ta Parole et dans nos relations les uns avec les autres.

LA LOI DANS L'ÉPÎTRE AUX GALATES — 1RE PARTIE

La loi a été un précepteur pour nous conduire à Christ, afin que nous soyons justifiés par la foi. La foi étant venue, nous ne sommes plus sous ce précepteur. Galates 3.24,25

On comprend que ce texte puisse causer une explosion dans l'adventisme, plus que celui des dix cornes, surtout si l'on utilise ce texte pour affirmer que depuis la venue du Christ, nous n'avons plus besoin de la loi, et non que la loi, en dénonçant nos péchés, nous indique le Sauveur.

Butler et ses amis craignent sans doute la première option, qui pose un sérieux problème si l'on considère que la loi est le décalogue. Ils contournent le problème en interprétant « la loi » dans l'épître aux Galates comme se référant aux lois cérémonielles. En effet, selon eux, ces lois préfiguraient le Christ et sont donc caduques après sa venue.

C'est alors qu'en 1884, Waggoner affirme que selon lui, la loi dont il est question dans l'épître aux Galates est bien le décalogue. Butler et ses amis voient cette interprétation comme une véritable menace pour le cœur même de la théologie adventiste et le caractère sacré du sabbat contenu dans la loi morale. Les dirigeants adventistes perçoivent alors Jones et Waggoner comme des dangers pour l'un des piliers centraux de l'adventisme.

Pendant plus de trente ans, l'Église a soutenu l'interprétation de la loi cérémonielle et voilà qu'au cœur de la crise suscitée par la loi du dimanche, Waggoner lance un enseignement qui, pour Butler et Smith, sape la base même de leur observation du sabbat, apportant de l'eau au moulin des détracteurs anti-loi des adventistes.

Butler considère cet enseignement comme « la porte ouverte » par laquelle « un déluge » de changements prophétiques et doctrinaux « pourrait se déverser dans l'adventisme ».

Smith adhère à la position de Butler. Pour lui « après le décès de frère White, la plus grande calamité qui s'est abattue sur notre cause est la publication par Waggoner de ses articles sur l'épître aux Galates dans *Signs of the Times*. « Si jamais l'Église change sa position sur l'épître aux Galates, déclare-t-il catégoriquement, ils me trouveront sur leur chemin, parce que je ne suis pas près de renoncer à l'adventisme du septième jour. »

Notre théologie est parfois guidée par la crainte plus que par la lecture attentive des Écritures. Quand c'est le cas, nous réagissons de façon inopportune, et notre lecture est faussée.

Père, aide-nous à lire ta Parole en gardant les deux yeux ouverts et en laissant nos émotions à leur juste place.

La loi dans l'épître aux Galates — 2e partie

Vous êtes tous fils de Dieu par la foi en Jésus-Christ.. Galates 3.26

Dans les années 1850, Ellen White a reçu une vision dans laquelle il est question de la loi de l'épître aux Galates, ce qui complique la controverse. Butler et Smith affirment qu'elle a spécifié qu'il s'agit de la loi cérémonielle. Elle répond qu'elle se souvient bien de cette vision, mais qu'elle n'en a aucune trace écrite, qu'elle ne se rappelle pas avoir précisé la nature de la loi, et que cela ne vaut pas la peine qu'on s'en préoccupe, car cette question n'est pas importante. Pour elle, l'essentiel n'est pas la loi, mais le devoir de « présenter à mes frères Jésus et son amour, car je constate que beaucoup d'entre eux n'ont pas l'esprit du Christ. » — Manuscrit n° 24, 1888.

Cette réponse irrite Butler et Smith qui accusent alors Ellen White de changer d'opinion, ce qui n'est pas possible, selon eux, pour un véritable prophète. Ainsi, son don de prophétie est contesté par les dirigeants, dans un moment où la tension existe déjà.

Ce n'est pourtant pas la première fois que Smith s'en prend au prophète adventiste. En 1882, il est en colère parce qu'elle témoigne de sa mauvaise prise en charge de Goodloe Harper Bell à Battle Creek College. À ce moment-là, il conclut que tout ce qu'écrit Ellen White n'est pas inspiré de Dieu, à moins qu'elle précise « j'ai vu ». Ainsi, si elle ne spécifie pas « j'ai vu » dans les lettres qu'elle lui envoie, il les considère comme de simples conseils, bons [...] ou mauvais, comme dans le cas de Harper Bell.

Au milieu des années 1880, au cœur de la controverse sur l'épître aux Galates, Butler adopte le point de vue de Smith sur les mauvais conseils d'Ellen White.

Celle-ci a bien sûr son opinion sur le sujet : « Si l'opinion ou l'avis de quelqu'un est contredit par les témoignages, cette personne s'efforce tout de suite d'affirmer sa position pour déterminer ce qui, dans les témoignages, est l'avis personnel de sœur White ou la Parole du Seigneur. Bien souvent, tout ce qui confirme ses idées est divin, mais les témoignages qui corrigent leurs erreurs sont humains, il s'agit de l'opinion de sœur White. Ils préfèrent alors leur propre tradition au conseil divin. » — Manuscrit n° 16, 1889.

Notre Dieu, protège-nous de nous-mêmes.

DES BRUITS DE GUERRE EN 1886

Dans le pays, on entend le bruit de la guerre. Jérémie 50.22, PDV

Fin 1886, Butler est décidé à partir en guerre pour défendre sa vision de la loi dans l'épître aux Galates et des dix cornes. Il commence par écrire une série de lettres pour rallier Ellen White à son point de vue. Il prépare ensuite un « bref commentaire » sur Galates – en réalité un livre de 85 pages – intitulé *La loi dans l'épître aux Galates*, qui s'attaque à la position de Waggoner. Il tente de profiter de la session de la Conférence générale de 1886 pour remettre Jones, Waggoner et leur enseignement à leur place, et ramener l'Église dans le droit chemin. Il fournit à chaque participant un exemplaire de *La loi dans l'épitre aux Galates*. Enfin, et c'est le plus important, il nomme un comité théologique pour trancher une fois pour toutes les questions débattues. Cependant, son espoir d'un credo qui établirait définitivement la vérité sur les points controversés est déçu. Le comité de neuf personnes est divisé à quatre contre cinq. « Nous avons débattu pendant plusieurs heures, raconte Butler, mais aucune des deux parties n'a convaincu l'autre. » La question se pose alors de savoir « s'il faut ou non porter le sujet devant l'assemblée pour qu'il soit débattu publiquement ». Habile politicien, il comprend qu'une telle initiative sèmerait encore plus le trouble.

Butler et Ellen White se souviennent tous deux de la session de 1886 comme épouvantable. Il raconte que « c'est l'assemblée la plus triste à laquelle il ait jamais assisté » ; elle déplore quant à elle : « Jésus a été blessé et attristé dans la personne de ses saints », et se sent particulièrement chagrinée de « la dureté, le manque de respect et d'amour fraternel entre les frères. » — Lettre n° 21, 1888 ; Manuscrit n° 21, 1888. L'ambiance des rencontres de 1888 est déjà fixée.

L'incident le plus grave de cette rencontre est le cas de D.M. Canright. Fervent défenseur de l'opinion de Butler sur la loi, il se rend compte que la position traditionnelle adventiste est discutable. Il reconnaît que Butler et ses amis « exaltent la loi au-dessus du Christ », mais au lieu d'adopter la conception de Waggoner selon laquelle la loi mène les individus au Christ, Canright abandonne l'adventisme et devient l'adversaire le plus acharné de l'Église.

Aucun sujet n'est plus important que la suprématie absolue du Christ.

Alors que nous méditons sur l'histoire de l'adventisme, instruis-nous, Seigneur, sur la place du Christ dans notre vie.

ELLEN WHITE CHERCHE L'ÉQUILIBRE

Heureux ceux qui sont doux car ils hériteront la terre. Matthieu 5.5

Ellen White est de plus en plus préoccupée. Elle fait part de ses pensées et craintes dans une lettre à Jones et Waggoner en février 1887. « Il y a danger que nos pasteurs s'appuient plus sur les doctrines, prêchant par de grands discours sur des sujets controversés, alors qu'ils ont eux-mêmes besoin de piété pratique. [...] Les merveilles de la rédemption sont trop souvent négligées. C'est ce sujet qu'il faut présenter continuellement et de façon approfondie. [...] Nous courons le risque que nos discours et articles soient comme l'offrande de Caïn : sans le Christ. » — Lettre n° 37, 1887.

Dans une partie de sa lettre, elle regrette que Jones et Waggoner rendent publics les sujets polémiques, en temps de crise, et leur reproche certains de leurs traits de caractère indésirables. Les deux hommes répondent de façon positive, demandant humblement pardon pour leurs erreurs privées et publiques.

Une copie de cette lettre est envoyée à Butler. Il exulte, l'interprétant à tort comme une confirmation de sa position sur la loi. Dans son euphorie, il écrit à Ellen White qu'il est parvenu à réellement « aimer » ces deux jeunes hommes et qu'il est désolé pour eux. « J'ai toujours pitié de ceux qui souffrent d'une cruelle déception », ajoute-t-il. Malgré sa « pitié », il ne se gêne pas pour publier un article agressif dans la *Review* pour réaffirmer sa position sur les deux lois.

Le moins qu'on puisse dire, c'est qu'Ellen White est irritée par le mauvais usage qu'il fait de sa lettre. Le 5 avril 1887, elle expédie un courrier enflammé à Smith et Butler, précisant qu'elle leur a fait parvenir une copie de sa lettre dans le seul objectif de leur faire comprendre qu'ils devaient aussi être attentifs aux sujets polémiques débattus en public, et à leur caractère. Mais maintenant que Butler a rouvert les hostilités en publiant sa position sur la *Review*, il est juste que Waggoner ait l'occasion de présenter la sienne.

Plus Ellen White devient clairvoyante sur la situation, plus elle réprouve l'autoritarisme de la Conférence générale. « Nous devons travailler en chrétiens », écrit-elle, nous basant toujours sur la vérité biblique, « nous avons besoin d'être remplis de la plénitude de Dieu et de la douceur du Christ. » — Lettre n° 13, 1887.

Chacun de nous a le même besoin aujourd'hui.

Aide-nous, Seigneur, à cultiver ton esprit d'humilité, même dans les moments de controverse théologique.

L'ESPRIT DES PHARISIENS

C'est un honneur pour quelqu'un de refuser les disputes.
Proverbes 20.3, PDV

Ellen White ressent « dès le début de l'assemblée [de Minneapolis] un esprit qui la chagrine », une attitude qu'elle n'a jamais vue jusque-là chez ses collègues pasteurs et dirigeants, et qui la dérange parce qu'elle est « contraire à l'esprit de Jésus qui devrait être manifesté mutuellement. » — Manuscrit n° 24, 1888. Elle en vient à appeler cette hostilité « l'esprit de Minneapolis » ou « l'esprit des pharisiens ». Il est essentiel de comprendre l'ambiance régnant à Minneapolis pour saisir les dynamiques des débats de 1888 et de la suite de l'histoire adventiste.

Voici les caractéristiques de l'esprit de Minneapolis tel qu'Ellen White les décrit :

1. Il est plein de sarcasme et moquerie à l'égard des réformateurs adventistes. Par exemple, certains appellent Waggoner « l'animal de compagnie d'Ellen White ».
2. Il pousse à la critique.
3. Il suscite chez beaucoup des procès d'intention, de la haine et de la jalousie.
4. Il provoque des attitudes et sentiments durs et blessants.
5. Il « intoxique beaucoup de gens d'un esprit de résistance » à la voix de l'Esprit.
8. Il pousse les orateurs à parler de façon calculée, afin de monter les auditeurs contre ceux qui soutiennent des opinions théologiques contraires aux leurs.
9. Il suscite le conflit et la polémique doctrinale, au lieu de favoriser l'esprit de Jésus.
10. Il génère une attitude où l'on « chicane et joue sur les mots » dans les débats doctrinaux.

En résumé, l'esprit qui est manifesté est « discourtois, incorrect et contraire à l'esprit du Christ ».

Il est intéressant de remarquer que cet esprit résulte d'un désir de préserver les vieux piliers doctrinaux adventistes. Ellen White déplore qu'une « différence d'interprétation de quelques passages de l'Écriture pousse les hommes à oublier leurs principes religieux. » — Manuscrit n° 30, 1889. « Que Dieu me préserve de vos idées, [...] déclare-t-elle, si en les adoptant je deviens aussi peu chrétienne dans les pensées, paroles et actes. » — Manuscrit n° 55, 1890.

Minneapolis est un désastre, car en tentant de préserver la pureté doctrinale adventiste et son interprétation traditionnelle des Écritures, les dirigeants ont perdu leur christianisme.

Sauve-nous, Seigneur, de l'esprit des pharisiens, et remplis-nous de celui de Jésus dans tout ce que nous ferons aujourd'hui.

Le grand besoin de l'adventisme

Heureux ceux qui ont faim et soif de justice car ils seront rassasiés. Matthieu 5.6

« Le plus grand et le plus urgent de nos besoins, écrit Ellen White en 1887, est un renouveau de véritable piété. C'est ce que nous devrions rechercher en priorité. » Elle remarque que cependant, beaucoup d'adventistes ne sont pas prêts à recevoir la bénédiction de Dieu et ont besoin d'être convertis. « Ce que Satan craint le plus, c'est que le peuple de Dieu élimine tous les obstacles qui empêchent le Seigneur de déverser son Esprit sur une Église stagnante et impénitente » — *Review and Herald*, 22 mars 1887.

À la fin des années 1880, Ellen White est très préoccupée par la condition de l'adventisme, car trop de dirigeants et de membres ont une vision théorique de la vérité, mais ne la connaissent pas vraiment.

Ce souci transparaît souvent dans ses écrits. En 1879, elle écrit : « Il serait bon que chacun de nous passe une heure par jour à relire la vie du Christ, de la crèche à croix. [...] En relisant ses enseignements et le récit de ses souffrances, de son sacrifice infini pour nous racheter, nous fortifierons notre foi, nous vivifierons notre amour, et nous comprendrons mieux l'esprit qui animait notre Rédempteur. Si nous voulons être sauvés au dernier jour nous devons tous apprendre, au pied de la croix, ce qu'est la repentance et la foi. [...] J'aspire à voir nos prédicateurs contempler davantage la croix du Christ. » — *Témoignages pour l'Église*, vol. 1, p. 594.

Elle insiste sur le même concept lors de l'assemblée de la Conférence générale de 1883 en s'adressant aux pasteurs : « Nous devons apprendre à l'école du Christ. Seule sa justice nous donne accès aux bénédictions de l'alliance de grâce. Nous avons longtemps désiré ces bénédictions et tenté de les obtenir, mais ne les avons pas reçues parce que nous nous accrochions à l'idée que nous pouvions faire quelque chose pour les mériter. Nous devons détourner le regard de nous-mêmes et croire que Jésus est un Sauveur vivant. » — *Selected Messages*, vol. 1, p. 351.

Elle écrit encore, à la veille de la session de Minneapolis : « Notre message doit annoncer la mission et la vie de Jésus » — *Review and Herald*, 11 septembre 1888.

Le grand manque de l'adventisme, dans les années 1880, est Jésus et son amour. C'est encore notre besoin aujourd'hui.

Cibler le problème

Efforce-toi de te présenter devant Dieu comme un homme qui a fait ses preuves, un ouvrier qui n'a pas à rougir et qui dispense avec droiture la parole de la vérité. 2 Timothée 2.15

Le 5 août 1888, deux mois avant le début de la session de Minneapolis, Ellen White écrit « aux chers frères qui se réuniront pour l'assemblée de la Conférence générale » une lettre puissante qui met le doigt sur les problèmes qui sont à la base du dialogue de sourds théologique. Voici ses préoccupations et souhaits :

« En toute humilité et avec l'Esprit du Christ, étudiez soigneusement les Écritures pour y trouver la vérité. La vérité n'a rien à perdre de l'étude poussée. Que la Parole de Dieu parle pour elle-même et s'interprète elle-même. [...] Certains de nos pasteurs sont incroyablement paresseux et attendent que les autres [c'est-à-dire Smith et Butler] étudient à leur place. Ils acceptent ce que ceux-ci disent comme parole d'Évangile, mais ne connaissent pas la vérité grâce à leur propre recherche et aux profondes convictions que l'Esprit leur inspire. [...]

Notre peuple doit mieux comprendre la vérité biblique, individuellement, car nous serons appelés à la défendre et en témoigner devant des esprits critiques et pointus. C'est une chose d'accepter la vérité, c'en est une autre de la connaître réellement, grâce à l'étude personnelle approfondie. [...]

Beaucoup se perdront parce qu'ils n'ont pas étudié assidûment leur Bible, à genoux, en priant ardemment le Seigneur d'éclairer leur compréhension de sa Parole.

L'un des obstacles majeurs à notre succès spirituel est le manque d'amour et de respect mutuels. [...] L'ennemi s'efforce de créer un esprit de parti et certains pensent faire l'œuvre de Dieu en cultivant le préjugé et la jalousie parmi les frères. [...]

La Parole de Dieu est le meilleur détecteur d'erreur et le critère en toute chose. La Bible doit être notre norme pour toute doctrine et pratique. Nous devons l'étudier avec respect. Nous ne devons accepter la vérité de personne sans la comparer avec les Écritures qui représentent la divine autorité en matière de foi. » — Lettre n° 20, 1888.

Nous trouvons dans ses pensées notre ordre de marche pour aujourd'hui.

LE « COMPLOT CALIFORNIEN »

Jésus connut leurs raisonnements, prit la parole et dit :
Pourquoi faites-vous de tels raisonnements dans votre cœur ?
Luc 5.22

Penser est une bonne chose, [...] sauf quand la pensée alimente des théories de complot.

C'est malheureusement ce genre de pensées qui habitent Butler et ses amis à la veille de l'assemblée de la Conférence générale de Minneapolis. L'étincelle qui met le feu aux poudres est une lettre envoyée de Californie fin septembre par le pasteur William H. Healey à George Butler, qui suggère que les dirigeants de l'Ouest (Jones, Waggoner, Willie et Ellen White) ont élaboré un plan pour modifier la théologie de l'Église.

Avant l'arrivée de cette lettre, Butler paraît émotionnellement stable. Il n'aime pas la perspective de voir soulever les questions controversées de Daniel et Galates, mais les lettres reçues fin août de la part d'Ellen et William White l'ont convaincu de la nécessité de le permettre. En revanche, le président de la Conférence générale, déjà tendu, est catastrophé lorsqu'il reçoit ce qu'il considère comme la nouvelle d'une conspiration, quelques jours avant l'ouverture de la session de Minneapolis. Il lui semble qu'il comprend soudain la raison des évènements des deux dernières années. Les White ont insisté pour faire entendre la nouvelle théologie de Jones et Waggoner parce qu'ils l'approuvaient. Butler est persuadé qu'il a affaire à un complot des plus dangereux, qui menace les croyances adventistes confirmées par le temps.

Il réagit alors par un sursaut de frénésie de dernière minute. Il organise ses forces de résistance à ce qu'il croit être la coalition de l'Ouest et envoie lettres et télégrammes à tous les délégués, les avertissant de la conspiration et les enjoignant à « défendre les anciennes traditions ».

De leur côté, les White, Jones, Waggoner et les délégués de Californie ne se doutent pas que les dirigeants de Battle Creek les prennent pour des conspirateurs. William C. White raconte qu'il était « ignorant comme un pigeon » de ce malentendu, et que cela les fait tomber involontairement entre les mains des avocats de la théorie du complot.

Il est difficile de corriger sa pensée, mais cela devient pratiquement impossible lorsque celle-ci est émotionnellement polluée par la théorie du complot. Soyons-en conscients et prions Dieu pour qu'il nous donne la grâce d'en être libres.

UN DIRIGEANT TROUBLÉ

Car là où il y a jalousie et rivalité, il y a du désordre et toute espèce de pratiques mauvaises. Jacques 3.16

Parlons de la confusion.

Ce terme décrit parfaitement l'état d'esprit du président de la Conférence générale George I. Butler, à la veille de l'assemblée de Minneapolis en 1888. Influencé par la crainte du « complot californien », il envoie à Ellen White le 1er octobre, quelques jours seulement avant le début de la session, une lettre enflammée de quarante-deux pages dactylographiées qui révèle tout à fait son état d'extrême confusion mentale.

Après avoir avoué qu'il est en état « d'épuisement nerveux qui devrait lui faire démissionner de toute responsabilité dans l'Église », il accuse Ellen White d'être « plus que toute autre chose la cause de sa condition actuelle ».

Butler est particulièrement furieux de son apparent revirement d'opinion concernant la loi dans les Galates. Le moins qu'on puisse dire, c'est qu'il est obnubilé par cette question.

« Cette question qui a été soulevée sur la côte ouest depuis quatre ans est imprégnée de mal et de mal seulement, écrit-il. Je suis convaincu qu'elle suscitera le doute dans l'esprit de nombreux membres, qu'ils abandonneront la foi, que leur âme se détournera de la vérité et se perdra à cause de cela. Cette polémique ouvrira grande la porte à toutes sortes d'innovations qui briseront nos positions traditionnelles de foi.

La façon dont ce problème a été géré sapera la confiance de notre peuple dans les témoignages eux-mêmes et je crois que les membres perdront confiance dans votre œuvre, plus que jamais depuis que notre mouvement existe. [...] Beaucoup de pasteurs et dirigeants n'auront plus confiance dans vos témoignages. »

Il poursuit en blâmant W.C. White qu'il considère comme grandement responsable et affirme que Jones et Waggoner doivent être « publiquement réprimandés ».

Butler considère qu'il a été « égorgé dans la maison de ses frères ». Brisé moralement et physiquement, il n'assiste pas à l'assemblée de 1888.

Tout cela pour un problème qui, selon Ellen White, était peu important. Tels sont les faits.

L'attitude de Butler nous choque peut-être, mais combien d'entre nous se sont parfois tourmentés sur des questions bibliques épineuses jusqu'à se trouver dans un tel état d'épuisement spirituel et mental. Que Dieu nous donne la grâce de ne pas donner une importance disproportionnée à certains sujets, au point d'en oublier les grands thèmes centraux de l'Écriture.

LE MESSAGE DE 1888 — 1RE PARTIE

Et moi, quand j'aurai été élevé de la terre, j'attirerai tous les hommes à moi.
Jean 12.32

Ces jours-ci, nous parlons beaucoup du message de 1888. Mais quel était-il, et quel est-il ? Le meilleur résumé se trouve peut-être dans une lettre qu'écrit Ellen White quelques années après la session de Minneapolis. Lisons, et écoutons avec les oreilles de notre cœur.

« Dans sa grande bonté, le Seigneur a envoyé un message très précieux à son peuple, par l'intermédiaire des frères Waggoner et Jones. Ce message invitait à faire apparaître de façon plus évidente au monde le *Sauveur élevé* et son *sacrifice* pour le péché du monde entier. Il présentait la *justification au moyen de la foi* en Jésus notre sécurité, et invitait les gens à *recevoir la justice du Christ*, qui est rendue manifeste dans l'obéissance aux commandements de Dieu. *Beaucoup ont perdu Jésus de vue*. Ils doivent rediriger leur regard vers *sa divine personne*, ses mérites et son amour immuable pour la famille humaine. Tout pouvoir a été remis entre ses mains pour qu'il donne de riches bienfaits aux hommes, et fasse le *don inestimable de sa propre justice* à l'humanité perdue. *Voilà le message que Dieu demande que nous transmettions au monde*. C'est le message du troisième ange qui doit être proclamé d'une voix forte, et accompagné d'une grande effusion du Saint-Esprit.

Le *Sauveur élevé* doit être présenté, dans son œuvre parfaite en tant qu'Agneau immolé de Dieu, assis sur le trône, prêt à accorder les riches bénédictions de l'alliance et les bienfaits qu'il a acquis par sa mort, *à toute personne qui croit en lui*. Jean ne pouvait exprimer un tel amour par des paroles humaines, il était trop profond, trop vaste. Il nous invite à le contempler. Le Christ plaide dans le ciel pour son Église, pour tous ceux dont il a payé la rédemption par son propre sang. Les siècles et le temps ne pourront jamais amoindrir l'efficacité de ce sacrifice expiatoire. » — *Testimonies to Ministers and Gospel Workers*, p. 91, 92, c'est nous qui soulignons.

Quel message !

Les adventistes ont élevé le sabbat, le sanctuaire, l'état des morts, le retour du Christ, mais ils oublient souvent d'élever à sa juste mesure la seule Personne qui donne sens à tout cela.

Ellen White conclut en se joignant à Jones et Waggoner dans un appel à l'adventisme afin qu'il recentre ses priorités. Y répondrons-nous aussi ?

LE MESSAGE DE 1888 — 2E PARTIE

Ils sont gratuitement justifiés par sa grâce, par le moyen de la rédemption qui est en Christ Jésus.
Romains 3.24

Nous reprenons là où nous nous sommes arrêtés hier, dans ce qui est certainement le meilleur résumé de la signification du message de Jones et Waggoner en 1888.

« Le message de la bonne nouvelle de sa grâce devait être clairement transmis à l'Église, *afin que le monde ne dise plus que les adventistes parlent de la loi et encore de la loi, mais n'enseignent pas le Christ ou ne croient pas en lui.*

L'efficacité du sang du Christ devait être présentée avec fraîcheur et force au peuple, afin que sa foi repose sur les mérites de Jésus. Comme le souverain sacrificateur répandait le sang sur le trône de la grâce, pendant que l'odorante fumée d'encens montait devant Dieu, ainsi, pendant que nous confessons nos péchés et nous réclamons de l'efficacité du sang expiatoire du Christ, nos prières montent vers le ciel, grâce aux mérites du caractère de notre Sauveur. Malgré notre indignité, nous devons toujours nous rappeler que *Jésus peut effacer le péché et sauver le pécheur.* Il enlèvera chaque péché reconnu devant Dieu avec un cœur contrit. *Cette foi est la vie de l'Église.* [...]

C'est seulement si durant toute sa vie, le pécheur contemple le Sauveur élevé et accepte par la foi ses mérites qu'il peut être sauvé, tout comme Pierre ne pouvait marcher sur l'eau qu'en gardant le regard fermement fixé sur Jésus. L'objectif de Satan consiste à éclipser la vision de Jésus et à inciter les hommes à regarder à l'homme, à se confier en l'homme et à chercher de l'aide auprès de l'homme. Pendant des années, l'Église a regardé à l'homme et a beaucoup attendu de l'homme, au lieu de *regarder à Jésus sur lequel est centrée notre unique espérance de vie éternelle.* Dieu a donc donné à ses serviteurs un témoignage qui présente *la vérité telle qu'elle est en Jésus*, et le message du troisième ange en lignes claires et distinctes. [...] Voici le témoignage qui doit être répandu dans le monde entier. Il présente la loi et l'Évangile, liant les deux en un tout parfait. » — *Testimonies to Ministers and Gospel Workers*, p. 92-96, c'est nous qui soulignons.

La pensée centrale de 1888 est d'élever Jésus. Nous ne le ferons jamais trop. Exaltons-le aujourd'hui dans notre travail, notre famille, nos loisirs, tout ce que nous faisons. Qu'il soit vraiment le Sauveur et Seigneur de notre vie.

LE MESSAGE DE 1888 – 3E PARTIE

À ceci tous connaîtront que vous êtes mes disciples, si vous avez de l'amour les uns pour les autres. Jean 13.35

Pendant les deux derniers jours, nous avons étudié le message central de 1888 à partir d'une lettre écrite en 1895. Nous l'aborderons aujourd'hui tel qu'Ellen White l'évoque dans son journal en février 1891.

« Beaucoup de nos pasteurs, écrit-elle, se contentent lorsqu'ils prêchent, de présenter un sujet de façon argumentative, en ne faisant que de rares références à la puissance de salut du Rédempteur. Ils n'ont pas eux-mêmes reçu le pain vivant du ciel, par conséquent leur prédication n'est pas nourrissante, elle est dépourvue du sang du Christ qui sauve et purifie de tout péché. Leur offrande ressemble à celle de Caïn. [...]

Pourquoi Jésus n'est-il pas présenté au peuple comme le pain de Vie ? Parce qu'il ne demeure pas dans le cœur de ceux qui croient avoir le devoir de prêcher la loi. [...] L'Église meurt de faim, elle a besoin du Pain de vie.

Parmi tous ceux qui se disent chrétiens, les adventistes devraient être les premiers à élever le Christ devant le monde. [...] La loi et l'Évangile, ensemble, convaincront de péché. La loi de Dieu condamne le péché et indique l'Évangile, révélant Jésus-Christ. [...] La loi et l'Évangile ne doivent jamais être dissociés l'un de l'autre. [...]

Pourquoi, alors, observe-t-on un si grand manque d'amour dans l'Église ? C'est parce que le Christ n'est pas constamment présenté au peuple. Les attributs de son caractère ne sont pas mis en pratique dans la vie quotidienne. [...]

Il est dangereux de présenter la vérité en exaltant seulement l'intellect, laissant l'âme insatisfaite. On fait parfois connaître une théorie correcte de la vérité, sans manifester la chaleur et l'affection que le Dieu de vérité demande. [...]

La religion de beaucoup est froide comme un glaçon. [...] Ils ne peuvent pas toucher le cœur d'autrui parce que leur propre cœur ne déborde pas de l'amour qui jaillit du cœur de Jésus. D'autres considèrent la religion comme une question de volonté. Ils accomplissent strictement leur devoir comme s'ils étaient menés avec un sceptre de fer par un maître inflexible et dur, et non par un Dieu aimant et compatissant. » — Manuscrit n° 21, 1891.

Aide-nous Père, à comprendre pleinement l'Évangile et ce qu'il veut accomplir dans notre vie. Amen.

LA SESSION DE LA CONFÉRENCE GÉNÉRALE — 1RE PARTIE

Un frère offensé est pire qu'une ville forte et les querelles sont comme les verrous d'un donjon. Proverbes 18.19

Malheureusement, l'assemblée de Minneapolis est un évènement douloureux.

Le *Journal* de Minneapolis du 13 octobre présente les adventistes comme « un peuple particulier qui observe le samedi au lieu du dimanche, révère une prophétesse et croit que la fin du monde est proche ».

Le même *Journal* du 19 octobre observe que les adventistes « s'attaquent aux problèmes théologiques ardus de la même façon qu'un bûcheron décidé attaquerait un billot de bois ». Le journal aurait pu ajouter que leurs rapports interpersonnels sont empreints de la même douceur que celle du bûcheron. L'esprit d'agressivité qui se manifeste est justement ce qu'Ellen White craignait le plus.

L'assemblée de la Conférence générale de 1888 a lieu dans la nouvelle église adventiste de Minneapolis, au Minnesota, du 17 octobre au 4 novembre. La session plénière est précédée d'une rencontre pastorale, du 10 au 17 octobre. Les questions administratives sont traitées pendant l'assemblée plénière, mais les débats théologiques sont soulevés pendant les deux rencontres. Vers la fin de la session, Waggoner note que les trois principaux sujets théologiques à l'ordre du jour sont les dix royaumes de Daniel 7, la papauté et le projet de loi du dimanche, « le rapport entre la loi et l'Évangile, sous le titre général de justification par la foi ».

Parmi les trois, le seul qui ne divise pas les dirigeants adventistes à Minneapolis est celui de la liberté religieuse. Tous s'accordent sur le fait que le projet de loi nationale du dimanche représente un signe inquiétant de l'histoire prophétique en rapport avec Apocalypse 13 et 14. Par conséquent, personne ne conteste les présentations d'A. T. Jones sur la liberté religieuse.

La session prend trois résolutions concernant le problème du dimanche : publier les travaux de Jones sur ce sujet, financer un voyage pour qu'il présente ses études dans tout le pays, et le nommer à la tête d'une délégation de trois personnes qui devra se présenter au Sénat des États-Unis.

À la fin de la session, Jones est donc sur le point de devenir défenseur à plein temps de la liberté religieuse. C'est un poste où il apportera ses contributions les plus importantes pour l'Église adventiste.

Père, remplis-nous de ton Esprit, en particulier dans les temps difficiles, pour que nous apprenions à collaborer de façon plus efficace.

La session de la Conférence générale — 2e partie

La loi a été un précepteur pour nous conduire à Christ, afin que nous soyons justifiés par la foi.
Galates 3.24

Le débat sur les dix cornes de Daniel 7, à Minneapolis, n'apporte pas beaucoup d'éclaircissements théologiques. La tension monte quand Uriah Smith déclare qu'il est « absolument inutile » de discuter de ce sujet, ce qui ne sert qu'à « affaiblir les vérités traditionnelles ». Jones rétorque qu'il ne veut pas être tenu pour responsable de l'ignorance de Smith sur certains sujets et Ellen White intervient : « Ne soyez pas si acerbe, frère Jones ».

D'un autre côté, un véritable progrès théologique a lieu dans le domaine de la compréhension de la justification par la foi. Il est intéressant de remarquer que lors de cette assemblée, même si les deux parties en désaccord viennent pour débattre du problème de la loi dans l'épître aux Galates, à la fin de la session, le principal résultat est une nouvelle insistance sur la justification par la foi. Comment cela s'est-il produit ? C'est un mystère pour la plupart.

C'est à Waggoner qu'il faut attribuer cette action. Il a décidé stratégiquement de ne pas se limiter à discuter de la loi dans les Galates, mais d'élargir le débat au salut, et d'aborder l'épître aux Galates dans ce contexte.

Il présente ainsi neuf exposés sur les sujets de la loi et l'Évangile, les cinq ou six premiers se concentrant sur la justification par la foi. C'est seulement ensuite qu'il aborde spécifiquement l'épître aux Galates. Cette question s'insère alors dans ce contexte et met en avant le sujet du salut.

Selon la théologie de Waggoner, les dix commandements ou la loi « précepteur » nous conduit « au Christ, afin que nous soyons justifiés par la foi ». Ellen White le soutient sur ce point : « Je vois la beauté de la vérité dans la présentation de la justice du Christ en relation avec la loi, telle que le docteur Waggoner nous l'a présentée. [...] Elle s'harmonise parfaitement avec la lumière que Dieu a bien voulu me donner pendant mon expérience. » — Manuscrit 15, 1888.

Ellen White souligne ici ce qu'elle considère comme la plus importante des contributions de Waggoner à la théologie adventiste. Il a construit un pont entre la loi et l'Évangile, en mettant en évidence la fonction évangélique de la loi.

La loi fonctionne encore de la même façon aujourd'hui dans notre vie. Elle indique l'idéal de Dieu, mais conduit les hommes, incapables de l'atteindre, vers le Christ qui offre pardon et justification.

L'AUTORITÉ HUMAINE EN MATIÈRE DE THÉOLOGIE — 1RE PARTIE

Que dit l'Écriture ? Romains 4.3

Qu'est-ce que la Bible a à dire sur ce sujet ? C'est la question de Paul quand il réfléchit à la justification par la foi dans l'épître aux Romains. C'est aussi celle que se posent les premiers adventistes sabbatistes. En tant que peuple radicalement attaché à la Bible, il refuse de se baser sur la tradition, l'autorité de l'Église, les experts intellectuels ou toute forme d'autorité religieuse pour établir sa théologie. Il est le peuple du Livre.

Les choses changent parmi les dirigeants adventistes à la fin des années 1880. À l'époque de Minneapolis, ils cherchent à employer au moins quatre formes d'autorité humaine pour régler les controverses théologiques qui agitent l'Église.

La première se centre sur la position d'autorité. C'est la tendance de Butler, président à la volonté de fer. Il croit que les dirigeants ont une « vision plus claire » et une opinion prépondérante par rapport à celle des membres, ce qui le pousse à abuser de son autorité. En 1888, Ellen White lui reproche de favoriser ceux qui sont d'accord avec lui et de considérer avec suspicion ceux qui, au contraire, « refusent d'accepter aveuglément l'opinion d'êtres humains, de calquer leurs pensées, paroles et actes sur eux, et d'être ainsi réduits à l'état de machines. » — Lettre n° 21, 1888.

L'approche du président de la Conférence générale, qui encourage les adventistes à « regarder à un homme qui pensera pour eux et sera leur conscience » a, selon Ellen White, généré trop de personnes faibles, « incapables d'accomplir leur propre tâche. » — Lettre n° 14, 1891.

Refusant la position d'autorité concernant les questions bibliques et doctrinales, Ellen White déclare en décembre 1888 : « Nous ne devrions pas considérer que frère Butler ou frère Smith sont les garants des doctrines adventistes, et que personne n'a le droit d'exprimer une idée qui diffère des leurs. Je vous le recommande : *Étudiez les Écritures pour vous-mêmes, [...] personne ne doit être une autorité pour nous.* » — Lettre n° 7, 1888, c'est nous qui soulignons.

Elle a raison. La Parole de Dieu telle qu'elle se trouve dans la Bible fait figure d'autorité pour chaque chrétien. C'était vrai en 1888 et cela le reste encore aujourd'hui. Sachant cela, nous devrions commencer toutes nos journées en demandant comme l'apôtre Paul : « Que dit l'Écriture ? »

L'AUTORITÉ HUMAINE EN MATIÈRE DE THÉOLOGIE — 2E PARTIE

L'homme ne vit pas de pain seulement mais […] l'homme vit de tout ce qui sort de la bouche de l'Éternel.
Deutéronome 8.3

Nous sommes tous d'accord sur l'autorité de la Bible, mais il est très difficile de ne pas citer l'opinion des « experts » pour tenter de résoudre nos problèmes théologiques. En 1888, G.I. Butler et Uriah Smith prétendent justement être experts. La majorité des pasteurs se rangent à l'avis des dirigeants, et la réforme adventiste soulève un chœur de protestations.

E. J. Waggoner est tout à fait lucide sur la situation. En réfutant l'opinion considérée comme experte de Butler, il sait qu'il touche le vieux dirigeant à son point sensible. « *Ce qu'un homme dit n'a aucune importance pour moi,* argumente-t-il, *je veux savoir ce que Dieu dit.* La doctrine que nous enseignons est basée sur la Parole de Dieu et non sur celle de l'homme. Je suis certain que si vous pouvez citer la Bible, vous n'allez pas citer une autre source.

Si les adventistes veulent s'appuyer sur une autorité humaine, alors nous pouvons tout de suite devenir papistes, parce que l'essence même de la papauté est de calquer sa foi sur l'opinion d'un homme. Les adventistes, affirme-t-il, doivent être vraiment protestants et tout tester par la Bible. »

Les adventistes sont tentés de faire appel aux auteurs chrétiens reconnus pour soutenir leur opinion, mais ils possèdent aussi leurs propres auteurs de référence, comme Uriah Smith.

W. C. White remarque que certains pasteurs adventistes « donnent la même importance aux commentaires de frère Smith qu'aux citations de l'Écriture », parce qu'Ellen White a recommandé son livre *Daniel et Apocalypse*. En effet, rétorquent certains, n'a-t-elle pas dit que Smith « a été aidé par les anges dans son œuvre » ?

Voici un argument intéressant tiré de l'histoire adventiste. Les gens ont souvent défendu l'autorité d'une personne sous prétexte qu'Ellen White avait recommandé ses écrits ou confirmé qu'elle disait la vérité.

Ce n'est pas l'avis des réformateurs de Minneapolis, y compris Ellen White elle-même. Ils affirment tous que même si une personne est dans la vérité, le seul moyen valable d'évaluer l'authenticité de son enseignement est de l'examiner à la lumière de la Bible.

Cela reste encore un excellent principe et je dis souvent que le onzième commandement pourrait être : « Ne croyez jamais un théologien. » Tout doit être vérifié par la Bible.

L'AUTORITÉ HUMAINE EN MATIÈRE DE THÉOLOGIE — 3E PARTIE

Vous abandonnez le commandement de Dieu et vous tenez à la tradition des hommes. Marc 7.8

Une troisième mauvaise utilisation de l'autorité humaine, en 1888, consiste à s'appuyer sur la tradition adventiste pour établir un point. Smith et Butler ont employé cet argument à de nombreuses reprises : les enseignements adventistes sur Daniel 7 et Galates tiennent depuis quarante ans, ils ne doivent donc pas être modifiés. Smith va même jusqu'à affirmer que si les compréhensions traditionnelles sont fausses, il sera contraint de renoncer à l'adventisme.

Bien entendu, A.T. Jones et E.J. Waggoner rejettent le recours à la tradition adventiste. J.H. Waggoner soutient son fils : « Je crois depuis longtemps, écrit-il, qu'une grave erreur se répand parmi nous. Une personne ou même une maison d'édition publie son opinion, et considère que l'Église doit soutenir cette position parce qu'elle a permis sa publication. [...] L'étude de l'Écriture ne peut pas se baser sur l'autorité de la tradition. Les conclusions ne peuvent être tirées qu'après une étude approfondie et raisonnée, et à cette condition, tous ont le même droit à s'exprimer. »

Comme d'habitude, Ellen White se range du côté des réformateurs. « En tant que peuple, avertit-elle, nous sommes en grand danger si nous ne faisons pas continuellement attention à ne pas considérer nos idées comme des doctrines bibliques infaillibles, sous prétexte que nous les avons adoptées il y a longtemps, et si nous évaluons les autres selon notre interprétation de la vérité biblique. C'est un danger, le pire mal qui pourrait nous atteindre en tant que peuple. » — Manuscrit n° 37, 1890.

La tradition est un sujet intéressant. Tout véritable adventiste constate que les autres chrétiens ont tort de s'appuyer sur leurs traditions. En effet, ces traditions sont, de toute évidence, erronées. Ils devraient, affirmons-nous, retourner à la Bible.

Nous considérons pourtant la *tradition adventiste* sous un autre point de vue. C'est logique : nos pionniers n'avaient-ils pas la vérité ?

Nous pouvons répondre que si, mais ce n'était pas une vérité pure, exempte de toute erreur. Le seul véritable critère d'authenticité d'une tradition ou de toute autre autorité consiste à comparer l'enseignement avec ce que la Bible dit sur ce sujet.

En bref, la tradition adventiste n'a pas, en elle-même, plus de valeur que celle de n'importe quelle autre Église. C'est toujours la Bible qui fait figure de référence.

L'AUTORITÉ HUMAINE EN MATIÈRE DE THÉOLOGIE — 4E PARTIE

Je désirais vivement vous écrire, [...] afin de vous exhorter à combattre pour la foi qui a été transmise aux saints une fois pour toutes.
Jude 1.3

En 1888, les dirigeants adventistes n'ont pas peur de combattre. Leur problème n'est pas de combattre, mais de le faire sur de bonnes bases.

Un quatrième moyen employé par le groupe Butler-Smith pour tenter de maintenir la tradition adventiste est de faire voter une déclaration de foi, afin d'établir concrètement la théologie d'avant 1888 et de la rendre ainsi immuable.

Les dirigeants de la Conférence générale ont déjà tenté de prendre ces votes en 1886, mais ils n'ont pas réussi à convaincre le comité théologique de se rallier unanimement à leur côté sur les questions de Daniel 7 et Galates.

Le problème des votes de déclarations de foi est qu'ils tendent à placer des questions secondaires au même niveau que des doctrines bibliques fondamentales, comme des piliers de foi. Ces nouvelles déclarations, une fois établies au rang de piliers, deviennent inamovibles, car les gens considèrent tout changement comme un abandon de la foi des pionniers.

Pendant l'assemblée de Minneapolis, on observe des tentatives pour faire voter des déclarations de foi sur les dix cornes de Daniel 7 et la loi dans Galates. G.B. Starr, par exemple, demande un vote sur les dix cornes : « J'aimerais régler une fois pour toutes cette question, pour qu'elle ne soit plus débattue ». L'audience répond par des « amen ».

Waggoner et les White s'opposent à cette initiative. Le dernier jour, Ellen White écrit qu'ils « doivent être attentifs à chaque proposition, pour ne pas que l'on vote des motions ou résolutions qui porteront préjudice à l'œuvre future. » — Lettre n° 82, 1888.

Elle écrit, en 1992 : « L'Église peut voter résolution après résolution pour aplanir toutes les divergences d'opinion, mais on ne peut forcer l'esprit et déraciner le désaccord. Les résolutions peuvent camoufler les controverses mais ne peuvent pas les supprimer pour rétablir un parfait accord. » Elle suggère donc par conséquent de « supporter chrétiennement » les divergences de croyance. En revanche, « les grandes vérités de la Parole de Dieu ont été énoncées si clairement que personne ne peut se tromper dans leur compréhension ». Le problème vient de ceux qui « font des montagnes à partir de taupinières, [...] et qui érigent des barrières entre les freres. » — Manuscrit n° 24, 1892.

Père, aide-moi à ne pas être un spécialiste des taupinières.

L'AUTORITÉ EN MATIÈRE DE THÉOLOGIE : APPEL À ELLEN WHITE – 1RE PARTIE

L'herbe sèche et la fleur tombe, mais la parole de Dieu demeure éternellement.
1 Pierre 1.24,25

Les dirigeants de la Conférence générale n'ont pas réussi à résoudre les problèmes théologiques en imposant à l'Église l'autorité humaine. Ils se disent alors qu'un « témoignage » de la part d'Ellen White concernant les questions controversées serait idéal. En effet, ses écrits ne sont-ils pas inspirés de Dieu ?

Butler est particulièrement enthousiaste à l'idée du potentiel de cette décision. Entre juin 1886 et octobre 1888, il envoie à Ellen White une série de lettres qui révèlent un degré de pression croissante, pour la contraindre à fournir une interprétation qui fasse autorité sur la question des Galates. S'il y était parvenu, il aurait sans doute pu écrire un livre intitulé « Comment forcer la main à un prophète ».

Fin psychologue, il commence doucement pour obtenir une réponse de sa part. Le 20 juin 1886, il écrit pour se plaindre de Jones et Waggoner qui enseignent que la loi dans Galates est la loi morale – ce qui, souligne-t-il, est contraire à l'enseignement traditionnel adventiste.

Butler poursuit en la poussant subtilement vers la réponse qu'il attend : « Vous avez laissé entendre, il y a quelques années, que vous aviez été éclairée sur la loi ajoutée, déclarant qu'elle était un système remède, plus que la loi morale. Cette question ne pose pas de problème. Nos dirigeants auraient en revanche plus de mal à accepter que l'on enseigne que cette loi qui a été ajoutée [...] est la loi morale. »

Le 23 août, le président de la Conférence générale devient plus incisif. Après avoir fait remarquer que le sujet provoque des controverses, il rappelle la situation dans les années 1850, quand les dirigeants adventistes ont adopté l'interprétation de la loi cérémonielle. Il suggère qu'il pourrait écrire un fascicule sur le sujet, puis insinue qu'il ne connaît pas l'opinion d'Ellen White à ce sujet, lui donnant ainsi l'occasion d'approuver la position « juste » qu'il vient de définir.

Il y a là un problème : comment peut-on manœuvrer, convaincre un prophète ou le forcer à faire ou dire quelque chose ?

C'est une bonne question à laquelle nous répondrons plus en détail demain.

En attendant, réfléchissons à la relation entre le don moderne de prophétie et la Bible.

L'AUTORITÉ EN MATIÈRE DE THÉOLOGIE : APPEL À ELLEN WHITE — 2E PARTIE

Tout ce qui a été écrit d'avance l'a été pour notre instruction, afin que par la patience et par la consolation que donnent les Écritures, nous possédions l'espérance. Romains 15.4

Hier, nous avons vu le président Butler en train d'essayer de manœuvrer Ellen White pour qu'elle « produise » un témoignage, afin de résoudre la controverse de l'épître aux Galates. Le 23 août 1886, il n'y est pas parvenu. Le 16 décembre, il perd patience. Son plan pour résoudre le problème avec une déclaration de foi à la session de la Conférence générale de 1886 a échoué et il commence à désespérer. « Cela fait des années que nous attendons que vous vous exprimiez sur le sujet [des Galates] », explose-t-il. Douze jours plus tard, il lui dit sèchement que rien ne le fera changer d'avis « sauf un témoignage du ciel ».

En mars 1887, Butler est dans de meilleures dispositions, ayant reçu une copie de la lettre où Ellen White reproche à Jones et Waggoner d'avoir rendu le débat public. Interprétant cela comme un signe qu'elle s'est ralliée à son côté sur la controverse des Galates, et croyant qu'elle dira désormais ce qu'il attend, il lui réécrit, mais ne reçoit pas de réponse.

Tout en prétendant qu'il ne veut pas la contraindre à s'exprimer, il insinue qu'il est « certain que toute l'agitation suscitée sur cette question » ne se calmera que lorsqu'elle aura fait connaître son avis. « Si notre peuple savait que vous avez vu que la loi ajoutée n'est pas la loi morale, la question serait réglée rapidement. C'est précisément ce que notre peuple attend impatiemment de savoir. »

Certain qu'elle se rangera désormais de son côté en public, Butler est choqué et blessé quand en avril 1887, elle lui répond que ses reproches aux jeunes ne signifient pas qu'elle partage son avis.

Après cette « trahison », il ne gaspille plus d'encre pour lui demander son opinion. La peur du désastre théologique, de la conspiration et de la déloyauté prophétique prennent des proportions démesurées dans son esprit et le plongent dans un épuisement nerveux. Le 1er octobre 1888, il envoie la dernière lettre où il attaque ouvertement Ellen White pour ne pas lui avoir répondu comme il le souhaitait. Tout cela, malgré les conseils répétés de cette dernière de laisser tomber cette affaire sans importance.

Posons-nous la question : dans quelle mesure nos opinions prennent-elles le pas quand nous étudions la Bible et les écrits d'Ellen White ?

L'AUTORITÉ EN MATIÈRE DE THÉOLOGIE : APPEL À ELLEN WHITE — 3E PARTIE

Consultez le livre de l'Éternel et lisez ! Ésaïe 34.16

Nous avons vu que, ne trouvant pas dans la Bible suffisamment de preuves pour étayer son point de vue, G. Butler poussait Ellen White à fournir une réponse qui fasse autorité pour résoudre les problèmes théologiques.

Toutes ces lettres sont d'un grand intérêt, vu la façon dont de nombreux adventistes considèrent les œuvres d'Ellen White. Beaucoup souhaiteraient qu'elle soit toujours vivante, pour lui demander la « véritable » signification d'un passage biblique. Dans le cas de Butler, nous avons sa réponse à une telle demande : le silence. Elle refuse de se poser en référent théologique ou exégétique comme les dirigeants de la Conférence générale le souhaitent.

Elle n'accepte pas de résoudre la question théologique en faisant appel à ses écrits, et dit même aux délégués de Minneapolis qu'il est providentiel qu'elle ait perdu le témoignage envoyé à J.H. Waggoner dans les années 1850, dans lequel elle avait prétendument résolu une fois pour toutes la question des Galates. « *Dieu a un but dans tout cela. Il veut que nous retournions à la Bible et que nous cherchions des preuves bibliques.* » — Manuscrit n° 94, 1888, c'est nous qui soulignons.

Elle est donc plus intéressée par ce que la Bible dit sur le sujet que par ce qu'elle a elle-même écrit. Pour elle, les témoignages ne doivent pas devenir l'autorité sur les sujets bibliques, ni prendre la place de la Bible. Elle insiste avec force sur ce point début 1889 dans le *Testimonies [Témoignages] 33* où tout un chapitre traite du rôle de ses écrits (*Testimonies for the Church*, vol. 5, p. 654-691). Il est traduit et condensé dans *Conseils à l'Église*, chapitre 14, p. 71-76. Prenons le temps de relire ce chapitre aujourd'hui ou sabbat prochain.

Ellen White y explique clairement que ses écrits doivent « diriger les hommes vers la Bible. » — *Ibid.*, p. 71. et les aider dans leur compréhension des principes bibliques, mais elle ne les présente jamais comme un commentaire divin de l'Écriture. Ce n'est cependant pas évident pour tous les adventistes, à son époque comme aujourd'hui.

Ellen White ne cesse de diriger les gens vers la Bible et vers Jésus. Elle ne se présente jamais, ni elle ni ses écrits, comme l'autorité. C'est la meilleure preuve que nous avons de la validité de son don.

L'AUTORITÉ EN MATIÈRE DE THÉOLOGIE : APPEL À ELLEN WHITE — 4E PARTIE

Ils reçurent la parole avec beaucoup d'empressement et ils examinaient chaque jour les Écritures pour voir si ce qu'on leur disait était exact. Actes 17.11

Les fidèles Béréens étudiaient attentivement la Bible pour découvrir la vérité. C'est exactement ce qu'Ellen White conseille de faire aux dirigeants adventistes, à la fin des années 1880. Beaucoup cherchent pourtant à résoudre les questions théologiques par ses écrits plutôt que d'étudier personnellement la Bible, bien qu'elle recommande d'éviter ce travers. Ses « adeptes » malavisés n'ont pas réussi à lui faire « produire » un témoignage sur la question des Galates, mais ils se réjouissent en trouvant dans *Sketches From the Life of Paul* [Aperçu de la vie de Paul] des écrits de 1883 où il leur semble qu'elle a apparemment identifié la loi dans les Galates. Nous savons par son journal que certaines personnes en lisent des extraits à Minneapolis.

Le 24 octobre, J.H. Morrison utilise *Sketches* pour tenter de démontrer la validité de l'interprétation de la loi cérémonielle dans Galates. Il lit aux délégués la page 193 : Paul « décrit sa visite à Jérusalem pour donner une réponse aux questions qui agitent maintenant les églises de Galatie, à savoir s'il faut ou non que les Gentils se soumettent aux lois cérémonielles et soient circoncis ». Il cite ensuite sa description de la nature des problèmes des Galates à la page 188 : « Ayant éclairci ce point, ils [les chrétiens judaïsants] les [les chrétiens de Galatie] persuadèrent de retourner à l'observation des lois cérémonielles, comme étant essentielles pour le salut. La foi en Christ et l'obéissance à la loi des dix commandements était considérées comme d'importance moindre. Morrison lit également la page 68 où Ellen White évoque le « joug de l'esclavage » mentionné dans Actes 15.10 et Galates 5.1 : « Ce joug n'était pas la loi des dix commandements, comme le prétendent ceux qui s'opposent à l'obligation d'obéir à la loi. Pierre se réfère aux lois cérémonielles. »

Ayant apporté ces preuves, Morrison se rassied et les traditionnalistes pensent que le chapitre est clos, puisqu'ils ont une citation d'Ellen White. Son commentaire biblique prouve qu'ils ont raison et que Jones et Waggoner se trompent.

Nous verrons demain qu'Ellen White n'est pas de cet avis.

Guide-nous, Père, quand nous abordons les importantes questions de l'autorité religieuse et du rapport entre les dons de l'Esprit et la Bible.

L'AUTORITÉ EN MATIÈRE DE THÉOLOGIE : APPEL À ELLEN WHITE – 5E PARTIE

Tout le peuple était attentif à la lecture du livre de la loi. Néhémie 8.3

Hier, nous avons conclu avec la lecture par Morrison de citations d'Ellen White, afin de prouver que la loi dont il est question dans Galates est la loi cérémonielle et non la loi morale. C'est effectivement ce que ces extraits semblent confirmer. Morrison et ses amis sont convaincus d'avoir ainsi prouvé, par le « divin commentaire » biblique d'Ellen White, le bien- fondé de leur opinion.

Ellen White n'est pourtant pas aussi catégorique. Le matin même, avant la présentation de Morrison, elle dit au sujet de la question des Galates : « Je ne peux pas me prononcer d'un côté ou de l'autre avant d'avoir étudié la question. » — Manuscrit n° 9, 1888. C'est dans ce contexte qu'elle dit aussi qu'il est providentiel qu'elle n'ait pas trouvé son témoignage à Waggoner à ce sujet, car certains auraient pu l'utiliser pour empêcher les gens d'étudier la Parole de Dieu.

Le seul conseil qu'elle donne aux délégués de la Conférence générale de 1888 est, et elle le répète, d'étudier la Bible et de ne s'appuyer sur aucune autre autorité alors qu'ils cherchent la signification de l'Écriture. Elle réitère cela dans son dernier message à Minneapolis : « Un appel à une étude plus approfondie de la Parole. »

Elle n'est apparemment pas convaincue de l'utilisation de ses écrits par Morrison pour prouver son opinion. Rien n'indique qu'elle considère la question réglée par cette méthode, ni qu'elle cite ses écrits à Minneapolis pour trancher les problèmes théologiques, historiques ou bibliques. Ses écrits ont leur objectif, qui n'est jamais de prendre une position supérieure à celle de la Bible en fournissant un commentaire infaillible.

Vingt ans plus tard, Ellen White adopte la même attitude dans la controverse sur Daniel 8. Ce débat est basé encore une fois sur ses commentaires, et encore une fois, elle demande de ne pas utiliser ses écrits de cette façon.

En effet, pour éviter que les gens utilisent mal ses écrits sur la loi dans les Galates, elle supprime certains passages dans sa révision de *Sketches* qui devient, en 1911, *The Acts of the Apostles* (*Conquérants pacifiques*). Elle se montre cohérente avec son conseil d'étudier la Bible pour comprendre son sens, plutôt que de le chercher dans ses écrits.

Le problème de l'autorité est important. Que Dieu nous aide chaque jour à étudier sa Parole pour y découvrir sa vérité et sa volonté dans notre vie.

L'AUTORITÉ EN MATIÈRE DE THÉOLOGIE : LA BIBLE

Toute Écriture est inspirée de Dieu et utile pour enseigner, pour convaincre, pour redresser, pour éduquer dans la justice.
2 Timothée 3.16

Waggoner, Jones et les White sont d'accord sur la bonne façon de résoudre les problèmes théologiques. Tous soutiennent que la Bible seule peut déterminer la croyance chrétienne. Par conséquent, ils sont unis contre les tentatives des traditionalistes qui veulent s'appuyer sur d'autres formes d'autorité pour régler les questions bibliques.

Ellen White insiste particulièrement sur la nécessité d'étudier la Bible et de se baser sur elle dans les débats théologiques. En avril 1887, par exemple, elle écrit à Butler et Smith : « Nous devons avoir une preuve biblique de tout ce que nous avançons. Nous ne pouvons pas résoudre les problèmes avec des affirmations, comme l'a fait frère Canright. » — Lettre n° 13, 1887. En juillet 1888, elle expose très clairement sa position dans un article pour la *Review* : « *La Bible est la seule norme de foi et de doctrine.* » — *Review and Herald*, 17 juillet 1888, c'est nous qui soulignons.

Le 5 août 1888, elle recommande à ses lecteurs : « Étudiez attentivement les Écritures pour y trouver la vérité. [...] La vérité n'a rien à perdre de l'étude approfondie. Que la Parole de Dieu parle pour elle-même et soit son propre interprète. [...] La Parole de Dieu est le grand détecteur d'erreur et toute théorie doit lui être confrontée. *La Bible doit être notre seule norme de doctrine et de pratique. [...] Nous ne devons accepter l'opinion de personne sans la comparer à l'enseignement biblique. Elle est l'autorité divine, autorité suprême en matière de foi. C'est la Parole du Dieu vivant qui doit arbitrer toute controverse.* » — Lettre n° 20, 1888, c'est nous qui soulignons.

Ellen White réaffirme ce message dans sa dernière présentation à Minneapolis : « Les Écritures doivent être l'objet de votre étude, vous saurez alors si vous êtes dans la vérité. [...] Il ne faut pas croire une doctrine simplement parce que quelqu'un dit que c'est la vérité. Il ne faut pas y croire parce que frère Smith, frère Kilgore ou frère Haskell l'affirme, mais parce que la voix de Dieu l'exprime dans sa divine Parole. » — Manuscrit n° 15, 1888. Elle aurait pu facilement ajouter son propre nom à la liste, vu sa position pendant l'assemblée.

Merci, Seigneur, pour ta Parole exprimée dans la Bible. Nous voulons aujourd'hui reconsacrer notre vie à l'étude quotidienne, avec plus de persévérance et d'énergie.

MINNEAPOLIS : UN SUCCÈS SUR LE THÈME DE L'AUTORITÉ

Grâce aux Livres Saints, l'homme de Dieu sera parfaitement préparé et formé pour faire tout ce qui est bien. 2 Timothée 3.17, PDV

À Minneapolis, de nombreux pasteurs prennent à cœur la recommandation d'Ellen White pour l'étude personnelle de la Bible. William C. White écrit le 2 novembre 1888 : « Beaucoup de pasteurs sont repartis de l'assemblée, déterminés à étudier la Bible plus que jamais auparavant, et cela se manifestera dans leur prédication. »

R. De Witt Hottel prend quelques notes de ses premières activités après son retour de Minneapolis : « Lecture du livre de frère Butler sur les Galates et de la réponse de frère Waggoner. Recherche également dans la Bible ». Hottel compare apparemment les conclusions des deux hommes avec la Bible.

Une autre belle histoire est celle de J.O. Corliss, qui étudie la Parole de Dieu avec des résultats très gratifiants. « Je n'ai jamais reçu autant de lumière en aussi peu de temps, déclare-t-il, et la vérité ne m'est jamais parue aussi belle qu'aujourd'hui. J'ai étudié seul les sujets de l'alliance et de la loi dans Galates. J'ai tiré mes conclusions sans consulter personne, si ce n'est le Seigneur et sa sainte Parole. Je pense que la question est maintenant claire dans mon esprit, et je vois la beauté et l'harmonie de la position du docteur [Waggoner] sur la loi dans Galates. »

Il semble que beaucoup aient pris Ellen White au sérieux à Minneapolis. Pendant la session de la Conférence générale de 1889, elle écrit : « Je suis reconnaissante de voir chez nos pasteurs une telle disposition à étudier les Écritures par eux-mêmes. » — Manuscrit n° 10, 1889.

Au début des années 1890, la Conférence générale finance des formations annuelles pour les pasteurs, en réponse à l'appel lancé en 1888 pour qu'ils étudient mieux les Écritures. L'assemblée de 1888 a mis en évidence leur incapacité à interagir avec la Bible. Le dominateur G.I. Butler n'est plus président de la Conférence générale et l'administration de O.A. Olson s'efforce d'encourager et de favoriser l'étude de la Bible chez les pasteurs.

Connaissant l'importance de la Bible, il est incroyable qu'en tant qu'adventistes du XXIe siècle, nous consacrions si peu de temps à son étude. La plupart d'entre nous passons plus de temps devant la télévision qu'avec la Bible ouverte.

Aujourd'hui, c'est le moment de changer cette habitude.

MINNEAPOLIS : UN ÉCHEC SUR LE THÈME DE L'AUTORITÉ

Tes paroles se sont trouvées devant moi et je les ai dévorées.
Tes paroles ont fait l'agrément et la joie de mon cœur.
Jérémie 15.16

Il est bon de se nourrir de la Parole de Dieu, mais nous préférons parfois celle des hommes. Cela nous ramène au problème de l'autorité vécu à Minneapolis. Les suites de l'assemblée sont mitigées : il y a des succès et des échecs. L'un des plus évidents est le besoin continuel de s'appuyer sur les opinions humaines. En 1894, ce ne sont plus les paroles autoritaires de Butler et Smith qui posent problème, mais celles de Jones.

Ellen White l'a continuellement encouragé, ainsi que Waggoner, à Minneapolis et en d'autres circonstances. Cela a sans doute préparé l'esprit de beaucoup à accepter sans réserve leurs paroles et écrits. Elle était contrainte de les approuver avec insistance pour être entendue, en raison de l'opposition qu'ils subissaient de la part des dirigeants, bien qu'ils mettent le Christ en avant.

Sa voix a été entendue. En 1894, S.N. Haskell se sent poussé à lui faire remarquer qu'il a été « absolument nécessaire qu'elle soutienne les frères Waggoner et Jones pendant toutes ces années, mais, ajoute-t-il, plus personne dans le pays n'osera plus les critiquer. Cette bataille a été livrée et gagnée ».

Il lui explique cependant que l'Église fait maintenant face au problème inverse : membres et dirigeants « considèrent tout ce qu'ils [Jones et W.W. Prescott] disent comme quasi inspiré de Dieu ». F.M. Wilcox est parvenu à la même conclusion. Il écrit de Battle Creek : « Pendant toute une période, les enseignements de frère Jones rencontraient l'opposition, mais dernièrement, une grande partie de notre peuple est suspendue à ses paroles presque comme si elles étaient Paroles de Dieu. »

Ainsi, en 1894, les adventistes ont généré une nouvelle crise de l'autorité. « Certains de nos frère, commente Ellen White, ont mis ces pasteurs à la place de Dieu. Ils acceptent tout ce qu'ils disent, sans chercher pour eux-mêmes le conseil de Dieu. » — Lettre n° 27, 1894.

Apprendrons-nous un jour ?

Une des grandes leçons de la session de Minneapolis en 1888 concerne l'autorité : la Parole de Dieu est l'autorité suprême. Nous devons cesser de faire confiance aux paroles des hommes et de lire la Bible avec leurs yeux.

Bon Père, aide-nous !

LE PROPHÈTE ET LES MESSAGERS

Prends Marc et amène-le avec toi car il m'est fort utile pour le service.
2 Timothée 4.11

Les prophètes et apôtres bibliques recommandent parfois des personnes qui seront une véritable bénédiction pour l'Église. Ellen White fait de même. L'appréciation la plus répétée durant son ministère concerne Jones et Waggoner. À de nombreuses reprises, elle les cite positivement pour leur message christocentrique.

Ces appréciations et recommandations répétées signifient-elles pour autant qu'elle approuve tout ce qu'ils enseignent, y compris le rapport entre la loi et l'Évangile ?

Laissons-la répondre elle-même à cette question. Au début de l'assemblée de Minneapolis, elle écrit, évoquant le « guide angélique qui a étendu son bras vers le docteur Waggoner et vers vous, frère Butler » et dit : « aucun de vous n'a toute la lumière concernant la loi, aucune des deux positions n'est parfaite ». Si le contexte de cette affirmation est la Conférence générale de 1886, sa position reste la même en 1888. — Lettre n° 21, 1888.

Au début du mois de novembre, elle dit aux délégués de Minneapolis que certains éléments présentés par Waggoner sur la loi dans Galates « ne concordent pas avec sa compréhension de ce sujet ». Plus tard, lors de la même intervention, elle déclare qu'elle « considère certaines interprétations de l'Écriture données par Waggoner comme incorrectes. » — Manuscrit n° 15, 1888.

William C. White explique la position de sa mère. Dans une lettre à son épouse envoyée depuis Minneapolis, il écrit : « La majeure partie de ce qu'enseigne le docteur Waggoner correspond à ce que ma mère a vu en vision. Cela mène certains à conclure qu'elle approuve toutes ses positions et que rien de ce qu'il enseigne n'est contraire aux témoignages de ma mère. [...] Je peux prouver que c'est faux ».

Ellen White confirme constamment les grandes lignes des présentations de Jones et Waggoner sur la justice du Christ. L'étude de ses écrits révèle cependant un certain nombre de questions théologiques sur lesquelles elle n'est pas d'accord avec eux.

Tous trois indiquent toutefois la bonne direction, en cherchant à exalter le Christ et à mettre en avant la justification par la foi plutôt que par l'obéissance à la loi.

Comme dans toute indication prophétique, il n'existe pas de cible parfaite. Tout doit être évalué à la lumière de la Bible.

DEUX SORTES DE JUSTICE — 1RE PARTIE

Maître, que dois-je faire de bon pour avoir la vie éternelle ? [...] Si tu veux entrer dans la vie, observe les commandements. Matthieu 19.16,17

Au cours des années, les adventistes ont beaucoup entendu parler du débat sur la justification par la foi lors de la session de la Conférence générale de 1888. Mais qu'enseignaient exactement Jones et Waggoner ? Quelles positions de Smith et Butler avaient besoin d'être corrigées ? Nous examinerons les réponses à ces questions pendant quelques jours.

Le meilleur moyen d'entrer dans le sujet est peut-être de citer Uriah Smith dans ses éditoriaux de la *Review* en janvier 1888. Dans l'un, intitulé « Le principal point », il déclare que l'objectif des pionniers adventistes était de proclamer le dernier message du second avènement et « d'amener les âmes au Christ par l'obéissance à cette vérité. C'était le but de tous leurs efforts, et la fin recherchée n'était considérée comme atteinte que lorsque les âmes se convertissaient à Dieu et se laissaient préparer par le Seigneur des cieux, dans l'obéissance éclairée à tous ses commandements. » Smith fait le lien entre « Le principal point » et le message du troisième ange en soulignant le verbe « garder » dans Apocalypse 14.12 : « Ceux qui *gardent* les commandements de Dieu et la foi de Jésus ».

Réfléchissons-y un instant. Comment les gens viennent-il au Christ ? Par l'obéissance, comme le soutient Smith, ou par une autre méthode ?

Cette insistance apparaît encore dans le dernier éditorial de janvier 1888 : « Les conditions de la vie éternelle ». Il base sa réflexion sur la question posée par le jeune homme riche à Jésus : « Maître, que dois-je faire de bon pour avoir la vie éternelle ? » La réponse biblique, écrit Smith, peut se résumer en une proposition : « se repentir, croire, obéir et vivre ». C'est la réponse de Jésus, déclare-t-il. En effet, celui-ci ne répond-il pas : « Si tu veux entrer dans la vie, observe les commandements » ?

Smith poursuit : le problème de la justice des pharisiens est qu'ils n'ont pas atteint un niveau acceptable de « caractère moral », en lien avec la « loi morale ».

Smith et ses amis suivent la mauvaise piste de Joseph Bates sur l'histoire du jeune homme riche, et ils s'embourbent dans le légalisme. Ils n'ont pas encore découvert le lien entre la loi et l'Évangile dans le Nouveau Testament.

Certains d'entre nous, y compris moi, se sont débattus avec ce problème. Tenons bon ! C'est le message de 1888.

DEUX SORTES DE JUSTICE — 2E PARTIE

Abraham notre père ne fut-il pas justifié par les œuvres ? Jacques 2.21

Le lien entre l'obéissance et la foi est au cœur de la justice et de la justification. Nous avons vu hier qu'Uriah Smith défendait l'obéissance comme clé du salut, l'illustrant par le récit du jeune homme riche. Il n'avait pas remarqué que même si le jeune homme respecte les commandements, quand il quitte Jésus, il est virtuellement perdu.

Smith croit, bien sûr, à la justification par la foi, puisque la Bible l'enseigne. Il base cependant sa compréhension sur la traduction erronée de Romains 3.25 dans la version King James : « justice du Christ pour la rémission des péchés *du passé* ». J.F. Ballenger écrit donc : « La foi est *tout* ce qui est nécessaire pour nos péchés du passé. Ce sang qui efface nos péchés et nous rend purs malgré notre passé est précieux. Seule la foi nous permet de nous approprier les promesses de Dieu. Il nous appartient néanmoins d'accomplir notre devoir d'aujourd'hui. [...] Obéir à la voix de Dieu et vivre, ou désobéir et mourir. »

Cette croyance selon laquelle la justification par la foi concerne les péchés du passé fait que Smith, Butler et les autres enseignent qu'après la conversion, les œuvres sont nécessaires pour garder la justification. Ballenger cite Jacques : « "Abraham notre père ne fut-il pas *justifié par les œuvres ?*" Quand nous obéissons, cet acte, associé à notre foi, assure notre justification. »

Ainsi, pour eux, la justification n'est pas par la foi seule, comme Paul le répète souvent (même concernant Abraham, voir Romains 3.20-25 ; 4.1-5 ; Éphésiens 2.5 ; 8 ; Galates 2.16), mais par la foi + les œuvres.

C'est précisément à cette théologie que Jones et Waggoner s'opposent. Dans un éditorial de *Signs of the Times* en janvier 1888, intitulé « Différentes sortes de justice », Waggoner, en réponse à Smith, écrit qu'on ne peut progresser selon la justice morale des scribes et pharisiens, car « ils se confient dans leurs propres œuvres et ne se soumettent pas à la justice de Dieu », c'est pourquoi « leur justice n'est pas une véritable justice ». Ils essaient seulement de couvrir leurs vêtements souillés avec d'autres vêtements souillés.

Comment sommes-nous donc sauvés, et en quoi nos œuvres influent-elles sur ce salut ? C'est l'essence du débat de Minneapolis ; c'est aussi le conflit entre Paul et ses adversaires dans Romains et Galates.

Père, donne-nous la sagesse sur ce sujet crucial, alors que nous le méditons jour après jour.

DEUX SORTES DE JUSTICE — 3E PARTIE

Tous nos actes de justice sont comme un vêtement pollué. Ésaïe 64.5

Est-ce vrai ?

C'est ce que soutient Waggoner face à l'insistance de Smith et son groupe sur la justification par les œuvres. « La justice humaine, écrit-il, n'a pas plus de valeur après la justification d'un homme qu'avant. » Le chrétien justifié « vivra par la foi. C'est pour cela que celui qui a la plus grande foi vivra la vie la plus droite. » C'est vrai car le Christ est « NOTRE JUSTICE ». Pour Waggoner, la foi est tout, et l'équation foi + œuvres + justice vient de « l'esprit de l'antéchrist ».

Jones est entièrement d'accord avec Waggoner. En 1889, il déclare à ses auditeurs que « ce n'est *pas* dans la loi qu'il faut chercher la justice », car « tous nos actes de justice sont comme un vêtement pollué ».

Smith s'insurge contre cette affirmation. Un mois plus tard, il riposte dans la *Review* par un article intitulé « Notre justice. » Il note que certains correspondants de la *Review* jouent en faveur de ceux qui veulent se débarrasser de la loi et comparent notre justice à des « vêtements sales ». Il poursuit : « La parfaite obéissance à la [loi] développera une parfaite justice, c'est le seul moyen d'y parvenir. Nous ne devons pas rester oisifs, [...] comme une masse inerte entre les mains du Rédempteur. [...] Notre justice [...] découle de l'harmonie avec la loi de Dieu, [...] et elle ne peut donc pas être un "vêtement souillé" ». Il conclut en affirmant que nous assurons notre justice en « obéissant aux commandements et en les enseignant ».

Au moment où cet article est publié, Ellen White, dans un camp-meeting à Rome, dans l'État de New York, prêche que la foi précède les œuvres. Quand les gens soulignent la contradiction entre sa prédication et les écrits de Smith, elle répond : « Frère Smith ne sait pas ce qu'il dit, il prend des arbres pour des hommes qui marchent. » Elle précise que si Jésus et sa justice sont au centre de notre salut, cela n'exclut pas pour autant la loi de Dieu. — Manuscrit n° 5, 1889. Elle écrit à Smith qu'il va droit vers le précipice et qu'il « marche comme un homme aveugle. » — Lettre n° 55, 1889.

Quelle est notre clairvoyance spirituelle ? Sommes-nous au clair sur le lien entre la foi et les œuvres, la loi et la grâce ? C'est tout le débat de 1888. Les réponses viendront, alors que Dieu nous guide dans cette tranche de l'histoire adventiste.

DEUX SORTES DE JUSTICE – 4E PARTIE

Nul ne sera justifié devant lui par les œuvres de la loi, puisque c'est par la loi que vient la connaissance du péché.
Romains 3.20

Cet enseignement biblique semble tout à fait clair. La fonction de la loi consiste à présenter l'idéal de Dieu et d'indiquer le péché, quand nous n'atteignons pas cet idéal. Romains 3.20 enseigne clairement que la loi n'a aucun pouvoir de sauver.

C'est tout à fait vrai, mais [...] si nous croyons vraiment que la justification s'obtient par grâce, au moyen de la foi, sans les œuvres de la loi, que devient donc la loi ?

En 1888, les forces de Smith et Butler sont motivées par la crainte qu'en minimisant le rôle de la loi, on finisse par abandonner le sabbat.

Voici ce qu'écrit Butler à ce sujet, dans un article intitulé « Nous accomplissons la justice de la loi ». « Une pensée » agréable mais dangereuse « domine un peu partout : croyez seulement en Jésus et cela suffit. [...] Jésus accomplit tout. Cet enseignement est l'une des hérésies les plus dangereuses au monde. » Tout le message du troisième ange, souligne-t-il, « prouve la nécessité d'obéir à la loi de Dieu : "Ceux qui *gardent les commandements* de Dieu et la foi de Jésus". » Le monde chrétien, ajoute Butler, perd rapidement cette vérité et les adventistes doivent la réhabiliter.

Nous y sommes : certains craignent qu'en insistant trop sur le Christ et sa justice, nous perdions la loi, l'obéissance et le besoin de justice humaine. C'est cette inquiétude qui motive la réaction face aux enseignements de Jones et Waggoner à Minneapolis.

Les deux parties ont une perspective radicalement différente. Pour les réformateurs, les mots clé sont : « Christ », « foi », « justification par la foi » et tous les termes liés à la justice du Christ. Le groupe Smith-Butler met au contraire l'accent sur « effort humain », « œuvres », « obéissance », « loi », « commandements », « notre propre justice » et « justification par les œuvres ».

Ces deux orientations existent toujours distinctement dans l'adventisme, cent vingt ans après Minneapolis. Doivent-elles chacune rester aussi exclusive ? Si oui, ou si non, pourquoi ?

Comment nous positionnons-nous face à ces questions ? Pensons-y et parlons-en en famille ou entre amis.

LA VISION DU SALUT SELON WAGGONER — 1RE PARTIE

C'est par grâce, en effet, que vous êtes sauvés, par le moyen de la foi. Et cela ne vient pas de vous, c'est le don de Dieu. Ce n'est point par les œuvres, afin que personne ne se glorifie. Éphésiens 2.8,9

Le premier élément qu'il faut remarquer dans la théologie de Waggoner est que l'être humain ne peut rien faire pour gagner son salut. « Notre salut, écrit-il, est entièrement dû à l'infinie bonté de Dieu, grâce aux mérites du Christ. Dieu n'attend pas que le pécheur désire le pardon pour faire l'effort de le sauver ». C'est réellement une bonne nouvelle, mais cet évangile est bien lointain de la position d'Uriah Smith, pour lequel c'est l'obéissance qui mène les hommes et femmes à Dieu. Au contraire, selon Waggoner, le Dieu de grâce va chercher le perdu qui n'a aucun mérite. C'est le Seigneur qui prend l'initiative du salut.

Un second pilier de la théologie de Waggoner est que personne ne peut devenir bon en obéissant à la loi, car « la loi ne peut conférer aucune particule de justice ». Il soutient qu' « *un homme ne peut rien faire de bon s'il ne devient pas lui-même bon auparavant.* Ainsi, les œuvres qu'effectue un pécheur n'ont aucun effet pour le rendre juste, au contraire, venant d'un cœur mauvais, elles sont elles-mêmes mauvaises et contribuent à le rendre pécheur. » Pourtant, remarque-t-il, « les pharisiens n'ont pas disparu et beaucoup, aujourd'hui, s'attendent à gagner leur justice grâce à leurs bonnes œuvres ».

Selon Waggoner, Dieu n'a jamais présenté la loi comme la route menant au ciel. Jones et Waggoner croient tous deux que *la fonction de la loi ne se limite pas à « donner une connaissance du péché, mais elle amène aussi les gens au Christ pour qu'ils soient justifiés par la foi ».*

« Puisque les meilleurs efforts d'un homme pécheur n'ont pas le moindre effet pour produire la justice, soutient Waggoner, il est évident qu'elle ne peut être que reçue, comme un don. » Nos tentatives pour atteindre la justice sont comparables à celui qui couvre sa nudité avec des vêtements sales. En revanche, « nous découvrons que le Christ nous couvre de la robe de sa propre justice. Il ne recouvre pas notre péché, il l'enlève. » En effet, quand nous acceptons la justice du Christ, « notre péché est effacé ».

Merci, bon Père, pour la robe du Christ. Pendant des années, nous avons essayé en vain d'obtenir la justice, nous sommes maintenant prêts à nous abandonner à toi et à recevoir pleinement ton don. Amen.

La vision du salut selon Waggoner — 2e partie

À tous ceux qui l'ont reçue, elle a donné le pouvoir de devenir enfants de Dieu, à ceux qui croient en son nom et qui sont nés, non du sang ni de la volonté de l'homme, mais de Dieu. Jean 1.12,13

Pour Waggoner, au moment où une personne accepte la justice du Christ par la foi, elle entre dans la famille de Dieu et en fait désormais partie. « Il faut remarquer, écrit-il, que c'est en étant justifiés par sa grâce que nous devenons héritiers. [...] *La foi en Christ Jésus nous fait devenir enfants de Dieu,* ainsi, nous savons que tous ceux qui sont justifiés par la grâce de Dieu sont pardonnés et deviennent héritiers de Dieu. »

Selon Waggoner, cependant, le salut ne se résume pas uniquement à la justification et l'adoption dans la famille de Dieu. « Dieu ne nous adopte pas comme ses enfants parce que nous sommes bons, mais pour nous rendre bons. »

Quand Dieu justifie et adopte une personne comme son enfant, il la transforme en une nouvelle créature. Cette personne, ajoute Waggoner, « n'est plus sous la condamnation mais elle est une nouvelle créature en Christ et doit dorénavant marcher en nouveauté de vie, non plus sous la loi mais sous la grâce ». Au moment où il le justifie, Dieu donne au pécheur converti un « cœur nouveau, il est donc correct de dire qu'il est sauvé ».

Il est important de remarquer que Waggoner associe souvent justification par la foi et nouvelle naissance, ce qui est tout à fait pertinent puisque les deux ont lieu en même temps. En d'autres termes, à l'instant où une personne est justifiée, elle naît de nouveau par l'Esprit. Ainsi, on est considéré juste (justifié) et simultanément, on change de nature.

Par conséquent, selon Waggoner, la justification n'est pas une fiction juridique. Une personne justifiée pense et désire agir différemment, guidée par Dieu. Évidemment, quand nous échouons et confessons cette défaite, sa grâce nous pardonne à nouveau.

Dieu nous fait une belle promesse : alors que nous sommes nés en dehors de sa famille, il assure qu'il nous a adoptés (voir Éphésiens 2.1-5).

Merci, Seigneur, de nous donner la possibilité de faire partie de ta famille.

La vision du salut selon Waggoner — 3e partie

Si quelqu'un est en Christ, il est une nouvelle créature. Les choses anciennes sont passées, voici toutes choses sont devenues nouvelles. 2 Corinthiens 5.17

La « nouvelle créature » ou « nouvelle création », selon les versions bibliques, est un enseignement puissant. Mentionnée dans tout le Nouveau Testament, on la trouve plus particulièrement sous la plume de Paul.

Waggoner relève ce thème, remarquant qu'au moment où l'on est justifié, on naît aussi de nouveau et cette nouvelle créature est adoptée dans la famille de Dieu.

Selon lui, « la différence entre un pécheur et un homme juste est bien plus qu'une diversité de croyance, bien plus qu'une estimation arbitraire de la part de Dieu. C'est une réelle différence. [...] Dieu ne déclare jamais une personne juste simplement parce qu'elle accepte la vérité. On observe un changement réel et littéral d'état, du péché à la justice, qui permet à Dieu de déclarer la personne "juste" ». En résumé, la personne justifiée ne vit pas comme le pécheur, car Dieu a fait d'elle une nouvelle créature quand il l'a justifiée.

Pour Waggoner, la justification, la nouvelle naissance et l'adoption sont le point de départ de la marche chrétienne. Il s'oppose à ceux qui enseignent une forme de sanctification « sans aucun changement d'habitudes de la part de l'individu », et considère que la « sainteté » *qui ne s'accompagne pas d'un changement de vie, dans l'obéissance à la loi* est une « illusion ».

La personne sauvée va vivre sa vie dans la loi de Dieu. « Une personne ne peut pas aimer Dieu, écrit-il, sans le manifester dans ses actes, tout comme on ne peut vivre sans respirer. » La victoire sur le péché provient de la puissance du Saint-Esprit dans la vie du chrétien. Seuls ceux qui obtiennent la victoire sur le péché, soutient-il, auront accès au royaume éternel.

Nous constatons donc que Waggoner n'est pas opposé à la loi et à l'obéissance, mais il refuse catégoriquement de les placer au centre de l'expérience de salut. Non ! Cette place n'appartient qu'au Christ et à sa justice.

En revanche, quand elle reçoit la justice du Christ, la personne née de nouveau désire nécessairement marcher avec Dieu et garder sa loi.

L'ordre est essentiel : d'abord le salut, puis l'obéissance. En les inversant, on tombe dans le légalisme.

L'ALLIANCE – 1RE PARTIE

Les jours viennent, dit le Seigneur, où je conclurai une alliance nouvelle avec la maison d'Israël. […] Je mettrai mes lois dans leur intelligence, je les inscrirai aussi dans leur cœur. Hébreux 8.8-10

Une alliance religieuse est un pacte entre Dieu et un individu, dans lequel Dieu s'engage à bénir celui qui l'accepte et se consacre à lui.

C'est une bonne définition, mais que signifie-t-elle exactement ? Quelles sont ses implications ? Pendant les années 1880, ces questions divisent la communauté adventiste.

La réponse de Butler et Smith à la question de l'alliance est simple : « Obéir et vivre ». Ceux qui obéissent obtiennent la vie éternelle. Ils insistent par conséquent sur la loi, l'obéissance et la justice personnelle.

Waggoner refuse l'équation « obéir et vivre » dès le départ. Il insiste : la justification et la vie en Christ arrivent en premier lieu, l'obéissance vient dans un deuxième temps. Sa formule est donc plutôt : « Vivre (en Christ), puis (ensuite) obéir ».

Le problème crucial de l'ancienne alliance, aux yeux de Waggoner, est qu'elle « ne prévoit pas le pardon des péchés ». La justification par la foi en Jésus se trouve au centre même de la nouvelle alliance. C'est une alliance de grâce, par laquelle le chrétien né de nouveau reçoit la loi de Dieu dans son cœur. « Marcher selon la loi », conclut Waggoner, sera le mode de vie naturel de ceux qui sont nés dans la famille de Dieu et dans le cœur desquels sa loi demeure désormais.

Les adventistes de 1888 sont préoccupés par l'alliance et ils ont raison : qu'y a-t-il de plus important que le salut ?

Rien ! En comparaison avec le salut, une nouvelle voiture, une maison plus grande ou la vie terrestre elle-même n'ont aucune valeur.

Ne méprisons pas ces adventistes d'il y a plus d'un siècle, pour leur agitation quand leur conception du salut et de la mission de l'Église sont remises en question. Chacun d'entre nous devrait se sentir profondément concerné par ces mêmes questions. Nous vivons dans un monde torturé par la maladie et la mort. Ce désordre durera-t-il toujours ? Sur quelle base Dieu peut-il sauver des personnes tourmentées dans un monde troublé ? Ce sont des questions de foi fondamentales.

Leurs réponses sont à la base du développement de l'Église adventiste et elles sont liées à son destin final.

Aide-nous, Père, à apprendre à penser comme tu penses. Aide-nous à comprendre les questions fondamentales de la Bible et de la vie.

L'ALLIANCE — 2E PARTIE

Voici que les jours viennent, oracle de l'Éternel, où je conclurai avec la maison d'Israël et la maison de Juda une alliance nouvelle. [...] Je pardonnerai leur faute et je ne me souviendrai plus de leur péché.
Jérémie 31.31-34

Ellen White est sensiblement d'accord avec Waggoner au sujet de l'ancienne et la nouvelle alliance. Ses écrits sur ce sujet, à la fin des années 1880, donnent une bonne idée de sa position.

« Les termes de l'ancienne [alliance] étaient : Obéis et tu vivras. [...] La nouvelle alliance, en revanche, a été "établie sur de meilleures promesses", à savoir : la promesse du pardon des péchés et celle du don de la grâce divine qui renouvelle le cœur et le met en harmonie avec les principes de la loi divine. "Voici l'alliance que je ferai avec la maison d'Israël après ces jours-là, dit l'Éternel. *Je mettrai ma loi au-dedans d'eux, et je l'écrirai dans leur cœur. [...]* Je pardonnerai leur iniquité et je ne me souviendrai plus de leur péché." (Hébreux 8.6 ; Jérémie 31.33,34).

En vertu de cette alliance, la loi même qui avait été gravée sur les tables de pierre est écrite par le Saint-Esprit dans notre cœur. Au lieu de chercher à établir notre propre justice, nous acceptons celle du Sauveur. Son sang expie nos péchés et son obéissance nous est imputée. Alors notre cœur, renouvelé par le Saint-Esprit, est rendu capable de produire "les fruits de l'Esprit". Par la grâce de Jésus-Christ, nous vivons désormais dans l'obéissance à la loi de Dieu » — *Patriarches et prophètes*, p. 348, 349.

Cette notion d'alliance de grâce secoue beaucoup d'adventistes de la vieille école, attachés jusqu'à leurs racines à l'ancienne alliance qui insiste sur l'obéissance. Waggoner met l'accent sur le Christ, ce qui ébranle leur théologie orientée vers la loi, même si, comme nous l'avons vu, Waggoner, Jones et Ellen White donnent à la loi et à l'obéissance une place importante dans leur théologie. En revanche, *pour eux, l'obéissance découle de la relation salvifique avec Jésus, elle n'en est pas la cause.*

Qu'est-ce qui découle de quoi, dans notre vie ? J'ai l'impression que trop d'adventistes se préoccupent de leurs performances (ce qu'ils font), au lieu de centrer leur pensée sur le Christ et ce qu'il a accompli pour eux.

Aujourd'hui est le jour idéal pour rétablir l'ordre juste dans notre vie et entamer une nouvelle alliance de marche avec Dieu.

La relation entre la doctrine et l'amour chrétien

Bien-aimés, si Dieu nous a tant aimés, nous devons, nous aussi nous aimer les uns les autres. [...] Si nous nous aimons les uns les autres, Dieu demeure en nous et son amour est parfait en nous.
1 Jean 4.11,12

Si nous pouvions gagner notre salut par nous-mêmes, nous aurions des raisons d'être fiers de nous et de regarder les autres de haut, puisqu'ils n'ont pas atteint notre niveau de réussite.

Mais les choses ne se passent pas ainsi. Tous ont échoué et continuent à le faire. Seul l'amour de Dieu peut nous sauver. Par conséquent, la seule réponse possible est l'amour, envers Dieu qui nous sauve en dépit de ce que nous sommes, et envers nos semblables.

Cela ne signifie pas que la doctrine est négligeable. Ellen White accorde une grande importance à la juste compréhension de la Bible et de la doctrine chrétienne. Ce qui l'intéresse le plus, c'est que l'étude de la Bible et les discussions sur la doctrine aient lieu dans le contexte de l'amour chrétien.

Déjà en 1887, quand elle voit se profiler l'intransigeance de l'esprit de Minneapolis, elle écrit : « Nous courons le danger que nos pasteurs s'appuient trop sur la doctrine, [...] alors qu'ils ont grand besoin de piété dans leur pratique quotidienne. » — Lettre n° 37, 1887.

En 1890, D. T. Jones (secrétaire de la Conférence générale) écrit à William White : « Votre mère et le Dr. Waggoner disent tous deux que ce ne sont pas les questions de doctrine qui posent problème, mais l'esprit manifesté par ceux qui s'opposent à leur enseignement. Je reconnais parfaitement que cet esprit n'était pas l'Esprit du Christ. Je n'étais néanmoins pas dans ce cas, et je pense pouvoir dire sans me tromper que ce n'était pas non plus le cas de certains autres. J'ai souvent réfléchi à cette situation et je me suis demandé comment des questions aussi secondaires ont pu causer un tel trouble et une telle division. [...] L'objectif de votre mère et du Dr. Waggoner n'était pas de contraindre, mais de présenter la justification par la foi et d'aider le peuple à se convertir. »

Voilà le point crucial : quand notre christianisme nous rend peu aimants, nous avons tort, même si notre doctrine est correcte. Quand nous prenons conscience que le Christ, par la grâce de Dieu, nous a sauvés du péché, nous ne pouvons répondre que par l'amour. Le manque d'amour signifie que nous devons encore être sauvés.

Aide-moi, Père, à accepter ta grâce et ton salut, pour devenir moi-même un transmetteur de ton amour.

ELLEN WHITE À MINNEAPOLIS : ACCUEILLIR JÉSUS — 1RE PARTIE

C'est pourquoi je fléchis le genou devant le Père, [...] afin qu'il vous donne [...] de connaître l'amour du Christ qui surpasse toute connaissance, en sorte que vous soyez remplis jusqu'à la toute plénitude de Dieu.
Éphésiens 3.14-19

À Minneapolis, Ellen White n'enseigne pas une nouveauté sur un aspect de la théologie adventiste ; elle invite l'adventisme à redonner de l'importance au christianisme de base et à le pratiquer. « Mon objectif durant l'assemblée, écrit-elle, était de présenter Jésus et son amour à mes frères, car j'étais forcée de constater que beaucoup n'avaient pas l'Esprit du Christ. » — Manuscrit n° 24, 1898.

L'unique espérance du pécheur, c'est-à-dire la foi en Christ, a été largement évincée, non seulement des discours, mais aussi de l'expérience spirituelle de beaucoup de ceux qui disent croire au message du troisième ange. Pendant cette assemblée, je peux témoigner qu'une précieuse lumière a rayonné des Écritures, dans la présentation de l'important thème de la justice du Christ en relation avec la loi. Cette justice du Christ devrait toujours être présentée au pécheur comme sa seule espérance. [...]

La norme de mesure du caractère est la loi divine ; elle est le détecteur de péché. Par elle, on prend conscience du péché. Cependant, le pécheur est constamment attiré à Jésus par la merveilleuse manifestation de son amour, car il s'est humilié pour mourir dans la honte sur la croix. Les anges ont ardemment espéré comprendre ce merveilleux mystère, qui défie également la plus grande intelligence humaine : comment l'homme déchu, trompé par Satan et ayant pris parti pour lui, peut-il être rendu conforme à l'image du Fils du Dieu infini ? C'est possible grâce à la justice du Christ donnée à l'homme. Dieu aime l'homme, déchu mais racheté, tout comme il aime son propre Fils. [...]

C'est le mystère de Dieu, tellement précieux qu'il devrait se trouver au centre de toute discussion, gravé dans chaque mémoire, être un continuel sujet de méditation et de témoignage, de la part de tous ceux qui savent et ont goûté combien le Seigneur est bon. » — *Ibid.*

Laissons Jésus entrer ; accueillons-le. Si Ellen White devait donner un seul conseil à partir de l'assemblée de 1888, ce serait celui-ci.

Choisissons de l'accueillir maintenant, avant de refermer ce livre.

Ellen White à Minneapolis : accueillir Jésus — 2e partie

Soyez donc les imitateurs de Dieu comme des enfants bien-aimés, et marchez dans l'amour, de même que le Christ nous a aimés et s'est donné lui-même à Dieu pour nous. Éphésiens 5.1,2

« Des théories arides ont été présentées alors que de précieuses âmes ont faim du pain de Vie. Dieu ne demande ni n'accepte une telle prédication, car elle n'exalte pas le Christ. La divine image du Christ doit être présentée au peuple. [...]

Le Christ doit être élevé devant les hommes, car face à lui, les mérites humains deviennent insignifiants. Plus on contemple le Christ, plus on étudie et médite sur sa vie, ses leçons, la perfection de son caractère, plus le péché paraît abominable. En contemplant Jésus, l'homme l'admire, est attiré par lui et désireux de lui ressembler, il assimile son image et son caractère. Comme Hénoc, il marche avec Dieu, son esprit est habité par les pensées de Jésus, son meilleur ami. [...]

Étudions le Christ, étudions chacun des traits de son caractère. Il est le modèle que nous devons imiter dans notre vie et notre caractère pour présenter au monde sa véritable image. N'imitons aucun homme car tous sont imparfaits, dans leurs paroles, leurs habitudes, leur façon d'être.

Je vous présente le Christ Jésus fait homme. Nous devons le connaître avant de le choisir comme modèle et exemple. [...]

Tous ceux qui disent suivre le Christ doivent marcher sur ses traces et être imprégnés de son Esprit pour faire connaître au monde Jésus-Christ, venu sur terre pour représenter le Père. [...]

Nous élevons le Christ comme notre seule source de force, nous présentons son amour incomparable, quand il prend à son compte la culpabilité du péché des hommes, et leur confère sa propre justice. Toutefois, cela n'élimine pas la loi et n'enlève rien à sa dignité. Nous la plaçons plutôt là où une juste lumière l'éclaire. [...]

La loi n'est complète dans le grand plan du salut que si elle est présentée à la lumière du Christ crucifié et ressuscité. » — Manuscrit n° 24, 1898.

À entendre Ellen White, on croirait qu'on n'accordera jamais assez de place à Jésus : c'est vrai. Il n'y a que lui que nous puissions désirer sans mesure dans ce monde.

Ellen White à Minneapolis : refléter Jésus — 1re partie

Je vous ai donné un exemple, afin que vous aussi, vous fassiez comme moi je vous ai fait. Jean 13.15

Jésus, humble et aimant. Son exemple est digne d'être suivi, même si la plupart des humains « normaux » ne sont pas tentés de l'imiter. C'est là que la grâce qui transforme et la nouvelle naissance interviennent, car Dieu désire prendre des humains « normaux » et en faire de nouvelles créatures, des chrétiens qui reflètent son caractère d'amour.

C'est un autre des thèmes prêchés par Ellen White à Minneapolis. Le 20 octobre, sa prédication émeut l'assistance aux larmes, selon le *Minneapolis Tribune*, et elle reçoit beaucoup de témoignages et de remerciements de la part des auditeurs.

« On ne peut pas, déclare-t-elle à l'assemblée, être un chrétien productif et connaître le Seigneur et Sauveur Jésus-Christ, sans mettre le christianisme en pratique et progresser continuellement dans la vie chrétienne. C'est essentiel. Beaucoup semblent croire que dès qu'ils reçoivent le baptême, leur nom est inscrit dans le livre de vie et tout est accompli. »

Au contraire, « s'ils ne font pas entrer dans leur vie la pratique chrétienne, ils la perdront rapidement. [...] Il est important que nous continuions à ajouter grâce sur grâce, et si nous travaillons sur le plan de l'addition, Dieu agira sur celui de la multiplication et développera son image chez ceux qui le suivent.

Tout l'univers du ciel était intéressé à la grande œuvre du Christ. Tous les mondes créés par Dieu se demandaient comment finirait le conflit entre le Seigneur de la lumière et les forces des ténèbres. Satan a cherché de toutes ses forces à défigurer le véritable caractère de Dieu pour que le monde ne le comprenne pas. Sous une apparence de vérité, il agit sur beaucoup de ceux qui se disent chrétiens, mais qui représentent le caractère de Satan et non celui de Jésus-Christ. Ils donnent une mauvaise image du Seigneur et de son caractère, chaque fois qu'ils manquent de bonté et d'humilité. » — Manuscrit n° 8, 1888.

« Dieu est amour » (1 Jean 4.8). Le Christ est venu prouver cet amour dans sa vie et sa mort, et il désire que nous lui ressemblions. Laissons-le développer son image en nous.

Prends-moi aujourd'hui, Seigneur. Aide-moi à ne pas seulement désirer ton don, mais à l'accepter et à le vivre dans ma vie quotidienne.

Ellen White à Minneapolis : refléter Jésus — 2e partie

Nous savons que nous sommes passés de la mort à la vie parce que nous aimons les frères. 1 Jean 3.14

Est-ce que nous aimons vraiment nos frères ? Même ceux qui sont le moins aimables ? L'amour fraternel entre les membres d'Église est un problème crucial dans l'adventisme en 1888.

« Ceux qui aiment vraiment Dieu, dit Ellen White aux délégués de la Conférence générale le 21 octobre, doivent faire preuve d'amour et de bonté vis-à-vis de ceux avec lesquels ils sont en contact, car telles sont les œuvres de Dieu. Le Christ a besoin de chrétiens qui le représentent. Les paroles et pensées mauvaises sont désastreuses pour l'âme et cela s'est souvent vérifié durant cette assemblée. *Ce dont l'Église a le plus besoin, c'est de la manifestation de l'amour du Christ.* Quand les membres de l'Église se réunissent en assemblée sanctifiée, pour collaborer avec le Christ, il vit et œuvre en eux.

Nos yeux doivent recevoir le collyre du ciel pour que nous discernions notre état, et ce que nous devrions être. La force que le Christ nous confère suffit pour que nous atteignions le plus haut niveau de perfection chrétienne.

Nous devons garder le modèle du Christ devant les yeux. C'est et ce sera toujours la vérité présente. C'est en contemplant Jésus et en appréciant les vertus de son caractère que Jean est devenu un en esprit avec son Maître. [...] C'est lui qui a été chargé de faire connaître l'amour du Sauveur et d'encourager ses enfants à faire preuve du même amour les uns envers les autres. "C'est le message que nous avons entendu depuis le commencement, écrit-il, que nous nous aimions les uns les autres. [...] Nous savons que nous sommes passés de la mort à la vie parce que nous aimons les frères. [...]"

Le Seigneur réprimande ceux qui, comme les pharisiens, se vantent de leur piété mais n'ont pas l'amour de Dieu dans le cœur. Les pharisiens refusaient de connaître Dieu et celui qu'il avait envoyé, Jésus-Christ. Ne courons-nous pas le risque de faire comme les pharisiens et les scribes ? » — Manuscrit n° 8a, 1888, c'est nous qui soulignons.

Ce n'est pas par hasard que le Christ (Matthieu 5.43-48 ; 19.21) et Ellen White (*Les paraboles de Jésus*, p. 51, 331-342) établissent constamment le lien entre la perfection et l'amour chrétien. Refléter le caractère de Dieu, ce n'est pas une question de ce que nous mangeons ou croyons. Il s'agit de ressembler à Dieu qui est amour.

ELLEN WHITE À MINNEAPOLIS : REFLÉTER JÉSUS — 3E PARTIE

Puisque nous avons de telles promesses, bien-aimés, purifions-nous de toute souillure de la chair et de l'esprit, en développant jusqu'à son terme la sainteté dans la crainte de Dieu. 2 Corinthiens 7.1

La chose la pire et la plus triste est le manque d'amour et de compassion. « C'est ce que Dieu m'a montré, dit Ellen White aux délégués, et je dois vous dire que s'il y a un moment où nous devrions nous humilier devant Dieu, c'est maintenant. [...]

Satan s'est efforcé d'éliminer l'amour de Dieu de notre cœur. [...] Nous faisons beaucoup de cérémonies et de manifestations formelles. Ce que nous désirons est l'amour de Dieu, aimer Dieu de tout notre cœur et notre prochain comme nous-mêmes. Quand nous y parviendrons, les murs tomberont comme ceux de Jéricho devant les enfants d'Israël. Malheureusement, il y a trop d'égoïsme et de désir de suprématie parmi nous. [...]

Plus nous nous humilions au pied de la croix, plus claire est notre vision du Christ. [...]

Que font actuellement Dieu et Jésus ? Ils purifient le sanctuaire. Nous devrions nous associer à eux dans cette œuvre et purifier le sanctuaire de notre âme de toute injustice, afin que notre nom soit inscrit dans le livre de vie de l'Agneau, et que nos péchés soient effacés quand viendra le temps de rafraîchissement de la présence de l'Éternel. [...]

Nous n'avons pas le temps de nous vanter, mais seulement de glorifier Jésus. Mais comment faire ? [...] Que le Dieu du ciel mette sa puissance dans nos cœurs pour que nous acquérions un caractère juste et un cœur pur, et sachions comment agir en faveur des malades et souffrants. [...]

À partir du moment où nous aimons Dieu de tout notre cœur et notre prochain comme nous-mêmes, Dieu agit en nous. Comment résisterons-nous au temps de l'arrière-saison ? Cela ne sera possible que si nous avons son amour.

L'amour du Christ dans notre cœur sera plus efficace pour convertir les pécheurs que toutes nos prédications. Nous avons besoin de l'amour du Christ, pour étudier la Bible et la comprendre. [...] Maintenant, frères, mettons-nous à l'œuvre, car nous n'avons pas de temps à perdre. » — Manuscrit n° 26, 1888, c'est nous qui soulignons.

C'est la vérité : aujourd'hui est le jour de notre salut.

Père céleste, durant ces derniers jours, j'ai compris comme jamais auparavant le caractère central de l'amour du véritable chrétien. Aide-moi aujourd'hui à être un bon représentant de ton amour, dans ma famille, mon travail...

Ellen White à Minneapolis : la loi et l'Évangile

L'homme n'est pas justifié par les œuvres de la loi mais par la foi en Jésus-Christ, [...] nul ne sera justifié par les œuvres de la loi. Galates 2.16

Comme nous l'avons vu ces derniers jours, Ellen White réprouve l'adventisme de 1888, et elle a raison. En se concentrant sur la doctrine correcte, la tradition adventiste, le désir d'être de bons adventistes, les membres ont souvent oublié que l'Évangile trouve son sens à la fois dans la théorie et dans la pratique. Tout comme les pharisiens, ils peuvent faire preuve d'une attitude contraire au caractère du Christ, même lorsqu'ils parlent de la loi de Dieu et d'autres enseignements adventistes.

Le 24 octobre, elle lance une nouvelle fois un cri du cœur aux délégués : « Nous voulons la vérité telle qu'elle est en Jésus. Chaque fois qu'un obstacle entravera la progression de la vérité en Jésus, je me ferai entendre, que ce soit en Californie, en Europe ou n'importe où, parce que Dieu m'a éclairée sur ce sujet et je me dois de transmettre cette lumière.

J'ai vu beaucoup d'âmes précieuses qui avaient accepté la vérité [de l'adventisme] s'en détourner, à cause de la façon dont cette vérité était vécue, parce que Jésus était absent. *Voilà ce que j'ai répété continuellement : nous voulons Jésus.* » — Manuscrit n° 9, 1888, c'est nous qui soulignons.

Dix-huit mois plus tard, elle lutte encore : « Ouvrons nos cœurs et laissons entrer le Seigneur ». Elle répète à ceux qui sont réunis pour l'école biblique des pasteurs de la Conférence générale que lorsqu'ils quitteront les réunions, ils devraient être aussi « pleins du message de l'Évangile » qu'il brûlerait au-dedans d'eux tant qu'ils ne le transmettraient pas. Elle les avertit que certains objecteront : « Les gens vous diront que vous êtes trop enthousiastes, vous insistez trop sur ce sujet et laissez de côté la loi, que vous devriez arrêter de mettre toujours en avant la justice du Christ, et rendre un peu d'importance à la loi. »

À ces « bons » adventistes, elle conseille de répondre : « Ne vous inquiétez pas pour la loi. Nous nous sommes tellement occupés de la loi que nous sommes devenus arides comme les collines de Guilboa qui ne connaissent ni rosée ni pluie. Appuyons-nous sur les mérites de Jésus-Christ de Nazareth. Que Dieu mette son collyre dans nos yeux pour que nous voyions. » — Manuscrit n° 10, 1889.

Nous pouvons nous enthousiasmer pour certaines bonnes choses, mais à condition que ce soit dans le bon esprit.

La justification par la foi et le message du troisième ange — 1re partie

C'est ici la persévérance des saints qui gardent les commandements de Dieu et la foi en Jésus. Apocalypse 14.12

Comme nous l'avons vu, en 1888, la dissension entre l'adventisme et la compréhension évangélique du salut devient problématique. Les adventistes sont forts sur leurs croyances distinctives, mais faibles sur les grands enseignements évangéliques que leurs fondateurs partageaient avec les autres chrétiens. Pour Ellen White, Jones et Waggoner peuvent corriger ce travers.

Contrairement à certains dirigeants orientés vers la loi, Waggoner comprend que son Église a dévié de la doctrine historique du salut. Ellen White enseigne la même vérité et s'étonne car certains se plaignent que Jones et Waggoner prêchent une « nouvelle doctrine étrange », alors que leur message n'a rien de nouveau, puisqu'ils reprennent l'enseignement de Paul et celui du Christ lui-même. — Manuscrit n° 27, 1889.

Waggoner explique que son interprétation de la loi et de l'Évangile rejoint celle de Paul, Luther et Wesley, et son commentaire devient encore plus profond et clairvoyant quand il ajoute qu'elle « se rapproche du message du troisième ange ». Ellen White rejoint sa position. Elle observe que « certains ont exprimé leur crainte que l'on donne trop d'importance au sujet de la justification par la foi », et que plusieurs lui ont écrit « pour demander si le message de la justification par la foi est le message du troisième ange ». Elle répond : « C'est le message du troisième ange, en vérité. » — *Review and Herald*, 1er avril 1890.

Certains ont été abasourdis par cette déclaration. Que signifie-t-elle exactement ? Nous le verrons les prochains jours.

En attendant, rappelons qu'Apocalypse 14.12 reste le texte central de l'histoire adventiste : « C'est ici la persévérance des saints qui gardent les commandements de Dieu et la foi en Jésus ».

Constatant que les adventistes utilisent ce texte pour décrire leur Église, un reporter du *Minneapolis Journal* commente : « C'est soit un monstrueux égotisme, soit une foi sublime qui pousse les adventistes à s'appliquer ce texte. »

Les adventistes considèrent bien sûr que c'est une « foi sublime ». Les deux parties en présence à Minneapolis en 1888 comprennent de plus en plus clairement avec le temps que leurs divergences se basent sur la signification d'Apocalypse 14.12.

En tout cas, c'est un texte que nous ferions bien de mémoriser pour méditer sur son sens et ses implications.

La justification par la foi et le message du troisième ange — 2e partie

Heureux ceux qui lavent leurs robes afin d'avoir droit à l'arbre de vie et d'entrer par les portes dans la ville. Apocalypse 22.14

Les premiers adventistes sont de grands observateurs des commandements, parfois pour de bonnes raisons, d'autres fois pour de moins bonnes.

Cet aspect « œuvres » du système de croyance adventiste influence lourdement la compréhension pré-1888 d'Apocalypse 14.12 : « C'est ici la persévérance des saints qui gardent les commandements de Dieu et la foi en Jésus ».

L'interprétation adventiste de ce verset est très cohérente avant 1888. James White en donne un modèle de compréhension en avril 1850, en indiquant que ce verset compte trois points majeurs d'identification. Il désigne :

Un peuple qui doit rester patient, malgré la déception de 1844, en attendant le retour du Christ.

Un peuple qui a obtenu « la victoire sur la bête, son image et sa MARQUE, et est scellé par le sceau du Dieu vivant, parce qu'il "garde les commandements de Dieu".

Un peuple qui a « gardé la foi » dans un système de croyances englobant « la repentance, la foi, le baptême, la sainte cène, l'ablution des pieds », etc. Il précise qu'un sens de « garder la foi » est de « GARDER LES COMMANDEMENTS DE DIEU ».

On remarque que James White réussit à inclure l'obéissance à la loi de Dieu dans deux de ces trois points.

Deux ans plus tard, il précise encore : « Il faut garder la foi en Jésus tout comme les commandements de Dieu. [...] Cela démontre non seulement la distinction entre les commandements du Père et la foi du Fils, mais aussi que la foi de Jésus qu'il faut nécessairement garder inclut les enseignements de Jésus et des apôtres. Elle inclut toutes les exigences et doctrines du Nouveau Testament. »

John Andrews partage son avis : « On dit que la foi en Jésus doit être gardée, tout comme les commandements de Dieu doivent l'être. »

R.F. Cotrell écrit que la foi en Jésus « est une chose qui doit être gardée et à laquelle il faut obéir. Nous pouvons donc conclure que tout ce que nous devons faire pour être sauvés du péché appartient à la foi en Jésus ».

Comme nous l'avons déjà vu, il est important de « faire », mais est-il vrai que « tout ce que nous devons faire pour être sauvés du péché appartient à la foi en Jésus » ?

Pensons-y, parlons-en et prions sur ce sujet.

La justification par la foi et le message du troisième ange — 3e partie

C'est ici la persévérance des saints qui gardent les commandements de Dieu et la foi en Jésus. Apocalypse 14.12

Presque tous les exégètes adventistes qui ont interprété ce texte avant 1888 considéraient « la foi en Jésus » comme un ensemble de vérités qu'il fallait croire et garder. La plupart du temps, cependant, les adventistes ne s'attardaient pas sur cette partie du verset, leur attention étant accaparée par le début, concernant l'obéissance aux commandements. Ainsi, comme nous l'avons vu, Uriah Smith souligne le terme « garder » dans son commentaire de ce texte en janvier 1888 et G.I. Butler fait de même en mai 1889, avec « *garder les commandements de Dieu* ».

Cette insistance correspond à leur vision selon laquelle la vérité du sabbat, dans le contexte de la marque de la bête, sera le dernier message de Dieu adressé au monde prêt pour le retour du Christ. Il n'est pas étonnant que cette interprétation et cette insistance aient souvent fait glisser l'adventisme traditionnel vers le légalisme. Ces implications sont à la base du vocabulaire de leur croyance. Les mots « garder », « faire », « obéir », « loi » et « commandements » expriment pour eux le sens de la contribution distinctive des adventistes au christianisme.

Cette interprétation d'Apocalypse 14.12 est remise en question en 1888. *Une nouvelle compréhension du texte central de l'histoire adventiste fait suite à l'assemblée de Minneapolis.*

Jones laisse entrevoir la nouvelle interprétation en décembre 1887. « Le seul moyen d'atteindre l'harmonie avec la juste loi de Dieu, écrit-il, est par la justice de Dieu, qui est dans *la foi de Jésus-Christ*. [...] Dans le message du troisième ange apparaissent la suprême vérité et la suprême justice ».

On remarque que Jones propose ici une équation qui fait correspondre « la suprême vérité » avec « les commandements de Dieu », et « la suprême justice » avec « la foi de Jésus », c'est-à-dire, selon lui, *la foi en Jésus*.

Il faut préciser que le texte grec peut être traduit soit par « la foi de Jésus », soit par « la foi en Jésus », ce que préfèrent aujourd'hui de nombreuses versions.

Réfléchissons aujourd'hui à ces questions : quelles sont les implications respectives des versions « la foi de Jésus » et « la foi en Jésus » ? Quelle différence ces implications peuvent-elles faire sur notre vie ?

La justification par la foi et le message du troisième ange — 4e partie

Je n'ai pas honte de l'Évangile, c'est une puissance de Dieu pour le salut de quiconque croit. Romains 1.16

Si A. T. Jones introduit discrètement la nouvelle compréhension de « la foi de Jésus » en 1887, Ellen White est bien plus directe.

« Le message donné au peuple lors de l'assemblée de Minneapolis, écrit-elle, présente clairement non seulement les commandements de Dieu – qui font partie du message du troisième ange – mais aussi la foi de Jésus, qui implique bien plus que ce que l'on suppose généralement. Il serait donc souhaitable que le message du troisième ange soit proclamé intégralement, car le peuple doit en connaître chaque iota et trait de lettre. Si nous proclamons les commandements de Dieu et laissons de côté le reste, nous gâchons le message. [...]

Le message présent que Dieu a chargé ses serviteurs d'annoncer au peuple n'a rien de nouveau. C'est une ancienne vérité qui a été perdue de vue, car Satan voulait à tout prix qu'il en soit ainsi.

Le Seigneur charge chaque membre fidèle de son peuple de ramener la foi de Jésus à la juste place qui lui revient dans le message du troisième ange. La loi occupe une position importante, mais elle ne sert à rien si la justice du Christ n'est pas placée à côté, pour rendre gloire au modèle de justice. [...]

On ne peut vivre une expérience spirituelle véritable que dans une confiance totale en Jésus. Le reste est inutile et ressemble à l'offrande de Caïn : elle est dépourvue du Christ. Dieu est glorifié quand nous vivons une foi personnelle et totale en Christ. La foi présente le Christ tel qu'il est : la seule espérance pour le pécheur. La foi se saisit du Christ et lui fait totale confiance. Elle dit : "Il m'aime, il est mort pour moi. J'accepte son sacrifice, et le Christ n'est pas mort en vain pour moi."

Nous avons perdu beaucoup et nos pasteurs ont négligé la partie essentielle de notre œuvre en ne présentant pas le sang de Jésus comme unique espérance pour le pécheur. Parlons du Christ. Disons au pécheur de le contempler et de vivre. » — Manuscrit n° 30, 1889.

La foi en Christ le Sauveur est au cœur de l'Évangile ; elle est aussi au cœur du message du troisième ange et de celui de 1888.

Aide-nous, Père, à saisir la relation entre la loi et l'Évangile, dans toute sa richesse, alors que nous comprenons les implications d'Apocalypse 14.12.

La justification par la foi et le message du troisième ange — 5e partie

Christ nous a rachetés de la malédiction de la loi, étant devenu malédiction pour nous, car il est écrit : maudit soit quiconque est pendu au bois. Galates 3.13

À partir de la session de la Conférence générale de 1888, il devient essentiel pour Ellen White de remettre la foi en Christ au centre du message du troisième ange.

Peu après l'assemblée de Minneapolis, elle écrit une affirmation puissante sur Apocalypse 14.12 et le message central de 1888. « Le message du troisième ange est la proclamation de la loi de Dieu et de la foi de Jésus-Christ. Les commandements de Dieu ont été proclamés, mais la foi de Jésus n'a pas été annoncée par les adventistes comme étant d'importance égale, car la loi et la foi vont de pair. Je ne trouve pas les mots pour exprimer ce concept dans toute sa richesse.

"La foi de Jésus" : on en parle sans la comprendre. Qu'est-ce qui, dans la foi de Jésus, appartient au message du troisième ange ? Jésus devient celui qui porte nos péchés et le Sauveur qui nous pardonne. Il a été traité comme nous méritions de l'être. Il est venu dans le monde et a endossé nos péchés pour que nous puissions endosser sa justice. *La foi dans ce pouvoir du Christ de nous sauver pleinement et totalement constitue la foi de Jésus. [...]*

Le salut du pécheur ne se trouve que dans le sang du Christ qui nous purifie de tout péché. L'intellectuel cultivé possède de grandes connaissances, peut s'engager dans des spéculations théologiques, peut être honoré des hommes pour son intelligence, mais s'il ne sait pas qu'il est sauvé par le Christ crucifié, et s'il ne saisit pas par la foi la justice du Christ, il est perdu. Le Christ "était transpercé à cause de nos crimes, écrasé à cause de nos fautes, le châtiment qui nous donne la paix est tombé sur lui et c'est par ses meurtrissures que nous sommes guéris" (Ésaïe 53.5). Le salut par le sang du Christ sera toujours notre espérance sur cette terre et notre chant pour l'éternité. » — Manuscrit n° 24, 1888, c'est nous qui soulignons.

Avons-nous saisi le message ? C'est la bonne nouvelle, la nouvelle vitale, que nous devons comprendre : Le Christ est mort pour nous et nous ne pouvons être sauvés que par une foi vivante dans son sacrifice. C'est le centre de la foi et d'Apocalypse 14.12. C'est ce que signifie être adventiste, et être chrétien. Si nous ne gardons que les commandements de Dieu, nous sommes membres de l'Église adventiste, mais nous ne sommes pas chrétiens.

LA JUSTIFICATION PAR LA FOI ET LE MESSAGE DU TROISIÈME ANGE — 6E PARTIE

Je regardai et voici une nuée blanche, et sur la nuée était assis quelqu'un qui ressemblait à un fils d'homme. Il avait une couronne d'or sur la tête et une faucille tranchante à la main. Apocalypse 14.14

Ellen White s'enthousiasmait parfois, mais jamais autant que lorsqu'elle évoquait le plan du salut en Christ.

Repensant à la session de la Conférence générale de 1888 qui venait de se terminer, elle écrit : « Frère Waggoner a eu le privilège de s'exprimer et de présenter sa vision de la justification par la foi et de la justice du Christ en relation avec la loi. Il ne s'agissait pas d'une nouvelle lumière, mais d'une ancienne lumière remise à sa juste place dans le message du troisième ange.

Quel est le contenu de ce message ? Jean voit un peuple et dit : "C'est ici la persévérance des saints qui gardent les commandements de Dieu et la foi en Jésus" (Apocalypse 14.12). Jean voit ce peuple juste avant de voir le Fils de l'homme avec "une couronne d'or sur la tête et une faucille tranchante à la main" (verset 14).

La foi de Jésus a été sous-estimée et considérée comme insignifiante. Elle n'a pas occupé la place prédominante qu'elle avait dans la révélation à Jean. Beaucoup de ceux qui disent croire au message du troisième ange ont écarté la foi en Jésus comme unique espérance pour le pécheur, non seulement de leurs discours mais aussi de leur expérience spirituelle.

Durant cette assemblée, j'ai témoigné qu'une précieuse lumière avait rayonné des Écritures, dans la présentation de l'important sujet de la justification par la foi, en relation avec la loi, qui devrait toujours être présenté au pécheur comme seule espérance de salut.

Ce n'était pas une nouveauté pour moi, je l'avais déjà reçue d'une autorité supérieure pendant les quarante-quatre dernières années. Je l'avais transmise au peuple oralement et par écrit, dans les *Témoignages*, mais très peu avaient répondu. [...] On a très peu écrit et prêché sur cet important sujet. Les prédications de certains sont comparables à l'offrande de Caïn : elles excluent le Christ. La loi de Dieu est la norme à laquelle le caractère doit être mesuré. Par la loi, on a la connaissance du péché, mais le pécheur doit continuellement être attiré par Jésus » qui est mort sur la croix pour les péchés de tous (Manuscrit n° 24, 1888).

Méditons aujourd'hui sur Jésus et ce qu'il a fait pour nous. Ces pensées nous encourageront, nous dynamiseront et influenceront nos actes.

LA JUSTIFICATION PAR LA FOI ET LE MESSAGE DU TROISIÈME ANGE — 7E PARTIE

Le juste vivra par la foi. Romains 1.17

Il est intéressant de remarquer ce qu'Ellen White signale à plusieurs reprises : la vérité de la justification par la foi prêchée par Waggoner n'est pas une nouveauté, et elle la soutient aussi depuis quarante-quatre ans. Waggoner lui-même précise que son message a déjà été proclamé « par tous les éminents réformateurs, depuis Paul jusqu'à Luther et Wesley ».

En d'autres termes, Waggoner dit présenter à nouveau le point de vue évangélique de la justification par la foi.

C'est aussi l'avis d'Ellen White, tout au moins pour une partie de la prédication de Jones et Waggoner. En août 1889, elle écrit que la doctrine de « la justification par la foi a longtemps été cachée sous les décombres de l'erreur ». Cette erreur, précise-t-elle, a été exposée par le « groupe qui se désigne par le mot sainteté » qui a prêché la foi en Christ, mais a également éliminé la loi (*Review and Herald*, 13 août 1889). Ainsi, l'enseignement de la justification par la foi a été « accompagné d'erreur » — Manuscrit n° 8a, 1888.

De leur côté, les adventistes ont maintenu la sainteté de la loi, mais ont « perdu de vue la doctrine de la justification par la foi ». Dans ce contexte, elle conclut que « Dieu a suscité des hommes [Jones et Waggoner] pour répondre aux besoins du moment. [...] Leur devoir n'est pas de prêcher seulement la loi, mais surtout la vérité présente, le Christ, notre justice ».

Les adventistes, ajoute-t-elle, ont bien fait de garder la loi, alors que le peuple « qui se désigne par le mot sainteté » prêchait la foi en Christ, mais les deux avaient une partie d'erreur. Les adventistes négligeaient la foi, et les autres dénigraient la loi. Jones et Waggoner ont éliminé l'erreur de chaque groupe et réuni leurs vérités. Ils ont ainsi donné une bonne compréhension du message des trois anges dans leur ensemble, comblant les lacunes dans ce domaine. (*Ibid.*)

Par conséquent, selon Ellen White, grâce à la prédication de Jones et Waggoner sur la justification par la foi, « Dieu a dissocié cette vérité de l'erreur [l'antinomisme] et l'a replacée dans son contexte [le message des trois anges]. » — Manuscrit n° 8a, 1888.

Quel message ! Dieu ne veut pas d'adventistes déséquilibrés, penchant vers la loi, ou au contraire vers la foi. Il désire que son peuple remette la foi et la loi dans leur juste perspective.

La justification par la foi et le grand cri

Après cela je vis descendre du ciel un autre ange qui avait une grande autorité, et la terre fut illuminée de sa gloire. Il cria d'une voix forte : Elle est tombée, elle est tombée Babylone la grande !... Sortez du milieu d'elle, mon peuple. Apocalypse 18.1-4

Ellen White apprécie que le message de Jones et Waggoner réunisse les deux aspects d'Apocalypse 14.12. Ils prêchent les commandements de Dieu ET la foi en Jésus, notre Sauveur et Seigneur. Ils ont donc dégagé « la vérité de la justification par la foi de l'erreur antinomiste, et l'ont replacée dans son contexte » — le message du troisième ange (Manuscrit n° 8a, 1888).

Selon elle, l'importance du message de 1888 n'est pas une doctrine adventiste spéciale développée par Jones et Waggoner, mais plutôt qu'il réunit l'adventisme avec le christianisme. Il élève Jésus comme pilier central de toute pensée et vie chrétienne, proclamant la justification par la foi et enseignant la sanctification, comme l'obéissance à la loi de Dieu, grâce à la puissance du Saint-Esprit.

Quand nous constatons que l'essentiel de l'enseignement de Jones et Waggoner consiste à rassembler les différentes parties du message du troisième ange, nous comprenons l'étonnante déclaration d'Ellen White concernant le début du grand cri en 1888. Dans la *Review* du 22 novembre 1892, nous lisons : « Le temps de l'épreuve est juste devant nous, car le grand cri du troisième ange a déjà retenti dans la proclamation de la justice du Christ, le rédempteur qui nous pardonne. C'est le début de la lumière de l'ange dont la gloire remplit la terre, car tous ceux qui ont reçu le message d'avertissement doivent [...] élever Jésus ».

Jones confond la pluie de l'arrière-saison (une effusion du Saint-Esprit, c'est-à-dire une personne) et le grand cri (un message), donne beaucoup d'importance à la déclaration de 1892 sur le grand cri, et affirme que la pluie de l'arrière-saison a commencé. C'est pourtant le grand cri et non la pluie de l'arrière-saison qui a commencé à Minneapolis.

En 1892, Ellen White comprend que depuis 1888, les adventistes ont compris la totalité du dernier message de bonté qu'ils doivent prêcher au monde avant le retour de Jésus. Le message du grand cri proclame l'importance actuelle des dix commandements, dans l'optique d'une foi solide en Jésus, Sauveur et Seigneur, tous deux dans la perspective du retour du Christ.

Quel beau message ! Dieu désire que nous soyons fidèles à chacun des trois aspects.

QUESTIONS SUR LA TRINITÉ — 1RE PARTIE

Allez, faites de toutes les nations des disciples. Baptisez-les au nom du Père, du Fils et du Saint-Esprit. Matthieu 28.19

Beaucoup d'adventistes aujourd'hui seraient étonnés de savoir que la plupart des fondateurs de notre Église ne pourraient pas s'y joindre de nos jours, s'ils devaient adhérer à nos vingt-huit croyances fondamentales. Pour être plus précis, ils refuseraient la deuxième croyance sur la Trinité, car ils étaient antitrinitaires ; la quatrième concernant le Fils, car ils croyaient que le Fils n'était pas éternel ; enfin, la cinquième sur le Saint-Esprit, car pour eux, le Saint-Esprit était une puissance et non une personne.

C'est en grande partie l'Église Christian Connexion, dont ils proviennent, qui a influencé leur compréhension. En 1835, Joshua V. Himes, pasteur dirigeant de Christian Connexion, écrit : « Au départ, ils [l'Église Christian Connexion] croyaient généralement à la Trinité », mais ils ont abandonné cette croyance car ils la considèrent comme « non biblique ». Himes remarque que seul le Père est « sans origine, indépendant et éternel », par conséquent le Fils a une origine, est dépendant et reçoit l'existence de la part du Père. Les Connexionnistes tendent aussi à considérer le Saint-Esprit comme « la puissance, l'énergie, la sainte influence de Dieu ».

Joseph Bates, James White et d'autres membres de Connexion apportent ces visions dans l'adventisme sabbatiste. James White, par exemple, fait référence à la Trinité comme « la vieille croyance trinitaire non biblique » et l'appelle en 1852 « la vieille absurdité trinitaire ».

J.N. Andrews partage l'opinion de White. Il écrit en 1869 : « Le Fils de Dieu [...] a Dieu pour Père et a une origine, à un moment donné de l'éternité du passé ».

Uriah Smith rejette aussi la Trinité, soutenant en 1865 que le Christ est « le premier être créé », et en 1898 que « Dieu seul n'a pas de commencement ».

On remarque que le nom d'Ellen White n'a pas été cité. Cela ne veut pas dire qu'elle n'a rien à dire sur le sujet, mais plutôt qu'il est impossible, à partir de ce qu'elle exprime, de déterminer ce qu'elle croit, tout au moins dans les premières décennies du mouvement.

Voici un élément de réponse : Dieu conduit son peuple pas à pas, et au fur et à mesure de sa progression, sa vision devient de plus en plus claire. Dans les prochains jours, nous verrons une transformation s'amorcer dans la pensée adventiste sur la Trinité.

QUESTIONS SUR LA TRINITÉ — 2E PARTIE

Au commencement était la Parole, et la Parole était avec Dieu, et la Parole était Dieu. Jean 1.1

Les premiers dirigeants adventistes semblent unanimement antitrinitaires, mais qu'en est-il des réformateurs de Minneapolis ?

Il est intéressant de remarquer que c'est un point sur lequel Waggoner est en accord avec Uriah Smith. En 1890, il écrit dans son livre intitulé *Christ et sa justice* : « Le Christ est engendré et provient de Dieu, [...] mais ce moment remonte à une éternité si lointaine que notre compréhension limitée et finie considère qu'il n'a pratiquement pas de commencement. »

Il fait ainsi écho à ce qu'écrit Smith pendant la même décennie : « Dieu seul n'a pas de commencement. À une époque extrêmement lointaine, aussi ancienne que pour nos esprits finis elle s'apparente à l'éternité, est apparue la Parole. »

On peut alors se demander, si Smith et Waggoner partageaient la même vision sur la Trinité, d'où le facteur déclenchant du changement est-il venu ?

C'est là que les autres réformateurs de 1888 interviennent. L'expérience de Minneapolis transforme littéralement le ministère d'écriture d'Ellen White. Pendant les évènements qui entourent cette session de la Conférence générale, elle prend pleinement conscience de l'ignorance des pasteurs et membres adventistes sur le plan du salut et le rôle central du Christ.

Les années suivantes, elle publie ses livres les plus importants sur ce sujet :

- 1892 : *Le meilleur chemin*, son livre bien connu,
- 1896 : *Heureux ceux qui…* qui commente le sermon sur la montagne,
- 1898 : *Jésus-Christ*, son livre sur la vie du Christ,
- 1900 : *Les paraboles de Jésus*, un ouvrage sur les paraboles,
- 1905 : *Le ministère de la guérison*, dans lesquels les premiers chapitres se concentrent sur le ministère de guérison de Jésus.

Dans aucun de ces livres Ellen White n'insère un chapitre ni même un paragraphe sur la Trinité ou la pleine divinité du Christ, mais plusieurs phrases, ici et là, poussent les adventistes à réapprofondir le sujet. C'est à partir de cette étude que la vision adventiste sur la Trinité et d'autres sujets qui y sont liés se transforme.

Merci, Seigneur, de nous guider avec bonté. Tu fais progresser ton Église à la vitesse qui lui est nécessaire pour assimiler ce que tu lui donnes.

QUESTIONS SUR LA TRINITÉ — 3E PARTIE

Pierre lui dit : Ananias, pourquoi Satan a-t-il rempli ton cœur au point de mentir à l'Esprit Saint. [...] Ce n'est pas à des hommes que tu as menti mais à Dieu. Actes 5.3,4

Malgré la clarté de la Bible sur ce sujet, les premiers adventistes ne comprenaient pas que le Saint-Esprit est une personne pleinement divine. Cela a eu des conséquences désastreuses sur l'Église à la fin du XIXe siècle.

On constate que durant les années 1890, l'Église adventiste publie plus d'écrits sur Jésus et le Saint-Esprit que pendant les autres décennies de son histoire. Cela paraît logique, une fois que l'on commence à prêcher la justification par la foi et le rôle central du Christ dans le plan du salut. En effet, si le Christ nous sauve, il est essentiel de savoir qu'il est la personne adaptée pour cela, et si le Saint-Esprit joue un rôle clé dans ce processus, il paraît normal d'évoquer sa fonction. Ce n'est donc pas par hasard que l'on commence à réfléchir sur la divinité dans les années 1890.

Les adventistes ne sont pas les seuls à parler du Saint-Esprit. Les églises wesleyennes, qui insistent sur la guérison par la foi et la vie victorieuse, émergent pendant ces années, et le changement de siècle voit naître le pentecôtisme moderne. Ces deux mouvements mettent en avant l'œuvre de l'Esprit sur les personnes et sur l'Église. À l'autre extrême théologique, les chrétiens libéraux commencent à développer un intérêt renouvelé sur des théories en rapport avec l'Esprit, comme l'immanence de Dieu et les idées de certaines religions orientales comme l'hindouisme, avec sa perspective panthéiste selon laquelle tout ce qui existe est Dieu.

L'adventisme, qui manque de compréhension correcte sur ces questions, est sérieusement affecté par les mouvements du monde religieux qui l'entoure. D'un côté, au début du nouveau siècle, il a son propre mouvement pentecôtiste qui soutient qu'avant le retour du Christ, la chair sera rendue parfaite. De l'autre, J. H. Kellogg et Waggoner se laissent prendre dans le panthéisme. Waggoner affirme par exemple aux assemblées de la Conférence générale de 1897 et 1899 que le Christ « apparaît comme un arbre » et qu'un homme « peut devenir juste en se lavant, s'il sait d'où vient l'eau ».

C'est la confusion totale.

C'est dans ce contexte que Dieu conduit l'adventisme vers l'étape suivante de la vérité présente. Dieu a un message pour son peuple concernant la divinité, mais ce dernier doit étudier la Bible pour le découvrir.

QUESTIONS SUR LA TRINITÉ — 4E PARTIE

Mais au Fils il dit : Ton trône, ô Dieu, est éternel. Hébreux 1.8

Même si, dans la Bible, Jésus est appelé Dieu, les premiers adventistes n'y parviennent pas, sans doute à cause d'un préjugé selon lequel la Trinité était une doctrine de l'Église apostate. Cette attitude va heureusement évoluer.

Ellen White est à l'avant-garde de cette nouvelle direction prise par l'Église. Bien qu'elle n'utilise jamais le terme Trinité, à partir de 1888, ses écrits regorgent de phrases et termes trinitaires. Elle écrit par exemple : « Il y a trois personnes vivantes dans la triade céleste, [...] le Père, le Fils et le Saint-Esprit. » — *Évangéliser*, p. 550. En 1901, elle évoque « Dieu, le Christ et le Saint-Esprit, dignitaires célestes et éternels. » — *Ibid.*, p. 551. Elle appelle le Saint-Esprit « la troisième personne de la Divinité. » — *Ibid.*, p. 552 ; *Jésus-Christ*, p. 675. Elle n'a aucun doute sur le fait que « le Saint-Esprit... est aussi de toute évidence une personne divine. » — *Évangéliser*, p. 551.

En ce qui concerne le Christ, Ellen White va bien plus loin que Waggoner, Smith et la plupart des adventistes de son époque quand elle déclare qu'il est « l'égal de Dieu » et « le Fils de Dieu préexistant et qui possède une existence propre. » — *Évangéliser*, p. 550. Il est avec le Père « de toute éternité. » — *Review and Herald*, 5 avril 1906.

Sa déclaration la plus surprenante et controversée pour les adventistes des années 1890 se trouve dans *Jésus-Christ*, quand elle écrit : « *En Christ réside la vie, une vie originelle, non empruntée.* » — p. 526, c'est nous qui soulignons. Cette affirmation prend l'Église au dépourvu et certains se demandent si elle n'a pas abandonné la foi.

Ellen White est sans aucun doute en première ligne parmi ceux qui cherchent à christianiser l'adventisme dans sa conception de la divinité. Il est pourtant important de remarquer qu'elle n'a jamais résolu aucun problème ni développé une théologie de la Trinité. Elle s'est contentée d'émailler ses écrits de phrases destinées à pousser les pasteurs et membres d'Église à reprendre leur Bible pour étudier le sujet par eux-mêmes.

Père céleste, nous sommes reconnaissants aujourd'hui pour Jésus qui peut nous sauver et pour le Saint-Esprit qui effectue son œuvre de rédemption.

QUESTIONS SUR LA TRINITÉ — 5E PARTIE

Un enfant nous est né, un fils nous est donné, et la souveraineté reposera sur son épaule. On l'appellera Admirable, Conseiller, Dieu puissant.
Ésaïe 9.5

Nous avons cité hier quelques déclarations d'Ellen White spécifiquement trinitaires qui apparaissent après 1888. Celle qui dérange le plus l'adventisme de l'époque est certainement celle de *Jésus-Christ*, p. 526 : « En Christ réside la vie, une vie originelle, non empruntée. »

Cette affirmation directe prend beaucoup d'adventistes par surprise, en particulier un jeune pasteur, M. L. Andreasen. Il est convaincu qu'elle n'a pas réellement écrit cela et que ses éditeurs ont dû altérer sa phrase. Il lui réclame donc son manuscrit, et elle le lui donne volontiers. Plus tard, il se rappelle : « J'avais noté plusieurs citations, désirant vérifier si elles se trouvaient bien dans son manuscrit original. Je me souviens de mon étonnement, quand *Jésus-Christ* a été publié, car ce livre contenait des notions considérées comme inacceptables, comme la doctrine de la Trinité, à laquelle les adventistes n'adhéraient généralement pas. »

Pendant son séjour de plusieurs mois en Californie, Andreasen a le temps d'effectuer ses vérifications. Il est particulièrement « intéressé par la citation de Jésus-Christ qui, au moment de sa publication, a causé beaucoup d'agitation théologique dans l'Église : "En Christ réside la vie, une vie originelle, non empruntée." [...] Cette affirmation ne vous semble peut-être pas révolutionnaire, dit-il à son auditoire en 1948, mais pour nous, elle l'était. Nous n'arrivions pas à y croire. [...] J'étais certain que jamais Ellen White n'avait pu écrire ce passage, mais je le trouvai dans son manuscrit, identique à ce qui avait été publié. »

Certains n'y croient toujours pas. Nous observons depuis une quinzaine d'années un renouveau antitrinitaire parmi les adventistes. Ils croient, comme Andreasen, que les éditeurs ont modifié ses écrits.

Cela prouve seulement qu'ils connaissent bien peu Ellen White. Elle savait ce qu'elle croyait et était capable de s'opposer aux éditeurs et même aux dirigeants de la Conférence générale, comme elle l'a bien prouvé en 1888. Ses assistants pouvaient remplacer ses termes par des synonymes, mais jamais ils ne modifiaient sa pensée.

L'acceptation de la Trinité est un pas en avant de l'adventisme, guidé par Dieu dans la compréhension progressive des Écritures.

Rétrospective sur la Trinité

Que la grâce du Seigneur Jésus-Christ, l'amour de Dieu et la communion du Saint-Esprit soient avec vous tous ! 2 Corinthiens 13.13

Paul conclut ainsi sa deuxième lettre aux Corinthiens, et pour le lecteur de la Bible, cette phrase détermine l'identité des membres de la divinité : le Père, le Fils et le Saint-Esprit.

Entre les années 1880 et le milieu du XXe siècle, l'adventisme traverse une révolution autour de la Trinité, la nature divine et les personnes du Fils et du Saint-Esprit. Ellen White oriente l'adventisme dans la nouvelle direction, mais ce ne sont pas ses déclarations qui suscitent le bouleversement. Elles encouragent plutôt à explorer la Bible pour trouver la vérité.

Pourtant, il faudra plusieurs décennies pour que le changement s'opère. En 1919, lors d'une Conférence biblique organisée par la Conférence générale, un débat sur la Trinité suscite de l'agitation. Un dirigeant déclare : « Je ne parviens pas à accepter ce qu'on appelle la doctrine de la Trinité. [...] Je ne peux pas croire que le Père et le Fils sont deux personnes égales de la divinité… ni que les trois personnes divines sont éternelles. »

A.G. Daniells, président de la Conférence générale cherche à calmer les esprits : « Nous n'allons pas prendre un vote sur le trinitarisme ou l'arianisme. » Il ajoute que les écailles sont tombées de ses yeux à la lecture de *Jésus-Christ*, et qu'il a lui-même ensuite étudié le sujet dans la Bible.

En 1931, la première déclaration de croyances fondamentales prend nettement position pour le trinitarisme. Cela ne signifie pas que tous sont d'accord et il reste quelques groupes antitrinitaires jusqu'aux années 1940. En 1950, l'Église est unanimement trinitaire.

C'est la raison pour laquelle il est étonnant de constater aujourd'hui un renouveau antitrinitaire. Certains défenseurs de cette doctrine m'ont pris à part durant l'assemblée de la Conférence générale de Toronto en 2000. Je leur ai demandé pourquoi ils soutenaient une telle position, et ils m'ont répondu que c'était celle de nos pionniers. Selon cette logique, nous devrions manger du porc et observer le sabbat de six heures du matin à six heures du soir. J'ai répondu que la tradition était une bonne base pour une Église du Moyen Âge, mais pas pour un mouvement fondant sa doctrine sur la Bible. C'est ce que nos pionniers eux-mêmes ont établi dans les années 1840, et réitéré en 1888.

La seule tradition qui demeure est que l'adventisme est le peuple du LIVRE.

LES ANNÉES POST-MINNEAPOLIS — 1RE PARTIE

Nous vous annonçons cette bonne nouvelle que la promesse faite à nos pères, Dieu l'a accomplie [...] en ressuscitant Jésus. Actes 13.32,33

Après la session de la Conférence générale de 1888, les réformateurs prennent à cœur de répandre « la bonne nouvelle ».

Ellen White quitte Minneapolis découragée par les dirigeants de l'Église, mais elle garde espoir dans le peuple adventiste. Avant la clôture de l'assemblée, elle déclare aux pasteurs que s'ils ne veulent pas accepter la lumière, elle désire « donner au peuple une chance de la recevoir. » — Manuscrit n° 9, 1888. Il en a grand besoin. En septembre 1889, elle écrit : « Moins d'un sur cent » comprend vraiment ce que signifie être justifié par la foi et croit que « le Christ est la seule espérance de salut. » — *Review and Herald*, 3 septembre 1889.

Jusqu'à l'automne 1891, Ellen White, Jones et Waggoner voyagent à travers tout le pays pour prêcher la justification par la foi aux membres et aux pasteurs. Après le départ d'Ellen White pour l'Australie, en 1891, et celui de Waggoner pour l'Angleterre, Jones et William W. Prescott continuent d'annoncer le message aux États-Unis. Durant toute cette période, Ellen White répète que Dieu a choisi Jones et Waggoner pour apporter un message particulier à l'Église adventiste et elle écrit elle-même beaucoup sur le sujet de la justification par la foi.

Les nouveaux dirigeants de la Conférence générale, Olsen (1888-1897) et Daniells (1897-1901), répondent positivement en leur donnant la parole pendant les années 1890. Les deux hommes s'adressent aux membres dans les églises, par les leçons de l'École du sabbat, dans les universités, les sessions de formation pastorale et par les maisons d'édition.

De 1889 à 1897, durant chaque assemblée de la Conférence générale, Jones et Waggoner sont chargés de diriger l'étude de la Bible et la théologie. En 1897, Jones est nommé au poste important de rédacteur de la *Review and Herald*.

On pourrait difficilement donner aux réformateurs plus d'espace de parole pendant les années 1890, et la « bonne nouvelle » est vraiment annoncée au peuple. Elle doit toujours l'être : le Christ doit toujours être au centre de la prédication adventiste basée sur la Bible.

Les années post-Minneapolis — 2e partie

Qu'ils sont beaux les pieds de ceux qui annoncent de bonnes nouvelles.
Romains 10.15

L'année qui suit Minneapolis est épuisante pour Ellen White, Jones et Waggoner qui sillonnent tout le pays pour prêcher le Christ et son amour aux pasteurs et membres adventistes. Les résultats n'atteignent pas ce qu'ils escomptaient, mais certains demandent pardon pour leur attitude négative lors de l'assemblée, et beaucoup manifestent une grande joie en découvrant une nouvelle liberté dans la justice du Christ. Pendant la session de la Conférence générale de 1889, Ellen White se réjouit : « Nous avons d'excellentes réunions. L'esprit qui a régné à l'assemblée de Minneapolis ne se trouve pas ici. » Beaucoup de délégués témoignent que l'année écoulée « a été la meilleure de leur vie ; la lumière émanant de la Parole de Dieu sur la justification par la foi, le Christ notre justice, a été aperçue distinctement. » — *Messages choisis*, p. 423, 424.

Les progrès se poursuivent pendant les années 1890, même si certains se retirent.

En 1889, Waggoner annonce aux délégués de la session de la Conférence générale que les principes qu'avec Jones il a prêchés à Minneapolis « ont été acceptés par beaucoup depuis ce moment là ».

Quatre jours plus tard, Jones écrit dans la *Review* que l'Église a largement reçu le message, et ajoute : « Je crains qu'on ait maintenant tendance à pencher vers l'autre extrême, en prêchant la foi de Jésus sans les commandements. » Il poursuit en argumentant en faveur de l'équilibre dans la présentation des différentes parties d'Apocalypse 14.12.

Ellen White est le troisième témoin de l'acceptation du message théologique de 1888. Le 6 février 1896, elle annonce la fin des sessions de trois à cinq mois de formation destinés aux pasteurs qui avaient été mis en place après la crise de Minneapolis : « Ces formations ont été nécessaires pendant toute une période, parce que notre peuple s'opposait à l'œuvre de Dieu en refusant la vérité de la justification par la foi », mais cela n'est plus indispensable (*Testimonies to Ministers and Gospel Workers*, p. 401).

Loué soit le Seigneur ! L'Église a fait de grands progrès. Néanmoins, les améliorations ne sont jamais absolues ni durables. L'Église est continuellement appelée à la réforme. Aujourd'hui, encore, nous avons besoin du Christ, mais nous devons toujours maintenir l'équilibre quand nous présentons la foi qui sauve et les commandements de Dieu dans leur juste relation.

QU'ADVIENT-IL DE GEORGE BUTLER ? — 1RE PARTIE

Tu as abandonné ton premier amour. Apocalypse 2.4

Les choses ne sont pas toujours simples après Minneapolis. Se considérant « égorgé dans la maison de ses propres amis », Butler démissionne de sa fonction de président à la fin de la session de 1888. Peu après, il déménage en Floride avec son épouse pour cultiver des orangers. Mi-décembre, six jours avant son départ, Ellen White lui envoie une lettre dans laquelle elle lui reproche d'être « ennemi des témoignages » et inconverti. Elle conclut en l'invitant à changer d'attitude.

C'est la première d'une série de lettres, mais Butler n'est pas prêt à se repentir. En 1905, se rappelant de la période du début de son séjour en Floride, il écrit : « Certaines personnes ont parfois beaucoup de mal à se confesser. [...] Elle m'a écrit à plusieurs reprises au sujet des évènements de Minneapolis, mais je répondais invariablement qu'il était absolument inutile que je demande pardon car je ne m'y sentais pas appelé. Je restais fixé sur mes positions. » Il explique qu'il ne veut pas déclarer une paix qui n'existe pas.

Il semble que la frustration de Butler atteigne son comble début 1893, quand il demande à l'Église de ne pas renouveler sa lettre de créance. En réalité, Butler ne veut probablement pas démissionner en tant que pasteur, mais plutôt poser une question à laquelle il attend anxieusement une réponse : « Avez-vous encore besoin de moi ? »

C'est plus ou moins à cette période qu'il recommence à prêcher après quatre ans de silence. Entre-temps, l'Église renouvelle sa lettre de créance. Rempli de joie, Butler avoue qu'il était prêt à s'exclamer : « Les chers frères complotent de tuer le vieux pécheur par leur bonté. »

Butler est néanmoins une personne complexe, comme beaucoup d'entre nous et il refuse toujours de croire que « Dieu a inspiré Waggoner pour susciter dans l'Église la controverse sur les Galates ». En revanche, il admet que Dieu en a tiré un bien, en particulier en remettant l'accent sur la justification par la foi et la justice du Christ.

Merci, Seigneur, pour ton infinie patience envers les hommes rebelles. Nous avons tous un petit George Butler en nous et nous avons besoin de ton aide. Nous désirons ton aide. Merci de demeurer en nous, malgré ce que nous sommes.

QU'ADVIENT-IL DE GEORGE BUTLER ? — 2E PARTIE

Ils sont encore féconds dans la vieillesse. Psaume 92.14

Frère Butler est réellement un grand obstiné, mais Dieu l'aime malgré tout. C'est une bonne nouvelle pour chacun de nous.

Butler se repent et, en 1893, il écrit à Ellen White : « Les dernières années m'ont réellement brisé le dos, mais c'est peu de chose en comparaison avec les progrès de l'œuvre. » En automne 1894, il invite même Alonzo T. Jones pour l'aider au camp-meeting de Floride.

En 1901, après le décès de son épouse, Butler sort de sa position de retrait et devient président de la Fédération de Floride. Entre 1902 et 1907, il sert comme président de la Southern Union.

Ellen White se réjouit de voir le vieux pionnier revenir à un poste de dirigeant. « Je savais, dit-elle aux délégués de la session de la Conférence générale de 1903, que le temps viendrait où il reprendrait sa place dans l'œuvre. Je souhaite que vous teniez compte des épreuves qu'il a traversées. [...] Dieu désire que les pionniers aux cheveux blancs qui ont contribué aux débuts de l'adventisme aient leur place dans son œuvre aujourd'hui. Ne les écartons pas. » — *Bulletin de la Conférence générale* 1903, p. 205.

Le nouveau Butler, écrit-elle en 1902, n'est pas le même que celui de 1888. « Sa santé physique et spirituelle est fortifiée, et le Seigneur l'a mis à l'épreuve comme il l'a fait pour Job et Moïse. Je vois en frère Butler un homme qui s'est humilié devant Dieu. Il manifeste un autre esprit que celui du jeune Butler. Il a appris des leçons aux pieds de Jésus. » — Lettre n° 77, 1902.

Cela ne signifie pourtant pas que Butler a réglé tous les problèmes de 1888. En 1909, il avoue à Daniells, président de la Conférence générale qu'il n'a « jamais vu la lumière » dans le message de Jones et Waggoner. Sa devise reste « obéir et vivre ».

Malgré ses problèmes, Ellen White écrit de lui : « Bien qu'il ait commis des erreurs, il reste un serviteur du Dieu vivant, et je ferai tout mon possible pour le soutenir dans son travail. » — *Évangéliser*, p. 551. Butler reste incroyablement actif dans l'Église jusqu'à son décès en 1918, à l'âge de quatre-vingt-quatre ans.

Dieu emploie des personnes imparfaites, et c'est une bonne nouvelle, sinon il ne pourrait appeler personne à son service.

Prends-nous aujourd'hui, Seigneur, malgré nos défauts, et utilise-nous pour ta gloire. Amen.

QU'ADVIENT-IL D'URIAH SMITH ?

Quiconque tombera sur cette pierre s'y brisera. Luc 20.18

Comme Butler, Smith vit une expérience traumatique à l'assemblée de Minneapolis. Profondément déçu et bouleversé par cette session, en novembre 1888 il démissionne du poste de secrétaire de la Conférence générale qu'il occupait depuis longtemps, mais conserve celui de rédacteur de la *Review*.

Il garde cette fonction jusqu'en 1897, se disputant la plupart du temps par écrit avec Jones sur l'interprétation prophétique et d'autres sujets. Sa bataille éditoriale est pourtant perdue d'avance face à la popularité du charismatique Jones, qui devient fin 1892 le plus écouté dans l'adventisme. En 1897, Smith reçoit son ultime humiliation quand l'Église le nomme adjoint de Jones, qui devient rédacteur de la *Review*.

Après 1888, Smith ne parvient pas à accepter le fait que Waggoner a enseigné que la loi des Galates est le décalogue, et qu'Ellen White a soutenu sa vision de la relation entre la loi et l'Évangile. Pendant les années qui suivent Minneapolis, il résiste en semant le doute sur l'œuvre d'Ellen White.

Celle-ci ne l'abandonne pourtant pas. Elle lui écrit lettre après lettre en l'invitant à se repentir, en vain. En janvier 1891, il demande pardon pour ses erreurs de Minneapolis et Ellen White commente : « Il est tombé sur le Rocher et s'y est brisé. »

Smith est tombé sur le rocher, mais cela ne signifie pas qu'il est complètement fondé sur le Rocher. Sa théologie orientée sur la loi pose encore problème.

En 1901, les dirigeants le nomment à nouveau rédacteur de la *Review*. Ellen White exprime sa joie de « voir son nom figurer parmi les rédacteurs, car il devait en être ainsi. [...] Quand, il y a quelques années, il a été nommé second [de Jones], j'en ai souffert et lorsqu'il a été renommé, j'en ai pleuré de joie et remercié le Seigneur. » — Lettre n° 17, 1902.

Il reste pourtant des réminiscences de l'ancien Smith. Peu après sa nomination, il rouvre la guerre sur les Galates et doit de nouveau être licencié pour cela. Il ne s'en remettra jamais. La *Review* annonce le changement de direction et précise que Smith est gravement malade. Il décède en 1903, à l'âge de soixante-dix ans.

Seigneur, viens au secours de notre nature obstinée. Aide-nous à nous abandonner à toi, avec les idées et comportements que nous chérissons.

QU'ADVIENT-IL DE JONES ET WAGGONER ?

Tiens ferme ce que tu as afin que personne ne prenne ta couronne.
Apocalypse 3.11

Juste après l'assemblée de Minneapolis, Jones et Waggoner ont du mal à se faire entendre dans l'Église, mais cela ne dure pas. Grâce au soutien du nouveau président de la Conférence générale, O.A. Olsen, d'Ellen White et d'autres, ils deviennent rapidement les prédicateurs les plus écoutés de l'Église.

Nous pouvons évaluer l'importance du soutien de la Conférence générale au vu du rôle prédominant des deux hommes dans la prédication et l'étude biblique durant les sessions de la Conférence générale qui suivent celle de Minneapolis.

- En 1889, Jones présente une série d'études sur la justification par la foi. Ellen White commente : « Le peuple est nourri à la table du Seigneur et manifeste un grand intérêt. » — Manuscrit n° 10, 1889.
- Pendant la session de 1891 (après 1889, il est décidé d'organiser l'assemblée un an sur deux), Waggoner propose seize sermons qui élèvent Jésus et présentent l'Évangile éternel de l'épître aux Romains.
- Jones dirige les études bibliques de 1893, avec vingt-trois sermons sur le message du troisième ange. Dix sermons de W.W Prescott – le plus proche collaborateur de Jones depuis 1892 – sur la promesse du Saint-Esprit complètent ses travaux.
- Pendant l'assemblée de 1895, Jones est le principal intervenant pour les études bibliques, avec vingt-quatre sermons sur le message du troisième ange, ainsi que d'autres présentations.
- En 1897, dix-huit études de Waggoner sur l'épître aux Hébreux constituent la majeure partie de l'étude biblique. Jones ajoute onze présentations.

Au final, les réformateurs de Minneapolis sortent « victorieux » de la bataille contre Butler et Smith. Pourtant, malheureusement, leur victoire n'est pas durable puisque tous deux quittent l'Église peu après 1900. Waggoner devient panthéiste et part avec une femme qui n'est pas la sienne ; Jones perd un bras de fer pour le pouvoir et n'obtient pas le poste de président de la Conférence générale. En 1907, il devient l'ennemi acharné d'Ellen White et de l'Église.

Paradoxe des paradoxes : les « vainqueurs » de Minneapolis deviennent les perdants. « Tiens ferme ce que tu as afin que personne ne prenne ta couronne », c'est le message qui s'adresse à chacun de nous dans ce monde de péché. Gardons les yeux fixés sur Jésus à chaque étape de notre voyage.

RÉTROSPECTIVE SUR MINNEAPOLIS

Tu lui donneras le nom de Jésus car c'est lui qui sauvera son peuple de ses péchés.
Matthieu 1.21

La Conférence générale de 1888 marque un tournant dans l'histoire de l'adventisme. Elle est sans aucun doute un pas en avant, puisqu'elle redirige l'Église vers la Bible comme unique source d'autorité dans le domaine de la doctrine et de la pratique, elle élève Jésus et place le salut par la grâce au moyen de la foi au centre de la théologie adventiste, elle rend à la loi sa juste place dans le contexte de l'Évangile, elle invite à réétudier le sujet de la Trinité, de la pleine divinité du Christ et de la personne du Saint-Esprit.

Elle donne à l'adventisme une meilleure compréhension du message du troisième ange d'Apocalypse 14.12, texte central du message adventiste, et c'est peut-être l'élément le plus important. En effet, ce passage identifie le peuple adventiste qui attend patiemment le retour du Christ en observant les commandements de Dieu, et il présente également l'Évangile puisque le dernier message de Dieu au monde avant l'avènement du Christ (versets 14-20) est centré sur la foi en Jésus.

En résumé, Minneapolis transforme la façon dont les adventistes comprennent leur message et c'est une bonne nouvelle.

La mauvaise nouvelle, c'est que le diable fait toujours en sorte que nous négligions ou oubliions la bonne nouvelle. Effectivement, dans les années 1890 et après, certains adventistes continuent à se concentrer sur la loi plus que sur l'Évangile, alors que d'autres utilisent le message de Jones et Waggoner pour retourner vers l'ancien légalisme et la perfection humaine dont ce message était censé libérer.

Toute cette succession d'évènements autour de Minneapolis fait ressortir deux constatations universelles : tout d'abord, la perversité de l'être humain, ensuite, l'infinie et inconditionnelle grâce du Seigneur. En repensant à l'histoire de l'adventisme dans la période de Minneapolis, les paroles du magnifique chant de John Newton « Amazing grace » me viennent à l'esprit : « L'immense grâce de Jésus, sublime don de Dieu, m'a retrouvé pécheur perdu ».

La grâce ne peut être que sublime et infinie. Ces trois mots résument le message et la signification des évènements de 1888.

RENCONTRE AVEC WILLIAM W. PRESCOTT

Moi, je reprends et je corrige tous ceux que j'aime. Apocalypse 3.19

L'un des dirigeants adventistes les plus dynamiques de la fin du XIXe siècle est certainement William Warren Prescott. Pourtant, les personnes les plus dynamiques ne sont pas forcément des leaders spirituels. C'est le cas du jeune Prescott quand il devient directeur de Battle Creek College en 1885.

Sa vie marque un tournant à la fin des années 1890 lorsqu'il lit un témoignage intitulé « Aie du zèle et repens-toi » à Battle Creek Tabernacle. « Le Seigneur, est-il écrit, a vu nos régressions. [...] Parce que le Seigneur a, dans le passé, béni et honoré » l'Église adventiste, « elle se flatte aujourd'hui d'être le peuple élu qui a la vérité et n'a pas besoin d'avertissements, d'instructions ni de reproches. Le témoin véritable dit pourtant : "Moi, je reprends et je corrige tous ceux que j'aime, aie donc du zèle et repens-toi", et encore "je viendrai à toi et j'écarterai ton chandelier de sa place à moins que tu ne te repentes". [...] Le Seigneur est mécontent de son peuple car il ne représente pas le caractère du Christ. Quand le témoin véritable lui a adressé ses conseils, reproches et avertissements, il a refusé son message. [...] Comment se fait-il qu'une grâce aussi infinie n'attendrisse pas nos cœurs endurcis ? [...]

Dieu veut manifester sa puissance dans les Églises, mais il ne pourra le faire que si nous nous humilions devant le Seigneur et ouvrons la porte de notre cœur dans la confession et la repentance. [...] Le talent, l'expérience ne feront jamais de nous des transmetteurs de lumière, si nous ne nous plaçons pas sous les rayons du soleil de justice. Le peuple de Dieu doit faire briller la lumière et présenter Jésus devant les Églises et le monde. [...] Un intérêt, un sujet prévalent sur tous les autres : le Christ, notre justice... Tous ceux qui suivent leur propre voie, qui ne se joignent pas aux anges du ciel pour transmettre leur message à toute la terre seront disqualifiés. L'œuvre avancera sans eux vers la victoire et ils ne partageront pas son triomphe. » — *Review and Herald*, numéro spécial du 23 décembre 1890.

Ce témoignage émeut tellement Prescott qu'il interrompt plusieurs fois sa lecture, en larmes. Sa vie est transformée : il était adventiste, mais ce jour-là, il rencontre le Christ, son Sauveur. À partir de là, il se joint à Ellen White, Jones et Waggoner pour prêcher le Christ et son amour. Prescott a pris au sérieux le conseil d'avoir du zèle et de se repentir.

La conversion du système éducatif adventiste — 1re partie

Voici je me tiens à la porte et je frappe. Si quelqu'un entend ma voix et ouvre la porte, j'entrerai chez lui, je souperai avec lui et lui avec moi.
Apocalypse 3.20

Nous avons vu hier qu'en décembre 1890, le Christ frappe à la porte du cœur de William W. Prescott. Le jeune éducateur lui ouvre et sa vie est transformée, ainsi que celle d'Uriah Smith. En effet, l'un des résultats de la conversion de Prescott est un ministère qui amène Smith à présenter des excuses publiques et à se réconcilier avec Ellen White.

C'est ainsi que le message du Christ transforme les vies et les remodèle. Dans le cas de Prescott, cette transformation n'affecte pas seulement les individus, mais elle a un puissant impact sur le système éducatif adventiste.

Prescott n'est pas seulement directeur de Battle Creek College, il est aussi président de l'Association de l'éducation adventiste du septième jour, et devient bientôt directeur de Union College et Walla Walla College. En tant que responsable de l'association et des trois universités, sa position lui donne les moyens d'opérer d'importants changements dans le système éducatif adventiste.

Il initie ces changements lors d'un congrès sur l'éducation qu'il organise à Harbor Springs, une petite ville du nord du Michigan, en juillet et août 1891.

Jusque-là, l'éducation adventiste a eu du mal à définir son identité et sa mission. Même si l'Église concevait une éducation spécifiquement chrétienne et souhaitait former ses pasteurs et missionnaires, dès ses débuts à Battle Creek College en 1874, elle n'avait pas réussi à se dégager des schémas de l'enseignement non chrétien et de l'étude du latin et du grec classique. Certaines réformes avaient été tentées, mais étaient restées sans effet.

La situation se débloque avec la conversion de Prescott. Son histoire démontre que Dieu utilise des personnes pour réformer son Église, mais il ne peut le faire qu'avec ceux qui se laissent employer par lui. C'est ici que vous et moi intervenons : Dieu désire prendre notre vie et la modeler de façon à nous utiliser pour toucher autrui et influencer son Église.

Beaucoup d'entre nous pensent n'exercer aucune influence. C'est faux ! Chacun de nous touche d'autres personnes de façon manifeste ou imperceptible chaque jour. Ce sont ces petites interventions qui permettent un jour à de grands changements de se produire.

La conversion du système éducatif adventiste – 2e partie

Que celui qui a des oreilles écoute ce que l'Esprit dit aux Églises !
Apocalypse 3.22

Le Saint-Esprit a beaucoup à apporter à l'Église et à son programme éducatif dans les années 1890. Ellen White, A.T. Jones et E.J. Waggoner portent le message du Christ et de sa justice aux Églises et dans les camps-meetings, et la Conférence générale organise également des sessions annuelles de formation durant lesquelles les pasteurs se réunissent pendant plusieurs semaines pour étudier la Bible et le plan du salut.

Animé d'une nouvelle énergie, Prescott décide d'instituer des formations équivalentes pour les éducateurs adventistes à Harbor Springs pendant l'été 1891. William C. White qualifie cette expérience de renouveau spirituel, enrichi par de nombreux témoignages spontanés. Il précise que chaque journée débute par une présentation de l'épître aux Romains par Jones. Ellen White aborde aussi des sujets tels que la nécessité d'entretenir une relation vivante avec Jésus, le besoin des enseignants présents de vivre un renouveau spirituel, et le rôle central du message chrétien dans l'éducation.

Lors de l'assemblée de la Conférence générale de 1893, Prescott déclare que le congrès de Harbor Springs a marqué un tournant dans l'éducation adventiste. « Si, jusque-là, l'objectif général était d'introduire des éléments religieux dans nos écoles, explique-t-il, depuis cette session de formation, notre œuvre s'est impliquée pratiquement [et non pas théoriquement] dans les cursus scolaires et les stratégies éducatives. »

Avant le congrès de Harbor Springs, l'enseignement biblique occupait une place mineure dans le programme scolaire. Lors de cette convention, on vote une recommandation de quatre heures par semaine d'étude de la Bible pour les étudiants. Plus précisément, les délégués spécifient que « toute la Bible doit être étudiée comme étant l'Évangile du Christ ». Il est également recommandé d'enseigner l'histoire sous la perspective biblique du monde.

Une leçon essentielle se dégage quand nous évoquons les transformations du système éducatif adventiste initiées à Harbor Springs. Quand nous prenons conscience du rôle central du Christ dans notre vie, cela influence tout ce que nous faisons, en tant qu'individus et Église. Si notre salut dépend du Christ, nous avons tout intérêt à bien le connaître.

L'ÉDUCATION ADVENTISTE : L'EXPÉRIENCE D'AVONDALE — 1RE PARTIE

Il est écrit dans les prophètes : Ils seront tous enseignés de Dieu. Quiconque a entendu le Père et reçu son enseignement vient à moi.
Jean 6.45

Le premier pas vers la transformation des écoles adventistes est fait durant le congrès de Harbor Springs sur l'éducation. Le pas suivant est marqué par le départ d'Ellen et William White pour l'Australie en novembre 1891. Ils y restent jusqu'en 1900 et ont l'occasion de collaborer avec des dirigeants très réceptifs à la réforme.

L'un des efforts les plus significatifs de l'adventisme en Australie, dans les années 189, est la fondation de l'École d'Avondale pour les ouvriers chrétiens, connue aujourd'hui sous le nom d'Avondale College. L'Australie a l'avantage d'être hors de portée des dirigeants conservateurs des États-Unis, et c'est un nouveau terrain missionnaire. La jeune Église australienne n'a pas à combattre d'anciennes traditions. Elle pilote par conséquent, durant les années 1890, plusieurs innovations qui auraient été beaucoup plus difficiles à mettre en place aux États-Unis.

L'Église implante à Avondale un nouveau type d'école. À la fin du siècle, Ellen White est si impressionnée qu'elle qualifie Avondale de « leçon, d'école modèle et d'exemple. » — *Life Sketches of Ellen White*, p. 374 ; *Conseils, aux éducateurs, aux parents et aux étudiants,* p. 280. En 1900, elle déclare catégoriquement que « l'école d'Avondale doit être un modèle pour toutes les écoles adventistes. » — Manuscrit n° 92, 1900.

Milton Hook, historien d'Avondale, explique que deux objectifs principaux sont à la base de l'école d'Avondale. Le premier est la conversion et le développement du caractère des étudiants. Une « éducation supérieure », telle qu'elle est définie à Avondale, prépare les personnes à la vie éternelle.

Le second est la formation de jeunes adventistes pour le service chrétien, que ce soit dans l'Église locale comme dans les territoires missionnaires. Ces deux objectifs mettent en évidence une nette démarcation par rapport à l'orientation strictement académique de Battle Creek College et des écoles nées sous son influence.

Nous pouvons encore aujourd'hui nous poser la question : comment évaluons-nous l'éducation chrétienne adventiste ? La seule réponse importante est qu'elle fait une différence dans la vie de nos enfants. Son but premier doit consister à présenter Jésus-Christ comme leur Sauveur et Seigneur, et quand c'est le cas l'éducation adventiste a une valeur inestimable.

L'ÉDUCATION ADVENTISTE : L'EXPÉRIENCE D'AVONDALE – 2E PARTIE

Tous tes fils seront disciples de l'Éternel et grande sera la prospérité de tes fils.
Ésaïe 54.13

Comme nous l'avons vu hier, pendant les années 1890, Ellen White consacre une grande partie de son temps à collaborer activement au développement de l'école d'Avondale en Australie. C'est un établissement modèle dont l'Église pourra appliquer les principes dans d'autres institutions.

Début 1894, elle écrit : « Nos esprits ont été préoccupés nuit et jour concernant nos écoles. Comment seront-elles dirigées ? Quelle éducation et formation recevront nos jeunes ? Où situerons-nous notre école biblique australienne ? Un souci m'a réveillée cette nuit à une heure du matin. Le sujet de l'éducation m'a été présenté à plusieurs reprises, sous différents aspects, avec plusieurs illustrations et j'ai reçu des indications claires. Je crois réellement que nous avons encore beaucoup à apprendre et que nous sommes bien ignorants » au sujet de l'éducation. — *Fundamentals of Education,* p. 310.

Ellen White réfléchit avec beaucoup d'intérêt à la possibilité de créer une institution en Australie, loin de la sphère d'influence de Battle Creek College. Dans son témoignage à ce sujet, elle invite à réfléchir à un nouveau type d'école adventiste, une école biblique qui mette l'accent sur les activités missionnaires et la vie spirituelle. Située dans une région rurale, elle donnerait également aux jeunes une formation pratique et leur enseignerait à travailler.

Après vingt ans d'épreuve et d'erreurs, Ellen White est plus que jamais convaincue du type d'école dont l'Église a besoin. Sa compréhension a évolué en vingt ans ; elle a déjà déclaré explicitement que la Bible doit être au centre de l'enseignement et que les écoles adventistes ne doivent pas suivre le modèle de l'éducation classique. Elle écrit : « Il a fallu beaucoup de temps pour comprendre les changements qu'il fallait effectuer et établir l'éducation sur des bases différentes. » — *Testimonies to the Church*, vol. 6, p. 126, mais le processus de compréhension et d'application de cette vision se développe rapidement entre 1894 et 1899.

Comme nous l'avons souligné souvent ces derniers mois, Dieu conduit son peuple pas à pas. Il ne donne pas toute la compréhension en même temps, mais nous dirige au bon moment vers l'étape suivante. Il en est de même dans le domaine pédagogique. Dans les années 1890, l'adventisme est prêt pour une révolution de l'éducation.

L'ÉDUCATION ADVENTISTE : L'EXPÉRIENCE D'AVONDALE — 3E PARTIE

Tous me connaîtrons, depuis le plus petit jusqu'au plus grand d'entre eux.
Hébreux 8.11

Un aspect de l'expérience de la nouvelle alliance évoquée dans Hébreux 8 concerne l'éducation. Dans cette nouvelle alliance, il est essentiel de connaître Dieu et sa volonté. Sachant cela, ce n'est pas un hasard si la révolution consécutive à Minneapolis, qui commence à transformer la pensée adventiste sur la place du Christ et de la Bible, influence également la philosophie éducative adventiste.

À la lumière de l'expérience d'Avondale, Ellen White écrit : « Les théories humaines ont reçu la priorité » dans l'éducation adventiste jusqu'à maintenant, « et la Parole de Dieu n'était qu'un petit ajout aux études classiques. » — *Fundamentals of Education,* p. 395. Ce modèle doit cesser, écrit-elle « dans nos écoles, la Bible ne doit pas être une pièce rapportée dans le programme éducatif. La Bible doit être la base et la matière de l'éducation. [...] Elle doit être considérée comme la Parole de Dieu, avoir le premier et le dernier mot en tout. Les étudiants développeront un caractère spirituel sain s'ils mangent la chair et boivent le sang du Fils de Dieu. La santé de l'âme décline si l'on ne la nourrit pas et n'en prend pas soin. Restons dans la lumière, étudions la Bible. » — *Ibid.*, p. 474.

« La véritable éducation supérieure est celle qui donne une connaissance expérimentale du plan du salut. Elle s'acquiert en étudiant les Écritures avec sérieux et diligence. Elle renouvelle l'intelligence et transforme le caractère, restaurant l'image de Dieu en l'homme. Elle fortifie l'esprit contre [...] l'adversaire et rend capable d'entendre la voix divine. Elle apprend à coopérer avec Jésus-Christ… La simplicité de la vraie sainteté [est notre] passeport pour passer de l'école préparatoire ici-bas à l'école supérieure du ciel.

Aucune éducation n'est davantage à désirer que celle reçue par les premiers disciples et révélée par la Parole de Dieu. Elle apprend à suivre la Parole de Dieu avec confiance, à marcher dans les pas du Christ, à mettre ses qualités en pratique. Elle incite à se détourner de l'égoïsme et à consacrer sa vie au service de Dieu. » — *Conseils aux éducateurs, aux parents et aux étudiants,* p. 6, 7.

Ce sont là les bases d'une nouvelle éducation pour la vie chrétienne.

L'ÉDUCATION ADVENTISTE : L'EXPÉRIENCE D'AVONDALE — 4E PARTIE

Vous avez-vous-mêmes appris de Dieu à vous aimer les uns les autres.
1 Thessaloniciens 4.9, PDV

Le renouveau spirituel de l'Église et son enseignement conduit, dans les années 1890, à une réforme similaire dans le domaine de l'éducation. Les écoles doivent devenir plus spécifiquement chrétiennes et adventistes qu'auparavant.

Les nombreux témoignages d'Ellen White sur l'éducation durant son séjour en Australie continuent à donner une direction à l'école d'Avondale. Logeant à proximité du campus durant les étapes successives de sa formation, elle peut ainsi participer au développement de l'institution, ce qui est unique dans son expérience. W. W. Prescott, qui a recueilli et édité les manuscrits de *Christian Education* (1893) et *Special Testimonies on Christian Education* (1897), passe plusieurs mois sur le campus au milieu des années 1890. Pendant cette période, il échange avec Ellen White de longues conversations sur l'éducation chrétienne qui leur permettent de mieux comprendre l'implication des témoignages et les moyens de les mettre en pratique. Elle écrit à son fils Edson que Prescott a réussi à lui faire exprimer ses pensées comme son mari le faisait auparavant, et que ces conversations lui permettent de clarifier sa réflexion. « Nous discernions les choses plus clairement. » — Manuscrit n° 62, 1896.

L'expérience d'Avondale contribue à placer la Bible, la spiritualité, la mission et le service au centre de l'éducation adventiste, et encourage à s'implanter autant que possible en région rurale. Battle Creek occupait quelques hectares en périphérie de ville ; la nouvelle institution est établie sur plus de six cents hectares en région rurale, dans l'État de Brettville. Cette situation permet aux étudiants de vivre à l'écart des problèmes de la ville et de rester proches de la nature. Elle fournit l'occasion idéale pour l'enseignement des compétences pratiques du monde du travail. Après Avondale, l'éducation adventiste change définitivement de visage. L'Église dispose désormais d'une grande quantité d'écrits d'Ellen White sur le thème de l'éducation, et d'un modèle réel qu'elle peut reproduire dans divers pays du monde.

Connaissant l'importance de l'éducation dans notre Église, nous qui sommes plus âgés devrions manifester plus d'intérêt à nos jeunes et à nos écoles. Nous devons les soutenir non seulement financièrement, mais également les aider à devenir ce qu'elles peuvent et doivent devenir.

LA CRÉATION D'ÉCOLES PRIMAIRES ADVENTISTES — 1RE PARTIE

Ces paroles que je te donne aujourd'hui seront dans ton cœur.
Tu les inculqueras à tes fils. Deutéronome 6.6,7

L'un des développements les plus satisfaisants de l'éducation adventiste dans les années 1890 est la création d'écoles primaires. Jusqu'au milieu des années 1890, les adventistes ont négligé l'éducation du niveau élémentaire, sauf dans les villes où il existait une université ou une école secondaire. Cela change à la fin de la décennie et depuis, l'Adventisme soutient un important réseau d'écoles primaires.

En 1887 et 1888, la Conférence générale avait résolu de développer les écoles primaires, mais rien n'avait été fait.

En 1897, Ellen White renouvelle l'encouragement à établir des écoles. La situation en Australie l'a sensibilisée à ce sujet. « Dans certains pays, déclare-t-elle, la loi oblige les parents à envoyer leurs enfants à l'école. Dans les villes de ces pays où il existe une Église, il faudrait instituer une école, même pour seulement six enfants. Nous devons travailler comme si notre vie en dépendait, pour sauver les enfants de l'influence polluante et corrompue du monde. Nous sommes très en retard dans cet important domaine. Dans de nombreux endroits, des écoles devraient fonctionner depuis longtemps. » — *Testimonies for the Church*, vol. 6, p. 199.

« Partout où il y a quelques observateurs du sabbat, les parents devraient s'unir pour fonder une école d'église dans laquelle les enfants pourraient être instruits. On devrait employer un enseignant chrétien qui, en tant que missionnaire consacré, éduquerait les enfants de manière à ce qu'à leur tour ils deviennent des missionnaires. » — *Conseils aux éducateurs, aux parents et aux étudiants*, p. 141.

« Les professeurs fourniront un enseignement approfondi dans les matières courantes, et la Bible sera la base de toute étude. » — *Testimonies for the Church*, vol. 6, p. 198.

Ces conseils sont parmi les plus importants et influents de tout son ministère. Pendant les années suivantes, les Églises de plusieurs pays du monde créent des écoles, même pour seulement cinq ou six enfants. Leur avenir et leur salut devient une priorité pour l'adventisme, qui prend très au sérieux sa responsabilité évangélique de préparer ses propres enfants au royaume de Dieu.

Dans cette optique, l'éducation fait partie intégrante de l'évangélisation. C'est une vérité que nous ferions bien de ne pas oublier aujourd'hui.

La création d'écoles primaires adventistes – 2e partie

Je l'ai choisi [Abraham] afin qu'il ordonne à ses fils et à sa famille après lui de garder la voie de l'Éternel en pratiquant la justice et le droit.
Genèse 18.19

L'éducation à la foi a une longue histoire dans le milieu judéo-chrétien. En effet, Dieu choisit Abraham, le père des fidèles, pour son désir d'éduquer sa famille dans les voies et enseignements du Seigneur.

Néanmoins, si le commandement d'éduquer les enfants dans la foi est très ancien dans la Bible, son application dans l'adventisme est tardive. L'Église met plus de cinquante ans, après la grande déception de 1844, avant de développer son système scolaire primaire.

Comme nous l'avons vu, c'est Ellen White qui, depuis la lointaine Australie, recommande aux Églises de créer des écoles, même pour seulement six enfants.

Aux États-Unis, certaines personnes prennent ce conseil à cœur, en particulier Edward Alexander Sutherland et Percy T. Magan, les leaders réformateurs qui transfèrent Battle Creek College à la campagne en 1901. Quelques années plus tard, Sutherland se rappelle en exagérant quelque peu : « À la fin de presque chaque semaine, Magan, mademoiselle DeGraw et moi-même recrutions un enseignant et établissions trois écoles pour le lundi matin. »

Exagération ou non, le nombre d'écoles primaires adventistes monte en flèche à partir de 1895. Observons la courbe : en 1880, l'Église possède une école primaire avec un enseignant et 15 élèves. En 1885, elle a 3 écoles, 5 enseignants et 125 élèves. En 1890, 7 écoles, 15 enseignants et 350 élèves. En 1895, 18 écoles, 35 enseignants et 395 élèves. En 1900, 220 écoles, 250 enseignants et 5 000 élèves. Cette croissance ne s'arrête pas là. En 1910, ces nombres s'élèvent à 594 écoles, 758 enseignants et 13 357 élèves. En 2006, nous en étions à 5 362 écoles, 36 880 enseignants et 861 745 élèves.

Cette expansion des écoles primaires entraîne aussi le développement des écoles secondaires et universités adventistes. Cette croissance provient en partie du besoin accru d'instituteurs adventistes, mais, ce qui est plus important, elle prouve que chaque jeune adventiste devrait recevoir une éducation chrétienne.

Merci, Seigneur, pour notre système éducatif. Aide-moi à faire ma part pour que chaque jeune de mon Église puisse recevoir une éducation qui le prépare pour l'éternité.

L'EXPANSION DE L'ÉDUCATION

Depuis ton enfance, tu connais les écrits sacrés. Ils peuvent te donner la sagesse en vue du salut par la foi en Christ Jésus. 2 Timothée 3.15

On pourrait qualifier les années 1890 de décennie de l'éducation pour l'adventisme. Débutant avec la réforme de Minneapolis et se poursuivant avec la rénovation pédagogique du congrès de Harbor Springs, en 1891, l'expérience d'Avondale et l'expansion des écoles primaires, cette décennie donne à l'adventisme son importante dimension éducative qui le caractérisera tant qu'il existera sur terre.

Nous n'avons pas encore évoqué l'explosion missionnaire des années 1890, qui porte l'adventisme et son système éducatif dans tous les pays du globe, ni exploré l'impact du modèle d'Avondale sur les écoles adventistes du monde.

Un aspect secondaire de cette influence est le désir d'établir les institutions primaires et secondaires en zone rurale. E.A. Sutherland et P.T. Magan transfèrent, par exemple, le petit campus étriqué de Battle Creek College dans les grandes étendues de Berrien Springs, dans le Michigan, où il devient Emmanuel Missionary College. De même, au début du XXe siècle, les directeurs de Healdsburg College déplacent l'institution au sommet de Howell Mountain, où il devient Pacific Union College. Les campus sont donc à l'écart des problèmes des villes (avec les étudiants de Pacific Union College, au début des années 1960, nous plaisantions en disant que l'école était à au moins quinze kilomètres du premier péché connu), et construits sur des terrains de plusieurs hectares.

On essaie de suivre ce modèle dans le monde entier, et l'influence d'Avondale se propage encore aujourd'hui, avec des avantages non négligeables. L'accroissement de la population des villes a fait augmenter le prix des terrains et l'Église possède aujourd'hui des propriétés qu'elle ne pourrait jamais acheter au prix du marché aujourd'hui.

Dieu a conduit son peuple de façon unique et particulière. Quand nous considérons les différents aspects du programme adventiste à travers le monde, nous ne pouvons que le louer pour la façon dont il nous a guidés dans le passé. Nous devons maintenant prier pour avoir la conviction et le courage de suivre ses directives au présent.

Père, aide-nous à être réceptifs et réactifs quand tu nous conduis, comme l'étaient les réformateurs du passé.

Nouvelles valeurs de l'éducation

Si quelqu'un veut être le premier, qu'il soit le dernier de tous et le serviteur de tous.
Marc 9.35

« Nos idées en matière d'éducation sont trop étroites, trop limitées. Il nous faut les élargir et viser plus haut. La véritable éducation implique bien plus que la poursuite de certaines études. Elle implique bien plus qu'une préparation à la vie présente. Elle intéresse l'être tout entier, et toute la durée de l'existence qui s'offre à l'homme. C'est le développement harmonieux des facultés physiques, mentales et spirituelles. Elle prépare l'étudiant à la joie du service qui sera le sien dans ce monde, et à la joie plus grande encore du vaste service qui l'attend dans le monde à venir. » — *Éducation*, p. 13.

C'est sur ces mots que s'ouvre le livre *Éducation* d'Ellen White, l'une de ses contributions les plus importantes. Ce n'est pas un hasard si ce livre sort de presse en 1903. Après une décennie de réflexion et d'écriture sur le thème de l'éducation, elle est prête, à l'aube du nouveau siècle, à publier un livre qui orientera l'Église dans l'un des principaux secteurs de son activité. *Éducation* fournit aux écoles adventistes une philosophie de fonctionnement, et fixe des idéaux éducatifs radicalement différents de ceux de l'époque.

Si l'éducation traditionnelle prépare les jeunes à une vie réussie sur terre, *Éducation,* sans négliger ce but important, suggère qu'il est insuffisant. L'essentiel consiste à les préparer pour vivre l'éternité auprès de Dieu.

Les programmes classiques se concentrent sur le progrès intellectuel des étudiants, *Éducation* vise au développement de la personne dans son ensemble.

Ces programmes placent les jeunes en position avantageuse pour monter dans la société, alors qu'*Éducation* met en avant le service à Dieu et autrui. Le thème du service se retrouve tout au long du livre. Nous lisons à la dernière page : « La plus grande joie, la plus noble éducation que puisse nous apporter notre vie terrestre, si marquée qu'elle soit par le péché, sont de servir. Dans la vie à venir qui ne sera pas limitée ainsi, notre plus grande joie, notre plus noble éducation seront de sservir. » — p. 341.

Le livre *Éducation* renverse les valeurs éducatives traditionnelles et propose une philosophie de vie et d'éducation que nous devons comprendre et vivre. Cette philosophie met en pratique les principes de Celui qui a dit : « Si quelqu'un veut être le premier, qu'il soit le dernier de tous et le serviteur de tous. »

L'ÉVANGÉLISATION PAR L'ÉDUCATION

Dieu créa l'homme à son image, il le créa à l'image de Dieu, homme et femme il les créa. Genèse 1.27

Le livre *Éducation* replace le thème de la pédagogie dans le contexte du grand conflit. À la deuxième page, il définit le rôle de l'éducation adventiste : « Si nous voulons embrasser le champ d'action de l'éducation, nous devons considérer non seulement (1) la nature de l'homme et (2) l'intention de Dieu en le créant, mais aussi (3) le bouleversement qu'entraîna, pour la condition humaine, la connaissance du mal et (4) le plan conçu par Dieu pour éduquer l'homme selon son projet glorieux, malgré cela » (p. 17).

Le livre traite donc de quatre éléments, indiquant que (1) Dieu a créé l'homme à son image, pour qu'il lui ressemble, et que (2) l'être humain possède un potentiel infini.

Il devient ensuite très spécifique et pertinent dans sa description de la situation humaine. « Par sa désobéissance, tout fut perdu. À cause du péché, la ressemblance avec Dieu s'estompa, jusqu'à disparaître presque totalement. Les capacités physiques de l'homme s'affaiblirent, ses facultés intellectuelles s'amoindrirent, sa vision spirituelle se voila. Il était devenu mortel. Cependant sa race n'était pas abandonnée au désespoir. Dans l'infini de son amour et de sa miséricorde, Dieu avait conçu le plan du salut et accordé à l'homme une seconde chance. Restaurer en l'homme l'image de son créateur, le rendre à la perfection pour laquelle il avait été créé, assurer le développement de son corps, de sa pensée, de son âme, pour que le plan divin de la création soit réalisé, devaient être l'œuvre de la rédemption. C'est le but de l'éducation, l'objet grandiose de la vie. » — p. 17, 18.

Un peu plus loin, Ellen White est encore plus précise : « Il n'y a qu'une puissance : celle du Christ. Le plus grand besoin de l'homme est de coopérer avec cette puissance. Ne devons-nous pas considérer que cette coopération est l'objectif suprême de tout effort d'éducation ? [...] Éducation et rédemption sont une seule et même chose. » Le premier effort et le but constant de l'enseignant est de présenter aux étudiants Jésus et ses principes. — p. 34, 35.

En tenant compte de cela, il n'est pas étonnant que les adventistes fassent des sacrifices pour soutenir l'éducation chrétienne de leurs enfants et de ceux des autres. Ils reconnaissent que l'éducation fait réellement partie de l'évangélisation.

L'EXPLOSION MISSIONNAIRE PROTESTANTE

Cette bonne nouvelle du royaume sera prêchée dans le monde entier pour servir de témoignage à toutes les nations. Alors viendra la fin.
Matthieu 24.14

La mission mondiale est au cœur du protestantisme du XIXe siècle. Le mouvement missionnaire moderne débute en 1792 quand William Carey publie *An Enquiry into the Obligation of Christians to Use Means for the Conversion of the Heathens* [Enquête sur le devoir des chrétiens d'employer des moyens pour convertir les païens].

Cela ne nous semble peut-être pas révolutionnaire, mais ça l'était pourtant en 1792. L'année suivante, la première société missionnaire est créée pour envoyer des missionnaires à l'étranger. Carey part en Inde où il travaille sept ans sans convertir un seul Indien.

Pourtant, si ses efforts démarrent très lentement, ils s'enracinent solidement. À sa mort en 1834, Carey a établi une forte église chrétienne en Inde et a également parrainé le mouvement missionnaire moderne qui portera le protestantisme dans le monde entier. La première grande vague missionnaire protestante dans le monde voit un pic en 1830, mais elle ne s'arrête pas là et augmente en magnitude pendant la deuxième moitié du siècle. Kenneth Scott Latourette appelle le XIXe siècle « le grand siècle » de la mission protestante, et Sydney Ahlstrom, éminent étudiant de l'histoire de l'Église américaine écrit : « Les deux dernières décennies du XIXe siècle ont vu la phase culminante du mouvement missionnaire, dans le protestantisme américain. »

L'un des principaux instruments est le Mouvement Étudiant Volontaire pour la Mission à l'Étranger (*Student Volunteer Movement for Foreign Mission*), qui est institué en 1886, suite à un appel de l'évangéliste Dwight Moody adressé aux étudiants universitaires, pour qu'ils consacrent leur vie au service missionnaire. La devise de ce mouvement est : « Évangéliser le monde pendant cette génération. »

Ernest R. Sandeen déclare : « Ce mouvement a suscité le plus grand intérêt envers la mission, connu aux États-Unis. » En conséquence, les protestants américains commencent à considérer les pays tels que l'Afrique, la Chine et le Japon comme leurs provinces spirituelles.

Ce mouvement ne laisse pas les adventistes en arrière. Dieu a ouvert le chemin avec l'initiative protestante, et l'Adventisme porte rapidement le message des trois anges à « toute nation, tribu, langue et peuple ».

L'EXPLOSION MISSIONNAIRE ADVENTISTE — 1RE PARTIE

Je vis un autre ange qui volait au milieu du ciel ; il avait un Évangile éternel, pour l'annoncer aux habitants de la terre à toute nation, tribu, langue et peuple. Apocalypse 14.6

Il faut reconnaître qu'à ses débuts, l'adventisme n'était pas orienté vers la mission. Au contraire, on pourrait même qualifier les premières années d'anti-missionnaires.

Entre 1844 et 1850, la théorie de la porte fermée fait croire aux adventistes qu'ils sont appelés à ne prêcher qu'aux Millérites des années 1840.

Quel manque de clairvoyance ! C'est vrai, mais cette étape du développement de l'adventisme était pourtant nécessaire. Pendant cette première période (1844-1850), l'établissement des bases doctrinales laissait peu de ressources potentiellement utilisables pour la mission. En d'autres termes, il fallait d'abord déterminer un message clair, avant de pouvoir transmettre ce message.

La deuxième étape missionnaire (1850-1874) se limite à l'Amérique du Nord, et c'est également une étape indispensable au progrès de la mission adventiste. Ces années permettent l'établissement aux États-Unis d'une base forte qui sera ensuite capable de soutenir les projets missionnaires à l'étranger.

La troisième période (1874-1898) est celle de la mission vers les pays chrétiens. Les adventistes envoient leur premier missionnaire officiel en Suisse pour inviter les chrétiens à quitter Babylone. Même si des missionnaires partent aussi en Australie et en Afrique du Sud, ils s'adressent en premier lieu aux populations chrétiennes de ces pays. Bien qu'encore limitée, cette phase sert à établir des plateformes supplémentaires dans les différents pays du monde. Par conséquent, ces nations sont prêtes à envoyer leurs propres missionnaires pour la quatrième étape qui débute en 1890. C'est la phase missionnaire à proprement parler, celle qui s'adresse à tous les peuples du monde.

Pas à pas, sans que les adventistes soient conscients de ce qui se mettait en place dans le développement général de la mission adventiste, Dieu donnait à son Église la possibilité de tirer profit de l'élan missionnaire protestant qui avait démarré à la fin du XIXe siècle.

Dieu nous guide, même quand nous n'en sommes pas conscients.

L'EXPLOSION MISSIONNAIRE ADVENTISTE – 2E PARTIE

Il faut que tu prophétises de nouveau sur beaucoup de peuples, de nations, de langues de rois. Apocalypse 10.11

Pour la perspective de l'histoire adventiste, les années 1890 sont le moment idéal pour que la mission protestante porte l'Évangile aux extrémités du monde. Comme nous l'avons vu hier, le développement en trois phases de la mission adventiste a permis à l'Église de tirer profit des nouvelles impulsions de la communauté chrétienne élargie.

De plus, les adventistes publient leur premier livre sur la mission étrangère – *Historial Sketches of the Foreign Mission of the Seventh-day Adventists* [Aperçu historique de la mission adventiste à l'étranger] – en 1886, l'année même où Moody fait démarrer le Mouvement Étudiant Volontaire.

Début 1889, l'Église envoie S.N. Haskell et P.T. Magan pour un voyage autour du monde de deux ans, afin d'évaluer les opportunités, les obstacles, et les sites missionnaires envisageables en Afrique, en Inde et en Orient. Ils fournissent un compte rendu détaillé de leur voyage dans *Youth Instructor* (le précurseur du journal *Insight*, destiné aux jeunes). Ainsi, la mission et le service missionnaire commencent à pénétrer la mentalité des jeunes adventistes, tout comme le Mouvement étudiant influence des milliers de jeunes dans le monde protestant.

En novembre 1889, la Conférence générale fait un pas considérable en avant, avec la création du Comité adventiste des missions à l'étranger, afin de « superviser le travail missionnaire de l'Église à l'étranger ». La même année, l'Église publie *Home Missionary* [Missionnaire chez soi] un périodique visant à promouvoir les différents aspects du service missionnaire.

La création du Comité adventiste des missions est plus que symbolique. Elle prouve que l'adventisme est enfin prêt à prendre au sérieux son mandat missionnaire. Les adventistes ne seront plus jamais en retard dans le domaine de la mission. Au contraire, ils se font rapidement connaître pour leurs efforts dans la propagation du message des trois anges dans le monde entier, et pour les maisons d'édition et institutions médicales et éducatives qu'ils implantent partout.

Seigneur, nous apprécions l'importance du message que tu as chargé ton Église d'annoncer. Aide-nous à soutenir l'évangélisation par nos prières, nos finances et notre vie, si tu nous appelles.

LES ÉCOLES MISSIONNAIRES

Comment donc invoqueront-ils celui en qui ils n'ont pas cru ?
Romains 10.14

C'est une bonne question. Dès 1890, le protestantisme et l'adventisme en particulier commencent à prendre des initiatives sans précédent pour faire connaître les enseignements bibliques, fondements de la foi.

L'établissement d'instituts missionnaires bibliques fait partie de la préparation pour la mission à l'étranger. Ils ont pour objectif la formation d'un maximum de missionnaires en un minimum de temps, pour fonctionner sur place et à l'étranger. Ils se concentrent sur la formation pratique et la connaissance biblique. La première de ces écoles est créée en 1883, c'est l'Université de formation pour les missionnaires et évangélistes à l'étranger.

Les essors missionnaire et éducatif de l'adventisme sont simultanés, ce qui contribue directement à l'expansion des écoles. L'Église attend de ses institutions éducatives qu'elles forment du personnel pour le développement du programme mondial.

John H. Kellogg est apparemment le premier adventiste qui fonde une école missionnaire, avec le Sanitarium Training School for Medical Missionaries [École de formation pour les missionnaires médicaux] en 1889, suivi par American Medical Missionary College [Université médicale missionnaire américaine] en 1895.

Entre temps, l'École d'ouvriers chrétiens d'Avondale (1894), les écoles de formations fondées par Sutherland et Magan et les universités missionnaires adventistes (dont Washington Missionary College, Emmanuel Missionary College, Southern Missionary College et College of Medical Evangelists à Loma Linda) commencent à remplir le paysage adventiste – avec les mêmes objectifs que les institutions protestantes.

Les progrès missionnaires impactent la croissance éducative adventiste dans deux domaines. Tout d'abord, le nombre d'écoles et d'étudiants augmente rapidement en Amérique du Nord. Ensuite, les adventistes commencent à créer des écoles dans le monde entier pour que l'Église puisse former ses ouvriers sur leur propre territoire. Ainsi, en 1900, les institutions ont explosé numériquement et le système est devenu international.

L'orientation missionnaire des écoles adventistes en 1890 est évidente. Aujourd'hui, nous devons relever le défi de maintenir la priorité de cet objectif dans nos écoles, à tous les niveaux. La nature de la mission a subi une mutation durant le siècle passé, mais la nécessité de faire connaître au monde l'espérance en Jésus demeure.

L'ADVENTISME SE RÉPAND — 1RE PARTIE LA RUSSIE

Et comment croiront-ils en celui dont ils n'ont pas entendu parler ?
Romains 10.14

Dieu emploie parfois d'étranges moyens pour permettre aux gens d'entendre sa Parole. C'est le cas pour l'introduction de l'adventisme en Russie. Comme dans beaucoup de pays du monde, ce sont les immigrés convertis aux États-Unis qui initient le début de l'adventisme en Russie. Désirant partager leur foi, ils envoient souvent des prospectus à leurs familles et amis restés au pays.

En 1882, en Crimée, un voisin de Gerhardt Perk lui confie qu'il a reçu en 1879 des États-Unis de la littérature intéressante mais dangereuse. Perk insiste beaucoup pour que son voisin lui prête le livre de J.N. Andrews, *Le message du troisième ange*. Il le lit en secret et écrit aux éditeurs américains pour demander un complément d'information. Bientôt, il est convaincu par les doctrines adventistes, mais hésite encore à observer le sabbat.

Il devient alors membre de la Société biblique britannique et étrangère. Alors qu'il se déplace dans le pays pour vendre ses livres, Perk échappe à plusieurs reprises à des accidents, selon lui de façon miraculeuse. Il acquiert alors la conviction que s'il s'attend à la protection divine, il doit de son côté vivre conformément à toute la vérité biblique qu'il connaît. Il vend donc la littérature adventiste en même temps que les Bibles.

Perk n'est pas le seul à répandre la doctrine adventiste dans le sud de la Russie. Un Germano-russe converti dans le Dakota du Sud évangélise lui aussi. Bien qu'âgé de quatre-vingts ans, gêné par un défaut de prononciation et démuni financièrement, il retourne en Russie pour partager sa foi, vendant même ses bottes pour payer une partie du voyage.

Le moins qu'on puisse dire est que cet homme est créatif. Prétextant une mauvaise vue, il entre dans un village, va sur la place centrale et demande aux gens de lire pour lui. Quand le lecteur manifeste de l'intérêt, il lui donne le livre.

Cette distribution de littérature est illégale en Russie, mais quand le prêtre local veut le faire arrêter, la population lui jette des pierres, choquée qu'il prétende que ce vieillard presque aveugle est dangereux. « L'inoffensif vieil homme » évangélise ainsi pendant un an et demi.

L'adventisme s'implante ainsi en Russie, prouvant que Dieu peut utiliser les personnes et les méthodes les plus improbables pour transmettre la vérité biblique. Il peut donc probablement employer chacun de nous.

L'ADVENTISME SE RÉPAND — 2E PARTIE LA RUSSIE

Et comment entendront-ils parler de lui sans prédicateurs ?
Romains 10.14

Mais il y a des prédicateurs ! L'un des plus connu est L.R. Conradi, un Allemand émigré en Amérique où il entend le message adventiste. En 1886, il retourne en Europe en tant que pasteur.

Presque immédiatement, Gerhardt Perk lui demande de venir en Russie. Comme les pasteurs ne sont pas autorisés à entrer dans le pays, Conradi qui a travaillé quelques temps à la maison d'édition *Review and Herald* de Battle Creek se déclare imprimeur.

Cependant, quelle que soit sa prétendue profession, dès qu'il arrive en Russie, Conradi commence à prêcher ouvertement le message adventiste. Avec Perk, il convertit une cinquantaine de personnes au sabbat et les églises baptistes et luthériennes les accueillent à bras ouverts. Dans d'autres endroits, les deux adventistes sont accueillis à coups de pierres, en particulier quand ils présentent le sabbat.

Pourtant, dans toutes ses activités, Conradi enfreint la loi russe qui interdit la prédication et le prosélytisme. Tout se passe bien jusqu'à ce qu'ils arrivent à Berde Bulat, où ils établissent une église et organisent des baptêmes publics dans la Mer Noire. Les curieux se massent sur les toits pour observer ce spectacle inhabituel.

C'est inacceptable pour les autorités locales. Elles arrêtent Conradi et Perk, les accusant d'enseignement d'hérésie juive, de baptême public et de prosélytisme. Pendant quarante jours, les deux hommes sont retenus dans une cellule exiguë, reçoivent peu de nourriture et sont menacés. L'ambassade américaine à Saint Petersburg finit par obtenir leur libération.

Que font-ils alors ? Ils continuent à prêcher le message adventiste dans ce milieu hostile pour l'évangélisation.

Conradi finit par se rendre en Allemagne où il dirigera l'Église pendant trente-cinq ans.

En Russie, d'autres émigrés adventistes reviennent prêcher le message qu'ils aiment. Certains sont envoyés en Sibérie, mais c'est grâce à de tels sacrifices que l'adventisme s'implante et croît en Russie.

Seigneur, la plupart d'entre nous vit aujourd'hui dans la facilité. Aide-nous à nous rappeler les sacrifices de ceux qui nous ont précédés pour annoncer le message des trois anges.

L'Adventisme se répand — 3e partie Les îles du Pacifique

Et comment y aura-t-il des prédicateurs s'ils ne sont pas envoyés ?
Romains 10.15

Certains partent même sans être envoyés. Parmi eux, John Tay, constructeur de charpentes de bateaux, qui a longtemps rêvé de visiter l'île de Pitcairn où les tristement célèbres mutinés du Bounty se sont installés en 1790. Voyageant avec six bateaux, Tay arrive finalement à Pitcairn en 1886.

Dix ans auparavant, James White et John Loughborough qui avaient entendu parler de l'île avaient envoyé une caisse de livres adventistes, espérant que les habitants les liraient, mais personne n'y avait touché et la caisse était restée dans un entrepôt pendant dix ans. Finalement, quelques jeunes la trouvèrent et apprirent à leur grande surprise que le sabbat était le véritable jour du repos. Pourtant, malgré leur conviction, ils hésitaient à changer leurs habitudes.

C'est alors que Tay débarque sur l'île et demande la permission de rester jusqu'à l'arrivée du prochain bateau. On lui demande de prêcher le premier dimanche qu'il passe sur l'île, et ce « missionnaire spontané » parle du sabbat. Certains sont convaincus ; d'autres restent dubitatifs mais tous finissent par croire, grâce à l'étude biblique de Tay. Quand il quitte l'île cinq semaines plus tard, tous les habitants adultes ont accepté les doctrines adventistes.

La nouvelle enthousiasmante de la conversion des habitants de Pitcairn inspire les adventistes aux États-Unis. Elle est pour eux un signe de Dieu, indiquant qu'il est temps de démarrer l'œuvre dans le Pacifique Sud.

Mais comment faire ? Les liaisons par bateau à vapeur sont très irrégulières, ce qui pose un problème. La session de la Conférence générale de 1887 vote donc de débloquer 20 000 dollars pour acheter ou construire un bateau, mais cela ne se fait pas. Du moins pas encore.

Espérant agir rapidement, l'Église envoie Tay à Pitcairn pour fortifier les nouveaux convertis, mais après plusieurs tentatives, il revient à San Francisco sans avoir réussi à trouver un bateau pour rejoindre l'île isolée. L'expérience de A.J. Chudney, envoyé lui aussi à Pitcairn, est désastreuse. Ne trouvant aucun bateau pour partir, il finit par en acheter un à très bas prix. Malheureusement, le bateau fait naufrage dans le Pacifique avec tous ses passagers.

Cette catastrophe ramène les dirigeants à l'idée de construire leur propre bateau missionnaire.

L'Adventisme se répand – 4e partie
Les îles du Pacifique

Qu'on rende gloire à l'Éternel et que dans les îles on publie sa louange.
Ésaïe 42.12

La disparition tragique de Chudney et la frustration de Tay, incapable de trouver un bateau pour rejoindre Pitcairn réoriente la Conférence générale vers l'idée d'acquérir un bateau pour naviguer en sécurité vers les nombreuses îles du Pacifique.

Ce projet d'achat d'un bateau missionnaire suscite un grand enthousiasme dans toutes les Écoles du sabbat aux États-Unis. Les adultes apportent de l'argent et les enfants vendent des gâteaux qu'ils ont confectionnés pour participer à l'achat des planches, des clous et de la toile.

Les membres de l'École du sabbat sont aussi invités à choisir un nom pour le bateau. Certains suggèrent « Bonne nouvelle » mais d'autres décident finalement de lui donner le nom de l'île qui a suscité le projet. Les adventistes baptisent donc leur premier bateau missionnaire « *Pitcairn* ».

En octobre 1890, la goélette à deux mâts de trente mètres et cent vingt tonnes lève l'ancre, avec un équipage de sept personnes et trois couples de missionnaires. Pitcairn est justement la première escale, où E.H. Gates et A.J. Read baptisent quatre-vingt-deux insulaires et organisent une église.

Plusieurs semaines plus tard, le bateau missionnaire rejoint Tahiti, Rarotonga et les îles Samoa, Fidji et Norfolk. Chaque fois, les missionnaires tiennent des conférences, distribuent des livres et éveillent l'intérêt des habitants.

Après deux ans, le bateau missionnaire retourne à San Francisco. Ce voyage a été très fructueux, mais a coûté des vies humaines. John Tay qui est resté à Fidji pour établir la mission adventiste décède après cinq mois seulement. Le capitaine J.O. Marsh meurt pendant que son bateau est en réparation en Nouvelle Zélande.

L'œuvre se poursuit néanmoins. Le *Pitcairn* effectue six voyages entre 1890 et 1900. À ce moment là, les liaisons en bateau à vapeur sont assez fréquentes et l'Église n'a plus besoin de son bateau.

Pendant ces dix années, l'Église s'est établie dans les îles du Pacifique. Les aventures de l'intrépide *Pitcairn* sensibilisent les adventistes à la mission et ils se montrent plus généreux pour cet objectif que pour n'importe quel autre.

L'ADVENTISME SE RÉPAND — 5E PARTIE L'AFRIQUE DU SUD

Amassez des trésors dans le ciel. Matthieu 6. 20

Certains chercheurs de trésors trouvent plus que ce qu'ils espéraient. C'est le cas de William Hunt, chercheur d'or en Californie pendant les années 1870, qui accepte le sabbat grâce à John Loughborough.

Plusieurs années plus tard, Hunt qui cherche maintenant de diamants en Afrique du Sud rencontre deux fermiers néerlandais qui ont compris seuls, grâce à leur étude de la Bible, que le samedi, septième jour, est le vrai sabbat. Cette rencontre semble être le fruit du hasard, mais les yeux de la foi y voient la providence. George Van Druten croise Hunt lors d'une promenade, un samedi après-midi. Il s'étonne que le prospecteur ne cherche pas les précieuses pierres, mais lise sa Bible. Ainsi, deux observateurs du sabbat se rencontrent, dans les champs de diamants d'Afrique du Sud.

Hunt met Van Druten et un autre observateur indépendant du sabbat, appelé Pieter Wessels, en contact avec les adventistes des États-Unis. Les deux Sud-Africains envoient immédiatement un appel pour un missionnaire néerlandophone. Ils accompagnent leur demande de la consistante somme de 50 livres (presque un an de salaire d'un ouvrier) pour financer le voyage.

Lors de l'assemblée de la Conférence générale de 1888, quelqu'un lit leur « appel de Macédoine ». Les délégués sont si émus qu'ils se lèvent spontanément pour chanter la doxologie. Au mois de juillet suivant, un groupe de sept missionnaires dirigé par D.A. Robinson part pour la ville du Cap. Entre temps, les Sud-Africains ont constitué eux-mêmes un groupe de quarante croyants.

La mission sud-africaine progresse considérablement après la découverte de diamants dans la propriété de Johannes Wessels, le père de Pieter. Devenu millionnaire du jour au lendemain, Johannes Wessels investit pratiquement la totalité de sa nouvelle fortune dans le programme missionnaire d'Afrique du Sud. Bientôt, la jeune église possède une maison d'édition, une université, un sanatorium et d'autres institutions.

On pourrait croire que le hasard a permis à deux des rares observateurs du sabbat de se rencontrer au milieu d'un champ de diamants. Dieu conduisait son peuple et la bonne nouvelle, c'est qu'il le fait encore aujourd'hui.

L'Adventisme se répand — 6e partie La Rhodésie

Leur voix est allée par toute la terre, et leurs paroles jusqu'aux extrémités du monde. Romain 10.18

C'est une chose d'être missionnaire parmi les émigrés européens en Afrique du Sud, c'en est une autre de porter le message adventistes aux indigènes du grand continent africain. Le premier pas de cette mission est fait en Rhodésie (actuellement le Zimbabwe).

En 1894, sur la demande pressante de la famille Wessels, la Conférence générale décide d'essayer d'obtenir une station missionnaire à Matabeland, au nord de l'Afrique du Sud. Les Anglais viennent d'écraser la puissante tribu Matabele.

Ce territoire, appelé Rhodésie du nom de Cecil Rhodes, constructeur d'empire et premier de la colonie de la ville du Cap en Afrique du Sud, est encore vierge de l'influence européenne. Après une rencontre avec Rhodes qui leur semblait peu concluante, A. T. Robinson et Pieter Wessels reçoivent une enveloppe scellée. À leur grande surprise, les adventistes découvrent qu'on leur destine un territoire de 5 000 hectares près de la ville de Bulawayo.

L'obtention du territoire est la partie la plus facile du développement de ce qui deviendra la mission Solusi. Le premier obstacle provient des États-Unis, quand A. T. Jones attaque ceux qui acceptent les faveurs du gouvernement, brouillant ainsi la transparence du lien entre l'Église et l'État. Selon Jones et d'autres rédacteurs de la *Sentinel of Religious Liberty* [Sentinelle de la liberté religieuse], les missionnaires « se sont vendus pour un plat de potage africain ». Si l'Église n'a pas une attitude cohérente, avertit Jones, cela viendra aux oreilles de ses détracteurs et affaiblira l'argument des adventistes contre ceux qui veulent christianiser l'Amérique grâce à des initiatives comme la loi du dimanche. L'influent Jones réussit même à faire voter, lors de l'assemblée de la Conférence générale de 1895, de refuser le don en raison de la séparation de l'Église et de l'État.

De son côté, Ellen White écrit depuis la lointaine Australie aux dirigeants de la Conférence générale, recommandant à Jones et aux autres de relire le livre de Néhémie. « Le Seigneur, écrit-elle, touche encore le cœur des gouvernements en faveur de son peuple, et il est de la responsabilité de ceux qui sont si attachés à la liberté religieuse de ne pas refuser ces faveurs, ni de se priver de l'aide que Dieu leur donne par l'intermédiaire des hommes, pour l'avancement de sa cause. » — Lettre n° 11, 1895.

L'Adventisme se répand — 7e partie La Rhodésie

J'ai été trouvé par ceux qui ne me cherchaient pas, je me suis manifesté à ceux qui ne m'interrogeaient pas. Romains 10.20

Dans sa Lettre n° 11, 1895, Ellen White cite Néhémie qui prie pour demander de l'aide à Dieu, et Dieu qui « touche le cœur des gouvernements en faveur de son peuple ». La Conférence générale décide alors d'accepter le don de Solusi. Cet obstacle à la mission est donc surmonté.

La situation politique reste pourtant identique. Peu après l'arrivée des missionnaires, la tribu Matabele récemment conquise se rebelle contre les Anglais, contraignant les missionnaires à se retirer pendant cinq mois. Comme si cela ne suffisait pas, peu après leur retour, la famine sévit parmi la population et une épidémie de peste du bétail tue les quelques animaux de la mission qui avaient survécu à la récente guerre.

La mission doit aussi faire face à un autre problème : la malaria. Je me souviens du petit cimetière qui se trouve à côté de ce qui est aujourd'hui l'Université Solusi. Presque tous les premiers missionnaires sont décédés, parce qu'ils ont refusé de prendre de la quinine, le seul remède préventif de la malaria dans les années 1890.

Pourquoi n'ont-ils pas pris ce médicament qui pouvait sauver leur vie ? Comprenant mal le contexte des mises en garde d'Ellen White contre les drogues et substances nocives, ils refusaient catégoriquement le seul remède utile pour eux. Ils restèrent de « fidèles réformateurs de santé », jusqu'à en mourir.

Des sept missionnaires arrivés en 1894, seulement trois ont survécu en 1898, et deux d'entre eux sont hospitalisés à la Ville du Cap, atteints de malaria.

Le seul missionnaire survivant est « l'infidèle ». Il a pris de la quinine, pensant qu'il vaut mieux prendre une drogue plutôt que de risquer une maladie mortelle. Il fait ainsi preuve du bon sens qu'Ellen White recommande toujours dans les situations délicates. Il peut par conséquent continuer à servir et témoigner à la mission de Solusi.

En 2007, cette région de l'extrême sud africain comptait plus de cinq millions de croyants baptisés, dans les trois divisions de ce continent.

Nous apprenons plusieurs leçons de l'expérience de Solusi. L'une des principales est que Dieu conduit encore son Église, malgré les personnes imparfaites qu'il choisit d'employer dans son œuvre.

Seigneur, nous vivons dans un monde complexe. Dans nos luttes, aide-nous à garder ouverts à la fois les yeux de notre intelligence et ceux de la foi.

L'Adventisme se répand — 8e partie L'Amérique du Sud

Ainsi la foi vient de ce qu'on entend et ce qu'on entend vient de la parole de Christ. Romains 10.17

Il existe de nombreuses façons d'entendre le message adventiste. C'est la leçon que nous enseigne l'entrée de l'adventisme dans le monde tropical des Caraïbes.

Tout commence en 1883 quand un adventiste de New York persuade le capitaine d'un bateau de livrer une caisse de publications et prospectus à Georgetown, en Guyane britannique. Le mode de livraison du capitaine laisse beaucoup à désirer, mais il l'effectue tout de même. Il balance le colis sur le quai et estime avoir ainsi rempli sa mission. Un passant ramasse les papiers qui commencent à s'éparpiller. Il les lit et les partage même avec ses voisins.

Plusieurs d'entre eux commencent à observer le sabbat, et une femme envoie quelques exemplaires de *Signs of the Times* [Signes des temps] rescapés à sa sœur à la Barbade. Là-bas, ils parviennent entre les mains d'une autre femme qui avait prédit à ses enfants, quelques années auparavant, que le véritable sabbat serait restauré.

Entre temps, de l'autre côté des Caraïbes, Madame E. Gauterau qui s'est convertie à l'adventisme en Californie, revient en 1885 dans son pays natal, les Îles de la baie, un archipel hondurien. Elle partage sa foi et au bout de six ans, l'Église envoie Franck Hutchins pour s'occuper des personnes qu'elle a influencées. Dans l'esprit de Pitcairn, les Écoles du sabbat recueillent des fonds pour construire un bateau missionnaire, *The Herald* [Le messager] pour porter le message adventiste le long de la côte d'Amérique centrale.

À Antigua, Madame A. Roskrug qui a accepté l'adventisme en Angleterre commence à planter les semences d'une église lorsqu'elle retourne dans son île natale en 1888. Bientôt, un livre vendu à Antigua parvient en Jamaïque.

Le message adventiste s'implante au Mexique en 1891 quand un tailleur italo-américain devient colporteur. Ne disposant d'aucune littérature en espagnol, il diffuse des exemplaires de *La tragédie des siècles* en anglais.

Il ressort de ces expériences que Dieu peut utiliser n'importe quelle personne ou méthode pour transmettre son message. Il peut également nous utiliser si nous l'acceptons.

L'ADVENTISME SE RÉPAND — 9E PARTIE L'AMÉRIQUE DU SUD

Comme le père m'a envoyé, moi aussi je vous envoie. Jean 20.21

Parmi les premiers missionnaires, beaucoup n'ont pas le soutien d'une « organisation ». Le plus souvent, l'Esprit les pousse à partir sans recevoir aucun financement. C'est le cas en Amérique du Sud.

Fait intéressant, bien que les langues parlées sur ce continent soient l'espagnol et le portugais, les premiers membres se convertissent grâce à des immigrés en Argentine, au Brésil ou au Chili, parlant le français ou l'allemand.

Les premiers adventistes qui arrivent en Amérique du Sud sont Claudio et Antonieta de Dessignet qui ont accepté l'Adventisme en France grâce à D.T. Bourdeau, et ont émigré au Chili en 1885.

Environ à la même époque, deux familles de régions différentes d'Argentine découvrent l'Adventisme grâce à des périodiques qu'ils reçoivent depuis l'Europe. Dans le nord de l'Argentine, un couple d'Italiens, les Peverini, lisent un article qui tourne en dérision le journal *Signs of the Times* [Signes des Temps] qui annonce la fin du monde. Madame Peverini parvient à se procurer un exemplaire du journal adventiste par l'intermédiaire de son frère en Italie, et ils acceptent la foi adventiste. Plus au sud, Jules et Ida Dupertuis qui vivent dans une colonie franco-suisse vivent la même expérience.

La famille Dupertuis ne se contente pas d'adopter la croyance adventiste, elle convainc également plusieurs familles de la colonie de la vérité de ce qu'ils découvrent. Vers 1889, ils contactent les Adventistes de Battle Creek. Leurs questions poussent les dirigeants de l'Église à envisager d'implanter une mission en Amérique du Sud, mais ils ne savent pas où trouver les fonds nécessaires. Le problème reste toujours le même. Et sa solution est aussi toujours la même : l'Association de l'École du sabbat. L'Association prend le projet à cœur et pendant la deuxième moitié des années 1890, elle consacre les fonds recueillis à la mission sud-américaine.

Dieu agit parfois de façon inattendue. Il emploie des personnes humbles et sans formation pour le ministère, pour transmettre sa vérité dans la discrétion. Cela s'est vérifié dans le passé, c'est encore vrai aujourd'hui quand nous ouvrons notre cœur et notre vie à son Esprit.

L'ADVENTISME SE RÉPAND — 10E PARTIE
L'AMÉRIQUE DU SUD

Dieu [...] avait ouvert aux païens la porte de la foi. Actes 14.27

Nous avons vu hier qu'à partir de 1895, l'Association de l'École du sabbat consacre ses offrandes à l'implantation de la mission en Amérique du Sud.

Arrêtons-nous ici un instant. La plupart d'entre nous avons déjà participé aux offrandes de l'École du sabbat pour les missions, mais peu savent comment tout cela a démarré.

L'École du sabbat organise son premier don pour les missions en 1885 quand l'Église s'établit en Australie. Les offrandes pour les missions ne soulèvent pas un grand enthousiasme jusqu'au projet du *Pitcairn* en 1889 et 1890. À partir de là, l'École du sabbat ne sera plus jamais la même. Elle soutient activement la mission mondiale et son deuxième grand projet sera la mission en Amérique latine dès 1890. Depuis, l'École du sabbat soutient financièrement la mission dans le monde entier.

Mais revenons à l'Amérique du Sud. En 1890, avant que l'Église puisse financer un missionnaire, George Riffel part avec quatre familles de fermiers germano-russes du Kansas en tant que missionnaires indépendants en Argentine. Auparavant, alors qu'il venait de se convertir à l'adventisme, Riffel avait écrit aux colons germano-russes du pays pour leur parler de sa nouvelle foi. L'un d'eux avait répondu qu'il observerait le sabbat si quelqu'un l'observait avec lui. Cela avait suffit pour lui faire décider de changer de vie.

Fin 1891, l'Église envoie ses premiers missionnaires « officiels » en Amérique latine. Aucun de ces trois colporteurs ne parle l'espagnol ni le portugais. Ils vendent donc des livres en anglais ou en allemand à une population qui parle une autre langue.

Les appels de la famille Dupertuis, les rapports des colporteurs et les demandes de Riffel poussent la Conférence générale à envoyer en 1894 F.H. Westphal pour superviser la mission en Argentine, Uruguay, Paraguay et au Brésil. Westphal passe vingt ans à travailler dans ces pays ainsi qu'au Chili.

De petites idées ont donné de grands résultats, et d'humbles laïcs partageant des livres ont beaucoup contribué à répandre l'adventisme dans le monde entier. Nous pouvons tous participer à ce genre d'initiative.

L'ADVENTISME SE RÉPAND — 11^E PARTIE
L'INDE

Allez chez tous les peuples pour que les gens deviennent mes disciples.
Matthieu 28.19

Comme dans beaucoup d'autres endroits, des colporteurs commencent très tôt à diffuser le message adventiste en Inde. William Lenker et A.T. Stroup arrivent à Madras en 1893 et vendent des livres aux habitants anglophones des plus grandes villes indiennes.

Lenker et Stroup ne sont pas les premiers adventistes dans le pays. Alors qu'à Londres, il se préparait à partir pour l'Inde, Lenker avait appris à sa grande joie que des croyants adventistes y vivaient déjà. « Je me réjouis en apprenant que la vérité était déjà parvenue en Inde et avait été accueillie de façon encourageante », dit-il.

On ne sait pas comment le message adventiste est arrivé en Inde ; c'est probablement grâce à des prospectus envoyés d'Amérique, d'Europe ou d'Australie. Ces messagers silencieux ont contribué plus que tout à la propagation des enseignements adventistes vers « toute nation, tribu, langue et peuple » (Apocalypse 14.6).

En 1894, au moins cinq colporteurs travaillent en Inde, dont trois qui viennent d'Australie. Leurs livres se vendent bien et bientôt, les gens demandent qu'ils soient traduits en tamoul et autres langages locaux.

La première employée adventiste officielle est Georgia Burrus (qui deviendra Georgia Burgess), jeune professeur de Bible californienne qui arrive en Inde en janvier 1895, en tant que seule représentante de l'Église dans ce pays complexe.

La Conférence générale avait prévu de nommer D.A. Robinson responsable de la mission mais il est retenu en Angleterre. L'intrépide Miss Burrus part donc seule, bien que seul son voyage soit payé. En apprenant la langue du Bengale, elle travaille pour gagner sa vie. Bientôt, une personne d'Afrique lui promet son aide financière. Georgia passera quarante ans dans son pays adoptif pour transmettre le message adventiste.

D'autres missionnaires rejoignent l'Inde fin 1895 et en 1898, William A. Spicer (qui deviendra président de la Conférence générale en 1922) arrive pour débuter la publication de la *Oriental Watchman* [Sentinelle orientale].

Ceux qui étudient le développement de la mission adventiste sont frappés, car dès ses débuts, elle est internationale. Même si, au XIXe siècle, le mouvement reste principalement nord-américain, des personnes, des fonds et de la littérature viennent de partout et vont partout. Cette dynamique reste encore aujourd'hui caractéristique de la mission adventiste.

L'Adventisme se répand— 12e partie L'Asie de l'Est

Plusieurs viendront de l'Orient et de l'Occident et se mettront à table avec Abraham, Isaac et Jacob dans le royaume des cieux. Matthieu 8.11

Parmi les personnages pittoresques de l'adventisme, Abram LaRue (1822-1903) est l'un des plus fascinants. Il a amassé une belle fortune dans les champs d'or de Californie et d'Idaho, mais dans les années 1880, il a tout perdu et travaille alternativement comme berger et bûcheron, lorsqu'il découvre le message adventiste.

Immédiatement après sa conversion, LaRue qui ne manque ni d'audace ni d'enthousiasme demande à la Conférence générale d'être envoyé comme missionnaire en Chine, mais vu qu'il est nouveau converti et a atteint l'âge de la retraite, les dirigeants déclinent sa proposition. Ils lui suggèrent de partir à ses frais dans les îles du Pacifique.

Après avoir passé un trimestre à Healdsburg College, il part pour Honolulu en 1883 ou 1884. Grâce au grand succès de son travail, l'Église envoie W.M. Healey à Hawaï pour organiser l'Église dans les îles.

En 1888, l'exubérant pionnier part à Hong Kong où il établit une mission pour les marins et travaille pendant quatorze ans comme colporteur. Il concentre ses efforts sur les nombreux bateaux du port international, mais pendant les années qu'il passe à Hong Kong, il s'arrange pour participer à des voyages missionnaires à Shanghai, au Japon, à Bornéo, Java, Ceylan, Sarawak, Singapour, et même en Palestine et au Liban. Il est inutile de préciser que partout où son bateau fait escale, il vend des livres et prospectus. Pendant le peu de temps libre qui lui reste, il publie aussi les premiers prospectus adventistes en chinois.

Entre temps, en Californie, W.C. Grainger, l'un des premiers convertis de LaRue est devenu président de Healdsburg College, mais, inspiré par son mentor, il est rapidement nommé officiellement au Japon. Avec l'aide d'un ancien étudiant d'origine japonaise, T.H. Okohira, il établit une école de langues étrangères pour enseigner l'anglais aux étudiants universitaires au moyen de la lecture de la Bible. Grainger institue ainsi une méthode d'évangélisation qui est encore aujourd'hui très efficace en Extrême Orient.

L'une des leçons que nous enseigne l'histoire de LaRue est que Dieu peut employer même une personne âgée pour transmettre son message. C'est une bonne nouvelle : la vie de service pour Dieu ne s'achève pas à l'âge de la retraite !

La mission en faveur des Noirs américains — 1re partie

Vous êtes tous fils de Dieu par la foi en Christ Jésus.
Galates 3.26

L'évangélisation des Noirs-américains constitue un aspect unique de l'extension de la mission adventiste pendant les années 1880. Bien que certains Noirs aient adhéré au mouvement millérite (en particulier le pasteur William Foy qui a accompli un ministère prophétique entre 1842 et 1844), l'adventisme sabbatiste primitif est un mouvement principalement blanc. En effet, c'est environ un demi-siècle après la grande déception que l'adventisme réussit à toucher les Noirs d'Amérique du Nord.

Les historiens de l'Église estiment qu'en 1894, on comptait approximativement 50 adventistes noirs, alors que ce nombre s'élève à 900 en 1909. Cette croissance du nombre de membres noirs résulte principalement de projets missionnaires ciblés sur la population noire pendant les années 1890.

Durant les années 1870 et 1880, quelques projets sporadiques sont organisés pour les Noirs de certains États du sud comme, entre autres, le Texas, le Tennessee, la Géorgie. La première communauté noire s'organise officiellement à Edgefield Junction au Tennessee en 1886. Pourtant, les « Yankees » blancs du Nord sont un peu démunis pour faire face aux problèmes difficiles et spécifiques du Sud. Non seulement ils sont l'objet de la suspicion des sudistes blancs (il faut tenir compte du fait qu'une guerre civile sanglante vient de les opposer sur le problème racial), mais ils ne savent pas comment résoudre les problèmes tels que la ségrégation.

Leur œuvre rencontre souvent la violence des Blancs du sud qui craignent que ces intrus prêchent la « dangereuse » doctrine de l'égalité raciale. En raison de ces difficultés, les dirigeants finissent par conclure qu'il vaut mieux suivre les conventions sociales en créant des communautés différentes pour les deux races. Charles M. Kinny, que nous avons déjà présenté comme le premier Afro-américain consacré pasteur adventiste, est d'accord avec cette décision. Bien qu'il ne considère pas la séparation comme idéale, il préfère cette solution plutôt que de voir les Noirs relégués sur les bancs du fond par la ségrégation dans les églises blanches.

Seigneur, nous te prions, aujourd'hui et chaque jour, pour la guérison et la réconciliation entre les différentes races du monde. Si cela ne se produit pas dans nos pays à l'échelle nationale, réalise-le déjà dans nos cœurs.

La mission en faveur des Noirs américains – 2e partie

Vous tous qui avez été baptisés en Christ, vous avez revêtu Christ. Galates 3.27

En 1891, Ellen White est sensibilisée par le manque d'évangélisation ciblée vers les Noirs-américains. Le 21 mars, elle présente un témoignage sur ce sujet aux délégués de l'assemblée de la Conférence générale. Elle appelle à une évangélisation plus active vers la population noire du sud. Cet appel est imprimé sur un prospectus de seize pages intitulé *Our Duty to the Colored People* [Notre devoir envers la population de couleur].

« Le Seigneur, déclare-t-elle aux délégués, nous a éclairés sur ces questions. Les principes contenus dans sa Parole doivent nous guider pour gérer ces difficiles problèmes. Le Seigneur Jésus est venu dans notre monde pour sauver des hommes et femmes de toutes nationalités. Il est mort pour les Noirs comme pour les Blancs. [...] Il a payé le même prix pour le salut de l'homme de couleur et celui de l'homme blanc, et les affronts infligés aux Noirs par beaucoup de ceux qui se prétendent rachetés par le sang de l'Agneau [...] donnent une mauvaise image de Jésus et démontrent que l'égoïsme, la tradition et les préjugés polluent l'âme. [...] Qu'aucun de ceux qui se réclament du nom de Jésus ne se montre lâche pour sa cause. » — *Southern Work*, p. 9-18.

Malgré son plaidoyer pour étendre activement la mission vers les Noirs du sud, rien ne se passe jusqu'en 1893. Cette année là, James Edson White « découvre » ce document. Il est le plus âgé des fils vivants d'Ellen White et vient de se convertir, à plus de quarante ans. Dans son zèle, il est convaincu de devoir porter le message adventiste aux anciens esclaves de l'extrême sud.

Apparemment inspiré par l'expérience du *Pitcairn*, le créatif Edson s'associe avec Will Palmer (autre nouveau converti au passé douteux) pour construire un « bateau missionnaire » et ouvrir l'un des plus enthousiasmants chapitres de la mission adventiste nord-américaine.

En 1894, ces deux étranges missionnaires construisent le *Morning Star* [L'étoile du matin] à Allegan, au Michigan, pour un coût de 3 700 dollars. Ce bateau finit par servir de logement à son personnel adventiste, et contient également une chapelle, une bibliothèque, une imprimerie, une cuisine et un laboratoire de photographie. En bref, c'est une station missionnaire flottante.

Je m'étonne que Dieu ait pu employer Edson et Will. C'est pourtant un aspect de sa grâce. C'est aussi une espérance pour tous ceux dont les enfants n'ont pas encore accepté le Seigneur.

La mission en faveur des Noirs américains — 3e partie

Il n'y a plus ni Juif ni Grec, ni esclave ni libre, [...] car vous tous, vous êtes un en Christ Jésus. Galates 3.28

Le bateau d'Edson White a un problème : il se trouve à plusieurs centaines de kilomètres de la population qu'il cible et à plus de trente kilomètres d'un point d'eau navigable. Ce n'est pas insurmontable pour l'inventif Edson. Il fait descendre son embarcation le long de la rivière Kalamazoo jusqu'au lac Michigan qu'il traverse jusqu'à la région de Chicago, puis parcours l'Illinois sur les rivières qui relient le lac Michigan au Mississipi, qu'il descend jusqu'à Vicksburg, dans le sud, où il établit son quartier général.

Edson White a un autre problème : l'argent. Les dirigeants de l'Église n'ont confiance ni en lui, ni en ses collègues, ils doivent donc s'autofinancer. Cependant, tout comme son père, Edson a le don de trouver de l'argent.

Il utilise pour cela la publication d'un petit volume, *L'Évangile pour les débutants*, destiné à apprendre à lire aux illettrés tout en véhiculant la vérité de l'Évangile. Le produit de la vente de ce petit livre très apprécié permet de financer une partie de la mission.

Dans les régions environnant Vicksburg, le travail missionnaire rencontre souvent l'opposition et la violence de la part des Blancs. Au début du XXe siècle, la mission compte presque 50 écoles opérationnelles. En 1895, la mission financièrement autonome d'Edson s'organise en Société missionnaire du Sud. En 1901, cette société est incluse dans la nouvelle Division regroupant les fédérations du Sud. Enfin, la branche éditrice de la mission devient aussi la propriété de l'Église et prend le nom de Southern Publishing Association, dont le siège se trouve à Nashville au Tennessee.

Au milieu des années 1890, une école de formation pour les ouvriers noirs est créée. En 1896, la Conférence générale crée l'École industrielle d'Oakwood dans une grande plantation près de Huntsville en Alabama. Oakwood devient rapidement le centre de formation des dirigeants noirs. En 1947, elle devient école supérieure, puis en 2007, université reconnue.

Cette mission tardive vers les Noirs-américains enseigne une importante leçon : nous nous enthousiasmons facilement à l'idée de partir ou d'envoyer des missionnaires outre-mer, alors que nous négligeons nos propres voisins.

Seigneur, aide-nous à être cohérents avec nos valeurs et à te laisser nous employer aujourd'hui, là où nous sommes, pour faire connaître ton amour.

Des femmes inspirées par l'Esprit — 1re partie

Il n'y a plus ni homme ni femme car vous tous, vous êtes un en Christ Jésus.
Galates 3.28

« Elle a accompli plus, durant les deux dernières années, que n'importe lequel des pasteurs de l'État. […] Je suis favorable à donner à sœur Lulu Wightman une accréditation pour prêcher, et si frère Wightman est capable, collabore avec son épouse et s'engage à exercer un ministère, je propose de l'accréditer aussi. » Voici ce qu'écrit le pasteur S.M. Cobbs au président de la fédération de New York en 1887.

La majorité des pasteurs adventistes étant des hommes, on a souvent sous-estimé la contribution apportée à l'Église par les femmes qui ont servi en tant que pasteur, ou à d'autres postes officiels.

Ellen White a, bien sûr, joué un rôle prépondérant dans la naissance et le développement de l'adventisme. Bien que l'Église ne l'ait jamais consacrée officiellement, dès 1872, elle fait partie de la liste des pasteurs consacrés. Convaincue que sa consécration lui était conférée par Dieu, elle semble ne jamais s'être préoccupée de recevoir l'imposition des mains par des hommes. Elle a cependant indéniablement été le pasteur le plus influent de l'histoire de l'Église adventiste.

À la fin du XIXe et au début du XXe siècle, plusieurs autres femmes ont également servi en tant que pasteurs accrédités. L'une des premières est peut-être Sarah Lindsay, accréditée en 1872. Les annuaires de l'Église comptent plus de vingt femmes pasteurs accréditées supplémentaires entre 1884 et 1904, les vingt premières années d'existence de ces annuaires.

Bien que ces femmes aient parfois dû subir une discrimination, elles ont apporté une grande contribution à l'Église.

Minnie Sype, par exemple, a implanté au moins dix églises. Indépendamment de son ministère d'évangélisation, elle replissait également un rôle pastoral, présidant à des baptêmes, mariages et enterrements. À une certaine occasion, alors qu'on l'attaquait parce qu'elle prétendait prêcher bien qu'étant une femme, Minnie rétorqua qu'après sa résurrection, Jésus avait chargé Marie d'annoncer aux disciples qu'il était vivant. Elle déclara qu'elle suivait l'exemple de Marie, annonçant non seulement la résurrection de Jésus, mais aussi son prochain retour.

Dieu peut employer des femmes comme des hommes pour annoncer la bonne nouvelle du salut en Christ. Il serait avantageux pour l'Église que plus d'hommes et de femmes s'engagent dans le ministère au nom du Sauveur ressuscité.

DES FEMMES INSPIRÉES PAR L'ESPRIT — 2E PARTIE

Marie ! […] Va vers mes frères et dis-leur que je monte vers mon Père et votre Père, vers mon Dieu et votre Dieu. Jean 20.16,17

« Hier, la Maison des représentants du Missouri a voté d'inviter Madame Wightman pour qu'elle s'adresse aux représentants, au sujet du développement de la liberté religieuse aux États-Unis. Je crois que cette initiative de la part de la législature du Missouri est sans précédent dans l'histoire de notre Église. »

Tel est l'un des résultats du ministère de l'impressionnante Lulu Wightman, l'une des femmes évangélistes adventistes les plus talentueuses. Connue pour avoir implanté plus de dix-sept églises, elle avait une bonne longueur d'avance sur la plupart de ses homologues masculins.

Jessie Weiss Curtis était une autre femme inspirée par l'Esprit. À la fin de sa première campagne d'évangélisation, elle présenta quatre-vingts candidats au baptême. L'église de Drums, en Pennsylvanie était à l'origine de cette initiative. Elle forma également plusieurs jeunes pasteurs, dont N.R. Dower qui devint plus tard responsable de l'Association pastorale pour la Conférence générale.

Ces femmes avaient reçu une lettre de créance de pasteur, mais de nombreuses autres ont servi l'Église de différentes façons. La plupart exerçaient des fonctions typiquement féminines, comme les infirmières ou les enseignantes, mais d'autres occupaient des postes moins traditionnels. L. Flora Plummer, par exemple, devint secrétaire de la fédération de l'Iowa en 1897 et remplaça le président pendant l'année 1900. En 1901, elle devint correspondante du Département de l'École du sabbat de la Conférence générale, nouvellement institué. En 1913, elle devint responsable de ce département, charge qu'elle exerça pendant vingt-trois ans.

Anna Knight fut une pionnière du programme d'éducation adventiste pour les Noirs du Sud. Elle fut également la première femme missionnaire noire-américaine que les États-Unis envoyèrent en Inde.

Fin XIXe et début XXe siècle, de nombreuses femmes servirent l'Église en tant que trésorières ou secrétaires de fédération, responsables du département de l'éducation ou de l'École du sabbat. Il serait impossible de citer les milliers de femmes méconnues qui sont à l'heure actuelle les piliers des églises les plus fructueuses.

Les femmes remplissent encore aujourd'hui la mission confiée par Jésus à Marie.

LA RÉORGANISATION DE L'ÉGLISE — 1RE PARTIE

La parole de Dieu se répandait, le nombre des disciples se multipliait beaucoup à Jérusalem. Actes 6.7

La croissance est généralement une bonne chose, mais dans les églises, elle contraint souvent à réadapter les structures qui permettent à une communauté religieuse de remplir sa fonction. C'est ce qui se passe dans Actes 6, quand l'évolution nécessite que l'on nomme des diacres.

L'adventisme connaît une croissance dynamique depuis ses débuts. Entre 1863 et 1900, on assiste à une expansion sans précédent, grâce, entre autres, à l'organisation. Au début de cette période, l'Église compte six conférences ou fédérations et trente employés dans l'évangélisation, tous situés dans le quart nord-est des États-Unis. En 1900, on dénombre 45 fédérations, 42 missions et 1 500 employés dans le monde entier.

Parallèlement à cette croissance, l'Église développe aussi rapidement ses institutions. Entre 1888 et 1901, le nombre d'établissements de santé passe de 2 à 24, avec environ 2 000 employés. En 1903, l'Église compte 464 écoles, entre les niveaux primaire et universitaire, employant 687 enseignants, et accueillant 11 145 élèves. Un nombre croissant de maisons d'éditions œuvrant dans le monde entier s'ajoute aux institutions médicales et éducatives.

Cet essor sans précédent de tous les secteurs de l'Église génère une situation administrative que l'organisation instituée en 1863 est mal préparée pour gérer. La plupart des gens semblent se satisfaire des deux niveaux administratifs qui se trouvent au-dessus de la communauté locale, mais ils découvrent bientôt les problèmes inhérents à cette structure.

Le premier est la centralisation de l'organe de décision constitué par les quelques membres du comité exécutif de la Conférence générale (jamais plus de huit membres jusqu'en 1897, treize ensuite) qui se réunit peu souvent. Ainsi, la plupart des décisions sont prises par le président. James White et G.I. Butler ayant une personnalité autoritaire, cela ne facilite pas les choses. Ainsi, le problème de la structure de 1863 est qu'il ressemble à ce qu'Ellen White appelle un « pouvoir monarchique ».

En 1900, tous reconnaissent presque unanimement la nécessité d'un changement.

La réorganisation de l'Église — 2e partie Le congrégationalisme

Christ est le chef de tout homme. 1 Corinthiens 11.3

Les années qui suivent 1888 voient émerger deux approches principales concernant la réorganisation de l'Église. Les théologiens dirigeants les plus influents de l'Église pendant les années 1890 (A.T. Jones, E.J. Waggoner et W.W. Prescott) prônent une première suggestion de réforme. Selon leur théologie ecclésiologique, l'Église n'a pas besoin de président puisque le Christ est son chef, et qu'il dirige toute personne née de nouveau.

Selon Waggoner, « L'unité parfaite signifie l'indépendance absolue. [...] Cette question d'organisation est très simple. Il suffit que chaque croyant s'abandonne au Seigneur, pour que celui-ci le dirige selon sa volonté. [...] "Vous recevrez le Saint-Esprit". Le Saint-Esprit est l'organisateur ». « Si nous comprenons bien, déclare Prescott, il n'y a pas besoin d'officiels. L'idéal biblique est : "Vous êtes tous frères" ».

Pour Prescott, Jones et Waggoner, il ne s'agit pas d'anarchie mais de véritable organisation selon la Bible. Ils défendent leur opinion avec vigueur aux assemblées de la Conférence générale de 1897, 1899, 1901 et 1903.

C'est en 1897 qu'ils remportent le plus d'adhésion. Une citation d'Ellen White de 1896 (utilisée hors du contexte général de ses déclarations à ce sujet) selon laquelle « Il n'est pas sage de choisir un homme comme président de la Conférence générale » — Lettre n° 24a, 1896, apporte de l'eau à leur moulin. La réforme suggérée consiste donc à n'élire aucun président (l'option favorite), ou à élire un collège de plusieurs présidents. En 1897, ils essaient de faire voter une résolution pour trois présidents de la Conférence générale, un pour l'Amérique du Nord, un pour l'Europe et un pour l'Australie.

En pratique, les choses ne se passent pas comme le voudraient les réformateurs, mais ils tiennent à leur idée et la soutiennent activement en 1901 et 1903.

A.G. Daniells, qui deviendra plus tard président de la Conférence générale, affirme que les idées de Jones et Waggoner sur l'organisation sont applicables au ciel, mais certainement pas sur terre. Quant à Ellen White, elle doit se demander comment ces hommes ont pu ainsi transformer son témoignage.

Aide-nous, Seigneur, quand nous réfléchissons à l'objectif de l'organisation, en lien avec la mission de ton Église sur terre.

LA RÉORGANISATION DE L'ÉGLISE — 3E PARTIE L'EXPÉRIENCE SUD-AFRICAINE

Cette bonne nouvelle du royaume sera prêchée dans le monde entier, pour servir de témoignage à toutes les nations. Alors viendra la fin.
Matthieu 24.14

La seconde piste envisagée dans les années 1890 pour réformer l'organisation naît dans les territoires missionnaires, et se concentre sur la nécessité pratique plus que sur la théologie. Cela ne signifie pas que la théologie en est absente, mais simplement qu'elle n'y est pas centrale. La base théologique de cette approche est plutôt eschatologique. Les adventistes doivent prêcher le message des trois anges au monde entier avant le retour du Christ, cette deuxième approche se concentre donc sur la mission de l'Église et son objectif eschatologique.

Le premier élément de réforme apparaît dans la Fédération Sud-africaine nouvellement instituée en 1892, sous la direction d'A.T Robinson. Son principal problème est le manque d'ouvriers. Il ne peut absolument pas fournir de personnel pour toutes les organisations auxiliaires. Ou trouver des employés pour la maison d'édition, la société missionnaire, la société de l'éducation, l'association de l'École du sabbat, l'association de la santé et la tempérance, l'association de la Conférence générale, le bureau de la mission étrangère ?

La solution de Robinson résulte de la nécessité. Il ne créera pas d'organisations indépendantes, mais développera différents départements chapeautés par la fédération.

O.A. Olsen, président de la Conférence générale et W.C. White sont tous deux préoccupés par cette suggestion et la Conférence générale écrit à Robinson de ne pas créer les départements, mais il est trop tard. L'acheminement du courrier par bateau est très long et quand la directive de la Conférence générale parvient à Robinson, il a déjà mis en place le programme, et constaté qu'il fonctionne.

Plus tard dans les années 1890, Robinson part en Australie où il a l'occasion de défendre l'idée des départements devant W.C. White et A.G. Daniells. À leur tour, ceux-ci présentent l'idée à la session de la Conférence générale de 1901 comme suggestion de réorganisation.

L'innovation est souvent à l'origine du progrès. Si les structures et règlements sont nécessaires à toute organisation stable, la capacité d'improviser est essentielle pour maintenir une vitalité dynamique.

Aide-nous, Père, à trouver le juste équilibre entre les règlements et l'innovation, dans notre vie quotidienne comme dans notre Église.

RÉORGANISATION DE L'ÉGLISE – 6E PARTIE .A SESSION DE LA CONFÉRENCE GÉNÉRALE DE 1901

ı'avons pas ici de cité permanente mais nous cherchons celle qui est à venir.
ux 13.14

ette terre n'est pas notre patrie. Cette certitude et la nécessité de la mission motivent la réorganisation, lors de la session de la Conférence générale de

A. Irwin, alors président, introduit les réunions en reconnaissant la perti- de l'argumentation d'Ellen White en faveur d'une réforme, mais il s'en des généralités.

G Daniells prend alors le relais, en demandant que « les règlements régissant ement l'administration de l'Église ne soient plus appliqués » et qu'un comité mmé, afin de proposer des recommandations pour la réorganisation de . Sa motion est adoptée.

dirigeants nomment Daniells président du comité de réorganisation. Avec Vhite, ils sont les principaux défenseurs de la réforme, alors que la coalition es et Waggoner tente de rallier les délégués à leur proposition.

niells prône la restructuration, principalement afin de potentialiser le pro- e missionnaire et de le rendre plus efficace. Le deuxième jour de l'assem- déclare clairement aux délégués que si une action définie n'est pas mise e, « il faudra un millénaire pour porter le message au monde ».

session de la Conférence générale de 1901 est à l'origine de l'un des chan- ts les plus significatifs de l'histoire de notre église, qui se met en place au de cinq éléments principaux :

La création de Divisions regroupant et supervisant plusieurs fédérations ou missions, et représentant l'autorité administrative de la Conférence générale.
La dissolution de la plupart des organisations auxiliaires, et l'adoption du système des départements.
L'augmentation du nombre des membres du comité exécutif de la Conférence générale à vingt-cinq.
La propriété et la gestion de la plupart des institutions passent de la responsabilité de la Conférence générale à celle des Divisions.
La Conférence générale n'a plus un président, mais un responsable que le comité exécutif peut à tout moment révoquer si besoin.

glise a opéré des changements significatifs grâce à l'expérience missionnaire iells et W.C. White, et elle est aujourd'hui gouvernée différemment. Dieu toujours grâce à des personnes, individuellement et collectivement, pour re son Église.

RENCONTRE AVEC ARTHUR G. DANIELLS

Je fais une chose : oubliant ce qui est en arrière et tendant vers ce qui est en avant, je cours vers le but. Philippiens 3.13,14

« Si j'ai accompli quelque chose de valable pour la cause de Dieu, c'est parce que dès ma jeunesse j'ai fixé mes yeux sur le but et [...] par la grâce de Dieu, je n'ai jamais rien laissé détourner mon esprit ni mon regard de cet objectif », écrit Arthur G. Daniells à la fin d'une vie longue et productive. Il était un leader par excellence, car il connaissait son objectif, et se montrait également persévérant pour l'atteindre.

Né en 1858, son père meurt durant la guerre civile et Daniells accepte l'adventisme à l'âge de dix ans. Comme tous les jeunes, il se pose l'angoissante question du sens à donner à sa vie. Après une année passée à Battle Creek College, il enseigne dans une école publique et c'est là qu'il reçoit un appel au ministère.

Ce n'est pas ce qu'il attendait et il ne se sent pas prêt, mais comme tant d'autres au cours de l'histoire, il ne peut échapper à sa conviction.

Daniells débute son ministère au Texas en 1878 où il travaille comme secrétaire pour James et Ellen White pendant un an. En 1886, alors qu'il sert dans l'évangélisation, il reçoit un appel pour partir en Nouvelle Zélande et en Australie où il sera administrateur pendant quatorze ans. Durant ses premières années, il collabore étroitement avec William et Ellen White. Avec William, ils développent les structures qu'il mettra en place en 1901 pour la réorganisation de l'Église.

Daniells est élu président de la Conférence générale en 1901 et il reste à ce poste pendant vingt et un ans, plus longtemps que tous les autres présidents. Il institue une organisation plus efficace entre 1901 et 1903, en partie grâce à laquelle l'adventisme croît rapidement pendant son administration.

Il crée plus tard l'Association pastorale de la Conférence générale, au moyen de laquelle il encourage toute une génération de jeunes prédicateurs à donner au Christ et au salut qui ne se trouve qu'en lui, la première place dans leur vie et leur ministère. Son livre, *Christ Our Righteousness* [Christ notre justice], présente les questions liées au salut soulevées en 1888, et est un classique de la littérature adventiste.

Daniells s'était fixé des objectifs, et en cela il suivait l'exemple de Jésus et de Paul. J'ai besoin de suivre aussi ce modèle.

Seigneur, aide-moi aujourd'hui et chaque jour à « courir vers le but pour obtenir le prix de la vocation céleste de Dieu en Jésus-Christ ».

La réorganisation de l'Église — 4e partie L'expérience australienne

Il y a un seul corps et un seul esprit, juste comme vous avez été appelés à une seule espérance, celle de votre vocation. Il y a un seul Seigneur, une seule foi, un seul baptême, un seul Dieu et Père de tous.
Éphésiens 4.4-6

Comment maintenir à la fois l'unité et l'efficacité dans une Église mondiale ? C'est ardu, mais essentiel.

L'une des difficultés que l'Église en rapide expansion doit résoudre est celle de la communication. Au nom de l'unité, le règlement exige que les dirigeants de Battle Creek valident toutes les décisions prises au niveau des fédérations.

En 1913, A.G. Daniells évoque le problème de la lenteur des communications, et par conséquent, des prises de décisions. Dans le meilleur des cas, le courrier mettait quatre semaines dans chaque sens et arrivait souvent quand les membres du comité exécutif n'étaient plus là. « Je me souviens, écrit-il, que nous avons parfois dû attendre trois ou quatre mois avant de recevoir la réponse à nos questions », et parfois, il s'agissait juste de quelques lignes expliquant que la question n'avait pas été bien comprise et que des explications étaient nécessaires. « Certains problèmes ont mis six à neuf mois pour être réglées ». On comprend bien pour quoi il conclut : « notre travail rencontrait sans cesse des obstacles ».

Ellen White perçoit elle aussi les inconvénients de la structure de 1861-1863 et de la centralisation de l'organe de décision. Ayant passé de nombreuses années en mission, elle reconnaît : « Les hommes de Battle Creek ne sont pas plus inspirés pour donner un juste avis que ceux à qui le Seigneur a confié une tâche ailleurs. » — Lettre n° 88, 1896.

Le défi consiste alors à décentraliser, tout en préservant l'unité. La solution se trouve dans les Divisions, « inventées » en Australie au milieu des années 1890. La Division Australasienne réunit les différentes fédérations et missions locales et sert d'intermédiaire entre la Conférence générale et les fédérations. Exerçant le pouvoir exécutif sur son territoire, elle régionalise les prises de décisions tout en maintenant l'unité.

Au moment où les dirigeants australiens instaurent leur Division, Robinson arrive d'Afrique du Sud et propose le système des départements. L'Australie l'adopte également.

La plupart d'entre nous ne connaissons pas les mécanismes administratifs de l'Église mondiale. Nous devrions pourtant nous y intéresser : Dieu nous guide aussi dans ce domaine.

La réorganisation de l'Églis La session de la Conférenc de 1901

Par un prophète l'Éternel fit monter Israël hors d'Égypte, et par un prophète Israël fut gardé. Osée 12.14

La restructuration de l'Église en 1901 est laborieuse. Le
question pendant plus de dix ans, mais rien n'a été mi
Une réunion des dirigeants de l'Église, présidée par A.G. D
de Battle Creek College le 1er avril 1901, suscite la réforme.
Daniells explique que certains d'entre eux se sont déjà ré
préfèrent élargir la discussion à tous les dirigeants et souhaitent
soit présente afin de présenter les éléments utiles qu'elle aurai
Ellen White ne désire cependant pas présider la réunion,
besoin, mais Daniells et ses collègues ne souhaitent pas parler d
avoir entendu son avis sur la question.
Ellen White explique : « J'aurais préféré ne pas intervenir
pas parce que je n'ai rien à dire, mais justement parce que j'ai
Elle développe alors pendant près d'une heure et demie, ce qui
les plus influents de son ministère.
Sans ambiguïté, elle présente la nécessité de « sang neuf et
nisation » de l'Église. S'opposant à la centralisation du pouvoir déc
individus, elle déclare que tout administrateur exerçant un « pouv
son petit trône » devrait cesser ses fonctions. Il est nécessaire de n
délai une rénovation de la structure. Perpétuer l'actuel système av
et son ton autoritaire ? Que Dieu nous en préserve, mes frères ! » -
1901.
Le lendemain, lors de l'ouverture de la session de la Confé
prend la parole et réitère clairement le besoin de réorganiser, mê
pas préciser comment procéder » — *Bulletin de la Conférence gé*
Elle considère qu'elle avait le devoir d'encourager la réforme, mai
ponsabilité des délégués de développer les structures.
Nous trouvons ici des éléments intéressants sur le rôle prophéti
Dans ce cas, elle est le facteur déclenchant qui suscite le changeme
vention en 1901, l'Église n'aurait probablement pas entrepris une r
radicale. Le don de prophétie est un moyen par lequel Dieu condu

La réorganisation de l'Église – 7e partie La session de la Conférence générale de 1901

D'où viennent les disputes ? D'où viennent les luttes entre vous ?
Jacques 4.1, PDV

Excellente question ! Et la réponse reste invariablement la nature humaine pervertie. Chacun veut faire à sa façon et préserver son territoire.

Cela se vérifie avec les individus quels qu'ils soient, dans leur vie familiale ou professionnelle. Dans le cadre de l'Église, les conflits peuvent surgir quand la « mission » d'une personne prend le pas sur la mission évangélique confiée par Dieu.

Deux problèmes structurels persistent après la session de 1901. Le premier résulte du fait que la puissante branche médicale dirigée par J.H. Kellogg reste en dehors du système des départements. Le deuxième concerne la question de la présidence.

En 1902, un conflit majeur de pouvoir oppose A.G. Daniells, qui préside le comité exécutif de la Conférence générale, et Kellogg. En effet, Daniells demande que l'Église prenne la responsabilité financière des institutions médicales, alors que le docteur Kellogg décide seul des dépenses illimitées, au fur et à mesure que son empire médical s'étend.

La solution au problème est simple pour Kellogg qui contrôle un tiers des voix du comité exécutif, et exerce une influence non négligeable sur les autres : se débarrasser de Daniells et le remplacer par A.T. Jones qui est favorable à son point de vue.

L'ouragan secoue l'Église en novembre 1902. La question est : qui dirige l'Église et pour quelles raisons ? Nous pouvons nous réjouir que Daniells ait gagné cette bataille dont l'enjeu détermine l'objectif de l'Église au XXe siècle.

Entretemps, comprenant que pour des raisons légales, cela s'impose, Daniells réendosse la fonction de président.

Telles sont les luttes qui précèdent la session de la Conférence générale de 1903. Lors de cette assemblée, le programme médical est intégré dans les départements de l'Église, le rôle de président est reconfirmé, et un schisme se prépare.

Trop souvent, dans l'histoire de l'Église, la mission devient le monopole d'une personne et de son programme. Cela détruit la paix et la spiritualité. Le diable nous encourage toujours à nous placer sur le devant de la scène. Chacun est tenté de choisir une position centrale et d'ériger son petit trône.

Seigneur, aide-nous à faire l'examen de nos motivations quand nous travaillons pour toi. Sauve-nous de nous-mêmes !

PERSPECTIVE DE LA RESTRUCTURATION DE 1901-1903

Je multiplierai le fruit des arbres et le produit des champs. Ézéchiel 36.30

La restructuration de l'Église donne un nouvel élan à la productivité et l'efficacité du programme de mission mondiale, ce qui n'aurait jamais été réalisable dans les anciennes conditions.

Il faut pourtant remarquer que l'organisation de 1901-1903 n'est pas une nouvelle structure. Elle conserve les grandes lignes du plan de 1863-1901, en modifiant ce qui est nécessaire pour répondre aux besoins d'une église en évolution.

Les changements ne correspondent toutefois pas à l'idéal que certains délégués apportent avec eux en 1901-1903. Le groupe de Jones et Waggoner proposait une révolution totale, et cette vision de la réorganisation drastique de l'Église n'a pas été suivie pour plusieurs raisons. En particulier, leur modèle est inadéquat, car il se concentre sur le membre d'église individuel, sans laisser de place à une approche pratique d'action unifiée. Théoriquement, il est intéressant de dire que chacun collaborera en harmonie avec les autres, si tous sont convertis, mais l'histoire biblique révèle l'imperfection humaine et une conception complexe du péché, dont ces révolutionnaires adventistes ne tiennent pas compte.

Ce groupe utilise aussi les affirmations d'Ellen White, en les sortant de leur contexte historique et littéraire, lui faisant ainsi dire des choses en lesquelles elle ne croit pas. Par exemple, elle n'est pas gênée par le terme de « président » qu'elle utilise fréquemment.

L'approche de Daniells est plus terre à terre, et s'apparente à celle que James White a mise en place dans l'organisation de 1861-1863. Tous deux recherchent une structure efficace, qui soutienne la prédication du message adventiste dans le monde entier, aussi rapidement que possible, pour que le Christ puisse revenir.

L'efficacité de la mission est le mot d'ordre dans l'histoire de l'organisation adventiste. Si la plupart des délégués de la session de 1903 approuvent les résolutions qui y sont prises, M.C. Wilcox précise un élément important : l'Église doit conserver une certaine souplesse organisationnelle, afin de rester ouverte et de s'adapter aux besoins de la mission.

Merci, Père, pour cette structure d'Église qui lui permet de s'adresser au monde entier, tout en restant unie. Notre plus grand désir est le retour de Jésus.

Babylone moderne

C'est pourquoi on l'appela du nom de Babel, car c'est là que l'Éternel confondit le langage de toute la terre. Genèse 11.9

À partir de 1903, A. T. Jones ne cesse d'attaquer A. G. Daniells, Ellen White et la structure de l'Église. Pour lui, la liberté religieuse signifie se dégager de l'organisation de l'Église.

En 1907, Daniells écrit que Jones et d'autres « cherchent à semer la dissension parmi les Églises, et quand ils trouvent une Église en désaccord avec le corps, ils attisent la mésentente et la poussent à se séparer de l'organisation ».

Jones prédit à la Conférence générale qu'elle va « se fracasser et se dissoudre au point qu'il n'en restera plus rien ».

Ellen White comprend qu'en prônant le congrégationalisme, Jones et ses amis cherchent à semer de nouveau dans l'adventisme un désordre tel que celui qui y régnait dans les années 1850 et dont, avec son mari, elle avait eu tant de mal à le débarrasser.

Elle écrit en janvier 1907 : « Comme Satan se réjouirait s'il pouvait réussir à répandre cet esprit parmi le peuple adventiste ! Il désorganiserait ainsi l'œuvre au moment où une solide organisation est essentielle [...] pour [...] éviter de suivre des doctrines qui ne sont pas contenues dans la Parole de Dieu ! Tenons solidement [nos] positions [...] afin que ne s'effondrent pas une organisation et un système qui ont été construits à l'aide d'efforts. [...] Certaines personnes ont émis l'idée qu'à mesure que nous approcherons de la fin des temps, chaque enfant de Dieu agira indépendamment de toute organisation religieuse. Mais le Seigneur m'a montré que dans son œuvre, il n'est pas possible que chaque homme soit indépendant. » — *Le ministère évangélique*, p. 475.

En 1909, année où l'Église doit radier Jones, elle évoque les « personnes trompeuses » qui soutiennent « l'esprit de désorganisation ». Tout en laissant sa juste place au jugement indépendant, elle répète : « Le Seigneur a conféré une autorité aux représentants de son Église universelle, assemblée en Conférence générale. » — *Témoignages pour l'Église*, vol. 3, p. 486.

Elle se positionne donc clairement du côté de Daniells, tout en continuant à le mettre en garde pour qu'il n'exerce pas un contrôle trop personnel. Son idéal est l'unité dans la diversité.

Nous comprenons maintenant pourquoi il est important de rejeter les appels au congrégationalisme qui réapparaissent périodiquement dans l'Église. La réforme est une chose ; la révolution en vue de la séparation en est une autre.

Désastre et désorientation

Dans ma détresse, j'invoque l'Éternel, j'invoque mon Dieu.
De son palais il entend ma voix et mon cri parvient à ses oreilles.
2 Samuel 22.7

L'adventisme vit une grande détresse dans les premières années du XXe siècle, et dans le malheur, il invoque le Seigneur.

Le siècle commence avec le tristement célèbre incendie qui détruit totalement le Sanatorium de Battle Creek, le 18 février 1902. À ce désastre s'ajoute un autre incendie qui, le 30 décembre, réduit en cendres la maison d'édition *Review and Herald* et les bureaux de la Conférence générale.

La question se pose : faut-il reconstruire à Battle Creek ou déplacer les institutions ? Pour sa part, le Dr Kellogg décide de reconstruire un sanatorium encore plus grandiose et luxueux que le précédent, malgré l'avis contraire des dirigeants qui considèrent cette dépense extravagante, au moment où l'Église frôle la faillite, en raison de la rapide expansion de la mission mondiale. La question d'argent et de la prise de décision oppose Daniells et Kellogg dans un conflit qui ne finira jamais.

L'argent et le pouvoir ne sont pas les seules questions qui les divisent. À ce moment-là, le docteur soutient des aberrations théologiques liées au panthéisme, selon lequel Dieu est une force qui se trouve dans la nature et non au-dessus d'elle. Il écrit dans *Living Temple* [Temple vivant] : « Dans l'arbre se trouve un pouvoir qui le crée et le maintient, un créateur d'arbre, tout comme le créateur de fleur se trouve dans la fleur. »

Kellogg n'est pas seul à adopter cette perspective panthéiste. E.J. Waggoner, qui était si pertinent à la session de la Conférence générale de 1888, déclare lors de celle de 1897 que le Christ « apparaît dans un arbre ou un brin d'herbe ». À l'assemblée de 1899, il affirme qu'un « homme peut obtenir la justice en se lavant, s'il sait d'où provient l'eau ».

La lutte entre le groupe de Kellogg et celui de Daniells perdure pendant plusieurs années. Ellen White tente pendant quelque temps de l'apaiser mais, en 1903, elle prend de plus en plus parti pour Daniells, dans ses déclarations et ses écrits. Kellogg finit par se séparer de l'Église, il est radié en 1907 de la communauté de Battle Creek et entraîne à sa suite Jones, Waggoner et d'autres.

Le peuple de Dieu a toujours traversé des temps difficiles. La question pour chacun d'entre nous est de savoir sur quoi nous concentrer durant ces moments de trouble. Notre seule sécurité se trouve en Jésus et ses enseignements.

Renaître des cendres – 1re partie

Que les peuples renouvellent leur force, qu'ils avancent et qu'ils parlent.
Ésaïe 41.1

Le renouveau et la reconstruction sont au cœur de la pensée adventiste en ces premières années du XXe siècle. Deux terribles incendies ont détruit la présence de l'adventisme dans ses institutions de Battle Creek, et l'Église a perdu J.H. Kellogg, A.T. Jones, E.J. Waggoner et d'autres personnes. Par la même occasion, le Dr Kellogg lui a soustrait la propriété du sanatorium de Battle Creek nouvellement reconstruit et de l'école de médecine American Medical Missionary College.

L'heure est venue de reconstruire, mais ailleurs. Depuis le début du siècle, la migration constante d'adventistes vers Battle Creek commence à devenir problématique. Au lieu de témoigner de leur foi là où ils vivent, beaucoup d'adventistes se sont regroupés dans la ville, faisant circuler des ragots et mettant des obstacles à la mission adventiste.

De plus, Battle Creek est devenu la base ultra-centralisée de l'adventisme mondial, puisque les institutions les plus prestigieuses de l'Église et son siège administratif y sont situés. Une poignée d'hommes constituent les différents comités depuis lesquels ils dirigent l'Église mondiale. On peut dire qu'en 1900, Battle Creek est devenu pour l'adventisme ce que Jérusalem est au judaïsme et Salt Lake City aux mormons. Le nouveau siècle voit cependant l'effondrement de la « ville sainte » adventiste.

Ellen White préconisait pourtant vivement la délocalisation depuis le début des années 1890, mais elle avait été peu écoutée. Les premiers dirigeants qui avaient suivi ses conseils étaient E.A. Sutherland et P.T. Magan, qui avaient transféré Battle Creek College à Berrien Springs, au Michigan, en 1901.

L'incendie de 1902, qui détruit les locaux de *Review and Herald,* fournit par la contrainte l'occasion de déplacer la maison d'édition et le siège de la Conférence générale.

La question est alors de savoir où aller. La ville de New York semble dans un premier temps le lieu idéal, mais, en 1903, Washington D.C. est choisi.

La concentration dans des microcosmes adventistes a toujours constitué un obstacle au témoignage. Notre mission consiste peut-être en partie à aller dans des endroits où nous pouvons témoigner auprès de nos voisins. Pensons-y !

RENAÎTRE DES CENDRES — 2E PARTIE

Je te guérirai de tes plaies. Jérémie 30.17

La guérison est une merveille, qu'elle concerne le corps humain ou celui de l'Église. En effet, le corps guéri est parfois plus vigoureux qu'auparavant. C'est le cas pour l'adventisme qui, en déplaçant ses institutions, s'éloigne de l'influence de Kellogg et Jones, de leurs enseignements dissidents et de leur esprit de division.

Les années qui suivent voient l'établissement du nouveau siège administratif de la Conférence générale et de la maison d'édition *Review and Herald,* juste à la frontière de Washington D.C. À quelques kilomètres de là, à Takoma Park, au Maryland, les dirigeants construisent le Washington Sanitorium et le Washington Training College, qui sera rebaptisé en 1907 Washington Foreign Missionary Seminary. Les institutions typiquement adventistes réapparaissent.

Washington D.C. et Takoma Park resteront le site du siège adventiste pendant près de quatre-vingt-dix ans. La maison d'édition *Review and Herald* se déplacera à Hagerstown, au Maryland, en 1982-1983, et les bureaux de la Conférence générale seront transférés à Silver Springs, également au Maryland, en 1989. Le sanatorium et l'université restent sur leur site d'origine. Ils s'appellent aujourd'hui Washington Adventist Hospital et Columbia Union College.

La rupture avec Battle Creek génère un changement majeur du programme médical et cette fois, l'autoritaire Dr Kellogg ne le dirige plus.

Le premier aspect de la nouvelle œuvre médicale adventiste se concrétise avec une nouvelle génération de sanatoriums, et les principales activités se déplacent du Michigan vers la Californie du Sud.

Ellen White a commencé à indiquer la Californie depuis 1902, déjà avant la crise avec John Kellogg. Elle écrit : « Dieu prépare la route pour que notre peuple puisse acquérir à moindre coût des propriétés sur lesquelles il existe des bâtiments qui seront utiles à notre œuvre. » — Lettre n° 153, 1902.

Elle conseille que l'Église établisse plusieurs petits sanatoriums dans différents endroits, plutôt qu'une seule « institution mammouth » — *Testimonies for the Church,* vol. 7, p. 96.

Aussi profonde que soit la blessure, nous servons un Dieu capable de guérir. *Merci, Seigneur, pour cet aspect de ta grâce.*

DIEU CONDUIT TOUJOURS SON PEUPLE — 1RE PARTIE

Pareil à l'aigle qui éveille sa nichée, voltige sur ses petits, déploie ses ailes, les prend, les porte sur ses plumes, L'Éternel seul le conduisait.
Deutéronome 32.11,12

Dieu guide son peuple. Nous pensons parfois que cela n'était valable que dans l'histoire ancienne. Détrompons-nous ! Au début du XXe siècle, quand Kellogg s'approprie le sanatorium et l'école de médecine de Battle Creek, la recréation de la branche médicale de l'Église est une belle expérience prouvant que Dieu nous conduit encore.

Déjà avant cette perte, en 1902, Ellen White conseillait d'étendre la branche médicale à la Californie. Le 5 septembre, elle écrit au président de la Conférence générale : « Le Seigneur m'indique constamment le Sud de la Californie comme le lieu idéal pour établir nos institutions médicales. Chaque année, des milliers de touristes visitent cette région. Nous devons créer des sanatoriums dans ce secteur. » — Lettre n° 138, 1902.

Trois semaines plus tard, elle écrit : « Pendant plusieurs mois, le Seigneur m'a montré qu'il ouvre la voie à notre peuple pour que nous puissions acquérir à prix avantageux des propriétés sur lesquelles il existe des bâtiments qui peuvent être utiles à notre œuvre. » — Lettre n° 153, 1902.

Ellen White est convaincue que l'Église a besoin de « plus petits sanatoriums dans plusieurs endroits, pour répondre aux besoins des malades qui affluent dans les stations thermales du Sud de la Californie. [...] Nos sanatoriums sont créés pour un objectif principal, l'avancement de la vérité présente. » — *Testimonies for the Church*, vol. 7, p. 98, 97.

Ce sont de bonnes idées, mais où trouver l'argent pour financer ces constructions ? L'Église, en partie à cause de sa rapide expansion mondiale au cours des dix années précédentes, est au bord de la faillite. La trésorerie de la Conférence générale termine l'année 1900 avec seulement 32,93 dollars en caisse, et cet argent est emprunté. Pendant plusieurs années, la Conférence générale a fonctionné au jour le jour financièrement, se retrouvant parfois en déficit, et cela, avant que les incendies réduisent les institutions de Battle Creek en cendres.

D'où peut donc provenir l'argent en cette période de précarité financière et de reconstruction ? Une question aussi cruciale exige une réponse pertinente. Sans la main de Dieu pour guider son peuple, la nouvelle génération de sanatoriums qui tenait à cœur à Ellen White n'existerait pas.

Mais Dieu peut faire ce qui est impossible aux hommes.

DIEU CONDUIT TOUJOURS SON PEUPLE – 2E PARTIE

Reconnais-le dans toutes tes voies, et c'est lui qui aplanira tes sentiers.
Proverbes 3.6

Nous avons laissé hier Ellen White avec ses rêves « irréalisables » : acquérir plusieurs propriétés dans le Sud de la Californie. Le moment est idéal pour acheter ces propriétés. À la fin du XIXe siècle, de magnifiques sanatoriums ont été construits dans cette région, mais à la suite de longues périodes de sécheresse, privées d'eau, ces institutions ont dû fermer. C'est une bonne occasion pour les adventistes, mais quand on n'a pas d'argent, même une bonne occasion reste inaccessible.

L'Église va quand même s'arranger pour trouver des fonds. San Fernando College est la première propriété que les adventistes achètent en 1902, pour la somme de 10 000 dollars, moins d'un quart de son prix d'origine.

La seconde est un sanatorium désaffecté de Paradise Valley, près de San Diego, bâtiment de trois étages construit sur un terrain de huit hectares. Les premiers propriétaires ont investi beaucoup d'argent dans le domaine, mais après des temps difficiles, le bâtiment est resté inoccupé pendant plus de dix ans. Quand Ellen White visite Paradise Valley pour la première fois, elle est convaincue que l'Église doit acquérir cette propriété.

Le bâtiment principal avait coûté 25 000 dollars, mais les propriétaires offrent tout le domaine pour 12 000 dollars. Le problème reste de trouver cette somme. La Conférence générale ne la possède pas. La Fédération de la Californie du Sud, avec ses 1 100 membres, a une dette de 40 000 dollars, après avoir acheté la propriété de San Diego. Ces sommes peuvent aujourd'hui nous paraître dérisoires, mais à l'époque, elles représentaient beaucoup. La Fédération ne peut pas trouver 12 000 dollars.

Même lorsque la proposition descend à 8 000, puis même 6 000 dollars, cela semble impossible. Quand finalement le prix tombe à 4 000 dollars, Ellen White emprunte personnellement 2 000 dollars à 8 % d'intérêts, demande à un ami proche d'investir 2 000 dollars et envoie un télégramme pour se porter acquéreur.

Le premier pas pour établir le programme médical en Californie du Sud vient d'être posé. C'est aussi le plus facile.

Mais comment Dieu guide-t-il son peuple ? Pour répondre brièvement, il ouvre les yeux des gens sur la vision de ce qui peut être accompli, et il ouvre des portes. C'est ensuite à nous de faire le pas pour les franchir.

DIEU CONDUIT TOUJOURS SON PEUPLE — 3E PARTIE

Il me conduit. Psaume 23.2

Peu après l'acquisition du sanatorium de Paradise Valley, Dieu révèle à Ellen White qu'il faut créer un sanatorium adventiste près de Los Angeles. Trouver la propriété est la partie facile. Le pasteur John A. Burden découvre bientôt l'hôtel Glendale, édifice ressemblant à un château de soixante-quinze chambres. Construit en 1886 pour un coût de 60 000 dollars, il est vendu au prix de 26 000 dollars. John Burden offre 15 000 dollars et considère comme un signe de Dieu que sa proposition soit acceptée. Ses derniers doutes disparaissent quand le propriétaire finit par céder la propriété pour 12 000 dollars.

Les adventistes sont toujours face à la même question : où trouver l'argent ? La petite Fédération n'a pas un sou. Elle vient d'acheter les propriétés de San Diego et Paradise Valley. Burden fait personnellement un premier versement de 20 dollars, mais cela n'avance pas beaucoup la situation. La Fédération ne peut même pas régler les 1 000 dollars d'arrhes et le comité décide de ne pas se lancer dans cette acquisition.

Devant cette situation décourageante, le pasteur Burden et le président de la Fédération avancent les arrhes sur leurs propres économies. C'est alors qu'arrive une lettre d'Ellen White qui demande pourquoi l'achat a pris du retard. Le président lit ce courrier à son comité, et les dernières résistances tombent.

L'acquisition des propriétés de Paradise Valley et Glendale a été possible grâce à la vision et au sacrifice, mais la véritable épreuve est encore à venir.

Les deux propriétés sont achetées en 1904, mais Ellen White affirme que Dieu a encore un plan pour son Église. En octobre 1901, elle avait déclaré que Dieu lui avait distinctement montré en vision un sanatorium en Californie du Sud, avec « un bâtiment occupé et des arbres fruitiers sur le terrain. » — Manuscrit n° 152, 1901. Sa description est si précise qu'elle semble connaître le lieu. Elle ne sait cependant pas où cette propriété est située.

Dieu agit en son temps. Il connaît le moment favorable pour certaines initiatives qui permettent à son œuvre d'avancer rapidement, mais il désire que nous soyons réceptifs à ses directives pour nous employer, parfois de façon inattendue.

DIEU CONDUIT TOUJOURS SON PEUPLE – 4E PARTIE

Il les conduisit comme un troupeau dans le désert. Psaume 78.52

Nous avons vu hier qu'en 1901, Ellen White avait reçu une vision lui montrant un troisième sanatorium en Californie du Sud, mais qu'elle ne savait pas où ce situait cette propriété. Les propriétés de Glendale et Paradise Valley ne correspondaient pas à la description qu'elle en faisait.

Les adventistes découvrent bientôt un lieu appelé Loma Linda. La propriété a coûté 150 000 dollars à ses propriétaires, mais la faillite de l'établissement les contraint à s'en débarrasser pour 110 000 dollars. Le prix descend ensuite à 85 000 dollars, mais il reste exorbitant pour une fédération qui n'a même pas 1 000 dollars en caisse, et s'est récemment engagée dans l'achat de trois grande propriétés à San Fernando, Paradise Valley et Glendale.

On comprend aisément la perplexité des dirigeants de la Fédération, quand Ellen White les presse d'acquérir une troisième propriété pour un sanatorium, quelques mois seulement après l'achat des deux premières. S'arrêtera-t-elle un jour ? Elle est pourtant catégorique : cette acquisition est la volonté de Dieu.

Il y a une bonne nouvelle : les propriétaires ont baissé le prix à 40 000 dollars, mais ce n'est pas d'un grand secours quand on est totalement démuni d'argent.

Malheureusement, le temps passe, et il faut verser un acompte pour ne pas perdre l'option mise sur la propriété. Ellen White, qui n'a pas encore visité Loma Linda, envoie un télégramme au pasteur Burden pour qu'il fasse immédiatement un premier versement.

Il le fait aussitôt, bien que la Fédération lui signifie expressément qu'elle ne se porte pas garant. Conscient qu'il risque de perdre 1 000 dollars, le fidèle pasteur décide de suivre le conseil d'Ellen White plutôt que celui de la Fédération. Croyant, selon sa vision, que cet achat est la volonté de Dieu, il fait le pas de la foi.

Peu d'entre nous avons la capacité de penser grand, pourtant, tout au long de l'histoire adventiste, c'est le fait de penser grand qui a fait progresser et avancer l'Église.

Seigneur, aide-nous à élargir notre pensée, à envisager par la foi ce que tu vois, et à participer activement à l'avancement de ton œuvre.

DIEU CONDUIT TOUJOURS SON PEUPLE — 5E PARTIE

Moi, l'Éternel ton Dieu, je t'instruis à ton profit,
je te conduis dans la voie où tu marches.
Ésaïe 48.17

Au milieu de l'année 1905, l'Église de la Californie du Sud a raclé ses fonds de tiroir et n'a plus un sou en caisse. Pourtant, après l'acquisition de trois grandes propriétés, Ellen White conseille vivement l'achat d'une quatrième.

Selon le contrat de vente, l'achat de Loma Linda doit être réglé en plusieurs traites : quatre versements de 5 000 dollars à effectuer les 15 juin, 26 juillet, 26 août et 31 décembre. Les 20 000 dollars restants seront à solder en trois ans. Mais, comme nous l'avons maintenant compris, il n'y a aucune entrée d'argent en vue. Dans ce cas, la foi doit donc se baser sur « l'invisible », selon Hébreux 11, ou plutôt sur ce qui n'est visible qu'en vision.

Entre-temps, le 12 juin, Ellen White visite pour la première fois Loma Linda. En arrivant, elle dit à son fils :

— Willie, je suis déjà venue ici !

— Non, maman, répond-il. C'est la première fois que tu viens ici.

— Alors, c'est l'endroit que le Seigneur m'a montré en vision, conclut-elle, car il m'est familier.

Elle n'a plus aucun doute. S'adressant aux dirigeants qui visitent les lieux avec elle, elle déclare formellement : « Nous devons acheter cette propriété. » Alors que le groupe étudie les bâtiments et le terrain, elle répète plusieurs fois : « C'est bien le lieu que le Seigneur m'a montré. »

Alors qu'elle pénètre dans un bâtiment avec John Burden, elle annonce prophétiquement : « Cet édifice nous sera très utile. Nous y établirons une école. [...] Battle Creek est sur le déclin. C'est ici que Dieu rétablira notre œuvre médicale. » — voir A. L. White, *Ellen G. White*, vol. 6, p. 18.

Toutefois, les paroles et les visions ne font pas apparaître l'argent. Il ne reste plus que trois jours pour effectuer le premier versement, faute de quoi l'option mise sur la propriété et l'acompte versé par Burden seront perdus.

Posons-nous la question : comment réagissons-nous dans la vie quand les choses se compliquent ? Devant une échéance de trois jours, et aucune perspective d'entrée d'argent, l'attitude la plus raisonnable serait d'abandonner, en se disant qu'on a pourtant tout tenté. C'est là que s'ouvre le chemin de la foi. Quelqu'un a dit un jour que « la prière étend le bras du Tout-Puissant ». Nous verrons dans les prochains jours que tel a été le cas pour Loma Linda. Cela peut aussi l'être dans notre vie ; notre Père encourage la prière et y répond.

Dieu conduit toujours son peuple – 6e partie

Il t'a fait marcher dans ce grand et redoutable désert, pays… de la soif où il n'y a pas d'eau. Deutéronome 8.15

Dieu guide toujours son peuple sur les chemins sinueux et accidentés. Il existe deux alternatives : rester à ses côtés ou retourner vers l' « aisance » de l'Égypte spirituelle.

Les dirigeants adventistes californiens n'ont plus que trois jours pour trouver les 5 000 dollars du premier versement, mais aucune entrée d'argent n'est prévue.

Il reste une piste envisageable. Quelques semaines auparavant, les pasteurs Burden et R. S. Owen ont entendu parler d'une personne qui pourrait disposer d'argent. Ils prennent le train pour aller la voir, puis font 2,5 kilomètres à pied pour atteindre sa ferme, mais trouvent porte close.

Déçus, ils retournent à la gare, mais pour une raison inconnue, leur train passe sans s'arrêter. Disposant de deux heures avant le train suivant, ils retournent à la ferme et trouvent quelqu'un.

« Loué soit le Seigneur ! » s'exclame le fermier quand John Burden lui expose la situation. « Pendant plusieurs mois, j'ai prié Dieu d'envoyer un acquéreur pour ma ferme, afin que je puisse quitter ce lieu et mettre mon argent à disposition pour l'avancement de sa cause. Il y a quelques jours, un homme s'est présenté et a acheté ma propriété. L'argent se trouve maintenant à la banque. Le diable m'a tenté de l'investir dans un autre terrain, mais je suis certain que le Seigneur en a besoin pour l'achat de cette propriété. » Il donne 2 400 dollars aux pasteurs ébahis.

Juste avant le 15 juin, John Burden sollicite un emprunt à une femme nommée Baker, au courant elle aussi de la vision d'Ellen White.

« Êtes-vous disposée à mettre en jeu 1 000 dollars ? » demande-t-il.

Elle accepte, bien qu'il la prévienne qu'elle risque de perdre son argent.

« Je suis prête à prendre ce risque », confirme-t-elle.

John Burden s'entretient encore avec R. S. Owens. « Je n'ai pas d'argent, déclare-t-il, mais je peux hypothéquer ma maison. » Avec le prêt obtenu par Owens, ils finissent par réunir les 5 000 dollars du premier versement, le jour même où il doit être effectué.

Jusque là, tout va bien, mais la prochaine traite doit être payée dans cinq semaines et cette fois, toutes les ressources ont été exploitées.

Les déserts de la vie sont parfois plus immenses que ce que nous attendions, mais Dieu nous y accompagne toujours.

DIEU CONDUIT TOUJOURS SON PEUPLE – 7E PARTIE

Tu te souviendras de tout le chemin que le Seigneur ton Dieu t'a fait faire pendant ces quarante années dans le désert, afin de t'humilier et de t'éprouver pour reconnaître ce qu'il y avait dans ton cœur et si tu observerais ses commandements. Deutéronome 8.2

Le 26 juillet, date du second versement pour l'achat de la propriété de Loma Linda, approche bien trop vite pour les dirigeants adventistes et le jour même, ils n'ont aucune perspective pour trouver l'argent.

Ce matin-là, ils se réunissent, perplexes. Le pasteur Burden se souvient : « Il était facile et normal de blâmer ceux qui, en dépit de tout bon sens et jugement raisonnable, avaient forcé l'acquisition. »

Certains se rappellent cependant les affirmations d'Ellen White concernant cette propriété. « Attendons le courrier du matin », suggère quelqu'un.

Le facteur passe et, ouvrant une enveloppe provenant d'Atlantic City, dans le New Jersey, ils trouvent un chèque de 5 000 dollars, le montant exact dont ils ont besoin pour effectuer le paiement.

« Il est inutile de préciser que l'attitude de ceux qui critiquaient changea immédiatement, raconte John Burden. Tous avaient les larmes aux yeux et celui qui s'était montré le plus virulent fut le premier à rompre le silence. "Je crois que le Seigneur a agi", reconnut-il d'une voix tremblante. »

Il a raison. Encore une fois, l'argent est arrivé le jour même et ils payent immédiatement la seconde traite.

Ils envisagent alors le défi suivant : 5 000 dollars à payer un mois plus tard. Encore une fois, ils essaient de trouver de l'argent, en vain. Quelques jours avant l'échéance, un homme originaire de l'Oregon, qui a entendu parler du projet, leur écrit qu'il vient de vendre une propriété et qu'il met 4 500 dollars à leur disposition. Le troisième paiement est effectué à temps.

Ils ont maintenant trois mois pour trouver les 5 000 dollars de la dernière traite, mais on leur offre une réduction de 100 dollars s'ils anticipent le versement. Cela suffit pour motiver les participants des camps-meetings, qui se montrent très généreux. Le dernier versement prévu pour décembre est effectué quelques jours seulement après celui d'août.

Seigneur, il m'est facile de critiquer les autres quand les choses ne se déroulent pas comme je l'avais prévu. Fais-moi la grâce d'être patient quand tout ne va pas comme je le voudrais, et la grâce de pardonner quand tu résous les problèmes d'une autre façon.

DIEU CONDUIT TOUJOURS SON PEUPLE — 8E PARTIE

L'Éternel marche lui-même devant toi, il sera lui-même avec toi et il ne te délaissera pas, il ne t'abandonnera pas. Sois sans crainte et ne t'épouvante pas.
Deutéronome 31.8

La moitié du prix de la propriété de Loma Linda est payé et l'Église a trois ans pour solder les 20 000 dollars restants. Mais dans l'élan, et puisque les propriétaires offrent 1 000 dollars de réduction si le paiement est effectué rapidement, les dirigeants décident d'agir vite.

L'impulsion de l'effort final est donnée par une femme qui n'est pas membre de l'Église. Elle vient au sanatorium avant même qu'il soit fini et prêt à recevoir les patients. L'équipe médicale fait de son mieux pour l'accueillir dans les meilleures conditions possibles. « Alors qu'elle se promenait dans la propriété le lendemain de son arrivée, raconte Burden, nous avons remarqué qu'elle semblait très seule, et avons tenté de la réconforter. Contemplant la beauté du site, elle nous confia : "Je serais tellement heureuse de vivre dans un tel endroit. Je suis seule. Mon mari est décédé et la solitude me pèse tellement que j'aimerais mourir." Nous avons suggéré qu'elle pourrait s'établir à Loma Linda. Elle nous a demandé combien cela coûterait. Quand nous lui avons proposé un prix, elle a répondu qu'elle possédait cette somme. Nous sommes allés au bureau et avons signé un contrat en viager. »

Le total est loin d'atteindre les 19 000 dollars nécessaires, mais cette bénédiction inattendue est encourageante. Les dirigeants trouvent bientôt un membre d'Église disposé à leur prêter 15 000 dollars sur trois ans.

Les miracles modernes arrivent encore ! En moins de six mois, l'Église a réussi à réunir les 40 000 dollars et la propriété de Loma Linda lui appartient. « Le conseil d'Ellen White s'est avéré juste, s'enthousiasme John Burden, nous avons avancé par la foi et le Seigneur nous a ouvert les portes, faisant arriver l'argent de façon inattendue. Pratiquement tout le monde était finalement convaincu que Dieu avait lui-même effectué cette acquisition. »

Comme Ellen White l'avait prédit, Loma Linda a développé une école de médecine de pointe, et ses médecins ont été source de bénédiction pour des patients du monde entier, en les soignant avec compétence et leur transmettant l'amour de Jésus.

Dieu guide encore son Église, en dépit de ses imperfections, et bien que ses membres et dirigeants soient parfois en désaccord sur la façon d'avancer. Malgré tout, Dieu nous conduit toujours.

LE DÉCÈS D'ELLEN WHITE

Je sais en qui j'ai cru et je suis persuadé qu'il a la puissance de garder mon dépôt jusqu'à ce jour-là.
2 Timothée 1.12

Nous avons fait en début d'année la connaissance de Joseph Bates, James et Ellen White, les fondateurs de l'Église adventiste du septième jour. Joseph Bates est mort en 1872 et James White en 1881, mais Ellen continue à guider l'Église jusqu'en 1915. Bien qu'elle n'ait jamais été nommée à un poste administratif officiel, elle possédait un charisme et une autorité immenses. Ses écrits et conseils avaient un sens particulier, tant pour les personnes individuellement que pour la communauté adventiste.

Le 16 juillet 1915, « la petite dame aux cheveux blancs qui parlait toujours avec tant d'amour de Jésus » (selon les paroles de ses voisins non adventistes), est décédée à l'âge de quatre-vingt-sept ans. Les derniers mots qu'elle adresse à sa famille et ses amis sont : « Je sais en qui j'ai cru. » Selon son fils Willie, elle mourut « comme une bougie qui s'éteint paisiblement ».

Si elle s'éteint tranquillement, sa longue vie a pourtant été active et accomplie. Remarquablement vive jusque dans ses vieux jours, elle se rend pour la dernière fois à l'assemblée de la Conférence générale, à Washington, en 1909. Après la session, elle retourne dans sa ville natale de Portland, dans le Maine, où son ministère prophétique a débuté soixante-cinq ans auparavant. C'est son dernier voyage dans l'Est des États-Unis. Malgré son grand âge, elle prêche soixante-douze fois, dans vingt-sept endroits différents, pendant son voyage de cinq mois.

De retour chez elle, en Californie, elle consacre ses dernières années à la rédaction de ses livres *Conquérants pacifiques* (1911), *Le ministère évangélique* (1915), *Life Sketches of Ellen G. White* [Notes biographiques d'Ellen White] (1915), la version finale de *La tragédie des siècles* (1911) et *Prophètes et rois*, publié en 1917, après sa disparition.

Le 13 février 1915, Ellen White trébuche et tombe à son domicile d'Elmshaven. La radiographie révèle une fracture du col du fémur gauche. Elle passe les cinq derniers mois de sa vie entre son lit et une chaise roulante. Le 24 juillet, elle est enterrée auprès de son mari dans le cimetière d'Oak Hill, à Battle Creek, au Michigan. Côte à côte, ils attendent la résurrection au jour du retour de Jésus, un enseignement auquel ils ont tous deux consacré leur vie.

J'espère les rencontrer, le jour où Jésus reviendra nous chercher.

1900 – 1950 : UN ESSOR MISSIONNAIRE INCOMPARABLE – 1RE PARTIE

Il pousse et devient un arbre. Luc 13.19

Les débuts de l'adventisme sont semblables à la proverbiale petite graine de moutarde, mais une fois qu'il est enraciné, sa croissance est impressionnante.

L'adventisme s'est répandu dans le monde dans les années 1880, mais au début du nouveau siècle, il est prêt pour une expansion phénoménale, guidée, supervisée et soutenue par sa structure.

L'une des raisons de son succès est certainement due au fait que pendant les trente premières années du XXe siècle, deux de ses dirigeants les plus orientés vers la mission occupent les postes principaux. Arthur G. Daniells est président de la Conférence générale de 1901 à 1922, puis secrétaire de la Conférence générale les quatre années suivantes. William A. Spicer est secrétaire entre 1903 et 1922, puis il devient président.

Le poste de président est évidemment essentiel pour orienter les stratégies, mais celui de secrétaire l'est tout autant en ce qui concerne la mission à l'étranger, puisqu'il remplace, en 1903, le Bureau de la mission à l'étranger.

Spicer et Daniells sont des dirigeants compétents, mais également des hommes motivés par la mission et consacrés à la transmission du message des trois anges « à toute nation, tribu, langue et peuple » (Apocalypse 14.6).

Il est difficile d'envisager l'étendue des changements dans la mission adventiste. En 1880 et 1890, l'Église possède 8 missions Outre-mer. En 1900, ce nombre passe à 42, en 1910 à 87, en 1920 à 153, et en 1930 à 270. Cette dynamique de développement commence à transformer l'adventisme, qui d'une Église nord-américaine devient un mouvement mondial. Les années 1890 sont essentielles pour le développement missionnaire. Jusque-là, la croissance est restée lente, mais dès 1890, elle explose. Cette propagation dans le monde entier change les limites géographiques de l'adventisme mais modifie également sa nature.

Les pionniers de l'adventisme sabbatiste auraient été stupéfaits s'ils avaient pu voir l'Église en 1930, et ce n'était que le début d'une transformation massive. Les dirigeants de 1930 ne reconnaîtraient pas l'Église d'aujourd'hui, et j'imagine que les responsables d'aujourd'hui éprouveraient le même choc face à l'Église de 2030. L'adventisme reste une Église en mouvement.

1900 – 1950 : UN ESSOR MISSIONNAIRE INCOMPARABLE – 2E PARTIE

Elle était plantée dans un bon terrain, près d'une eau abondante,
de manière à produire de la ramure et à porter du fruit,
à devenir une vigne magnifique. Ézéchiel 17.8

En 1900, l'adventisme a grandi. Ses racines se sont fortifiées, ses branches ont poussé et il commence à produire une abondante récolte de fruits dans le monde entier.

En 1890, l'adventisme compte 255 ouvriers évangélistes et 27 031 membres en Amérique du Nord, et 5 évangélistes et 2 680 membres hors des États-Unis. En 1910, les statistiques signalent 2 326 évangélistes pour 66 294 membres, et 38 232 membres servis par 2 020 ouvriers dans le reste du monde. Vingt ans plus tard, ces nombres s'élèvent à 2 509 ouvriers et 120 560 membres en Amérique du Nord, et 8 479 employés et 193 693 membres dans le reste du monde. En 1950, le nombre d'évangélistes en Amérique du Nord se maintient à 5 588 et celui des membres à 250 939. Dans le reste du monde, ces nombres passent respectivement à 12 371 et 505 773.

Ces nombres impressionnants révèlent non seulement une croissante rapide, mais surtout un déplacement de la proportion d'adventistes en dehors de l'Amérique du Nord. Au milieu des années 1920, l'Église franchit le seuil où elle compte plus de membres hors de son continent de naissance qu'à l'intérieur. Comme cela a commencé au XIXe siècle, Daniells continue à s'efforcer de développer l'adventisme dans des pays comme l'Allemagne, l'Angleterre et l'Australie, de façon à y assurer de solides bases pour l'expansion future.

Pendant les vingt premières années du XXe siècle, l'Église allemande, dirigée par L. R. Conradi, envoie des pionniers au Moyen-Orient et en Afrique de l'Est. Les missionnaires australiens portent rapidement le message dans tout le Pacifique Sud et les adventistes anglais, riches de leur forte tradition missionnaire, implantent l'adventisme dans tout l'Empire britannique, atteignant ainsi différentes parties du monde. Au fil du temps, de plus en plus de missions, dans les pays occidentaux ou en voie de développement, deviennent des fédérations autonomes qui fonctionnent comme bases pour d'autres missions.

Pas à pas, Dieu continue à guider son peuple.

1900 – 1950 : UN ESSOR MISSIONNAIRE INCOMPARABLE – 3E PARTIE

Dis aux Israélites de se remettre en marche. Exode 14.15, PDV

Les enfants d'Israël ne seraient jamais parvenus en Canaan s'ils n'avaient pas eu foi en Dieu qui les guidait et leur donna le courage d'avancer dans la mer Rouge. De même, le commandement de prêcher le message des trois anges dans le monde entier et la foi dans la mission prophétique et la force conférée par Dieu donnent aux premiers adventistes le courage et l'enthousiasme de faire l'impossible pour le Seigneur. Et ils le font !

Ou plutôt, Dieu l'accomplit par leur intermédiaire. Il faut remarquer que Dieu n'agit pas sans eux. Les pionniers consacrent leur vie au service et à la mission, mais ce sont également leurs dîmes et offrandes qui financent la mission à l'étranger. C'est un programme auquel tout membre peut participer.

Une partie de ces finances est investie dans le ministère des nouveaux médias qui contribuent à répandre le message dans le monde entier. Suivant l'exemple de Joshua Himes, H. M. S. Richards entrevoit le potentiel de la radio. En 1930, il institue *Le tabernacle des airs* qui devient ensuite *La voix de la prophétie*, l'un des premiers programmes religieux de l'émission radiophonique nationale.

Dans un monde où la télévision s'impose parmi les moyens de communication, William Fagel crée, en mai 1950, le programme *Faith for today* [La foi pour aujourd'hui], suivi par George Vandeman avec *Il est écrit*.

Les adventistes parlant plusieurs langues potentialisent ces efforts médiatiques dans le monde. Dès 1971, Adventist World Radio commence à développer des stations radio dans plusieurs régions du monde, de façon à couvrir la surface du globe par le message des trois anges. À la fin des années 1990, l'Église s'engage dans les nouvelles technologies de communication comme Internet et le développement d'un réseau de télévision par satellite, avec plusieurs milliers de bases dans différentes régions du monde.

Le premier ange vole réellement « par le milieu du ciel, ayant un Évangile éternel » à annoncer à tous les habitants de la terre (Apocalypse 14.6).

L'époque des miracles n'est pas encore révolue.

LA MATURITÉ — 1RE PARTIE

Élevons-nous vers ce qui correspond à la maturité. Hébreux 6.1, NTB

Les êtres humains grandissent et se développent, les Églises aussi. Pendant un an, nous avons étudié la naissance de l'adventisme, son enfance quand il étudiait les doctrines bibliques et se définissait en tant que peuple, et son adolescence quand il tendait ses muscles pour atteindre les extrémités de la terre.

Dans les années 1950-1960, l'adventisme atteint un niveau de maturité vers lequel il tendait durant les décennies précédentes. Un signe de cette maturité est l'internationalisation de l'Église. Cela signifie entre autres que les « missionnaires étrangers » envoyés depuis les États-Unis, l'Europe, la Grande-Bretagne, l'Australie, la Nouvelle-Zélande et l'Afrique du Sud ne contrôlent plus l'œuvre dans les nouveaux territoires missionnaires. Ils ont formé des dirigeants indigènes dans pratiquement toutes les régions du programme missionnaire mondial.

Aujourd'hui, l'administration des différents secteurs géographiques dans les Divisions de la Conférence générale est assurée par des responsables locaux. Cela signifie qu'en Asie, l'Église est dirigée par des Asiatiques, en Afrique par des Africains, et en Amérique latine par des Latino-Américains. Le président de chaque Division est aussi vice-président de la Conférence générale.

De plus, des adventistes de toutes les régions du monde qui, il y a seulement quelques décennies, dépendaient des responsables nord-américains, occupent eux-mêmes aujourd'hui des postes de responsabilité dans l'administration centrale de la Conférence générale.

Ce genre d'internationalisation est diamétralement opposé à la mentalité « missionnaire » largement répandue dans les années 50 et 60. C'est tout le concept de « missionnaire » qui a changé. Il y a quelques décennies, un missionnaire était un Européen ou un Nord-Américain qui partait dans un pays non chrétien ou non protestant, souvent peu développé. Aujourd'hui, ce terme implique que l'on travaille dans un pays autre que son pays natal. La mission est devenue à double sens, avec certains missionnaires américains en Afrique, mais aussi des Africains qui viennent servir aux États-Unis. « De partout, vers partout », c'est le nouveau modèle de mission adventiste, plus adapté que celui de « missionnaires ». L'Église grandit dans le monde entier.

Parvenus à l'âge de la maturité, nous devons prier pour ne pas oublier l'objectif vers lequel nous avançons.

LA MATURITÉ — 2E PARTIE

Celui qui a reçu la semence dans la bonne terre, c'est celui qui entend la parole et la comprend. Il porte du fruit et un grain en donne cent, un autre soixante et un autre trente. Matthieu 13.23

L'adventisme a trouvé du sol fertile dans presque toutes les régions du monde. L'époque de l'Église principalement nord-américaine est révolue. En 2007, seulement 8 % des adventistes vivaient en Amérique du Nord. Actuellement, sur ses 16 millions de membres, l'Église en compte 5 millions en Afrique, plus de 5 millions en Amérique latine, et plus de 2,5 millions en Asie de l'Est et en Inde. Au contraire, l'Amérique du Nord n'a franchi que récemment le seuil de 1 million de membres.

Le profil de l'adventisme continue à se transformer, car sa croissance est très rapide dans certaines régions du monde. On a récemment constaté une poussée en Inde, où le nombre de membres de la Division de l'Asie du Sud est passé de 290 209, en 1999, à plus d'un million fin 2005.

Le nombre des membres n'est qu'un indice de la dynamique mondiale de l'adventisme. Les rapports statistiques de la Conférence générale indiquent qu'en janvier 2006, l'Église comptait 661 unions, fédérations et missions, 121 565 églises locales, 5 362 écoles primaires, 1 462 écoles secondaires, 106 universités, 30 industries alimentaires, 167 hôpitaux et sanatoriums, 159 maisons de retraite et orphelinats, 449 cliniques et dispensaires, 10 centres de médias et 65 maisons d'édition. Toutes ces institutions emploient 203 508 salariés. Les publications adventistes sont éditées en 361 langues, et le message est transmis oralement en 885 langues.

Le rythme n'a pas ralenti, au contraire, la tendance s'accélère. À la vitesse où nous croissons actuellement, on peut s'attendre à atteindre 20 millions d'adventistes en 2013, et 40 millions entre 2025 et 2030, si notre terre existe encore à cette date.

Espérons que le temps s'arrêtera avant. En effet, Dieu n'a pas suscité l'adventisme pour qu'il devienne une grosse Église possédant beaucoup de jouets (ses institutions). Au contraire. Les adventistes sur terre n'intéressent pas Dieu : c'est au ciel qu'il les veut tous ! Il désire que nous entrions dans son royaume éternel ; c'est aussi notre objectif et la motivation de notre activité et nos sacrifices. Voici la bonne nouvelle : dans le passé, Dieu a guidé son peuple au-delà de ses espérances. Il continuera à le faire dans l'avenir, si nous n'oublions pas qui nous sommes et pourquoi nous sommes là.

LE SENS DE TOUT CELA

Lorsque demain ton fils te demandera : Que signifie cela ? Tu lui répondras : Par la puissance de sa main, l'Éternel nous a fait sortir de l'Égypte.
Exode 13.14

Que signifie cela ? C'était la question posée lors de la Pâque juive, avec son étrange repas et le rite d'aspersion du sang sur les portes. Dieu tenait à ce que le peuple d'Israël se souvienne de la façon dont il l'avait conduit dans le passé.

Nous servons le même Dieu aujourd'hui, et « nous n'avons rien à craindre de l'avenir, si ce n'est d'oublier la façon dont le Seigneur nous a conduits, et ses enseignements du passé. » — *Évènements des derniers jours*, p. 59.

Nous avons passé presque un an à méditer sur notre histoire. Nous avons vu naître l'adventisme à partir du mouvement de William Miller, nous l'avons suivi quand il luttait pour trouver son identité après 1844, quand il se préparait entre 1850 et 1870, en pleine réorientation après 1888, et avançant vers la maturité au cours du XXe siècle.

Le moins qu'on puisse dire est que l'Église d'aujourd'hui a bien changé par rapport à ses premières années. Les soixante dernières années l'ont transformée dans des proportions que les dirigeants des années 1940 n'auraient jamais imaginées, et les prochaines décennies continueront sans doute sur cette voie.

À partir d'une poignée de croyants isolés et sans aucune structure ni institution, l'adventisme est devenu une Église mondiale d'environ 16 millions de membres, avec une courbe de croissance exponentielle.

La minorité contestée des débuts est devenue dans certains pays une Église importante et même parfois majoritaire, même si dans d'autres, elle restera probablement minoritaire.

Mais pourquoi sommes-nous là ? Certainement pas pour créer une grande Église reconnue socialement et pourvue de lieux de culte confortables pour ses fidèles. Ces éléments sont positifs, mais insuffisants. La raison d'être de l'adventisme est de préparer les gens à la venue d'un monde meilleur et à prêcher les derniers messages de Dieu au monde, avant le retour de Jésus.

Pendant les jours restants de cette année, nous méditerons sur le sens de l'histoire adventiste et nous nous demanderons ce que sont devenus tous les millérites, et pourquoi l'adventisme a réussi là où d'autres ont échoué.

Le peuple de Dieu doit encore se poser la question de l'Exode : « Pourquoi ? »

QUE SONT DEVENUS TOUS LES MILLÉRITES ? — 1RE PARTIE

Prenez patience, affermissez vos cœurs car l'avènement du Seigneur est proche. Jacques 5.8

Nous avons passé près d'un an à méditer sur la façon dont Dieu a guidé le peuple adventiste. Nous l'avons vu partir de zéro pour parvenir à environ 16 millions de membres dans le monde entier. Le chemin entre la naissance et la maturité n'a été ni droit, ni facile, mais pas à pas, la vérité a été découverte et prêchée « à toute nation, tribu, langue et peuple » (Apocalypse 14.6).

Mais quel est le sens de tout cela et quelles leçons peut-on tirer de l'histoire adventiste ? Qu'enseignent ces leçons pour le futur de notre mouvement ? Voici les questions qui se posent au terme de notre voyage à travers l'histoire adventiste.

Le premier pas consiste à étudier les groupes postmillérites. Entre 1844 et 1848, nous avons vu évoluer trois courants distincts de l'adventisme. Le premier est le courant spiritualiste, qui abandonne l'interprétation littérale de l'Écriture et spiritualise même le sens des termes concrets. Ses membres affirment donc que Christ est revenu spirituellement dans leur cœur le 22 octobre 1844.

Le deuxième groupe est constitué par les adventistes d'Albany, qui s'organisent en 1845 pour se démarquer des fanatiques spiritualistes. Ils finissent par abandonner toute croyance dans le schéma prophétique de Miller.

Un troisième groupe, les sabbatistes, continuent à croire au retour littéral de Jésus (au contraire des spiritualistes), et aux principes de la compréhension prophétique de Miller (contrairement aux adventistes d'Albany). Ils se considèrent donc comme le seul véritable héritier de l'adventisme d'avant 1844.

Entre 1844 et 1866, six dénominations naissent des trois branches du millérisme. Quatre proviennent du groupe d'Albany : Les adventistes évangéliques, en 1858, les chrétiens adventistes, en 1860, l'Église de Dieu en Oregon et Illinois, dans les années 1850, et l'Union de l'avènement et de la vie, en 1863. Du mouvement sabbatiste proviennent les adventistes du septième jour (1861-1863) et l'Église de Dieu qui observe le sabbat (1866).

Les spiritualistes, avec leur extrême individualisme et leur manque d'organisation, n'ont formé aucun groupe durable. Certains d'entre eux ont gravité autour de groupes adventistes stables ou ont rejoint la culture environnante.

Qu'est-il advenu des autres et pourquoi ? Ces questions suscitent d'importantes réflexions sur le sens de l'évolution de l'adventisme dans le temps.

QUE SONT DEVENUS TOUS LES MILLÉRITES ? — 2E PARTIE

Le Christ […] apparaîtra une seconde fois sans qu'il soit question de péché, pour ceux qui l'attendent en vue de leur salut. Hébreux 9.28

Même si nous ne disposons pas de statistiques précises, il semble qu'au début des années 1860, les adventistes évangéliques et les chrétiens adventistes sont de loin les plus nombreux, les seconds prenant constamment l'avantage sur les premiers. L'une des raisons de leur succès est probablement leur position sur des doctrines uniques. La doctrine de l'état inconscient des morts et de la destruction finale des méchants caractérise leur identité, plus encore que le retour du Christ.

Les évangéliques, au contraire, ne se distinguent des autres chrétiens que par la doctrine pré-millénariste. Lorsque, dans les décennies qui suivent la guerre de Sécession, une grande partie du protestantisme conservateur adopte aussi certaines formes de prémillénarisme, ils n'ont plus de raison de s'en distinguer. Au début du XXe siècle, la branche majoritaire du postmillérisme des années 1860 se sépare et constitue une entité religieuse distincte.

En 1860, le premier recensement adventiste dénombre 54 000 membres, dont 3 000 observent le sabbat. En 1890, le recensement du gouvernement des États-Unis indique une variation numérique sensible des différentes dénominations adventistes. Les adventistes du septième jour, auparavant minoritaires, sont devenus majoritaires avec 28 991 membres aux États-Unis. Les chrétiens adventistes arrivent en seconde position avec 25 816 membres. Les quatre autres dénominations comptent entre 647 et 2 872 membres.

Un siècle plus tard, seules quatre des six dénominations adventistes existent encore. Au début du XXIe siècle, les adventistes comptent 1 million de membres aux États-Unis et plus de 15 millions dans le reste du monde, alors que les chrétiens adventistes sont 25 277 aux États-Unis et n'ont pratiquement aucun membre ailleurs. Les deux autres dénominations adventistes comptent 3 860 et 8 700 membres.

Ainsi, en 2006, les adventistes sont majoritaires dans le postmillérisme. Selon Clyde Hewitt, historien chrétien adventiste, « la plus mince des branches du millérisme est devenue la principale ».

Encore une fois, la question se pose : quel est l'élément — manquant aux autres Églises — qui a permis le succès de la mission adventiste ?

LES RAISONS DU SUCCÈS — 1RE PARTIE

La terre produit d'elle-même premièrement l'herbe, puis l'épi, enfin le blé bien formé dans l'épi. Marc 4.28

Pourquoi certaines plantes prospèrent-elles alors que d'autres se flétrissent ? Pourquoi le mouvement sabbatiste, minoritaire, a-t-il non seulement survécu mais aussi progressé ?

Il est impossible de répondre avec certitude à cette question, mais les données historiques suggèrent plusieurs éléments de réponse. Cependant, avant de les étudier il convient de se pencher sur une autre question liée à la première : la raison du succès du millérisme. Il semble que les deux mouvements aient prospéré pour des raisons similaires.

Plusieurs spécialistes non adventistes ont également cherché les raisons de cette prospérité, en particulier pour le millérisme. L'un d'eux suggère que le mouvement est né au bon moment. Les catastrophes naturelles (variations climatiques) et les crises socio-économiques (telles que la dépression de 1837) poussent les gens à chercher des solutions en temps de stress ou de tension. En bref, le message de Miller apporte l'espoir dans un monde où les efforts humains n'ont pas donné les résultats escomptés. Plus les choses vont mal, plus la doctrine milleriste semble attrayante. Cette théorie se vérifie dans l'histoire adventiste, avec la progression de l'évangélisation pendant la Première Guerre mondiale et d'autres périodes troublées du XXe siècle.

Un autre spécialiste attribue le succès du millérisme à son orthodoxie – son harmonie avec les autres dénominations de l'époque. La seule « hérésie » millérite est la doctrine du retour de Jésus avant le millénium, mais son orthodoxie sur les autres doctrines fait que les gens acceptent aussi cette doctrine.

Un troisième élément du succès millérite est qu'il se développe dans une période de réveil et de renouveau, ce qui lui donne une méthode d'évangélisation, une atmosphère d'espérance qui l'oriente, et un tempérament de foi qui permet aux gens de répondre à la réforme et d'accepter la vision du monde à venir.

Ces facteurs externes forment un terrain favorable dans lequel le millérisme et l'adventisme pourront prospérer, mais les forces internes (que nous étudierons les prochains jours) sont le facteur primordial qui permettra le succès de la mission millérite et adventiste.

J'ajoute que ce sont ces mêmes forces qui aujourd'hui, inspirent les actions et mouvements, mais aussi les personnes. Elles ont donc un sens dans notre vie, au XXIe siècle.

LES RAISONS DU SUCCÈS – 2E PARTIE

[Le royaume de Dieu] est semblable à un grain de moutarde qui, lorsqu'on le sème en terre, est la plus petite de toutes les semences de la terre, mais une fois semé, il monte [...] et pousse de grandes branches en sorte que les oiseaux du ciel peuvent habiter sous son ombre.
Marc 4.31,32

L'un des facteurs de réussite d'un mouvement est qu'il a du sens, autant à l'intérieur qu'à l'extérieur de ses frontières.

C'est un point sur lequel plusieurs groupes millénaires ont eu des difficultés. En effet, les mouvements apocalyptiques tendent à attirer deux types de personnalités. D'un côté, les rationalistes dissèquent les prophéties bibliques et tentent d'établir un diagramme précis des évènements de la fin. De l'autre, les émotionnels, attirés par l'enthousiasme de l'attente apocalyptique, dérivent souvent vers un extrémisme irrationnel et fanatique.

Un mouvement se désintègre quand les forces rationnelles ne suffisent pas pour endiguer l'émotivité et l'irrationalité. C'est dans ces circonstances que la branche spiritualiste de l'adventisme a disparu. En clair, une fois que les fanatiques et les déséquilibrés montent à la charge, le mouvement échappe à tout contrôle et perd son orientation.

L'une des forces du millérisme est le développement rationnel de sa doctrine centrale. Cet élément convainc les croyants grâce à sa logique. Il est vrai que même le millérisme a connu une certaine émotivité religieuse, mais qui est restée idéalement contenue dans les limites d'une approche rationnelle. Cet équilibre a conféré vitalité et stabilité au mouvement, et qualité à son appel.

L'adventisme partage le même équilibre, même si certains dérivent parfois au-delà du raisonnable. Le millérisme et l'adventisme ont tous deux leurs fanatiques, mais la stabilité et la réussite de ces mouvements peuvent largement être attribuées à leur capacité à faire appel à la raison des gens. Leur objectif visait à convertir à « la vérité. »

Je dois reconnaître, en tant qu'agnostique raisonnable converti à l'âge adulte à l'adventisme, que l'élément qui m'a beaucoup plu dans ce message est qu'il a du sens dans un monde hétérogène. À dix-neuf ans, j'ai été attiré par l'irréfutabilité, la logique et la pertinence des enseignements de l'Église. Ils ont du sens et forment un ensemble cohérent : celui de l'espérance en un Dieu d'amour qui mettra fin au désastre généré par le péché, d'une façon qui correspond à son caractère.

LES RAISONS DU SUCCÈS — 3E PARTIE

Croissez dans la grâce et la connaissance de notre Seigneur et Sauveur Jésus-Christ. 2 Pierre 3.18

Un autre facteur qui a contribué à la réussite de l'évangélisation des millérites et adventistes est l'élément doctrinal de leur vision de la vérité. Le millérisme possède ce qu'il considère comme une compréhension biblique importante, à proposer à ceux qui cherchent un sens : le retour du Christ avant le millénium. Il n'est donc pas une Église parmi d'autres, mais se distingue des autres groupes religieux. Il a un message à transmettre, et beaucoup y répondent.

Comme nous l'avons vu, une des raisons de la disparition de l'adventisme évangélique est la perte de sa spécificité doctrinale, une fois qu'une grande partie du protestantisme américain accepte le prémillénarisme. À partir de là, il n'a plus de raison d'être. De leur côté, les chrétiens adventistes adoptent l'immortalité conditionnelle comme point de doctrine, ce qui justifie leur existence.

Les adventistes du septième jour, au contraire, développent toute une série de croyances particulières, et croient devoir les transmettre au monde. Ils vont donc à contre-courant, et la dynamique des groupes religieux est souvent potentialisée par la différence et même l'opposition. Être différent donne aux groupes comme aux individus le sens de leur identité.

Clyde Hewitt, cherchant à expliquer la croissance de l'adventisme face au déclin des chrétiens adventistes (sa propre Église), écrit : « Les croyances et pratiques distinctives de l'Église [adventiste], bien que suscitant la suspicion de nombreux autres chrétiens traditionnels, semble avoir donné à ses membres fidèles une détermination individuelle et collective qui explique en grande partie leur succès. » Toutefois, l'adventisme (comme le millérisme) est bien considéré par les autres chrétiens, car il est suffisamment proche de leur orthodoxie sur la plupart des doctrines centrales.

On peut être différent sans être bizarre ; cela est vrai tant que les principales différences se fondent sur des principes solides, bibliques ou autres. L'une des grandes forces de l'adventisme est le mode de vie qu'il prône et son attachement aux doctrines, qui le distinguent en tant que mouvement spécifique. Il défend quelque chose de biblique, quelque chose de vrai, quelque chose pour lequel il vaut la peine de vivre. C'est un aspect positif du message adventiste pour les personnes qui cherchent une réponse aux problèmes les plus déconcertants de la vie.

LES RAISONS DU SUCCÈS — 4E PARTIE

Discerne parmi tout le peuple des hommes de valeur, craignant Dieu, des hommes attachés à la vérité et qui haïssent le gain malhonnête. Établis-les sur eux comme chefs de mille, chefs de cent, chefs de cinquante et chefs de dix. Exode 18.21

Les enfants d'Israël ne sont pas parvenus en Canaan sans organisation, et d'ailleurs aucune entreprise importante ne réussit sans organisation. Le troisième élément qui favorise le succès évangélique de l'adventisme est sa structure organisationnelle solide, qui soutient la mission et affronte les défis liés à son message.

C'est le défaut d'organisation qui cause le déclin des spiritualistes et stoppe la croissance des deux mouvements Église de Dieu. Ce manque les empêche de concentrer leurs efforts pour la mission et de maintenir l'unité. Il en résulte un schisme douloureux.

C'est aussi sur la question de l'organisation solide que les adventistes du septième jour et les chrétiens adventistes se séparent. L'Église adventiste du septième jour est la seule dénomination adventiste qui place une autorité à chaque niveau ecclésial au-dessus de la communauté locale. Clyde Hewitt déplore la situation des chrétiens adventistes et indique que « le manque d'organisation centrale forte » est l'une des raisons pour lesquelles « le repli sur soi a compromis l'expansion » de leur groupe. Par conséquent, précise Hewitt, ils ont été incapables de se fédérer pour agir dans l'unité. S'ils avaient institué leur propre organisation, suggère-t-il en 1990, « ils auraient prospéré au lieu de s'éteindre ».

Au contraire, les études de la structure adventiste démontrent que l'organisation a été clairement instituée dans l'objectif de la mission, en 1861-1863 comme en 1901-1903.

Le mandat de l'Église de la fin des temps de porter le message des trois anges d'Apocalypse 14.6-12 à « toute nation, tribu, langue et peuple » requiert une organisation assez solide pour soutenir et structurer la mission.

La mission adventiste ne concerne pas seulement les Églises locales mais le monde entier. Nous pouvons remercier Dieu de nous avoir donné une structure assez forte pour la tâche qu'il nous a confié. Nous ne l'apprécions peut-être pas toujours à sa juste valeur, mais les principes bibliques et l'histoire de l'adventisme démontrent qu'elle n'est pas née par hasard.

LES RAISONS DU SUCCÈS — 5E PARTIE

Je vis un autre ange qui volait au milieu du ciel.
Il avait un Évangile éternel pour l'annoncer aux habitants de la terre,
à toute nation, tribu, langue et peuple. Apocalypse 14.6

Le dernier et certainement le plus décisif des facteurs de croissance rapide du millérisme est le sens de la mission prophétique et de l'urgence générée par cette compréhension.

Le millérisme est un mouvement motivé par la mission. William Miller, Joshua Himes et leurs collègues millérites se sentent investis de la responsabilité personnelle d'avertir le monde de sa fin proche. C'est ce qui les pousse à consacrer toute leur vie à annoncer le jugement imminent du monde. Himes l'écrit dans le premier numéro de *Midnight Cry* [Le cri de minuit] : « L'ampleur de notre œuvre est inexprimable. C'est une mission et une entreprise qu'on ne peut comparer à aucune autre initiative ayant requis l'énergie humaine. [...] C'est un cri d'alarme poussé par tous ceux qui proviennent des Églises protestantes, comme des sentinelles du monde moral, et croient que le TEMPS DE CRISE DU MONDE est arrivé. Sous l'influence de cette foi, ils s'unissent pour proclamer au monde : "Voici l'Époux, sortez à sa rencontre !" »

Il faut souligner que ce profond sens de l'urgence repose sur l'interprétation des prophéties de Daniel et de l'Apocalypse. Les millérites croient de tout leur cœur qu'ils possèdent un message que le monde doit entendre. Grâce à cette certitude et à la totale consécration qui l'accompagne, les millérites mettent toute leur énergie dans la mission.

Cette même vision, fondée sur les mêmes prophéties, constitue le ressort principal de la mission adventiste. Depuis les débuts, les adventistes sabbatistes ne se sont jamais considérés comme simplement une religion de plus. Au contraire, ils considéraient leur mouvement et leur message comme un accomplissement de la prophétie. Ils étaient un peuple prophétique, dépositaire du message de Dieu pour les derniers jours, qu'ils devaient annoncer à toute la terre (Apocalypse 14.14-20).

C'est la perte de cette compréhension qui prive aujourd'hui l'adventisme d'une véritable raison d'être et de signification. La déformation et la perte de cette vision ralentissent la croissance de l'Église, et risquent de transformer le mouvement adventiste dynamique en monument du mouvement, et finalement en musée du monument du mouvement.

LES VIEILLES PIERRES PARLENT TOUJOURS...

Ces douze pierres qu'ils avaient prises du Jourdain, Josué les dressa à Guilgal. Il dit aux Israélites : Lorsque, demain, vos fils demanderont à leurs pères : Que sont ces pierres ? vous en instruirez vos fils et vous direz : Israël a traversé ce Jourdain à sec. Josué 4.20-22

C'est avec ce texte que notre voyage à travers l'histoire adventiste a débuté. Ce n'est pas par hasard qu'il se termine aussi avec lui. La vérité de Dieu n'a pas changé au cours du temps. La Bible est un livre historique. Il retrace l'histoire du salut, depuis la création jusqu'au retour du Christ.

La Bible est donc le livre du souvenir de la façon miraculeuse dont Dieu a guidé son peuple, mais il continue à le conduire encore aujourd'hui et ne cessera pas, tant que la victoire finale ne sera pas acquise.

C'est quand les Églises perdent de vue la réalité et la signification de la façon dont Dieu les a guidées tout au long de leur histoire qu'elles sont en péril. Ce danger guettait le peuple dans l'histoire biblique comme il nous guette aujourd'hui.

Ce n'est pas par hasard que, devenue âgée, Ellen White ait mis en garde ses lecteurs à ce sujet : « En nous remémorant notre histoire, ayant parcouru toutes les étapes de notre progression vers notre état actuel, je puis dire : "Loué soit le Seigneur !" Lorsque je constate tout ce que le Seigneur a accompli, je suis remplie d'étonnement et de confiance dans le Christ, notre chef. Nous n'avons rien à craindre de l'avenir, si ce n'est d'oublier la façon dont le Seigneur nous a conduits, et ses enseignements du passé. » — *Événements des derniers jours*, p. 59.

N'oublions pas le passé ! En tant qu'adventistes, nous n'avons rien à craindre de l'avenir, si ce n'est d'oublier la façon dont le Seigneur nous a conduits dans le passé.

Le chemin parcouru dans le passé nous indique la voie du futur. Quand les chrétiens oublient comment Dieu les a guidés dans le passé, ils perdent aussi le sens de leur identité au présent, et cette perte d'identité cause la perte de la mission et de l'objectif. En effet, si nous ne savons pas qui nous sommes par rapport au plan de Dieu, qu'avons-nous à dire au monde ?

Nous avons constaté, en 364 jours, que l'histoire chrétienne est jalonnée de groupes éteints, qui ont tous oublié leur passé prophétique.

Oublier est la plus grande tentation pour les adventistes du septième jour. Mais nous n'avons rien à craindre de l'avenir, si ce n'est d'oublier. *N'oublions pas le passé !*

Formulaire d'abonnement 2015

Nom			
Ville			
Église		District	
Pasteur		Champ local	

Signature : ______________________ **Date :** ____________

Vous trouverez ci-dessous la liste de tout le matériel disponible pour l'étude quotidienne de votre famille. Veuillez bien choisir les tranches d'âges et indiquer les quantités que vous désirez pour l'année 2015, puis remettez ce formulaire au directeur des Publications, ou au responsable des abonnements **avant la fin du mois de juillet.**

Âge	Matériel	Quantité
0 à 2 ans	**Premiers pas avec Jésus* - Guide d´étude de l'élève	
	**Premiers pas avec Jésus* - Manuel de l'animateur	
3 à 5 ans	**Je découvre la Bible* - Guide d´étude de l'élève	
	**Je découvre la Bible* - Manuel de l'animateur	
6 à 9 ans	**En route avec la Bible* - Guide d´étude de l'élève	
	**En route avec la Bible* - Manuel de l'animateur	
10 à 12 ans	**Mise au point* - Guide d´étude de l'élève	
	**Mise au point* - Manuel de l'animateur	
13 à 14 ans	**SMS- Suivre mon Sauveur* - Guide d´étude de l'élève	
	**SMS- Suivre mon Sauveur* - Manuel de l'animateur	
15 à 18 ans	**Connecte-toi* - Guide d´étude de l'élève	
	**Connecte-toi* - Manuel de l'animateur	
18+	**Jeunes adultes*	
18+	**Guide d'étude de la Bible pour adultes*	
	**Guide d'étude de la Bible* - Le moniteur	
	**Méditations quotidiennes pour adultes	
	**Méditations quotidiennes au féminin	
	**Méditations quotidiennes pour les jeunes	
	****Priorités*	

IMPORTANT : *Un questionnaire par trimestre, c'est-à-dire, quatre questionnaires par an.
**Un livre par an, expédié au début de l'année.
***Douze numéros par an.

Plan de lecture de la Bible en un an
Ordre chronologique

JANVIER

- ❑ 1. Gn 1, 2
- ❑ 2. Gn 3-5
- ❑ 3. Gn 6-9
- ❑ 4. Gn 10, 11
- ❑ 5. Gn 12-15
- ❑ 6. Gn 16-19
- ❑ 7. Gn 20-22
- ❑ 8. Gn 23-26
- ❑ 9. Gn 27-29
- ❑ 10. Gn 30-32
- ❑ 11. Gn 33-36
- ❑ 12. Gn 37-39
- ❑ 13. Gn 40-42
- ❑ 14. Gn 43-46
- ❑ 15. Gn 47-50
- ❑ 16. Jb 1-4
- ❑ 17. Jb 5-7
- ❑ 18. Jb 8-10
- ❑ 19. Jb 11-13
- ❑ 20. Jb 14-17
- ❑ 21. Jb 18-20
- ❑ 22. Jb 21-24
- ❑ 23. Jb 25-27
- ❑ 24. Jb 28-31
- ❑ 25. Jb 32-34
- ❑ 26. Jb 35-37
- ❑ 27. Jb 38-42
- ❑ 28. Ex 1-4
- ❑ 29. Ex 5-7
- ❑ 30. Ex 8-10
- ❑ 31. Ex 11-13

FÉVRIER

- ❑ 1. Ex 14-17
- ❑ 2. Ex 18-20
- ❑ 3. Ex 21-24
- ❑ 4. Ex 25-27
- ❑ 5. Ex 28-31
- ❑ 6. Ex 32-34
- ❑ 7. Ex 35-37
- ❑ 8. Ex 38-40
- ❑ 9. Lv 1-4
- ❑ 10. Lv 5-7
- ❑ 11. Lv 8-10
- ❑ 12. Lv 11-13
- ❑ 13. Lv 14-16
- ❑ 14. Lv 17-19
- ❑ 15. Lv 20-23
- ❑ 16. Lv 24-27
- ❑ 17. Nb 1-3
- ❑ 18. Nb 4-6
- ❑ 19. Nb 7-10
- ❑ 20. Nb 11-14
- ❑ 21. Nb 15-17
- ❑ 22. Nb 18-20
- ❑ 23. Nb 21-24
- ❑ 24. Nb 25-27
- ❑ 25. Nb 28-30
- ❑ 26. Nb 31-33
- ❑ 27. Nb 34-36
- ❑ 28. Dt 1-5

MARS

- ❑ 1. Dt 6, 7
- ❑ 2. Dt 8, 9
- ❑ 3. Dt 10-12
- ❑ 4. Dt 13-16
- ❑ 5. Dt 17-19
- ❑ 6. Dt 20-22
- ❑ 7. Dt 23-25
- ❑ 8. Dt 26-28
- ❑ 9. Dt 29-31
- ❑ 10. Dt 32-34
- ❑ 11. Jos 1-3
- ❑ 12. Jos 4-6
- ❑ 13. Jos 7-9
- ❑ 14. Jos 10-12
- ❑ 15. Jos 13-15
- ❑ 16. Jos 16-18
- ❑ 17. Jos 19-21
- ❑ 18. Jos 22-24
- ❑ 19. Jg 1-4
- ❑ 20. Jg 5-8
- ❑ 21. Jg 9-12
- ❑ 22. Jg 13-15
- ❑ 23. Jg 16-18
- ❑ 24. Jg 19-21
- ❑ 25. Rt 1-4
- ❑ 26. 1 S 1-3
- ❑ 27. 1 S 4-7
- ❑ 28. 1 S 8-10
- ❑ 29. 1 S 11-13
- ❑ 30. 1 S 14-16
- ❑ 31. 1 S 17-20

AVRIL

- ❑ 1. 1 S 21-24
- ❑ 2. 1 S 25-28
- ❑ 3. 1 S 29-31
- ❑ 4. 2 S 1-4
- ❑ 5. 2 S 5-8
- ❑ 6. 2 S 9-12
- ❑ 7. 2 S 13-15
- ❑ 8. 2 S 16-18
- ❑ 9. 2 S 19-21
- ❑ 10. 2 S 22-24
- ❑ 11. Ps 1-3
- ❑ 12. Ps 4-6
- ❑ 13. Ps 7-9
- ❑ 14. Ps 10-12
- ❑ 15. Ps 13-15
- ❑ 16. Ps 16-18
- ❑ 17. Ps 19-21
- ❑ 18. Ps 22-24
- ❑ 19. Ps 25-27
- ❑ 20. Ps 28-30
- ❑ 21. Ps 31-33
- ❑ 22. Ps 34-36
- ❑ 23. Ps 37-39
- ❑ 24. Ps 40-42
- ❑ 25. Ps 43-45
- ❑ 26. Ps 46-48
- ❑ 27. Ps 49-51
- ❑ 28. Ps 52-54
- ❑ 29. Ps 55-57
- ❑ 30. Ps 58-60

MAI

- ❏ 1. Ps 61-63
- ❏ 2. Ps 64-66
- ❏ 3. Ps 67-69
- ❏ 4. Ps 70-72
- ❏ 5. Ps 73-75
- ❏ 6. Ps 76-78
- ❏ 7. Ps 79-81
- ❏ 8. Ps 82-84
- ❏ 9. Ps 85-87
- ❏ 10. Ps 88-90
- ❏ 11. Ps 91-93
- ❏ 12. Ps 94-96
- ❏ 13. Ps 97-99
- ❏ 14. Ps 100-102
- ❏ 15. Ps 103-105
- ❏ 16. Ps 106-108
- ❏ 17. Ps 109-111
- ❏ 18. Ps 112-114
- ❏ 19. Ps 115-118
- ❏ 20. Ps 119
- ❏ 21. Ps 120-123
- ❏ 22. Ps 124-126
- ❏ 23. Ps 127-129
- ❏ 24. Ps 130-132
- ❏ 25. Ps 133-135
- ❏ 26. Ps 136-138
- ❏ 27. Ps 139-141
- ❏ 28. Ps 142-144
- ❏ 29. Ps 145-147
- ❏ 30. Ps 148-150
- ❏ 31. 1 R 1-4

JUIN

- ❏ 1. Pr 1-3
- ❏ 2. Pr 4-7
- ❏ 3. Pr 8-11
- ❏ 4. Pr 12-14
- ❏ 5. Pr 15-18
- ❏ 6. Pr 19-21
- ❏ 7. Pr 22-24
- ❏ 8. Pr 25-28
- ❏ 9. Pr 29-31
- ❏ 10. Ec 1-3
- ❏ 11. Ec 4-6
- ❏ 12. Ec 7-9
- ❏ 13. Ec 10-12
- ❏ 14. Ct 1-4
- ❏ 15. Ct 5-8
- ❏ 16. 1 R 5-7
- ❏ 17. 1 R 8-10
- ❏ 18. 1 R 11-13
- ❏ 19. 1 R 14-16
- ❏ 20. 1 R 17-19
- ❏ 21. 1 R 20-22
- ❏ 22. 2 R 1-3
- ❏ 23. 2 R 4-6
- ❏ 24. 2 R 7-10
- ❏ 25. 2 R 11-14.20
- ❏ 26. Jl 1-3
- ❏ 27. 2 R 14.21-25
Jon 1-4
- ❏ 28. 2 R 14.26-29
Am 1-3
- ❏ 29. Am 4-6
- ❏ 30. Am 7-9

JUILLET

- ❑ 1. 2 R 15-17
- ❑ 2. Os 1-4
- ❑ 3. Os 5-7
- ❑ 4. Os 8-10
- ❑ 5. Os 11-14
- ❑ 6. 2 R 18, 19
- ❑ 7. Es 1-3
- ❑ 8. Es 4-6
- ❑ 9. Es 7-9
- ❑ 10. Es 10-12
- ❑ 11. Es 13-15
- ❑ 12. Es 16-18
- ❑ 13. Es 19-21
- ❑ 14. Es 22-24
- ❑ 15. Es 25-27
- ❑ 16. Es 28-30
- ❑ 17. Es 31-33
- ❑ 18. Es 34-36
- ❑ 19. Es 37-39
- ❑ 20. Es 40-42
- ❑ 21. Es 43-45
- ❑ 22. Es 46-48
- ❑ 23. Es 49-51
- ❑ 24. Es 52-54
- ❑ 25. Es 55-57
- ❑ 26. Es 58-60
- ❑ 27. Es 61-63
- ❑ 28. Es 64-66
- ❑ 29. Mi 1-4
- ❑ 30. Mi 5-7
- ❑ 31. Na 1-3

AOÛT

- ❑ 1. 2 R 20, 21
- ❑ 2. So 1-3
- ❑ 3. Ha 1-3
- ❑ 4. 2 R 22-25
- ❑ 5. Ab et Jr 1, 2
- ❑ 6. Jr 3-5
- ❑ 7. Jr 6-8
- ❑ 8. Jr 9-12
- ❑ 9. Jr 13-16
- ❑ 10. Jr 17-20
- ❑ 11. Jr 21-23
- ❑ 12. Jr 24-26
- ❑ 13. Jr 27-29
- ❑ 14. Jr 30-32
- ❑ 15. Jr 33-36
- ❑ 16. Jr 37-39
- ❑ 17. Jr 40-42
- ❑ 18. Jr 43-46
- ❑ 19. Jr 47-49
- ❑ 20. Jr 50-52
- ❑ 21. Lm
- ❑ 22. 1 Ch 1-3
- ❑ 23. 1 Ch 4-6
- ❑ 24. 1 Ch 7-9
- ❑ 25. 1 Ch 10-13
- ❑ 26. 1 Ch 14-16
- ❑ 27. 1 Ch 17-19
- ❑ 28. 1 Ch 20-23
- ❑ 29. 1 Ch 24-26
- ❑ 30. 1 Ch 27-29
- ❑ 31. 2 Ch 1-3

SEPTEMBRE

- ☐ 1. 2 Ch 4-6
- ☐ 2. 2 Ch 7-9
- ☐ 3. 2 Ch 10-13
- ☐ 4. 2 Ch 14-16
- ☐ 5. 2 Ch 17-19
- ☐ 6. 2 Ch 20-22
- ☐ 7. 2 Ch 23-25
- ☐ 8. 2 Ch 26-29
- ☐ 9. 2 Ch 30-32
- ☐ 10. 2 Ch 33-36
- ☐ 11. Ez 1-3
- ☐ 12. Ez 4-7
- ☐ 13. Ez 8-11
- ☐ 14. Ez 12-14
- ☐ 15. Ez 15-18
- ☐ 16. Ez 19-21
- ☐ 17. Ez 22-24
- ☐ 18. Ez 25-27
- ☐ 19. Ez 28-30
- ☐ 20. Ez 31-33
- ☐ 21. Ez 34-36
- ☐ 22. Ez 37-39
- ☐ 23. Ez 40-42
- ☐ 24. Ez 43-45
- ☐ 25. Ez 46-48
- ☐ 26. Dn 1-3
- ☐ 27. Dn 4-6
- ☐ 28. Dn 7-9
- ☐ 29. Dn 10-12
- ☐ 30. Est 1-3

OCTOBRE

- ☐ 1. Est 4-7
- ☐ 2. Est 8-10
- ☐ 3. Esd 1-4
- ☐ 4. Ag 1, 2
Za 1, 2
- ☐ 5. Za 3-6
- ☐ 6. Za 7-10
- ☐ 7. Za 11-14
- ☐ 8. Esd 5-7
- ☐ 9. Esd 8-10
- ☐ 10. Ne 1-3
- ☐ 11. Ne 4-6
- ☐ 12. Ne 7-9
- ☐ 13. Ne 10-13
- ☐ 14. Ml 1-4
- ☐ 15. Mt 1-4
- ☐ 16. Mt 5-7
- ☐ 17. Mt 8-11
- ☐ 18. Mt 12-15
- ☐ 19. Mt 16-19
- ☐ 20. Mt 20-22
- ☐ 21. Mt 23-25
- ☐ 22. Mt 26-28
- ☐ 23. Mc 1-3
- ☐ 24. Mc 4-6
- ☐ 25. Mc 7-10
- ☐ 26. Mc 11-13
- ☐ 27. Mc 14-16
- ☐ 28. Lc 1-3
- ☐ 29. Lc 4-6
- ☐ 30. Lc 7-9
- ☐ 31. Lc 10-13

NOVEMBRE

- ❑ 1. Lc 14-17
- ❑ 2. Lc 18-21
- ❑ 3. Lc 22-24
- ❑ 4. Jn 1-3
- ❑ 5. Jn 4-6
- ❑ 6. Jn 7-10
- ❑ 7. Jn 11-13
- ❑ 8. Jn 14-17
- ❑ 9. Jn 18-21
- ❑ 10. Ac 1, 2
- ❑ 11. Ac 3-5
- ❑ 12. Ac 6-9
- ❑ 13. Ac 10-12
- ❑ 14. Ac 13, 14
- ❑ 15. Je 1, 2
- ❑ 16. Je 3-5
- ❑ 17. Ga 1-3
- ❑ 18. Ga 4-6
- ❑ 19. Ac 15-18.11
- ❑ 20. 1 Th 1-5
- ❑ 21. 2 Th 1-3
Ac 18.12-19.20
- ❑ 22. 1 Co 1-4
- ❑ 23. 1 Co 5-8
- ❑ 24. 1 Co 9-12
- ❑ 25. 1 Co 13-16
- ❑ 26. Ac 19.21-20.1
2 Co 1-3
- ❑ 27. 2 Co 4-6
- ❑ 28. 2 Co 7-9
- ❑ 29. 2 Co 10-13
- ❑ 30. Ac 20.2
Rm 1-4

DÉCEMBRE

- ❑ 1. Rm 5-8
- ❑ 2. Rm 9-11
- ❑ 3. Rm 12-16
- ❑ 4. Ac 20.3-22.30
- ❑ 5. Ac 23-25
- ❑ 6. Ac 26-28
- ❑ 7. Ep 1-3
- ❑ 8. Ep 4-6
- ❑ 9. Ph 1-4
- ❑ 10. Col 1-4
- ❑ 11. He 1-4
- ❑ 12. He 5-7
- ❑ 13. He 8-10
- ❑ 14. He 11-13
- ❑ 15. Phm
1 P 1, 2
- ❑ 16. 1 P 3-5
- ❑ 17. 2 P 1-3
- ❑ 18. 1 Tim 1-3
- ❑ 19. 1 Tim 4-6
- ❑ 20. Tt 1-3
- ❑ 21. 2 Tim 1-4
- ❑ 22. 1 Jn 1, 2
- ❑ 23. 1 Jn 3-5
- ❑ 24. 2 Jn
3 Jn et Jd
- ❑ 25. Ap 1-3
- ❑ 26. Ap 4-6
- ❑ 27. Ap 7-9
- ❑ 28. Ap 10-12
- ❑ 29. Ap 13-15
- ❑ 30. Ap 16-18
- ❑ 31. Ap 19-22